COLLECTION
DROIT CIVIL
dirigée par Christian Larroumet

SÉRIE : Etudes et Recherches

François BOULANGER

DROIT CIVIL DE LA FAMILLE

2e édition

tome I

ASPECTS INTERNES ET INTERNATIONAUX

ECONOMICA
49, rue Héricart, 75015 Paris

TABLEAU DES PRINCIPALES ABREVIATIONS

A.J.C.L.	American Journal of Comparative Law (Etats-Unis)
Annual Survey	Annual Survey of American Law (New-York University School of Law - Etats-Unis)
B.G.B.	Bürgerliches Gesetzbuch (Code Civil allemand)
B.G.H.	Bundesgerichtshof (Cour Suprême Allemagne Fédérale)
Bullet. Cass. Civ.	Bulletin des arrêts de la Cour de Cassation, Chambre Civile (France)
Clunet	Journal de droit international (Clunet, France)
D.	Recueil Dalloz (Hebdomadaire, Critique - France)
E.G.B.G.B.	Loi d'Introduction au Code Civil allemand
Fam. RZ.	Zeitschrift für das gesamte Familienrecht (Allemagne Fédérale)
F.L.Q.	Family Law Quarterly (Etats-Unis)
G.P.	Gazette du Palais (France)
I.C.L.Q.	International and Comparative Law Quarterly Review (Grande-Bretagne)
I Pr Praxis	Praxis des Internationalen und Verfahrensrecht (Allemagne Fédérale)
J.C.P.	Semaine Juridique (France)
M.L.R.	Modern Law Review (Grande-Bretagne)
N.C.P.C.	Nouveau Code de Procédure Civile (France)
O.L.G.	Oberlandesgericht - Cour d'appel Allemagne Fédérale
Rabels Z.	Zeitschrift für ausländisches und internationales Privatrecht (RabelsZeitschrift Allemagne Fédérale)
R.D.I.C.	Revue de droit international et comparé (Belgique)
Rev. Crit.	Revue critique du droit international privé (France)
R.I.D.C.	Revue Internationale de droit comparé (France)
R.J.P.T.C.	Revue juridique et politique, indépendance et coopération (France-Afrique)
R.T.D.C.	Revue trimestrielle de droit civil (France)
R.T.D.F.	Revue trimestrielle de droit familial (Belgique)
Zf. RV.	Zeitschrift für Rechtsvergleichung (Autriche)

AVANT-PROPOS

"La satisfaction donnée aux passions au mépris de la raison, la liberté laissée à chacun de faire son bonheur, sans souci de la règle morale traditionnelle inspirent tous les esprits et s'imposent au législateur".

G. Ripert: *Le régime démocratique et le droit civil moderne*, 1948

"Les changements ne se limitent pas aux merveilles nées de la science. Comme Alice à travers son miroir magique, nous pouvons encore voir le vieux monde rassurant, de l'autre côté, dans l'autre pièce, où la réalité correspond aux apparences, où les chaises sont de vraies chaises et les tables de vraies tables. Pourtant l'ère de l'ordre et de la stabilité appartient désormais au passé".

B. Schwarz:
Le droit aux Etats-Unis, une création permanente, 1974
(trad. française 1979).

A. L'intitulé donné à cet ouvrage appelle quelques explications, sinon quelques justifications. Jusque dans la première moitié de ce XXe siècle, il était classique d'opposer une branche du droit privé comme celle des obligations au droit de la famille. Dans le premier cas — plus spécialement pour les contrats — Raymond Saleilles avait pu vanter, l'"algèbre du droit", une origine et un fonds commun de raisonnement qui transcendaient les frontières. Le droit de la famille, par contraste paraissait relever des particularismes nationaux. L'influence originaire du droit romain et du droit canonique s'était estompée devant la diversité des conditions morales, politiques et économiques des divers Etats européens. Les perspectives de rapprochement des divergences nationales semblaient lointaines. A l'image de la "Common Law" anglaise, les droits, issus du mouvement général de codification du XIXe siècle n'évoluaient qu'avec une sage lenteur. Même l'expansion générale de l'Europe dans le monde avait respecté la spécificité du droit familial traditionnel des peuples d'Afrique et d'Asie.

En même temps, longtemps freiné par une application très large des principes du droit canon, le droit international de la famille n'avait pu bénéficier jusqu'aux codifications européennes de solutions très fermes. Il devait éclore — de l'article 3 du code Civil aux thèses de Mancini — sous le signe du particularisme et du nationalisme. Les tentatives des premières conférences de La Haye pour unifier les solutions sous la bannière de la loi nationale échouaient. Le critère de la nationalité — à la fois notion de droit public interne et élément de "rattachement" s'avérait fragile. D'où le repli d'un Bartin ou d'un Niboyet vers des principes propres au droit français dans la logique de règles internes peu perméables à des influences extérieures.

Des temps nouveaux devaient pourtant s'annoncer. D'abord ceux dûs aux transformations économiques et politiques. Un droit de la famille de sociétés restées rurales et conservatrices n'était plus en harmonie avec un monde d'urbanisation et d'industrialisation accélérées. Deux guerres mondiales et l'avènement d'un nouveau milieu se réclamant du marxisme accentuaient le vieillissement des divers droits de la famille. Surtout les "sources créatrices" au sens où l'entendait Gény se transformaient. Les influences religieuses et les interdits moraux devenaient d'un poids moindre devant les progrès de sciences "neuves" appliquées à la famille: psychologie, sociologie, surtout médecine et biologie. La science a pu maîtriser la conception et la reproduction d'une manière encore inconcevable il y a vingt ans. Que pèsent l'honneur et le repos des familles en face de techniques, comme l'insémination artificielle ou la fécondation "in vitro" ? Selon un ouvrage au titre volontairement provocant, la médecine est désormais capable de "produire l'homme"[1]. En même temps on a insisté, partout sur la place croissante de disciplines comme la psychologie et la psychiatrie destinées à créer un droit de la famille "pacificateur", voir "hédoniste". Un peu partout les excès du totalitarisme du début de ce siècle ont amené à réclamer un libéralisme accru, la traduction dans les droits de la famille des idées de liberté et d'égalité. Les principes constitutionnels et internationaux visent à réactualiser la formule fameuse de Saint-Just pour laquelle "le bonheur était une idée neuve en Europe"[2]. Les vingt dernières années ont vu partout se renouveler les droits de la famille et les codifications prendre en compte leur portée internationale. Partout où les secousses politiques ont amené la destruction de régimes anciens, depuis ceux des Etats balkaniques ou de l'Europe centrale après 1945, jusqu'au cas plus récent de pays comme le Portugal, l'Espagne ou la Grèce, le droit de la famille a fait l'objet de réformes. Les transformations politiques récentes dans les pays de l'Est européen iront dans le même sens.

B. Il nous a paru dès lors tentant, malgré le nombre et la qualité des ouvrages de droit interne consacrés à la famille, de tenter l'expérience de mener de front à la fois une étude de droit privé classique et de droit international privé. On ne peut, en effet, ignorer l'importance du contentieux suscité par les déplacements internationaux: longtemps terres d'émigration, la plupart des pays européens — dans une moindre mesure, semble-t-il les Etats-Unis — sont confrontés à l'application de systèmes juridiques parfois fort éloignés de leurs principes. La "mondialisation" du droit international est devenue une réalité

1. Cf. J.L. Baudouin et C. Labrusse-Riou: "Prodoire l'homme: de quel droit ?", *Etude juridique et éthique des procréations artifcielles*, Paris, 1987.
2. E. du Pontavice, "Droit de la famille et droit au bonheur", *Mélanges Voirin*, 1967, pp. 679 et ss.

avec une immigration massive[1]. Selon les statistiques de l'I.N.S.E.E., sur 265.000 mariages célébrés en France en 1987, 21.400, soit 8 % offraient un caractère international ("mixte" ou entre étrangers). De plus, 94.000 naissances (sur globalement 700.000 en France, soit 12,3 %) étaient dues à la nationalité étrangère des deux parents (73.400) ou d'un seul (20.835). Cette présence est générale dans la plupart des pays d'Europe. Elle leur a imposé — avec leur propre déclin démographique et le renouvellement des concepts venus surtout des Etats-Unis — une rénovation des textes de droit international et la nécessité non sans mal de régler des cas complexes. La grande presse s'est fait l'écho de pareilles situations — comme celles d'enfants de couples mixtes après divorce. Certaines institutions — telle l'adoption — connaissent de telles limites en droit français, qu'elles ne peuvent garder quelque importance pratique que dans un contexte international[2].

On ne peut pourtant pas minimiser les difficultés de la comparaison. Ce n'est pas pour demain que sera réalisée l'unification mondiale du droit de la famille. Trop de données sociologiques, économico-géographiques, voire morales ou religieuses s'opposent à la réception dans les pays dits du "tiers monde" des modèles occidentaux. La modernisation ou la codification doivent être entreprises avec prudence, sous peine de voir le droit souffrir de l'ineffectivité de la règle.

En Europe c'est une double crise qu'il traverse: celle de ses sources — au sens des procédés d'élaboration — de son contenu et de son orientation. Les contenus des Codes nationaux risquent désormais d'être dépassés ou abrogés au nom des principes "supra-nationaux", généraux et abstraits, et de déclarations de droits constitutionnels. L'exemple en est venu des Etats-Unis : la Cour Suprême est intervenue activement pour censurer des législations de membres de la fédération américaine au nom des principes de liberté et d'égalité de la Constitution américaine[3]. Après la seconde guerre mondiale, la naissance de Cours constitutionnelles dans des Etats comme l'Allemagne

1. D'après les chiffres donnés par Mme Simon-Depitre, selon statistiques statistiques du Ministère de l'Intérieur et de l'INSEE (L'obligation alimentaire en droit international privé, 1983), il y aurait eu en France 3 442 000 étrangers en 1968, 4.128.000 en 1974 (avec comme nationalités dominantes, 871 000 Algériens, 840 000 Portugais, 582 000 Espagnols, 564 000 Italiens, 302.000 Marocains, 162.000 'Tunisiens, 102.000 Polonais, 85 800 Yougoslaves, 67.900 Turcs et Arméniens).
Selon les chiffres fournis par l'INSEE (Journal *Le Monde*, 7 novembre 1987) sur les 21 400 mariages célébrés dans l'année, 1 649 l'auraient été entre des ressortissants d'Etats d'Afrique du Nord et des Français malgré l'interdiction islamique pour une musulmane d'épouser un non musulman. Le pourcentage d'immigration (8 à 11 %) serait à peu près comparable dans les autres Etats européens, (plus fort en Belgique, 800 à 900 000 immigrés et en Allemagne). On compterait en 1989 3 250 000 immigrés hors C.E.E. en Allemagne, 2 102 000 en France et 971 000 en Grande-Bretagne non européens.
2. Cf. *L'adoption d'enfants étrangers*, Ouvrage sous la direction de Y. Foyer et C. Labrusse, Economica, 1986.
3. B. Schwarz dans son ouvrage *Le droit aux Etats-Unis, une création permanente*, (Paris, 1979), p. 201, traduct. française) a montré l'absurdité de l'esprit d'abstraction, comme celui consistant au nom de l'égalité des sexes à exiger l'abolition des clauses interdisant l'emploi de la main-d'œuvre féminine dans des travaux pénibles ou dangereux.

Fédérale ou l'Italie, la signature d'une Convention européenne des droits de l'homme et la création d'une cour du même nom ont amené à "passer au crible" toute texte jugé attentatoire à l'individualisme des membres de la famille, ou introduisant une discrimination dans les mêmes rapports familiaux. Le droit positif de la famille risque de plus en plus de vivre dans un perpétuel futur. On ne peut nier les progrès réalisés dans une matière jadis dominée par des rapports autoritaires ou hiérarchiques. Mais le doute est jeté sur la positivité des règles. Dans des sociétés aux assises morales et religieuses très ébranlées, le droit de la famille risque de n'être bientôt plus présenté que comme une "marche au bonheur" dont les affirmations d'égalité et d'identité cacheraient mal l'exaspération des individualismes et des rivalités familiales. (Ce n'est pas par hasard si en France, la réforme de l'autorité parentale après divorce, art. 287 C. Civ. a émané du Secrétariat d'Etat aux droits de l'homme).

Nous mesurerons en même temps l'importance de plus en plus grande des apports extérieurs aux disciplines juridiques. IL faut alors se demander ce que peut devenir l'autonomie de la règle de droit. Le juriste sera-t-il condamné à "courir" derrière le médecin ou le psychiâtre, de décider du sort de l'enfant d'après le rapport d'une assistante sociale, voir d'affirmer la nécessité d'une réforme d'après les "sondages d'opinion" ? Ce serait une abdication qui ne semble pas souhaitée des spécialistes eux-mêmes[1]. Il reste au juriste d'adopter le droit aux transformations, voire à se méfier en même temps de réformes précipitées qui alourdiraient le contentieux. Loin d'être le "non-droit" présenté par le Doyen Carbonnier, le droit de la famille est plus près aujourd'hui du "nœud de vipères" mauriacien[2].

Le droit international de la famille est, lui aussi, entré dans l'ère des turbulences. D'un côté, il témoigne de son aspiration à des méthodes plus réalistes et moins abstraites que dans le passé. Un effort sans précédent a été réalisé par les Conventions de La Haye et les accords bilatéraux pour atténuer la diversité des systèmes. De l'autre, la multiplicité des codifications contemporaines ne traduit pas un souci d'harmonisation. Les dispositions unilatérales sont inspirées par le souci de délimiter la seule application de la loi nationale, sans considération de refus de reconnaissance à l'étranger des décisions rendues. Il n'a pas été possible en Europe d'inclure les matières de "statut personnel" dans celles de la Convention de Bruxelles du 27 septembre 1968 sur les conflits de juridictions.

Ces difficultés inciteront le lecteur — nous osons l'espérer —, à faire preuve de quelque indulgence. La bibliographie sur les droits familiaux, est encyclopédique — mais souvent aussi dépassée. Dans un pays comme la France, c'est un euphémisme d'écrire que la recherche comparative n'est pas la préoccupation majeure des juristes. Cet ouvrage ne pourra être que celui du

---

1. Cf. l'intervention du Professeur Agazzi au Congrès de Lausanne des 29-30 novembre 1985 sur la procréation artificielle (Zürich, 1986, p. 56) : "la médicalisation des plus graves problèmes est un phénomène bien généralisé de la société contemporaine. On a recours au psychiâtre ou au psychanalyste pour résoudre des problèmes existentiels qui dépendent en réalité de crises de valeur".
2. Cf. n° 246 sur la réforme de l'art. 207 2° — Comparer U. Diedrichsen : *Die Familie : Menschen in der Reform*, Mélanges Beitzke, 1979 et ss. pour qui le juge est devenu l'arbitre des conflits familiaux.

droit civil de la famille. Sauf quelques incursions, nous ne pouvions évoquer le droit pénal ou le droit social comparé de la famille dont l'étude comparative serait sans doute fort instructive. Elle excèderait les limites de cet ouvrage et nos possibilités (cf. pour une approche de ces "territoires voisins" mais limitée aux seuls aspects du droit français, cf. *Le droit* non *civil de la famille,* Préface J. Carbonnier, Publication de l'Université de Poitiers, 1983).

Il nous reste plus que le devoir agréable de remercier notre éditeur, en même temps notre collègue et ami, J. Pavlevski, pour la patience dont il a su faire preuve. Qu'il trouve ici l'expression de notre gratitude.

INTRODUCTION GENERALE

CHAPITRE I

Définition et originalité du droit de la famille

SECTION I

LE PROBLEME DE LA DEFINITION DE LA FAMILLE

1. Le droit de la famille offre de prime abord, un double paradoxe. Le Code Civil est muet sur sa définition, particulièrement fuyante. Elle n'est la même ni pour le juriste, ni pour le sociologue. Bien plus, elle est variable selon les diverses branches du droit.

Une sociologue, comme Madame Andrée Michel a donné une approche descriptive et extrêmement générale de la famille : "un sous-système social qui, en fonction du développement historique et social, de la classe sociale et de la conjoncture économique, remplit certaines fonctions et adopte une certaine structure"[1]. La formule a l'inconvénient de rester très vague et de faire de la famille un phénomène économico-social. Elle est, du reste, contestée par les ethnologues. L'expérience d'un groupe familial n'est pas au nombre des données spontanées. Il y a dans la notion de famille une élaboration intellectuelle et morale qui préexisterait aux données économiques. Les notions de "clan" et de "totem" autour desquelles se construit le groupe familial serait avant tout du domaine du "construit". Dès le départ la notion de "parent" revêtirait un caractère beaucoup plus mystique que physiologique[2]. Il n'y a donc pas, de définition indiscutée du groupe familial.

---

1 . Cf. Modèles sociologiques de la famille dans les sociétés contemporaines, Archives de Philosophie du droit, 1975 (t. 20), p. 127.

2. Sur ces points, cf. P. Ourliac et Y. De Malafosse, *Histoire du droit privé,* t. 3, *Le droit familial,* Paris, P.U.F., 1968, p. 30.

2. D'un droit positif à l'autre, et même à l'intérieur d'un même système juridique, d'une branche du droit à l'autre, peuvent coexister plusieurs significations différentes de la famille. Ainsi le droit social et même certaines parties du droit civil (la législation des loyers) ont une conception surtout économique de la famille : les relations entre personnes vivant sous un même toit, le plus souvent dans une situation de dépendance (notion de charge permanente) sans qu'il y ait nécessairement un lien légal unissant ces personnes. Le droit pénal, de son côté, tiendra compte, lui aussi, de la communauté d'habitation et du rapport d'autorité que certaines personnes peuvent exercer sur d'autres : ainsi, dans l'incrimination de l'art. 331 C. Pén. (violences ou attentats à la pudeur sur des enfants de moins de quinze ans— sur la conception large du droit pénal G. Levasseur, "Les transformations du droit pénal concernant la vie familiale ' in *Archives de Philosophie du droit cit.* p. 60).

3. Le droit civil s'en tient pour sa part, à une définition plus stricte et classique : sont qualifiées membres de la famille, les personnes unies par un rapport de parenté ou d'alliance. La parenté peut être définie comme le lien entre deux générations, soit en ligne montante ou descendante, soit en ligne collatérale. Des distinctions techniques sont possibles à ce niveau. Les frères et sœurs sont qualifiés de *germains* dès lors qu'ils appartiennent à des parents communs par opposition aux *consanguins ou utérins* dont seul le père ou la mère les unissent. Le calcul français de la parenté (d'origine romaine) consiste à déterminer les degrés, entendus comme intervalles de parenté en remontant, puis redescendant l'échelle par rapport à un auteur commun. La computation germanique des *parentèles* (reprise historiquement par l'Eglise pour le calcul des prohibitions de mariage) met au contraire sur le même pied tous les parents de la ligne descendante. On a pu comparer l'organisation des parentèles à celle du corps humain (avec bras, tronc et jambes). Ainsi, deux cousins germains, parents au 4e degré selon le système français ne le sont qu'au 2° dans le mode de calcul des parentèles.

Mode de calcul français de la parenté **Système des parentèles**

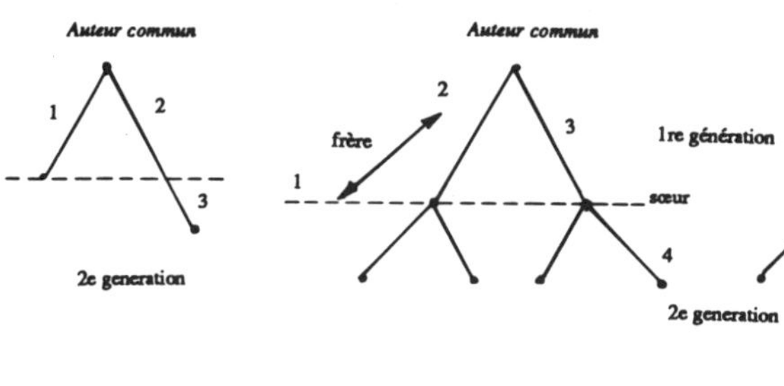

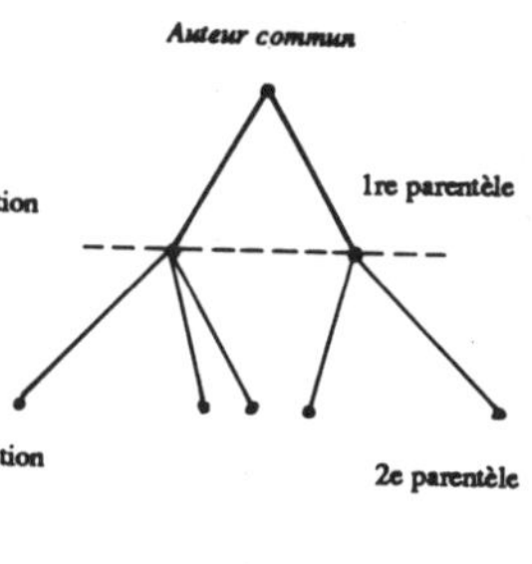

Distincte de la parenté, *l'alliance* est le lien juridique qui crée le mariage entre conjoints, mais aussi entre chaque époux et les parents de l'autre (beau père et belle mère, gendre ou bru). Le même terme de beaux-parents (step-father ou mother, stiefvater) s'emploie pour désigner le second conjoint dans ses rapports avec les enfants d'un premier lit.

Le code Napoléon dans sa version de 1804 n'attachait (et nous verrons que ce n'est pas fortuit) aucune conséquence générale à la notion de famille. Le livre 1 du Code (titres V à X) n'a envisagé qu'une série de rapports particuliers fondés sur la parenté ou l'alliance. Le mot n'a été utilisé qu'à propos du "Conseil de Famille" pour les enfants privés précisément de leurs soutiens les plus proches. Il n'y a pas une mais plusieurs familles selon le degré de parenté et l'institution considérée. C'est, selon l'Avocat Général Lindon, la "famille accordéon", la "famille successorale", la "famille alimentaire", la "famille du livret de famille"[1]. En toutes hypothèses, il n'y a toutefois de famille qu'en vertu des liens légaux préalablement définis. A n'envisager que l'alliance, la famille est très réduite. Les liens avec les beaux-parents sont minimes (empêchement au mariage, obligation alimentaire). Le conjoint, au dernier rang successoral, n'occupe pas la première place dans la famille. Par contre il y a une "famille successorale" très vaste jusqu'en 1917 (succession jusqu'au 12ᵉ degré) et même après. La composition du Conseil de famille ne connait guère non plus de limites dans la parenté. Jusqu'à la réforme du 14 décembre 1964, l'article 407 C. Civ. avec un grand luxe de précisions parlait de parents ou alliés de l'un ou l'autre sexe, pris tant dans la commune où la tutelle sera ouverte que dans la distance de deux myriamètres, moitié du côté paternel, moitié du côté maternel, suivant l'ordre de proximité dans chaque ligne").

4. Ce sont les réformes modernes du Code Civil qui ont introduit le mot de "famille", et lui ont donne l'acception la plus étroite, celle des conjoints eux-mêmes et de leurs enfants. Ainsi la loi du 18 février 1938 (art. 213 aujourd'hui abrogé) visait le "chef de la famille". La loi du 13 juillet 1965 portant modification du droit des régimes matrimoniaux prévoit (art. 220-1) qu'un époux "mette en péril les intérêts de la famille". L'art. 1397 relatif au changement de régime matrimonial le surbordonne à l'"intérêt de la famille". Le sens de ces dispositions, faute d'autre précision, n'est pas toujours évident. Ainsi si les époux mariés sous le régime légal de communauté d'acquêts décident l'adoption d'un régime de comunauté universelle avec attribution de la totalité au survivant, ils identifient l'intérêt de la famille à leur propre intérêt. Les enfants ne formuleront pas nécessairement la même appréciation. Des divergences peuvent se faire jour. Dans les cas extrêmes, les magistrats auront la tâche délicate d'établir un ordre de préférence[2].

Si les nouveaux textes du droit français visent ainsi une famille rétrécie (famille "nucléaire" des sociologues, ou même "famille monoparentale" qui ne résulterait que des liens entre un enfant et un seul des parents), c'est qu'ils obéissent à une tendance actuelle qui privilégie le conjoint survivant[3].

1. Cf. mot "Familles", *Dictionnaire Juridique du droit de la personnalité*, Paris, Dalloz, 1983, pp. 91 et ss.
2. Cf. sur ces problèmes : R. Théry, "L'intérêt de la famille", *J.C.P.* 1972, 2485 — Max Henry, "L'intérêt de la famille réduit à l'intérêt des époux", *D.* 1979, ch. 779. — G. Champenois D., *La jurisprudence relative au changement de régime matrimonial*, pp. 5, ch. Ouvrage collectif sous la direction de J. Foyer et C. Labrusse, *Le régime matrimonial à l'épreuve du temps*, Paris, Economica, 1986.
3. Cf. mot "rétrécissement", in J. Carbonnier, *Flexible Droit*, 5e éd., 1983, p. 292.

Certains textes étrangers se réfèrent ainsi à la "petite famille" (une famille fondée sur le mariage). Ainsi l'article 29 de la Constitution italienne du 27 décembre 1947 voit dans la famille "la société naturelle fondée sur le mariage". L'article 6 de la Constitution de la République Fédérale allemande (Grundgesetz) accorde une "protection particulière à la famille constituée par le mariage et les enfants"[1]. Plus neutre, mais s'attachant lui aussi à une définition "'légaliste" de la famille, le code de la famille algérien du 9 juin 1984 la définit ainsi : "la famille est la cellule de base de la société: elle se compose des personnes unies par le lien de mariage et le lien de société".

5. S'il est exact qu'un certain nombre de lois ne visent qu'une famille restreinte, ce n'est qu'une vue incomplète de la réalité juridique. Et ce n'est pas toujours la plus récente. Nous verrons dans le chapitre consacré aux droits et intérêts collectifs de la famille que la jurisprudence refuse d'admettre une définition préétablie de la famille. Plus instable que dans le passé, ce n'est plus seulement la famille fondée sur le mariage. Le droit français — et les exemples seraient facilement trouvés à l'étranger — fait une place "à part entière" à la "famille naturelle" (art. 334 C. Civ. pour qui, l'enfant naturel "entre dans la famille de son auteur"). L'affection ou l'intérêt porté aux enfants comptent presque autant que les liens du sans ou la proximité du degré. Sans même évoquer le développement moderne de l'adoption, on peut relever des dispositions nouvelles du code Civil qui vont dans le sens d'un élargissement de la famille. Ainsi, I'art. 371.4, relatif à l'entretien de relations avec les grands-parents prévoit qu'en "considération de situations exceptionnelles", le droit de correspondance ou de visite pourrait être accordé à d'autres personnes "parentes ou non". De même le Conseil de Famille,organe essentiel de la tutelle, a été réorganisé depuis la loi de décembre 1964 et comprend "des amis, des voisins ou toutes autres personnes qui semblent pouvoir s'intéresser à l'enfant" (art. 409). Il y a donc bien un "élargissement affectif de la famille[2]. Dans plusieurs cas, le lien juridique découlant du mariage ou de la parenté ne déploie ses effets que s'il s'accompagne d'une durée minime de vie commune. Il en va ainsi de la possibilité de bénéficier du bail d'habitation à la suite du décès ou de l'abandon du domicile par le titulaire du droit[3]. La promotion de la vie de couple en "union libre", concurremment au mariage, suppose, sinon une coexistence continue, du moins une certaine effectivité et durée. Même entre époux, certaines prérogatives sont subordonnées à l'absence de cessation de vie commune (ainsi, selon l'art. 496 C. Civ. la possibilité pour un d'entre eux d'être tuteur de son conjoint). La définition classique doit donc être rectifiée : seront *membres de la famille tous ceux qui, parents et alliés ou non, seront unis par une même communauté de sentiments ou d'affection,*

1. Cf. I. Hartemann, in *Mariage et Famille en question : Italie,* 1982, sous la direction de R. Nerson et Liebermann, von Wahlendorf, p. 16. — G. Beitzke, *Familienrecht,* 22e éd., 1981, p. 17.
2. Cf. en ce sens Michèle Alliot Marie, *Famille et Droit,* Droit social, 1975, p. 302 et ss. qui parle d'une communauté effective et spirituelle.
3. Cf. article 13 de la loi du 23 décembre 1986 qui exige au moins un an de cohabitation antérieurement au décès ou à l'abandon pour les ascendants et personnes à charge.

cette communauté se matérialisant le plus souvent par l'unité de domicile[1]. L'imprécision de la formule est la rançon de l'élargissement du concept de parenté. Par lui, il rejoint celui des autres branches non "civilistes" du droit.

En droit comparé, nous le verrons, le concept de "famille" est entendu de façon plus ou moins large selon le type de système auquel se rattache le droit national. Un droit d'inspirations islamique, du Proche-Orient ou d'Afrique du Nord n'aura pas la même définition de la famille que des droits plus avancés, tel le droit anglais. Pour celui-ci, la famille est un concept économique. En feront partie, par exemple en cas de décès, tous ceux qui sont "dépendants", c'est-à-dire entretenus totalement ou partiellement par le défunt, ce qui leur donne une vocation successorale[2].

6. La définition de la famille ne prête pas à hésitation seulement en droit interne. Le droit international privé part de la notion de "statut personnel" applicable tant aux qualités et prérogatives d'une personne qu'à ses relations familiales. L'application généralisée de l'article 3 du Code Civil, c'est-à-dire de la loi nationale à l'individualisation d'une personne et à ses rapports familiaux, a été longtemps possible en droit français avec l'unité de nationalité familiale. La loi personnelle de la femme et des enfants mineurs ne se distinguait pas de celle du mari, à une époque où la famille légitime était première. Depuis la loi du 10 août 1927 qui a rompu l'unité de nationalité familiale au profit de la femme, la notion d'un critère unique est souvent illusoire. On peut songer alors à substituer en droit français, le domicile ou la résidence habituelle, à la nationalité comme principe général de solution. Ce qui correspondrait au rôle de l'unité d'habitation en droit interne. Mais outre la non-abrogation de l'article 3, il ne peut convenir à toutes les situations. Le risque qui apparaît alors est celui du "dépeçage", c'est-à-dire d'autant de lois, voir des juridictions compétentes qu'il y a de matières familiales (mariage, divorce, filiation, autorité parentale). Les reformes modernes, mais partielles du droit international français de la famille, n'échappent pas à ce reproche. On peut préférer les nouvelles solutions de la loi allemande du 25 juillet 1986.11 n'y a pas un, mais une gamme de rattachements possibles en ordre décroissant ("l'échelle de Kegel"). Par contre ils ont une portée générale aussi bien pour les effets du mariage et la filiation que pour le divorce[3].

SECTION II

L'APPORT DES DISCIPLINES NON JURIDIQUES ET JURIDIQUES AU DROIT DE LA FAMILLE

7. Peu de branches du droit sont aussi ouvertes aux apports extérieurs que l'est le droit de la famille. Il est au confluent de données multiples. Il y a

---

1. Sur le rôle de l'affectivité dans le droit de la famille, v. J. et A. Pousson, "L'affection et le droit" (préf. F. Rigaux), Editions C.N.R.S., 1990.
2. Cf. P.M. Bromley, in *Mariages et famille en uestion, op. cit.*, Angleterre, 1979, p. 14.
3. Cf. la réflexion sur ces problèmes de Mme Simon-Depître, mot "Famille", *Répertoire de Droit international Dalloz*, sous la direction de Ph. Francescakis, t. II, 1969.

d'abord celles qui sont extérieures au droit ; on peut les classer en sources d'élaboration anciennes, dont l'importance est depuis longtemps reconnue : religion, morale, économie politique — puis en disciplines dont le rôle est plus récent : sociologie et branches satellites que sont la démographie et les statistiques — médecine et biologie — enfin la psychologie. Les emprunts aux autres branches de droit sont non moins importants, il s'agit essentiellement de celles "publicistes" ; droit international public et constitutionnel, droit administratif, voir droit fiscal et droit de la Sécurité Sociale. L'importance de ces éléments extérieurs, amène d'ailleurs à s'interroger sur l'éventuelle autonomie du droit de la famille par rapport au reste du droit civil et l'opportunité de rédiger des "codes de la famille".

§ 1. LES ELEMENTS EXTERIEURS AUX DISCIPLINES JURIDIQUES

[A] **8.** Le droit de la famille n'est guère compréhensible sans mesurer l'importance de l'héritage et de la présence religieuse. Historiquement, c'est autour du culte domestique que s'est développée la famille de la Rome antique. A partir du Bas-Empire romain, le droit de la famille a été inspiré, puis s'est confondu partiellement en Occident avec le droit canonique ou droit de l'Eglise. Malgré un certain déclin de son influence à l'époque contemporaine, le droit du Vatican, c'est-à-dire le code du 25 janvier 1983 (qui a remplacé celui de 1917) continue d'être une référence pour les croyants dans les différents pays. C'est en même temps grâce à ses tribunaux, une source de droit positif, parallèle aux législations nationales[1]. L'Eglise catholique manifeste la volonté de faire respecter les données religieuses à l'échelle internationale par les concordats qu'elle passe avec les divers gouvernements: ainsi celui avec l'Espagne du 3 janvier 1979 ou l'accord avec les autorités italiennes du 18 février 1984, revoyant et complétant les célèbres "accords du Latran" de 1929. Le temps n'est plus où les Codes européens modelaient leurs droits de la famille sur celui du Vatican. Celui-ci a dû s'accommoder des réformes récentes, comme l'établissement du divorce ou l'égalité des filiations. Au moins la papauté peut faire valoir dans des pays où l'influence canonique reste importante la nécessité morale de se conformer aux enseignements de l'Eglise[2]. Quant aux pays de sphère religieuse protestante (Suisse, Scandinavie, Grande-Bretagne), la pluralité confessionnelle qu'ils connaissent, les amène à ne pas négliger le rôle de la religion qui apparaît par exemple

1. Cf. sur le Code du Vatican de 1983 P.H. Neuhaus, RabelsZ. 1983, pp. 502 et ss. — J. Gaudemet, "Réflexions sur le livre 1 de "Normis "generalibus" du code de 1983", *Revue de droit canonique*, 1984, p. 81 et ss. — *Le mariage en Occident*, Paris, 1987, pp. 443 et ss.
2. Sur les concordats récents avec l'Espagne, J.A. Carrillo Salcedo, *Rev. Crit.*, 1983, p. 1 et ss. — A. Kneip, *Die Ehescheidung, im neuen spanischen Recht*" ("Le divorce dans le nouveau droit espagnol"), ZfRV. 1982, pp. 445 et ss. — avec l'Italie : P. Moneta : "Il matrimonio nel nuovo concordato con la santa sede", *Il diritto di famiglia*, 1984, pp. 1205-1220.

(comme aux Etats-Unis) dans la possibilité de célébration religieuse du mariage.

La France occupe une place à part puisque vivant sous un régime de séparation de l'Eglise et de l'Etat (loi du 9 décembre 1905). Le droit français est dominé par le principe de laïcité, acquis depuis la Révolution. On ne peut toutefois nier le rôle du facteur religieux dans le droit de la famille. Nous le constaterons tant à propos de la formation de l'union que des devoirs envers les enfants et des conflits susceptibles de s'élever en matière de divorce. Il ne paraît plus présenter la même signification d'antagonismes politiques comme au XIXe siècle. Il est significatif qu'on ait tenté récemment de remettre en cause la primauté du mariage civil sur le religieux et les sanctions afférentes, principe jugé fondamental dans le code de 1804[1].

9. Il faut constater (et ceci est d'importance pour les relations internationales qu'hors de la sphère "occidentale" l'impact de la religion par le droit demeure considérable. Pour les sociétés du Proche-Orient, qui n'ont connu ni Réforme ni Révolutions, le droit de la famille n'est que celui de la confession à laquelle appartiennent les intéressés. A la limite l'allégeance religieuse "gomme" la différence entre conflits internationaux et conflits internes (dans les pays dits "pluri-personnels"). C'est ainsi qu'en Israël, une loi du 26 août 1953, "Rabbinical Courts Juridiction, Mariage and Divorce" déclare que tout individu de confession juive est justiciable des tribunaux rabbiniques, qu'il soit Israélien ou étranger. La compétence des juridictions entraîne l'application de la loi mosaïque[2]. Un Etat comme l'Egypte, marqué par la notion islamique de religion officielle (art. 2 Constitution de 1971) introduit pareillement entre ses ressortissants une discrimination selon qu'ils relèvent ou non de la confession coranique. Selon une loi de 1955, l'identité confessionnelle de deux époux est fondamentale pour se voir appliquer un statut familial non islamique. Comme dans le cas d'Israël, et malgré des engagements internationaux, le critère religieux semble également jouer pour l'application du droit étranger[3].

De même, en Extrême-Orient, beaucoup de droits de la famille ont été longtemps apparentés par une référence commune (à la fois mystique et morale) au confucianisme de la Chine des Ming. Elle commandait une conception religieuse très large de la famille (allant de l'ancêtre commun aux serviteurs). Des institutions comme le divorce — considérées en Occident comme un facteur de désagrégation familiale — étaient connues depuis longtemps et

1. Sur cette proposition Madelin, T. Revet, "De l'ordre de célébration civile et religieuse du mariage", art. 199 et 200 c. Pén., *J C P* 1987, 3.309, et de manière plus générale sur le rôle de la religion en droit français J. Carbonnier, *La sécularisation du droit civil par le Code Civil des Français,* (Per la storia del pensiero giuridico moderno, ~ 2, Milan, 1981 pp. 1007 et ss.—Ph. Dumerin et S. Sbindler-Vignie, "La famille et la foi"', *Les Petites Affiches,* 14 août 1987, n° 97.

2. Cf. G. Slama, *Le mariage en Israël: une source de conflits entre autorité civile et religieuse,* thèse, Nice, 1976, p. 63.

3. Sur ces problèmes : A.K. Elgedawy, *Relations entre systèmes confessionnel et laïque en droit international privé* (Préface H. Batiffol, 1971)—S.A. Aldeeb-Abu-Salieh, *Non musulmans en pays d'Islam, cas de l'Egypte* (Préface A. Overbeck), thèse, Fribourg, 1979—Ya'akov Meron, "La rencontre contemporaine entre le droit juif et le droit musulman, *R.I.D.C.* 1984, pp. 59 et ss.

servaient paradoxalement à maintenir la cohésion du groupe[1]. L'influence confucianiste, rejetée d'abord par le Japon puis la Chine communiste, subsiste encore à Taïwan et en Corée[2]. On peut enfin remarquer que même dans les droits de l'U.R.S.S. et de certains pays socialistes, les données religieuses n'étaient pas totalement absentes des systèmes qui se sont construits contre elles. C'est ainsi qu'en U.R.S.S., le mariage religieux n'était pas interdit, s'il était dépourvu de valeur propre et que la jurisprudence de la Cour Suprême tenait compte des "incompatibilités de caractère" dans le domaine religieux comme politique parmi les motifs de divorce[3].

10. De la religion on peut rapprocher l'influence de la morale. La famille a été considérée comme devant être le lieu symbolique de l'exercice des vertus et du sens des responsabilités. Les qualités propres aux pères et maris se retrouveraient dans l'exercice des vertus civiques, une idée déjà exprimée par Bodin et Bossuet[4]. On en retrouve un écho dans la Constitution française de l'an III (1795) "Nul n'est bon citoyen, s'il n'est bon fils, bon père, bon frère, bon ami, bon époux" (art. 4). Le Code Civil a fait quelques allusions à la morale, dénuées de sanctions pratiques, comme celle de l'art. 371, "l'enfant, à tout âge, doit honneur et respect à ses père et mère". Mais des textes récents, comme la loi du 4 juin 1970 sur l'autorité parentale insistent sur le devoir de moralité des parents (art. 371-2) qui pourrait, le cas échéant, être sanctionné par des mesures d'"assistance éducative" (art. 375 ss.). De même à l'étranger, certains textes récents explicitent la valeur morale de la famille. Ainsi le Code de la famille algérien de 1984 "la famille repose dans son mode de vie, sur l'union, la solidarité, la bonne entente, la saine éducation, la bonne moralité et l'élimination des maux sociaux" (art. 3), "Le mariage... a entre autres buts, de fonder une famille basée sur l'affection, la mansuétude et l'entr'aide" (art. 4). A l'opposé de l'idée que les vertus familiales sont à la base de la morale civique, les pays de l'Est ont connu la notion de "morale socialiste". La transformation des structures de l'Etat était censée avoir modifié l'attitude de ses membres dans la vie familiale. Suivant le code de la République Démocratique allemande du 20 décembre 1965 aujourd'hui abrogé (5), "La société socialiste attendait de tous les citoyens un comportement responsable dans le mariage et la famille". Le principe avait une application très concrète: dès lors que les parents méconnaissent l'"éducation socialiste" à donner aux enfants, les organismes d'aide à la jeunesse devaient lui assurer un "développement positif"[5].

1. Cf. les sept cas classiques de répudiation parmi lesquels la non-observation du culte familial ou le manque de respect envers la famille du mari.
2. Cf. Ch'oe Chae-sok, Etude comparative sur la famille traditionnelle en Corée, au Japon *a* en Chine, *Revue de la Corée,* 1975, pp. 29-36—Mi-Kyung-cho Lee, *Koreanisches Scheidungsrecht,*, Droit coréen du divorce, thèse, Cologne, 1986.
3. Cf. E. Florkowski, *Das sowjetische Ehescheidungsrecht,* (Le droit soviétique du divorce), thèse Gottingen, 1967—Fr. Korkisch, "Ost Europa Recht, 1972, pp. 2 et ss.: *Das Neue Ehe und Familienrecht der Sowjet Union.*
4. Cf. M. Borgetto, "Métaphores de la famille et idéologies domestiques" in *Le droit non civil de la famille,* Poitiers, pp. 1 et ss.).
5. Cf. *Kommentar zum Familiengesetzbuch der Deutschen Demokratischen Republik,* art. 42 et 43, 5e édit. Ministère de la Justice Berlin-Est, 1982—G. Brunner, *Die Entwicklung der elterlichen Sorge und Erziehungsrechts in der D.D.R.,* (L'évolution de

Le droit français est loin de donner un contenu aussi politique à la notion de morale. Tantôt elle reste proche de la signification religieuse de péché; on pense ici à la notion de faute dans le divorce ou de "clause de dureté" pour le divorce par rupture de la vie commune. Tantôt la morale n'est que l'éthique, temporaire, de la société. C'est la notion de "bonnes mœurs" qui commande par exemple le régime des "clauses de viduité" dans le mariage ou la validité des libéralités entre concubins. S'agissant des découvertes mondiales récentes, elle a tendance à se confondre avec l'éthique professionnelle.

11. A côté de la religion et de la morale, il faut souligner le rôle, depuis longtemps reconnu, de l'économie. Une société agraire et d'autosuffisance conserve une structure familiale beaucoup plus solide. C'est l'urbanisation et l'industrialisation qui obligent les pouvoirs publics à venir en aide aux plus démunis (pour compenser le relâchement des liens alimentaires) ou à porter secours à la "jeunesse en péril". On a pu, par exemple, relever en droit comparé que de tous les Etats scandinaves qui avaient promulgué des lois sur l'enfants délaissée, la Finlande avait été un des derniers à agir (1936). La structure rurale de la société avait maintenu beaucoup plus tard la cohésion de la famille[1]. On sait à quel point la doctrine marxiste a fait de l'économie le soubassement du droit de la famille. Dans son ouvrage célèbre De l'origine de la famille, de la propriété privée et de l'Etat, (4e éd. définitive, 1892), Engels, à partir d'emprunts à des travaux incertains de l'ethnologie américaine (Lewis-Morgan) a vu dans la suppression de la propriété privée la fin de l'éternel combat familial où l'homme jouait le rôle du bourgeois, la femme celui du prolétaire et l'avènement d'une ère de liberté pour la femme. La création d'une société socialiste n'a pas pour autant permis d'éluder les problèmes économiques. C'est ainsi qu'en U.R.S.S., la "morale socialiste" et le désir de débarrasser les mères d'enfants naturels de tous les frais et contraintes de procédure, avaient conduit le décret du 8 juillet 1944 à l'interdiction de la recherche de paternité, et même de l'action alimentaire devant les tribunaux soviétiques. L'Etat se chargeait de venir spécialement en aide à cette catégorie d'enfants. L'incidence financière de ces mesures a été telle qu'il a fallu les reconsidérer lors de l'élaboration des nouveaux "principes fondamentaux" de législation en 1968[2].

De la même manière, un principe trop abstrait, comme celui de l'égalité des sexes en Allemagne Fédérale avait poussé le législateur à manifester une grande méfiance à l'égard de la persistance des liens alimentaires après divorce. Les difficultés économiques rencontrées par le conjoint qui ne pourrait retrouver de profession (en pratique, la femme), l'âge ou l'infirmité, la présence d'enfants ont été autant de circonstances à atténuer le principe initial dans la loi du

l'autorité parentale et de l'éducation des enfants en R.D.A.), Annales Universitatis Saraviensis, Sarrebruck, 1980.

1. Cf. M. Savolaine, "La protection de l'Etat à l'égard des enfants en Finlande et dans les pays nordiques", *R.I.D.C.*, 1976, pp. 23 et ss
2. Cf. Tvo Lapenna, "The Illegitimate Child in Soviet Law", J.C.L.Q., 1976, pp. 164-165 —V. Tadevossian, "La famille, le droit et le développement social en U.R.S.S.", *Travaux des 8 Journées Dabin*, Bruxelles, 1978, pp. 107 et ss.

14 juin 1976 (1570, 1573, B.G.B.)[1]. Le droit français a également attaché une grande importance au problème des pensions après divorce et leur recouvrement en donnant un rôle d'assistance aux caisses d'allocations familiales par la loi du 22 décembre 1984[2]. Des considérations économiques et financières ont inspiré la création d'une institution typique, la tutelle aux prestations sociales pour venir en aide aux enfants (loi du 18 octobre 1966, art. L. 434-12 et L. 552-6 Code de la Sécurité Sociale). Le juge des enfants peut, à l'encontre des parents, désigner toute personne physique ou morale qualifiée pour toucher les allocations, quand l'enfant est élevé dans des conditions d'alimentation, de logement et d'hygiène manifestement défectueuses, ou quand les allocations "ne sont pas employées dans l'intérêt de l'enfant"[3]. La protection de l'enfance se confond avec le souci d'éviter une dilapidation financière.

[B] 12. A une époque plus récente, le droit de la famille s'est enrichi d'autres disciplines, au premier rang desquelles ont peut citer *la sociologie* qui s'est annexée *l'anthropologie* et la *démographie*. Le premier rôle du sociologue sera d'opérer une classification des comportements et de présenter certains modèles de familles. Le risque existe, de l'avis même des spécialistes, de forcer les traits pour les besoins de la cause et d'aboutir à des types abstraits[4]. Par la suite, le sociologue s'efforcera d'étudier la variation des attitudes familiales dans le temps. Madame Ségalen[5], a pu faire observer le retard pris par l'école sociologique française qui a trop longtemps négligé ce facteur historique. Il est classique d'opposer sociologie et droit positif, monde du "sein", de l'être, au "Sollen" du devoir. La sociologie ne s'attacherait qu'aux comportements normaux, le droit aux pathologiques. Selon la formule du Doyen Carbonnier[6], "La loi est un hôpital ; elle accueille tous les infirmes". Les règles de droit ne sont pas heureusement toutes élaborées pour répondre à des situations de crise; les rapports qui s'établissent entre cette discipline et le droit ne sont pas toujours concluantes. Les sociologues contemporains sont devenus très prudents sur des prétendues règles d'évolution des sociétés" comme par exemple le passage d'une société "matrilinéaire" à une "patrilinéaire". Statistiques et sondages permettraient de mesurer l'effectivité des règles de droit, voire de la corriger. Plusieurs réformes contemporaines du droit français de la famille ont fait l'objet d'études sociologiques préalables; mais certaines constatations laissent perplexe. Le développement de la séparation de fait, sans qu'il y ait divorce entre les époux est un phénomène incontestablement très important. Faut-il le sys-

1 Cf. Ruth Storbeck, Die Unterhaltsansprüche der Geschiedenen Frau: eine rechtvergleichende Darstellung (présentation comparative de la pension alimentaire de la femme divorcée), thèse, Francfort, 1983.

2. Cf. B. Fragonard, *L'intervention des caisses d'allocation familiale sur l'aide aux créanciers de pensions alimentaires impayées. Un regard rétrospectif,* Droit social, 1986, pp. 387-392.

3. Cf. H. Molines in *La protection judiciaire de l'enfant en fonction de l'évolution du droit et des institutions judiciaires*, sous la direction de M. Ancel et H. Molines, Paris, 1980. — G. Raymond et C. Barreteau-Raymond, *Droit de l'enfance : de la conception à la majorité*, 2ᵉ éd., Paris, 1983, pp. 201-204.

4. Cf. A. Michel, "Modèles sociologiques de la famille dans les sociétés contemporaines", in *Archives de philosophie du Droit,* 1975, pp. 127 et ss.

5. Cf. *Sociologie de la famille,* Paris, A. Colin, 1981.

6. Cf. *Sociologie du droit de la famille,* Cours polycopié, 1959-1960.

tématiser pour des règles juridiques, quitte à reculer la perspective du divorce ? L'union libre est de plus en plus concurrente du mariage. L'élaboration d'un corps de règles sur le concubinage n'aura-t-elle pas pour conséquence de rendre de moins en moins attractif le statut du mariage ? Il y a là un problème de choix de société qui répugne au législateur contemporain. Ajoutons que jusqu'à présent l'utilisation de la sociologie a été beaucoup plus fréquente en droit interne qu'en droit international privé. La connaissance de l'attitude des immigrés ou de la pratique des tribunaux face à l'application des lois étrangères reste rudimentaire.

Ce n'est que dans telle situation particulière – par exemple à propos de l'adoption d'enfants étrangers – qu'elle commence d'être connue.

Bibliographie générale :

J. Carbonnier, *Cours de sociologie du droit de la famille, op. cit.*, et *Flexible Droit*, 5e éd. 1983.
A. Michel, "Modèle sociologique de la famille" in *Archives de philosophie du Droit*, t. 20, 1975, *cit.*
M. Segalen, *Sociologie de la famille*, Paris, 1981.
E. Sullerot, *Pour le meilleur et sans le pire*, Paris, Fayard, 1984.
J. Werckmeister, "Le mariage et la famille en France : évolution des idées et du comportement depuis 1972", Colloque de Strasbourg, *Rev. de droit canonique*, 1986, pp. 167 et ss.
J. et A. Pousson : "L'affection et le droit", (préf. F. Rigaux), Editions C.N.R.S., 1990).

— *Pour le droit international privé:*

C. Labrusse, *La compétence et l'application des lois nationales face au phénomène de l'immigration étrangère*, Travaux du Comité français de droit international privé, mai 1976, Années 1975-1977, pp. 111 et ss.
M. Champenois-Marmier et G. Sutton, "Phénomène sociologique de l'adoption", in *L'adoption d'enfants étrangers*, sous la direction de J. Foyer et C. Labrusse-Riou, Paris, Economica, 1986.

13. Les préoccupations *d'ordre médical* contrairement à ce qu'on pourrait croire, n'ont jamais été totalement absentes du droit de la famille. Des l'ancien droit, les problèmes de conformité physique à propos de la conclusion du mariage avaient attire l'attention de l'Eglise puis des parlements avec la célèbre procédure du "congres". Les intéressés étaient soumis à un examen physique et une comparution. Le premier en Europe, le Code Civil prussien de 1794 (A.L.R. § 19-22) contenait des dispositions sur les individus à sexe incertain ou "tendances transsexuelles" (les parents jusqu'à 18 ans décidaient du sexe dans lequel l'individu pourrait être élevé, celui ci devant être libre, à cet âge de se déterminer). L'Eglise prenait en compte l'impuissance (ce que fait toujours le droit canonique) pour dissoudre un mariage non consommé. Dès le

XVIIIe siècle les travaux du médecin anglais Hunter (1728-1793) avaient permis de distinguer sexualité et procréation et de réaliser les premières inséminations artificielles. Mais ces problèmes devaient être occultés par le Code Civil, et les codifications européennes postérieures, jusque et y compris le BGB. Il y avait à la fois une réaction contre les procès (supposés scandaleux de l'ancien droit) et la volonté de ne pas faire dépendre un résultat juridique de données encore incertaines à l'époque[1]. Il a fallu attendre les progrès réalisés par l'examen des sangs et hérédo-biologique pour voir réapparaître le rôle de la médecine dans les procès de filiation[2].

A partir des années 70, des avancées scientifiques considérables ont été réalisées, avec la maîtrise de la conception et de la possibilité de conservation des "paillettes de sperme" dans les CECOS (Centres d'étude et de conservation du sperme ouverts en France en 1973), Il a été dès lors possible de procéder à des manipulations génétiques et d'aboutir à des naissances soit par insémination, soit par des fécondations artificielles "in vitro" en laboratoire. La médecine américaine a été à l'avant-garde de ces procédés. Dès 1980, 6.000 à 10.000 enfants, selon les estimations, naissaient annuellement par le recours aux "mères porteuses" (système des AID "Artificial Insemination Donor") 250.000 enfants seraient à l'heure actuelle le produit de "filiations scientifiques"[3]. Face à la révolution médicale, qui peut amener à repenser l'ensemble du droit de la famille et de la filiation, les réactions juridiques ont été jusqu'alors timides. Elles ont paru dictées par le souci de limiter les progrès de la science, sans refondre les législations. Le soin de définir les choix et procédés acceptables a été laissé à des Comités médicaux, ou des "comités d'éthiques" comme celui créé en France ou ailleurs (American Medical Association aux Etats-Unis, British Medical Association en Grande-Bretagne). C'est seulement aux Etats-Unis qu'apparait une certaine velléité de remettre en cause les structures familiales. Le développement de la "filiation artificielle" a paru détacher les notions de "foyer" et "procréation". A côté de l'union hétérosexuelle, le couple homosexuel revendique sa reconnaissance juridique[4]. Les droits européens restent, à cet égard beaucoup plus réticents. Pourtant les problèmes médicaux de la filiation ont ranimé l'intérêt sur le rôle de la sexualité dans la formation du couple[5]. Le rôle de la médecine apparait enfin dans les devoirs

1. Cf. P. Damon, *Le tribunal de l'impuissance*, Paris, Le Seuil, 1979. — D.A. Schneider, *Rechtsprobleme der Transexualität*, thèse, Cologne, 1975. — J. Pousson-Petit : *Le démariage en droit comparé*, Bruxelles, Larcier, 1981, spéc., pp. 198-330.
2. Cf. G. Michalidès-Nouaros, "La preuve de la paternité et le progrès de la science", *R.T.D.C.*, 1957, pp. 1 et ss.
3. Sur les aspects de cette transformation médicale : G. David, "L'insémination artificielle : état de la science et problématique médico-psychologique" in *Droit de la filiation et progrès scientifique*, sous la direction de C. Labrusse et G. Cornu, Paris, 1981, pp. 85 ss. — G.J. Annas, "Fathers Anonymous : Beyond the best Interests of the Sperm Donor", *Family Law Quarterly*, 1980, pp. 1-13. — G.J. Annas et E. Elias, "In vitro Fertilisation and Embryo Transfer, *F.L.Q.* 1983, pp. 199 s. — Rapport J.L. Baudouin in *Colloque de Lausanne*, 29-30 novembre 1985, Zürich, 1986, pp. 111 et ss.
4. Cf. H. Hill Kay, "An apraisal of California"s No Fault Divorce Law", *California Law Review*, 1987, p. 296.
5. Cf. M.L. Rassat, "Sexe, médecine et droit", *Mélanges P. Raynaud*, Paris, 1985, pp. 651 et ss.

généraux des parents quant à la surveillance de la santé des enfants, leur éventuel consentement à des actes médicaux et des interventions chirurgicales[1].

14. Au rôle de la médecine s'ajoute celui — capital pour le droit de l'enfance — de la psychologie et de la psychiâtrie. Toute décision à prendre dans des cas de crise ou désunion familiale, impose de connaître la personnalité des parents, comme celle des enfants. En France, la nécessité d'une "enquête sommaire" est apparue dès la loi du 15 novembre 1925 sur la déchéance de puissance paternelle. Les réformes du droit civil ont subi l'influence des textes pénaux sur l'enfance délinquante, introduisant l'enquête sociale (ordonnances des 8 février et 12 avril 1945). Qu'il s'agisse de mesures d'"assistance éducative" (art. 1183 n° N.C.P.C.), ou du sort de l'enfant après divorce (art. 2871 C. Civ.), la décision judiciaire dépendra de l'examen psychiatrique et psychologique de l'enfant. C'est lui qui est à la base de la notion si souvent utilisée — mais combien équivoque d'intérêt de l'enfant en droit interne et international. Il y a là un risque de voir l'avenir de l'enfant dépendre du seul rapport du psychiâtre, voir de l'assistante sociale. On peut concevoir, comme dans certains droits étrangers, de recueillir directement son consentement pour toute modification de son statut. Mais ceci pose le problème de sa faculté de discernement[2].

§ 2. LES APPORTS DES AUTRES BRANCHES JURIDIQUES

15. Une certaine homogénéité des civilisations, la similitude des problèmes familiaux modernes poussent à accorder une place croissante aux sources et aux principes de droit international public. Tout d'abord, la vague idéaliste qui a suivi la Seconde Guerre Mondiale a amené une large majorité d'Etats à adopter la "Déclaration des droits de l'homme" du 10 décembre 1948 (avec seulement huit abstentions, celles des Etats socialistes et de l'Arabie Saoudite). Plusieurs dispositions de la Déclaration des droits intéressent la famille: notamment le principe du droit au mariage "sans distinction de race, de nationalité ou de religion"; celui de l'égalité des époux "devant le mariage et lors de la dissolution" (art. 16). Cette Déclaration a fait prendre conscience à un certain nombre d'Etats nouveaux d'Afrique et d'Asie de la nécessité de "moderniser" des droits restés très traditionnalistes et inégalitaires. Toutefois elle n'est pas vraiment une source de droit positif (sauf à la comprendre dans la notion d'ordre public en droit international privé). Sa ratification par certains Etats a caché bien des ambiguités et des contradictions entre les principes et le contenu des différents droits[3].

16. Plus contraignante, parce que dotée de structures propres d'application est la Convention européenne des droits de l'homme signée à Rome le

1. Cf. G. Mémeteau, "Le droit médical de la famille", in *Le droit non civil,* Poitiers, 1983, pp. 231 et ss. — *Le droit médical,* Paris, Litec, 1985.
2. Sur ces questions : H. Molines et G. Fédou in *La protection judiciaire de l'enfant,* par M. Ancel et H. Molines, Paris, 1980. — T. Garé, *L'enquête sociale dans la désunion des parents,* R.T.D.C. 1987, pp. 292 et ss.
3. V. à ce sujet la remarque de S.A. Aldeeb Abu-Salieh cit., Fribourg, p. 306.

4 novembre 1950 (et entrée en vigueur en septembre 1953). A la différence de la Déclaration de l'O.N.U. de 1948 et de celles qui ont suivi (comme la résolution du 19 décembre 1966 sur le droit pour les parents de choisir librement le mode d'éducation de leurs enfants,la consécration de l'année 1975 comme celle des "droits de la femme" etc...) il ne s'agit pas de pétitions de principe. La convention précise le mécanisme des recours : soit celui intenté par un Etat, devant la Commission européenne des droits de l'homme pour "tout manquement d'un autre Etat", soit le droit de recours individuel reconnu par l'Etat défendeur (art. 24 et 25 accepté par la France après sa ratification en 1974). La commission se prononce sur la recevabilité du recours dans un premier temps. Puis il est transmis dans un délai de trois mois au Comité des ministres du Conseil de l'Europe (se prononçant à la majorité des 2/3), à moins que l'Etat mis en cause n'ait accepté la saisine de la Cour européenne des droits de l'homme[1].

Plusieurs dispositions de la Convention intéressent le respect de la vie familiale : notamment les articles 2, 8 et 12 ont servi de fondement à d'assez nombreux recours. L'art. 2 vise "le droit de toute personne à la vie". La Commission a précisé qu'on ne pouvait à propos des interruptions de grossesse, dissocier la vie de la mère de celle d'un enfant à naître. Il ne pourrait y avoir prohibition d'un avortement thérapeutique, ce qui serait contraire au but de la convention dirigée vers le respect de la vie privée de la mère. Quant au point de savoir si le mari ou le "père potentiel" doit être consulté ou peut saisir un tribunal sur son droit de s'opposer à l'avortement, la Commission a refusé d'y voir le respect d'une "atteinte injustifiée à la vie privée et familiale" au sens de l'article 8[2].

S'agissant du droit du mariage, l'article 12 a posé le principe du droit "à partir de l'âge nubile" pour l'homme et la femme de se marier et de fonder une famille", mais "selon les lois nationales régissant l"exercice de ce droit'. L'ambiguïté de la formule n'a pas empêché plusieurs recours individuels sur les entraves qu'apporteraient les droits nationaux du mariage. Dans l'affaire "'Draper c/Royaume-Uni" où un condamné à vie se plaignait des obstacles rencontrés à son mariage, la Commission précisait que le rôle des droits nationaux était de réglementer l'exercice du droit non de porter atteinte à sa substance. Saisie à deux reprises du problème de la validité du mariage des homosexuels[3], la Commission s'y est d'abord montrée favorable. Elle affirmait en 1979 que "rien ne permet de déduire que la capacité de procréer serait une condition fondamentale du mariage". Mais elle se montrait par la suite plus hésitante dans l'affaire Mark Rees. Le droit anglais ne reconnaissant pas l'union homosexuelle ne violait pas l'art. 12. La Cour européenne le 17 octobre 1986 (Rees c/Royaume-Uni) rappelait que le droit de se marier vise "le mariage traditionnel entre deux personnes de sexe biologique différent"[4]. Pas

1. Sur le mécanisme de saisine G. Cohen-Jonathan, *La Convention européenne des droits de l'homme*, Aix-Marseille et Paris, + Economica, 1989.
2. Cf. Cohen-Jonathan, pp. 282-283.
3. Affaire Van Oosterwicjk. Belgique en 1979, "Mark Rees C. Royaume-Uni en 1984.
4. Le problème de la liberté de mariage a pu également se poser pour les transsexuels (Cossey C., "Le Royaume-Uni"). La Cour n'a pas voulu abandonner le "concept traditionnel de mariage". Cf. P. Boucaud, "Le droit de se marier", Rev. Trim. des droits de l'homme", 1992 (n° 9), p. 17.

davantage le "droit au mariage" n'implique le "droit au divorce", et dans le cas "Johnston et autres/c./Irlande", la Commission a refusé de condamner le principe constitutionnel irlandais d'interdiction du divorce. Le requérant, vivant en union libre, avait la possibilité, selon sa loi nationale, de recourir à la séparation de corps.

Quant au droit de la filiation, il a donné lieu à une interprétation de l'art. 14 (interdisant toute discrimination) combinée à celle de l'article 8 (respect de la vie familiale) dans la célèbre affaire Paula Marckx[1]. La plaignante, célibataire, avait mis au monde un enfant naturel qu'elle avait successivement reconnu, puis adopté. Elle se plaignait, du seul fait de sa condition de femme non mariée, de l'infériorité de statut de sa fille, et des discriminations successorales par rapport à une famille légitime. La Cour Européenne rejetait l'argument tiré de l'atteinte à la liberté de ne pas se marier, mais pour dix voix contre cinq, voyait une discrimination au sens de l'art. 14 dans les limitations relatives aux libéralités et aux droits successoraux[2].

Plus récemment la Convention Universelle des droits de l'enfant, dite Convention de New-York du 26 janvier 1990 (ratifiée par la France et publiée par le décret du 8 octobre 1990) s'est efforcée de définir indépendamment de toute considération de race, de couleur, de sexe, de langue, de religion "un minimum de droits subjectifs de l'enfant. Elle considère qu'en raison de son "manque de maturité", il a besoin d'une protection spéciale appropriée (Préambule de la Convention). Les Etats sont garants de la mise en œuvre de principes posés par la Convention (notamment droit à la vie, au respect de l'identité, à la liberté de l'expression).

17. Si la Commission et la Cour de Justice sont parvenus à recouvrir peu à peu tous les aspects de la vie familiale, elle renvoient d'elles-mêmes dans certains cas au contenu des droits nationaux (par exemple, pour le mariage) et dans les autres sont dénuées de pouvoir de contrainte à l'égard des juridictions matrimoniales. C'est ainsi qu'à plusieurs reprises la Cour de Cassation belge n'a vu dans l'art. 8 de la Convention qu'une "obligation de faire" sans être "source de droits subjectifs". Elle s'est refusée, jusqu'à la réforme de la filiation à la date du 31 mars 1987, d'écarter plusieurs dispositions du droit belge de la filiation comme contraires aux art. 8 et 14[3].

En France, tant le Conseil Constitutionnel que la Cour de Cassation se sont refusées à censurer des dispositions de droit positif comme contraires à la Convention européenne. C'est ainsi qu'en décembre 1974, avant le vote de la

---

1. Cour Européenne, 13 juin 1979, *R.T.D.F.*, 1980, pp. 227 et ss. comment Cohen-Jonathan, pp. 365-366.
2. Sur la jurisprudence de la Convention européenne des droits de l'homme outre Cohen-Jonathan cit. — G. Madiot et D. Breillat, "La famille, éléments de droits de l'homme en Europe" in *Le droit non civil de la famille*, Poitiers, 1983, pp. 215 ss. — Pierre Kayser, *La protection de la vie privée* (Préface H. Mazeaud), Aix-Marseille et Paris, Economica, 1984, n° 10 et 19. — S. Regourd "Sexualité et libertés publiques", *Annales de l'Université de Toulouse*, 1985, pp. 57 et ss. — J.B. d'Onorio, "La protection constitutionnelle du mariage et de la famille en Europe", *R.T.D.C.* 1988.1, pp. 22 ss.
3. Cf. Cass. 3 oct. 1983, Pasiicr., 1983.1.109, autorisation du tribunal pour la reconnaissance des adultérins, 6 mars 1986, *Rev. Crit.. Jur. belge*, 1987, pp. 6 et ss. noté Rigaud sur la forclusion de la recherche de maternité.

loi sur l'I.V.G. (Interruption Volontaire de Grossesse), députés et sénateurs avaient vainement exercé leur droit de saisine pour incompatibilité entre celle loi et le "respect de l'être humain" inscrit à l'art. 2 de la Convention. Le conseil n'attribuait à la supériorité des traités sur les lois qu"'un caractère à la fois relatif et contingent", relatif parce que limité au champ d'application du traité, et contingent, en raison de l'exigence de réciprocité tirée de l'art. 55 de la Constitution "dont la réalisation peut varier selon le comportement du ou des Etats signataires"[1]. La Cour de Cassation ne voit pareillement dans l'application de la convention que la mise en jeu de "principes généraux" insusceptibles d'écarter le droit positif contraire (pour le rejet d'une "soi disant atteinte du libre choix des prénoms)[2].

La ratification par la France de la Convention universelle des droits de l'enfant implique par contre une révision de la législation sur tous les points où les droits de l'enfant sont insuffisamment sauvegardés (comme la liberté d'expression).

18. Les déclarations de l'O.N.U. et la Convention européenne ne sont pas les seules sources internationales. Il faut tenir compte d'une part des Conventions internationales de la Haye qui depuis la seconde guerre mondiale, comme nous le montrerons, ont été des facteurs d'une unification partielle du droit international de la famille. D'autre part, de l'importance de l'œuvre souvent méconnue de la Commission internationale de l'Etat civil (C.I.E.C.) dont le secrétariat a siégé successivement à Francfort, puis Strasbourg. Elle s'efforce, depuis 1956, de rapprocher le contenu des droits internes et internationaux de la famille. Une série de conventions (certaines ratifiées par la France) ont été signées sur le nom et son changement (Istambul, 1958), la reconnaissance des enfants naturels (Rome, 1961 et Munich, 1980), la reconnaissance des décisions sur le lien conjugal (Luxembourg, 1967), la légitimation par mariage (Rome, 1970). A côté des conventions, des résolutions comme celle de Vienne de septembre 1976 sur la liberté du mariage, sont proches de la Convention européenne[3].

19. La même volonté de limiter la liberté d'action du législateur national se retrouve dans le développement des sources constitutionnelles du droit de la famille. Le modèle en a été offert par le rôle de la Cour suprême aux Etats-Unis. En présence de législations d'Etat très diversifiées, le recours constitutionnel est apparu à la fois comme un facteur d'unification du droit et un moyen par l'utilisation de notions très générales, de forcer certaines résistances locales des législatures. C'est ainsi que les notions d"equal protection" (absence de discrimination) et de "due process of law" (1er amendement) ont été invoquées dans des recours relatifs aux droits des enfants naturels. Ainsi dans les affaires "Levy v./Louisiana",

---

1. Cf. Cons. Constitutionnel, 15 janvier 1975, J.C.P. 1975, 18030 noté E.M. Bey — Jean Morange, *Libertés publiques*, Collection "Droit fondamental", Paris, 1985 n° 53.
2. Cass. 1°, 4 octobre 1986, J.C.P. 1987. 20894 note E. Agostini — Cass. 20, 25 mars 1987, *Bullet. Cass.* 1987, 2. n° 76. Le prononcé du divorce pour rupture de vie commune ne constitue pas une ingérence dans la vie privée au sens de l'art. 8.
3. Cf. *Commission internationale de l'état civil : Conventions et recommandations*, Francfort, 1981 et Strasbourg, 1983.

"Glonay/American Guarantee and Liability" a été mise en jeu la valeur constitutionnelle de l'art. 2135 du Code de la Louisiane ("Wrongful Death Act) interdisant aux enfants illégitimes d'agir en justice pour réparation du décès accidentel de leur mère. Malgré le "coup d'arrêt" de l'inconstitutionnalité qu'avait représenté en 1971 l'affaire "Labine v./Vincent", les recours d'enfants naturels,après la déclaration d'inconstitutionnalité des dispositions de la Louisiane se sont multipliés (quatorze de 1968 à 1977). Ils ont entraîné des modifications de textes dans les Etats membres de l'Union[1].

Le rôle de la Cour Suprême a été également très important en matière d'éducation et d'instruction religieuse des enfants.

20. Dès après la seconde guerre mondiale, l'influence américaine s'est exercée en Extrême-Orient et en Europe, en faveur de l'insertion dans les diverses constitutions de principes de liberté et d'égalité familiales, et de la mise en place de Cours constitutionnelles qui sanctionneraient les dispositions législatives à l'encontre de traditions et d'un contexte sociologique contraires. La Constitution japonaise de 1946 a été sans doute une des premières de ce modèle à instaurer l'inégalité des époux et le principe du mariage civil (§ 24). Un nouveau droit de la famille du 10 janvier 1948 a remplacé le Code de 1898 centré sur la prépondérance paternelle et le culte familial des ancêtres. Par la suite, la Constitution de la Corée du sud du 10 juillet 1948 a interdit toute discrimination entre les sexes et insisté sur la sauvegarde de la liberté du mariage (art. 9 et 31). Mais l'influence confucianiste traditionnelle était encore présente dans le code de la famille de 1960 qui a été revu en 1977[2].

Le droit européen de la famille, jusqu'en 1945 était resté très pauvre, en principes constitutionnels. Seule au XIXe siècle la Constitution belge avait affirmé la priorité du mariage civil. Par la suite l'Irlande allait inscrire le principe constitutionnel de la prohibition du divorce et de la reconnaissance de la famille comme institution morale antérieure au droit positif. C'est en Allemagne et en Italie que la fin du régime autoritaire allait introduire les bouleversements les plus considérables. La Constitution allemande de Weimar avait certes, dès 1919, affirmé la protection constitutionnelle du mariage et du principe d'égalité des époux (art. 119). Mais aucune conséquence positive n'en avait été déduite, alors qu'à bien des égards les dispositions du B.G.B. sur la famille restaient proches du code Napoléon de 1804. La création des Républiques italienne et allemande (Allemagne Fédérale) allait comporter à la fois l'affirmation de la suprématie des principes constitutionnels sur les lois existantes et du pouvoir des Cours constitutionnelles pour mettre en œuvre les nouveaux principes de liberté et d'égalité (Constitution italienne du 27 décembre 1947 et loi fondamentale allemande du 23 mai 1949). La Constitution

---

1. Sur ces problèmes, H.D. Krause, *Illegitimacy, Law and social Policy,* Indianapolis-Kansas-City, New-York, 1971, pp. 59 et ss. — R.L. Stenger, "The Supreme Court and Illegitimacy, 1968-1977", *Family Law Quarterly,* 1978, pp. 365 et ss.
2. Sur les Constitutions et les tendances nouvelles dans cette partie du monde, cf pour le Japon Lin Chu-Chih, *Elterliche Gewalt im deutschen, japanischen und Chinesischen Rechts,* étude comparative de puissance parentale, thèse, Munich, 1966 — R. Zuzuki, *Das japanische Familenrecht in Gegenwart und Zukunft,* Droit japonais de la famille, au présent et au futur — Sur la Corée du Sud, M'ne Yi Tae Yong, "Le statut légal de la femme coréenne", *Revue de la Corée,* 1975, pp. 16 et ss.

italienne, la première, contient une série de principes sur la famille. L'art. 3 a trait à l'égalité entre les sexes. Les articles 29 et 30 reconnaissent les droits de la famille comme "société naturelle fondée sur le mariage". Les enfants nés hors mariage sont protégés "dans la mesure où cette protection est compatible avec le droit de la famille légitime". A partir de ces textes, la Cour constitutionnelle d'Italie a accompli un important travail: elle a proclamé l'illégitimité de la répression de l'adultère,la nécessite d'un traitement égal des conjoints et de la défense des enfants hors mariage. Son attitude a amené le législateur à modifier les livres 1 et 2 du Code de 1942 pour la loi du 19 mai 1975[1]. On peut même dire que les objectifs initiaux, fondés sur la priorité du mariage ont été dépassés.

De leur côté, les rédacteurs de la Constitution de Bonn (1949) ont entendu à la fois garantir l'égalité des sexes et assurer aux enfants illégitimes les mêmes conditions de développement moral et physique qu'aux légitimes. Les droits fondamentaux ont été considérés comme source de droit positif et la création d'une Cour Fédérale Constitutionnelle (Bundesverfassungsgerichtshof) a permis leur réalisation méthodique des principes inclus dans le texte. A l'image de la Cour Suprême des Etats-Unis, aucun aspect n'a échappé à sa vigilance. Les dispositions du B.G.B. qui paraissaient contraires à ses objectifs ont été abrogées. Le droit allemand évolue ainsi dans un sens de plus en plus égalitaire et individualiste. Ainsi comme nous le verrons, a été affirmé au nom du libre épanouissement de la personnalité, le droit pour la femme de ne pas se marier et de ne pas mener une vie commune avec le père de son enfant[2]. Le gouvernement des juges semble avoir amené quelques réactions et un refus du Ministère de la Justice de modifier les dispositions sur la garde des enfants de parents vivant en union libre ou divorcés[3].

La censure de la Cour Fédérale Constitutionnelle ne s'est d'ailleurs pas limitée au droit interne. Elle a condamné les dispositions de la loi d'Introduction du BGB en droit international privé, notamment celles qui, à propos des effets du mariage, donnaient la prépondérance à la loi nationale du mari[4]. Comme nous le verrons, c'est au nom du principe constitutionnel de la liberté du mariage que la jurisprudence allemande est passée par dessus les obstacles résultant des "mariages boiteux" en droit international. Ce lien établi entre la teneur matérielle des règles et la formulation des principes de rattachement a

---

1. Cf. Luc Harteman in *Mariage et Famille en question : Italie,* 1982, pp. 9-11. A. Luminoso, "La Condizione giuridica della Donna in Italia, (La passato, presente e avvenire)", *Il diritto di Famiglia,* 1984 (4), pp. 1179 et ss.
2. Arrêts du 23 mars 1981 Fam. RZ, 1981, pp. 429 et ss. 3 novembre, 1982 sur la garde des enfants après divorce Fam.RZ, 1983, pp. 17 et ss. Comment. G. Schmidt, R. Päntsch et E.F. Kaltenbom, p. 964.
3. Sur ces problèmes constitutionnels: C. Labrusse-Riou, *L'égalité des époux en droit allemand,* préface R. David, thèse, Paris 1965 — M. Fromont et A. Rieg, *Introduction au droit allemand,* Paris, 1977, pp. 96 et ss. — P.H. Neuhaus, *Finis Familiae ?* ZfrV., 1982, pp. 1 et ss.
4. Bv Gericht, 22 février 1983, à propos de la femme allemande d'un Irakien réclamant après divorce son droit à la péréquation des gains inconnu du régime séparatiste irakien (Clunet, 1984. 648 con. E. Jayne).

précipité la réforme du droit international privé allemand par la loi du 25 juillet 1986[1]. Il en ira sans doute bientôt de même du droit international privé italien.

Quant aux pays socialistes-marxistes du centre et de l'est de l'Europe, ils se sont flattés de l'absence de contradiction entre les principes posés dans leurs constitutions et les codes qui les mettent en œuvre: ainsi l'égalité de l'homme et de la femme, "la protection particulière accordée aux intérêts des mères et des enfants", se sont retrouvés dans l'art. 38 de la Constitution de la R.D.A., les art. 16 et 23 de la Constitution roumaine de 1965 ainsi que dans la Constitution yougoslave de 1974. Plus récemment le législateur espagnol s'est engagé dans la voie allemande et italienne pour mettre son droit en accord avec les art. 14 et 32 de la Constitution de 1978 sur l'égalité des sexes et la liberté du mariage.

21. Au regard de tous ces principes et efforts l'apport du droit constitutionnel français au droit de la famille peut paraître modeste. Historiquement, il a fallu attendre la Constitution de 1848 pour voir préciser qu'à défaut de la famille la République donne des secours à ceux qui sont hors d'état de travailler". Le projet dit de "gouvernement de Révolution Nationale" de Vichy déclarait que l'Etat reconnaît les droits des communautés spirituelles familiales... au sein desquelles l'homme prend le sens de sa responsabilité sociale (art. 5). Dans un sens plus "volontariste" la Constitution de 1946 de la IVe République, précisait dans son article 10, que "la Nation assure à l'individu et à la famille les conditions nécessaires à son développement". Un amendement de la commission de constitution qui avait été désignée par l'Assemblée Constituante avait voulu s'attacher à la seule famille "légitime", mais avait été alors repoussé. Durant l'existence de la IVe République il est rare, que les tribunaux se soient expressément référés à la Constitution[2]. Sous la Ve République, aucune disposition spéciale de la Constitution ne mentionne la famille. Mais le Préambule de 1958 renvoie à celui de 1946 en tant qu'il visa les droits et les libertés de l'homme et du citoyen. Le Conseil Constitutionnel examine si les textes qui lui sont soumis sont contraires au préambule de 1946 (lui-même s'inspirant de la déclaration de 1789) ainsi qu'aux principes fondamentaux des lois de la République. La phraséologie et les conditions de saisine du conseil Constitutionnel ne peuvent dissimuler la faible portée de ces textes: ce n'est qu'en matière de liberté de mariage que s'est imposée la primauté de la norme constitutionnelle. Ainsi la loi du 29 octobre 1981 a supprimé l'autorisation administrative relative au mariage des étrangers résidants temporaires en France qui était exigée depuis 1945. Un arrêt du Conseil d'Etat du 18 janvier 1980[3], a invoqué l'article 34 de la Constitution pour refuser à un décret la possibilité de limiter le choix du conjoint des

1. Cf. C. Labrusse, "Droit constitutionnel et droit international privé en Allemagne Fédérale", *Rev. Crit.* 1974, pp. I et ss. — P. Lagarde sous compte rendu de W. Wengler, *Rev. Crit.*, 1985, 429.
2. V. cependant l'affaire Burdy-Worms. où, à propos de l'interdiction faite par une grand-mère à sa petite fille d'épouser un israélite, le Tribunal de la Seine mentionnait le Préambule et les "droits inaliénables et sacrés de tout être humain sans distinction de racc". Trib. Seine, 22 janvier 1947, D. 1947.126.
3. D. 1980, TR 297 obs. Delvolvé.

agents diplomatiques et consulaires (qu'en aurait-il été si le texte avait été une loi ?)[1].

22. A mi chemin du droit public et du droit privé on ne peut négliger le rôle du *droit pénal* sur le droit civil de la famille. Certes, des auteurs comme Monsieur Couvrat, tout en relevant que le Code pénal utilise le mot "famille" (art. 3571 parlant de la "résidence familiale"), soulignent qu'elle n'est en droit français que le parent pauvre" du droit pénal[2]. On entendrait par là qu'il n'y a pas de droit pénal autonome de la famille. Tantôt l'appartenance familiale ne serait qu'un obstacle à la répression d'une infraction préalablement définie (cas de l'"immunité au 4e degré entre parents et alliés pour le vol, ou l'escroquerie, selon l'art. 380 ou pour celle concernant la connaissance d'un crime ou délit selon art. 61, al. 3 et 63.4. Tantôt au contraire la famille constitue une circonstance aggravante de la répression (ainsi pour l'attentat à la pudeur avec ou sans violence sur les mineurs (art. 331 et 331.1). Il ne faut pas oublier toutefois qu'il existe, au moins en droit français, des infractions familiales spécifiques: ainsi l'abandon moral ou matériel de famille (art. 357.1 et 357.3) ou le fait par la "non-représentation d'enfant" de soustraire un enfant à la personne qui en assume la garde par décision de justice (art. 345 et 357).

La sanction pénale est destinée à renforcer l'effectivité de la règle de droit civil. C'est le magistrat spécialisé qu'est le juge des enfants en matière pénale qui a vu sa compétence s'étendre en matière de droit civil pour prendre des mesures d'assistance éducative (art 375 et ss).

Il est vrai qu'à l'inverse on peut parler d'une "dépénalisation" du droit de la famille. Certaines infractions ne donnent lieu que bien rarement à des poursuites (ainsi la bigamie de l'art. 340 C. Pén., l'exposition de l'enfant dans un lieu solitaire, selon l'art. 349). D'autres ne sont plus que "des curiosités comparatives". La plupart des droits européens et de ceux des Etats-Unis ont renoncé à la répression pénale de l'adultère ou de l'inceste entre parents. Il y a plus qu'une corrélation entre le refus de sanctionner certains comportements familiaux et l'évolution du droit civil vers la levée des prohibitions et le refoulement de la notion de faute[3].

23. On ne peut être complet enfin sans signaler le rôle du *droit social* et du *droit fiscal* pour le droit civil de la famille. Le droit de la sécurité sociale prend en compte les situations de fait. C'est lui qui, dès la première guerre mondiale, a contribué en France à la promotion de l'"union libre" pour les allocations versées aux compagnes des mobilisés. La loi du 2 janvier 1978 qui a généralisé le régime de la Sécurité Sociale ignore *a priori* la distinction entre

1. Sur le rôle du droit constitutionnel en matière de droit de la famille, cf. J. Boulouis, "Famille a Droit Constitutionnel" *Mélanges Kayser,* 1979, t. 1, pp. 147 et ss. — Fr. Luchaire, "Les fondements constitutionnels du droit civil", *Rev.. Trim.. Dr. civ.*, 1982, 248. — N. Coiret, "La liberté de mariage au risque des pressions matérielles", *R.T.D.C.* 1985, pp.63 et ss.
2. In *Le droit non civil de la famille,* Poitiers, 1983, *cit.*, pp. 133 et ss.
3. Sur les rapports entre le droit pénal et le droit civil, cf. Couvrat *cit.*, et *Rev. Science Crim.*, 1969, pp. 807 et ss. — G. Levasseur, *Archives de Philosophie du droit,* t. 25, 1975, cit., 57-70. — M.L. Rassat, *Précis de droit pénal spécial,* 5e éd., 1983. — G. Raymond et C. Barreteau-Raymond, *Droit de l'enfants,* 2e éd., Litec, 1983.

familles fondée ou non sur le mariage. C'est le cas en particulier pour le versement du capital de l'assurance décès qui ne vise que la "charge effective et permanente"[1]. Le droit fiscal n'est pas non plus indifférent. En matière d'impôt sur le revenu, on a pu dénoncer une politique d'imposition commune des revenus des personnes mariées (art. 6 du Code Général des Impôts) qui pénalise en droit français les couples où la femme est active par rapport à ceux qui vivent en union libre, soumis à l'imposition séparée (alors que les systèmes américain et allemand laissent un choix entre l'imposition commune ou séparée). Paradoxalement la notion d'égalité ou de "justice fiscale" consisterait à faire bénéficier les couples mariés d'avantages accordés aux concubins[2].

La richesse que constitue l'appel à toutes les disciplines extérieures et aux branches du droit "non civilistes", la transformation de l'esprit et des méthodes avec lesquelles est abordé le droit de la famille, amènent à se demander s'il n'est pas désormais autonome par rapport au reste du droit privé, et si la rédaction d'un "Code de la famille" est justifiée.

SECTION III
L'AUTONOMIE DU DROIT DE LA FAMILLE ET LA REDACTION D'UN "CODE DE LA FAMILLE"

24. L'existence de droits et de "Codes de la famille" distincts du reste du droit privé est une réalité importante dans un certain nombre de systèmes juridiques. Par delà les raisons contingentes, il faut s'interroger sur l'existence de techniques et de juridictions qui justifieraient de réserver une place à part au droit de la famille.

Ce sont d'abord les *pays de l'Est, de l'Europe socialiste,* qui ont inauguré après la seconde guerre mondiale la technique des "Codes de la famille" : Code roumain du 4 janvier 1954, Code polonais de la famille et de la tutelle du 25 février 1964, Code de la famille de la République démocratique allemande (R.D.A.) du 20 décembre 1965, Code bulgare du 23 mai 1968 (modifié par la loi du 23 avril 1979), etc... Bien qu'une controverse soit née à ce sujet en Union Soviétique[3]. Les "principes fondamentaux" élaborés en 1968-69 pour l'ensemble de la fédération soviétique, se rattachent à ce courant. La doctrine socialiste marxiste a même contribué à la création de "Codes de la famille" dans d'autres parties du monde (ainsi le Code Cubain du 14 février 1975). La spécificité de la famille résulte dans ces Etats de sa dépendance par rapport à des critères constitutionnels et politiques. La famille socialiste repose sur l'af-

---

1. L. 361-4e Code de la Sécurité Sociale, ou pour les prestations famillialles (L 513e 1). Cf. Jean-Francois Lusseau, *Vie maritale et droit de la Sécurité Sociale,* Droit Social, 1980, pp. 203 et ss.
2. Cf. Evelyne Sullerot, *Pour le meilleur et sans le pire,* Paris, 1984, pp. 183 et ss. — Denis Mardesson, "Le couple et l'égalité devant l'impôt sur le revenu", *J.C.P.* 1987-3294.
3. Cf. Y. Eminescu et T. Popescu, *Les Codes civils des pays socialistes : Etudes comparatives,* Paris, 1980, p. 20.

firmation constitutionnelle d'égalité (entre époux, entre parents et enfants) et de non-discrimination. Elle se veut affranchie des contraintes tenant à la propriété privée et aux rapports patrimoniaux. Il n'y a pas affrontement mais harmonisation des intérêts des particuliers et de ceux de l'Etat. Ainsi "l'Etat protège le mari et la famille. Il assure par des mesures économiques et sociales le développement et la consolidation de la famille"[1]. L'article 42 4° du Code de la famille de la R.D.A. abrogé, prévoyait une "coopération des parents avec les organismes d'Etat et de la société (les enfants étant élevés comme "constructeurs du socialisme"). Le Code cubain dans son exposé des motifs définit la famille comme "une entité dans laquelle l'intérêt personnel et l'intérêt social sont présents et intimement liés"[2].

La codification particulière du droit de la famille s'est par la suite développée au Proche-Orient et en Afrique du Nord comme l'expression du *statut personnel.* La notion inconnue à l'origine des principes islamiques de la "sharia" a pu être définie comme "l'ensemble des attributs naturels ou familiaux qui distinguent une personne d'une autre et qui d'après la loi ont des effets juridiques sur sa vie sociale". L'idée d'une codification semble être née de la nécessité de clarifier les principes coutumiers islamiques dont les divergences reflétaient les controverses théologiques, voire d'harmoniser les droits des diverses communautés. Le modèle en a été le décret-loi turc de 1917 portant "Code de la famille" applicable aux musulmans comme aux non musulmans. Abrogé en 1919, ce texte turc est réglé resté en vigueur au Liban et même en Israël (pour les musulmans sunnites). Après la seconde guerre mondiale, les pays du Proche-Orient ont codifié le droit de la famille: loi syrienne de 1955 (amendée en 1975), loi irakienne de 1959. Le mouvement a gagné les Etats d'Afrique du Nord avec le Code de statut personnel (C.S.P. "majella") de la Tunisie du 13 août 1956 (en vigueur depuis 1957) et le Code du statut personnel marocain ("mudawwana") du 22 novembre 1957 applicable à compter de 1958. L'opposition entre les droits civils "classiques" relatifs aux droits réels et aux rapports patrimoniaux et les droits de la famille s'explique par des motifs idéologiques: la famille est le terrain de lutte entre, d'une part, "traditionnalistes" et "intégristes" soucieux de perpétuer dans les textes les enseignements des docteurs de l'Islam et "modernistes" pénétrés des transformations laïques de la famille. Les exemples français et turc (Code du 17 février 1926) ont surtout inspiré le droit tunisien, tandis que l'influence de l'école malékite se révélait prépondérante en droit marocain. Il est significatif qu'en Algérie, alors que le Code Civil date de 1975, il ait fallu attendre la loi du 9 juin 1984 pour que soit promulgué le code de la famille. Les influences religieuses et la tradition du "figh" ont triomphé dans la codification[3].

1. Art. 1 du code roumain de 1954.
2. Cf. Czachorski, in *Introduction aux droits socialistes* (Faculté internationale pour l'enseignement du droit comparé. *Akademiai Kiado,* Budapest, 1971, pp. 517 et ss.— Y. Eminescu et *M.* Shaoanu, "La condition de la femme en Roumanie et les objectifs de l'année internationale de la femme", *Rev. Roumaine Sciences Juridiques,* 1975.2., pp. 137 et ss. — J. Lisbonne, "un démantèlement du code Civil, les Codes de la famille", *R.D.I.C.,* 1978, pp. 128 et ss.
3. Cf. outre la thèse de El Jarrah Chafic, *La formation du mariage en droit musulman classique et dans le nouveau code syrien du statut personnel,* thèse (dactyl.), Paris, 1962, articles de L. Hamdan, "Les difficultés de codification du droit de la famille algérien", *R.I.D.C.,* 1985, pp. 1002 et ss. — M. Borrmans, "Le nouveau Code

Les mêmes soucis de "dosage" de tradition et de modernité, la nécessité de simplifier et d'unifier le droit existant ont entraîné la rédaction de codes de la famille parfois en Amérique latine (comme le code bolivien du 23 août 1972) mais surtout en *Afrique Noire :* ainsi les textes du Mali (ordonnance du 3 février 1962 et "Code de la parenté" du 31 juillet 1973, le code gabonais du 29 juillet 1972, le Code togolais des personnes et de la famille", du 31 janvier 1980[1].

25. En France et dans les pays où il n'y a pas de séparation dans les textes ou l'enseignement entre le droit de la famille et le reste du droit civil, on a pu néanmoins se demander s'il n'a pas une spécificité propre. Nous savons déjà que le droit de la famille déborde les frontières classiques du droit public et du droit civil. Il se caractériserait désormais par son extrême mobilité et sa dépendance envers les facteurs politiques et moraux, voire scientifiques. C'est un trait qui n'est pas suffisant. Il suffit de songer à la variabilité d'une matière comme le droit des loyers ou de la construction, selon la politique de circonstance. Il pourrait y avoir un droit de la famille comme on a pu concevoir un "droit de l'enfance"[2], unissant des règles de droit civil, de droit pénal, de droit social par le seul objet concerné. La juxtaposition garde un caractère un peu artificiel. L'attention se tourne alors vers la nature de la sanction et le rôle du juge en matière familiale. Par opposition au droit du patrimoine, la règle juridique et l'intervention du juge auraient un caractère largement préventif. Il s'agirait d'éviter la dislocation des liens familiaux[3]. Dès qu'apparaîtrait un risque de conflit ou d'opposition entre les membres de la famille, interviendrait une juridiction spécialisée, le *tribunal de la famille*, comportant de larges attributions d'arbitrage. De fait, historiquement, le droit français a connu un tribunal de la famille créé par une loi du 16-24 août 1790. Chaque partie choisissait deux arbitres pris parmi les parents et alliés, à défaut parmi les amis et voisins. Ces tribunaux dont la compétence était limitée aux litiges affectant les parents au 2e degré et les collatéraux aux 2e et 3e degré, rendaient une sentence motivée après conciliation, s'en remettant le cas échéant à un tiers arbitre. Mais cette expérience n'a connu qu'une existence brève jusqu'à la loi du 9 ventôse, an IV (février 1796). L'originalité de cette juridiction domestique semble avoir été très tôt compromise par la désignation de juristes spécialisés comme arbitres et le recours systématique à l'appel[4]. L'évolution postérieure au code Civil s'est caractérisée par la prolifération de juridictions spécialisées, en dehors de la compétence des tribunaux de grande instance de droit commun: création en matière pénale (mais aussi compétents par la suite en matière d'assistance éducative) des "juges des enfants" par les lois du

algérien de la famille dans l'ensemble des Codes musulmans de statut personnel", *RICD*, 1986, pp. 133 et s.

1. Cf. "La codification et l'évolution du droit", *Rev. J. Polit. Indépendance et Coopération*, janvier-juin 1986.
2. Cf. l'ouvrage de Monsieur Guy Raymond, *Droit de l'enfance, de la conception à la majorité*.
3. Cf. H. Batiffol, "Existence et spécificité du droit de la famille", in *Archives de Philosophie du droit*, 1975, cit.
4. Cf. pour une application locale Olivier Devaux, "Les tribunaux de famille du district de Rieux et l'application de la loi du 17 Nivôse, an II", *Annales de l'Université de Toulouse*, t. XXXV, pp. 135 et ss.

12 juillet 1912 et l'ordonnance du 11 juillet 1945 — compétence du juge des tutelles avec la réforme du 14 décembre 1964 — création par la loi sur le divorce du 11 juillet 1975 du "Juge aux Affaires matrimoniales" (J.A.M.). Les juxtapositions, voir les conflits de compétence à propos des mêmes questions juridiques ne sont pas rares (ainsi, pour le nom de l'enfant naturel, les art. 334-2 et 334-3 distinguent la déclaration conjointe devant le juge des tutelles et la demande de changement au T.G.I.). La loi du 4 juin 1970 sur l'autorité parentale donne de même une compétence concurrente au juge des tutelles en cas de divergence des parents et au juge des enfants pour l'assistance éducative (art. 372.1, 2e alinéa. 375-1). L'idée d'un tribunal ou d'une "Chambre de la famille", regroupant toutes les compétences spéciales, comportant le préalable d'une large enquête sociale, a refait surface. Une pratique officieuse, confortée par une circulaire du Garde des Sceaux du 30 juillet 1965 a amené dans un petit nombre de cas la création de "Chambres de la Famille" au sein des Tribunaux (20 sur 175 tribunaux). Mais, en réalité, aucune des juridictions spéciales n'a disparu. Les risques de conflits des compétences subsistent. L'idée d'un ordre spécifique de juridiction, reflétant la finalité propre du droit de la famille n'a pu triompher[1]. Le projet gouvernemental de 1992 présenté par le Garde des Sceaux, M. Vauzelle, créerait un juge aux affaires familiales, à compétence étendue. Non seulement il remplacerait l'ancien juge aux affaires matrimoniales pour le divorce, mais statuerait sur des questions comme l'autorité parentale, l'obligation alimentaire ou les prénoms (la tutelle continuant de relever d'une juridiction particulière) (cf. Débats Assemblée Nationale, 28 avril 1992, *J.O.* 29 avril, p. 725).

La difficulté de caractériser l'autonomie du droit de la famille par une juridiction propre est apparue également à l'étranger. Un pays, tel que la Belgique qui avec la loi du 8 avril 1965 sur "la protection de la jeunesse" connait un système de "tribunaux de la jeunesse", n'a pas pu mettre fin aux multiples compétences judiciaires (du juge de paix, du Président du tribunal de 1re Instance) pour les seules questions des mineurs[2].

L'instauration de la réforme allemande de 1976 de sections spécialisées auprès des juridictions de droit commun n'a pas accéléré la solution des litiges. Une création originale, comme celle des "Family courts" australiennes, par le "Family Court Act" de 1975 avec une mission largement préventive des conflits familiaux, semble avoir été un échec. Elle a été incapable d'arbitrer les intérêts familiaux contraires et les efforts des groupes de pression[3].

26. En définitive, l'idée que le droit de la famille serait distinct du reste du droit civil, n'offre de signification que dans les systèmes juridiques à finalités propres, ceux dominés par les facteurs confessionnels ou à l'inverse par le

---

1. Cf. A Rouast, "Le juge et la vie familiale en droit français", *Mélanges J. Dabin*, 1963, t. 2, pp. 865 et ss. — H. Groze, "L'intervention judiciaire dans la famille", in *Mariage et Famille en question*, sous la direction de R. Nerson, t. 2, 1978, pp. 171 et ss. — J. Commaille, "Permanence et redéfinitions du rôle du droit et de la justice face à la famille", *Les cahiers d'action juridique*, n° 35-36, 1982.
2. Cf. A. Verbrugghe, "Quelques aspects de la protection des biens du mineur en droit civil belge", *R.J.P.J.C.*, 1977, pp. 633 et ss.
3. Cf. J. Commaille, "L'enfant et le conflit entre ses parents : intervention judiciaire ou psychologique", *R.T.D.F.*, 1985, pp. 295 et ss.

désir de réaliser la société socialiste. La composition et le rôle des tribunaux viennent à l'appui de l'autonomie: tribunaux "rabbiniques" ou "islamiques" dans un cas — fonctions dans les systèmes socialistes des "collectifs de travail" ou des "communautés de maison" qui intervenaient comme témoins des conflits familiaux. Dans les autres pays et notamment en France, ni la juridiction compétente ou la procédure, ni la formulation technique ne permettent de conclure à une véritable autonomie du droit de la famille. Si les juridictions d'exception spécialisées ont augmenté, ce sont les mêmes tribunaux de droit commun qui connaissent des contentieux du droit de la famille comme du reste du droit civil (bien qu'il y ait en droit international privé comme en droit interne une certaine spécialisation de fait). La doctrine[1] fait preuve d'un grand scepticisme à l'égard de ce qui ferait l'originalité des règles de fond: le détachement du droit par rapport aux mœurs, la vertu éducative ou "prophylactique" du droit de la famille. Il reste que sans doute, plus que d'autres branches du droit, le législateur a recours à des formules "standard" qui impliquent un grand pouvoir d'opportunité par le juge chargé d'appliquer les textes: "exceptionnelle dureté" pour le droit du divorce, ou "mise en péril des intérêts de l'enfant". Nous pensons, d'autre part, avoir suffisamment montré le poids des données non juridiques, plus lourd sans doute dans le domaine du droit familial. Même dans les questions plus abstraites soulevées par le droit international de la famille, on ne peut faire abstraction de données sociologiques et démographiques. Le droit de la famille reste pour une bonne part, celui des droits extra-patrimoniaux. Les techniques juridiques doivent rester protectrices des personnes.

SECTION IV
LES SOURCES ET LA BILIOGRAPHIE (INTERNE ET INTERNATIONALE)

§ 1. SOURCES ET BIBLIOGRAPHIE FRANÇAISE

27. Le droit français s'est longtemps caractérisé, quant aux sources formelles (entendues comme mode de création des règles) par l'opposition entre le droit interne et le droit international. Pour l'essentiel le droit interne de la famille était contenu dans le livre 1 du code Civil (titres V et ss.). Le droit international s'en remettait par contre, en l'absence presque totale de textes, à l'enseignement doctrinal des "statutaires" perpétué au XIXe siècle, et aux précédents judiciaires. Les vingt-cinq dernières années ont vu un rapprochement notable s'opérer entre les deux branches du droit de la famille. La rénovation législative, malgré le développement de la jurisprudence a plutôt renforcé le rôle des sources écrites en droit interne. Quant au droit international, il se caractérise par un "foisonnement" de textes, qu'ils résultent de l'adhésion de la

1. Cf. Ph. Malaurie et L. Aynès, *Cours de droit civil : la famille*, 1989, n° 20-21.

France à des conventions internationales, ou qu'ils émanent du législateur français.

La principale source écrite du droit de la famille reste le livre I du Code Civil "Des personnes". Mais la plupart des titres qui le composent (V à IX, soit art. 144-487), ont été presque entièrement réécrits, à l'exception du Titre V "Du Mariage". Le Code Civil doit être complété par les dispositions du *Code de procédure civile* rénové. Le Livre III du Nouveau code de Procédure Civile (N.C.P.C.) traite des dispositions particulières (proches du fond) relatives aux personnes et à la famille (art. 1038-1263). En particulier, le décret du 12 mai 1981 a intégré au Code de Procédure Civile l'important décret du 5 décembre 1975, pris en application de la loi sur le divorce du 11 juillet 1975 (art. 1070-1148). On ne peut en outre négliger l'importance des sources administratives que sont le *Code de la Santé publique* (décret du 5 octobre 1953) et le *Code dit "De la famille et de l'Aide Sociale"*. (décret du 24 janvier 1956). Le premier traite du problème de "placement" des mineurs dans des établissements publics ou privés agréés, le second — ce qui est particulièrement important pour le droit de l'adoption — détaille le classement des enfants secourus ou pris en charge par l'Aide Sociale à l'enfance.

28. Le droit international privé français de la famille est quant à lui, sous l'influence croissante des *sources internationales*. La France a ratifié une série de Convention de La Haye concernant le droit des mineurs : celle du 5 octobre 1961 sur la compétence des autorités et la loi applicable en matière de "protection des mineurs" (en vigueur depuis le 10 novembre 1972), les deux conventions du 2 octobre 1973 (remplaçant celles de 1956 et 1958) sur "la reconnaissance et l'exécution des décisions en matière d'obligation alimentaire envers les enfants" comme sur "la loi applicable aux obligations alimentaires" (en vigueur depuis le 1er octobre 1977), la Convention du 25 octobre 1980 sur les "aspects civils de l'enlèvement international d'enfants" (en vigueur au 1er décembre 1983). La France est en outre partie à la Convention européenne de Luxembourg, du 20 mai 1980 (ratifiée par décret du 27 juillet 1983) sur "la reconnaissance et l'exécution des décisions en matière de la garde des enfants".

Elle a signé avec trois Etats étrangers des conventions bilatérales qui forment des ensembles complets des conflits de lois et de juridictions : convention franco-polonaise du 5 avril 1967 (en vigueur le 1er mars 1969), convention franco-yougoslave du 18 mai 1971 (en vigueur au 1er décembre 1972) convention franco-marocaine du 10 août 1981 (en vigueur au 13 mai 1983). On peut ajouter les multiples conventions judiciaires passées par la France, dont certains aspects intéressent le droit de la famille.

Pour autant, alors que les dispositions législatives internes ne jouaient qu'un rôle minime (ainsi les articles 48 et 170 C. civ. pour le mariage), le législateur contemporain, a étendu les réformes du droit interne français au droit international. En l'absence de toute codification générale, la méthode a été inaugurée avec le droit de la filiation: la loi du 3 janvier 1972 consacré les articles 311-14 du Code Civil à 311-18 aux aspects internationaux de la filiation. La loi du 3 janvier 1975 sur le divorce a ajouté le déjà célèbre article 310 du Code Civil. Même dans les matières non codifiées (ainsi l'adoption), on doit tenir compte des circulaires administratives et des réponses ministérielles à des questions écrites. Cet éparpillement des textes n'est pas sans nuire à la cohésion de l'ensemble. Il y a un risque réel de méconnaissance par les magistrats chargés de les appliquer. Des réformes législatives sont déjà dépassées ou contredites par les Conventions internationales: ainsi l'article 311-18 C. civ. sur l'action à fin de subsides est considéré comme tacitement abrogé par la Convention de La Haye de 1973 relative aux aliments. Les difficultés nées de l'application de l'article 310 en matière de divorce ont entraîné la signature de la convention franco-marocaine contenant des dispositions contraires. On peut regretter qu'il n'y ait pas une "remise en ordre" générale. Les codifications étrangères les plus récentes, la loi allemande du 25 juillet 1986 et la loi fédérale suisse, du 18 décembre 1987, se sont au contraire efforcées d'intégrer les Conventions internationales qu'elles ont ratifié à la réforme générale de leur propre système. Elles n'ont plus dès lors à craindre les concurrences ou les contradictions de leurs sources,

29. **Bibliographie.** L'évolution très rapide du droit de la famille a rendu caducs des ouvrages — même peu anciens — ceux-ci peuvent toutefois être consultés pour certaines parties du droit de la famille qui n'auraient subi que des transformations réduites (droit du mariage) ou qui présentent par comparaison un intérêt historique.

— *Droit interne*

Manuels et Traités du XIXe et du XXe siècles non réédités :

Laurent (F.), *Principes de droit civil,* tome 2, 3e édition, 1978 (étude du droit belge, se confondant à l'époque avec celle du droit français).
Ripert (G.) et Boulanger (J.), "Traité de droit civil de Planiol", t. 1, *L.G.D.G.,* 1956.
Rouast (A.), "La famille", *Traité pratique de droit civil français,* par Planiol (M.) et Ripert (G.), t. 2, 1952.
Vazeille (F.A.), *Traité de mariage, de la puissance maritale et de la puissance paternelle,* 2 volumes, Paris, 1825 (état du droit français au lendemain du Code Napoléon).

Ouvrages modernes

A) *Manuels*

Aubry et Rau par P. Esmein, t. 7, 1962.
Bénabent (Alain), *Droit Civil : la famille,* 3e édition, Litec, 1988.
Carbonnier (Jean), *Droit Civil : la famille, les incapacités,* t. 2, P.U.P., 12e éd., 1983.
Hauser (J.) et Huet-Weiller (D.), "La famille : fondation et vie de la famille", L.G.D.J., Paris, 1989. — "Dissolution de la famille", L.G.D.J., Paris, 1991 (Collection J. Ghestin).
Malaurie (Philippe), *Cours de droit civil : la famille,* Cujas, 1989 (2e édit.).
Mazeaud (H.L.J.) et De Juglart (M.), *Leçons de droit civil: les personnes",* t. 1, 3e vol., 6e édit., Montchrestien, 1976.

Marty (G.) et Raynaud (P.), *Les personnes*, par P. Raynaud, 3e éd., 1976.
Weill *(A.)* et Terré (F.), *Les personnes, la famille, les incapacités*, 5e édit., 1983.

B) *Cours* (de dimension plus réduite)

Buffelan-Lanore (Mme), "Droit Civil", 1re année, 6e édit., Masson, 1986.
Colombet (Claude), "La famille", Collection *Droit Fondamental*, P.U.F., 1985.
Cornu (Gérard), "Droit civil: la famille", *Précis*, Domat, Montchrestien, 1984.
Guiho (Pierre), "Cours de droit civil: la famille", 2e édit. *L'Hermès*, Lyon, 1986.
Labrusse-Riou (C.), *Droit de la famille: les personnes"*, Paris, Masson, 1984.
Raymond (G.), et Barreteau-Raymond (Chr.), "Droit de l'enfance : de la conception à la majorité", 2e édit., Litec, 1983.

Droit international privé (ouvrages généraux)

Audit (B.), *Droit international privé*, Economica, 1991.
Ancel (Bertrand) et Lequette (Y.), *Grands arrêts de la jurisprudence française de droit international privé*, Paris, Sirey, 1987 (Préface H. Batiffol).
Batiffol (Henri) et Lagarde (Paul), *Droit international privé*, 7e éd., t. 1, 1981, t. 2, 1983 (Paris, *L.G.D.J.).*
Holleaux (Dominique), Foyer Jacques), et de Geouffre de la Pradelle (G.), *Droit international privé*, Paris, Masson, 1987.
Loussouarn, (Y.) et Bourel (P.), 3e édit., *Droit international privé*, Dalloz, 1988.
Mayer (P.), *Droit international privé*, 3e édit., Paris, Montchrestien, 1987.
Revillard (M.L.), *Droit international privé et pratique notariale*, (Préface P. Lagarde), Paris, 1983, Répertoire de Notariat.
Sumampouw (M.), "Les nouvelles Conventions de La Haye, leur application par les juges nationaux", t. 3,1984 (Dordrecht et Anvers).

§ 2. SOURCES ET BIBLIOGRAPHIE ETRANGERES

30. Les systèmes étrangers relatifs au droit de la famille posent un difficile problème de classification. Les critères traditionnels, reposant sur les procédés d'élaboration ou le contenu des règles sont dépassés. Il est d'usage d'apposer la "famille romano-germanique" à celle du "Common Law" et des droits socialistes[1]. L'originalité de ces derniers ne fait pas de doute, comme celle des droits de concept et de traditions islamiques (Proche-Orient et Afrique du Nord). Mais si le droit anglais et celui des pays qui s'en inspiraient n'accordaient qu'une place minime à la source écrite, par rapport aux précédents, il n'en va plus de même aujourd'hui. Le rôle du texte écrit ("Statute law") est

1. Cf. R. David et C. Jauffret-Spinosi, *Les grands systèmes des droits contemporains*, 8e édit., Paris, 1982.

primordial, et les réformes fréquentes. Quant au fond, on pouvait faire ressortir l'originalité des droits latins" (Espagne, Italie, Amérique du Sud et dans une grande mesure, la France) par la primauté du mariage, l'interdiction ou du moins la très grande restriction apportée au divorce, l'infériorité de condition des enfants naturels. Tous ces traits ont disparu. Tout au plus peut on regrouper un certain nombre de pays, géographiquement et juridiquement disparates, comme étant les plus avancés sur la voie de l'égalité familiale et de la "promotion" de l'union libre: en Europe, les Etats scandinaves et la Suisse (de tradition protestante) ainsi que la Yougoslavie (cas un peu à part dans les pays socialistes) — hors d'Europe les pays de "Common Law" qui sont le Canada et l'Australie : dans une certaine mesure des Etats d'Amérique du sud. La plupart des droits d'Europe occidentale (Grande-Bretagne, Allemagne Fédérale, Italie) sont plutôt un peu en retrait sur le premier groupe. Les Etats-Unis constituent un cas et un monde à part allant de droits internes conservateurs à ceux les plus "en pointe" (cas de la Californie).

Quant au droit international privé, la plupart des Codes Civils du XIXe siècle ne connaissaient que des dispositions sommaires sur les conflits des lois, en annexe des règles de droit interne. Le mouvement de codification moderne, qui a débuté dans les Etats scandinaves et les pays de l'Est, se caractérise par des textes de plus en plus étoffés, ayant l'ambition de regrouper l'ensemble des problèmes nés du conflit de juridictions comme des conflits de lois[1].

31. **Bibliographie**

Seuls sont cités les ouvrages et articles effectivement consultés. Nous nous sommes efforcés de donner une présentation relativement rationnelle des systèmes en présence.

Ouvrages et articles généraux sur le droit comparé de la famille :

"Regards sur le droit de la famille dans le monde", *Annual Survey of Family Law*, Ed. du CNRS, Paris, 1991. —"Famille, Droit et changement social, dans les sociétés contemporaines", *Travaux 8e Journée d'études J. Dabin*, 25-26 mars 1976 (préface F. Rigaux), Bruylant et *L.G.D.J.*, 1978 — Mary A. Glendon State, *Law and Family — Family Law in Transition in the United States and Western Europe*, Amsterdam, New-York, Oxford, North-Holland Publ., 1977. — P. Neuhaus, *Ehe und Kindschaft in rechtsvergleichender Sicht*, (Droit comparé du mariage et de la filiation), Tubingen (Mohr), 1979) — Erik Jayme: "Die Entwicklung des europaïschen Familienrechts", *Zeitschrift fur Rechtsvergleichung*, 1981, pp. 221-225

1. Cf. E. Vassilakakis, *Orientations méthodologiques dans les codifications récentes du droit international privé en Europe* Thèse, Paris I, dactyl. 1984, impr. *LGDJ*. — G. Beitzke, *Grundfragen familienrechtlichen Kollisionszechts in der Neueren mitteleuropaïschen Kodifikationen* ZrV. 1981, pp. 110 et ss.

(évolution du droit européen de la famille) — Le Centre régional du C.N.R.S. de Lyon a publié, à partir de 1978 sous le titre de *Mariage et famille en question*, une série de monographies consacrées aux droits de la famille des principaux pays d'Europe (sous la direction des Professeurs Nerson et Von Wahlendorf). Les textes législatifs sont parus dans Bergmann et Férid (M.), *Internationales Ehe und Kindschaftsrecht*, (5 vol.).

Classification (par Etats)

I. EUROPE OCCIDENTALE

Autriche — Le Code Civil autrichien de 1811 (ABGB) dans sa partie relative au droit de la famille, n'avait subi que très peu de modifications jusqu'à l'annexion (Anschluss) par l'Allemagne en 1938. La loi du 6 juillet 1938 avait alors étendu au territoire autrichien la réforme du droit allemand du mariage. Moyennant quelques réaménagements, la loi fédérale du 26 juin 1945 l'avait maintenu en vigueur. A partir de la loi sur l'adoption du 17 février 1960, le droit autrichien de la famille a été, par réformes successives, entièrement refondu. Les droits des enfants illégitimes et l'ensemble de la filiation ont été par deux fois remaniés (lois du 30 octobre 1970 et du 30 juin 1977). Les effets personnels du mariage ont été revus par la loi du 11 juillet 1975, le droit du divorce rénové (loi du 15 juin 1978). Le droit du mariage, lui-même a été réécrit par la loi du 11 novembre 1983. Cf. Fr. Schwind, "Evolution des structures juridiques de la famille en Autriche", in *Mariage et Famille en question*, 1980, pp. S9 et ss. — "La réforme du droit autrichien de la famille", R.D.I.C., 1980, pp. 374 et ss. — F.W. Bosch, *Das Ehegesetz von 1938-1946. Seine Weiterentwicklung in der Bundesrepublik Deutschland und Osterreich*, (La loi sur le mariage de 1938/1946. Sa destinée en R.F.A. et en Autriche). ZrV. 1984, pp. 241-261 — sur le droit de la filiation v. Christ. Rose-Kaan, *Der Vaterschaftsprozeß in Frankreich und Osterreich*, (procès de paternité en France et en Autriche) ZrV. 1980, pp. 264-293 — E. Bernat, "La situation actuelle après trente ans de réforme du droit de la famille", *Regards sur le droit de la famille*, p. 65 sv.

En droit international privé, la loi du 15 juin 1978 (en vigueur au 1er janvier 1979) contenant une réglementation complète des conflits de lois, a remplacé les dispositions éparses de l'AGBGB. Texte in *Rev. Crit.*, 1979. 174 et commentaires G. Beitzke, *Neues Osterreichnisches Kollisionsrecht*, RabelsZ. 1979, pp. 245 et ss. — M. Schwimann, *Das neue internationale Familienrecht Osterreichs*, Fam. RZ. 1982, pp. 14 et ss.

Belgique — Lors de son indépendance en 1830-1831, l'Etat belge avait conservé le code Napoléon. Jusqu'au delà de la seconde guerre mondiale, l'application des textes de 1804 n'avait connu que de légers remaniements (notamment avec la loi du 15 mai 1912 sur la protection de l'enfance). Les quinze dernières années ont vu une "réécriture" presque totale du droit de la famille. La loi du 1er juillet 1974, après celle du 8 avril 1965 (abrogeant la loi de 1912) a remplacé les textes sur la "puissance paternelle" par ceux sur "l'autorité parentale". La loi du 14 juillet 1976 a eu trait aux "droits et devoirs des époux" et à mis fin à la structure inégalitaire des régimes matrimoniaux. Les lois du 1er juillet 1972,1er juillet 1974 et 9 juillet 1975 ont revu à la fois les causes de divorce (par consentement mutuel et séparation de fait) et la pension après divorce. Enfin, la réforme de la filiation, à l'ordre du jour dès 1978 (v. articles J.M. Pauwels et P. Senaeve in *La réforme du droit de la filiation: perspectives européennes,* Bruxelles, 1981 a abouti à la loi du 31 mars 1987. Les nouvelles dispositions ne se limitent pas à l'établissement de la filiation mais concerne également les effets personnels de la filiation (nom, domicile), l'autorité parentale et la tutelle. De son côté, l'adoption a fait l'objet des lois du 20 mai 1987 (abandon des mineurs), 26 janvier et 27 avril 1987 (nom et dispositions légales sur l'adoption). Cf. F. Rigaux "Evolution des structures juridiques de la famille en Belgique" in *Mariage et Famille en question,* 1980, (vol. Belgique, Pays-Bas), pp. 87 et ss.—J.P. Renchon, "Les vicissitudes de la législation belge sur le divorce: bilan de l'évolution du droit positif depuis 1972", *Annales de droit,* 1976,1, pp. 43-422. — E. Vieujean, "De la puissance paternelle à l'autorité parentale", *Annales de droit,* 1976, I, pp. 5 et s. — F. Rigaux, "Quelques réflexions sur la loi du 14 juillet 1976; droit interne et droit international privé", *RTDF,* 1978, pp. 9 et ss. La réforme du droit de la filiation et de l'adoption a été commentée par M.T. Meulders Klein, "L'établissement et les effets personnels de la filiation", Annales de droit de Louvain, in *Rev. trimestrielle de droit belge,* n° 3/4, 1987, pp. 216 et ss. — J. Lammerant, "La réforme de l'adoption en droit interne", *Journal des Tribunaux* (26 septembre 1987), pp. 509 et ss. Textes et débats sur l'adoption, *RTDF*, 1987, n° 1-2, (intr. H. Cassman) — sur l'union libre en droit belge, cf. N. Jeanmart, *Les effets civils de la vie commune en dehors du mariage* (Préface F. Rigaux), Bruxelles, 1975.

Le droit international privé belge, est par contre jusqu'à présent, sauf sur quelques points particuliers (loi du 27 janv. 1960, en matière de divorce—loi du 21 mars 1960 modifiant l'art. 344 C. Civ. sur l'adoption), resté un droit d'interprétation jurisprudentielle. La Belgique, partie à la Convention de La Haye de 1902 sur les mineurs, n'a pas ratifié celle de 1961. Cf. François Rigaux, *Droit international privé,* t. 2 : Droit positif belge, Bruxelles, 1979 — R. Van der Elst et M. Weser, *Droit international privé belge et droit conventionnel international,* t. 1, Conflits de lois, Bruxelles, Bruylant, 1983.

Espagne — Les vicissitudes du droit espagnol de la famille sont liées à l'histoire politique de ce pays. La Constitution du 9 décembre 1931 avait établi la séparation de l'Eglise et de l'Etat, et la loi du 2 mai 1932 avait introduit le divorce dans le Code de 1889. Il ne devait pas survivre à la guerre civile. La nouvelle Constitution espagnole de 1978 a prévu le rétablissement du divorce. Elle a proclame l'égalité juridique des époux (art. 32). La sauvegarde des principes constitutionnels, a été organisée par la loi du 26 décembre 1978 (avec notamment l'intervention d'un défenseur du peuple "Defensor del Pueblo" devant la Cour Constitutionnelle). La loi du 7 juillet 1981 (en vigueur au 10 août 1981) a rétabli le divorce et fait place à la laicité du mariage. Dès avant la promulgation de la Constitution, la loi du 2 mai 1975 avait revu les inégalités du statut des femmes mariées. La persistance des droits locaux 'Derecho local) leur a été parfois moins favorable. Les enfants illégitimes, quant à eux, ont eu leur condition transformée par la recherche judiciaire de paternité (loi du 13 mai 1981). Le droit international privé de la famille au titre préliminaire du code Civil espagnol a été revu par la loi du 31 mai 1974. Sur le droit interne du mariage et du divorce: C.E. Dubler, "La nouvelle législation espagnole en matière de divorce", *R.J.D.C.*, 1982, pp. 1185-1210 — G.F. Glos, "The spanish Divorce Law of 1981", *I.C.L.Q.*, 1983, pp. 667-688. — A. Kneip, *Die Ehescheidung im neuen spanischen Recht,* ZrV. 1982, pp. 445 et ss. — Sur l'égalité des époux et la séparation de fait, J.M. Morenilla Rodriguez, "La iguàldad juridica de la mujer en Espana, 1975-1980" *Revista General de legislacion y jurisprudencia,* 1980. pp. 445 et ss. — Sur la filiation, R. Herrera Campos, *Revista de derecho privado,* 1983, pp. 4 et ss. — Sur le rôle de l'union libre, E. Fosar, Benllock, *Revista general,* 1983, pp. 219 et ss.—Le nouveau droit international privé a été commenté par J. L. Iglesias Buiges, *Rev. Crit.*, 1976, 397. — E. Jayme et A. Kneip, ZfrV, 1976, pp. 185 et ss. — J.A. Camillo Salcedo, *Rev. Crit.*, 1983, pp. 1 et ss. — J.J. Lemouland, "Le mariage et sa dissolution du point de vue du droit international privé dans les relations franco-espagnoles" (Journées de Toulouse, 1987), *Les Petites Affiches* — la loi, 4e, 9 mai 1988. La loi du 11 novembre 1987 a refondu les données internes et internationales de l'adoption.

Grande-Bretagne (Angleterre et Ecosse) — Resté longtemps dominé par l'application jurisprudentielle des principes de "Common law" et un conservatisme prudent vis-à-vis des structures familiales, le droit anglais est entré dans une ère d'intense activité législative. Le "Divorce Reform Act" de 1969, faisant de l'"échec irrémédiable du mariage" une cause unique de divorce a mis fin à un système remontant à 1857, date d'introduction du divorce. Les rapports personnels et pécuniaires entre époux, notamment après divorce ont été revus par le "Matrimonial Proceedings and Property Act" de 1970, puis le "Matrimonial Causes Act" de 1973. Les progrès réalisés dans la pratique par l'union libre a entraîné une amélioration de la situation successorale des concubins avec l'"Inheritance Act" de 1975. Dans les rapports entre parents et enfants, l'égalité parentale a été introduite par le "Guardianship Act de 1973. Le “Children Act” de 1980, a revu la législation antérieure en matière d’autorité parentale. Cf. P.M. Bromley, S.M. Cretney et autres, *Mariage et famille en question, Angleterre,* Edition du C.N.R.S., 1979 — M.A. Glendon, *State, Law and Family,* cit., — Sur l'union libre en droit anglais, rapport W. Muller-Freienfels, rapport au 11e Colloque de droit européen du Consul de l'Europe (Messine, 1981), pp. 67 et ss. C. Noir-Manasta, *Les effets patrimoniaux du concubinage,* Genève, 1982. — Sur le droit anglais de la filiation, J.M. Eckelaar, *Reforming the English Law concerning Illegitimate Persons*, F.L.Q. 1980, pp. 41 et ss. — le droit international privé anglais de la famille est resté jurisprudentiel, mais la Grande-Bretagne a ratifié les Conventions de La Haye de 1965 sur l'adoption (en vigueur en 1978) et sur la reconnaissance des divorces et séparations de corps (convention du 1er juin 1970 en vigueur depuis 1975). Cf. Peter M. North, *Development of rules of private international law in the field of family law,* (cours Academic La Haye, 1980, t. 1, pp. 17 et ss. — L. Palsson, *Mariage and divorce in comparative conflicts of laws*, Leyde, 1974. — Lvi Dinstein, *La fraude et les conflits de lois en matière de mariage et de divorce en droit anglais et américain*, Genève et Tel Aviv, 1954 — sur le problème des aliments en droit international privé, cf. Ethel Groffier, *Les pensions alimentaires à travers les frontières* (Etude de droit international privé comparé), Montréal et Bruxelles, 1980, spécialement pp. 40 et ss. — Sur l'adoption: Ganther Timm, *L'intervention judiciaire en matière d'adoptions internationales et ses aspects sociaux* (étude comparative des droits français, anglais et allemands), thèse dactyl., Paris, 1971 — Le droit écossais a gardé sa spécificité par rapport aux solutions anglaises — sur le droit interne, Clive, *The law of husband and wife in Scotland*, Edimbourg, 1982. — Sur le nouveau droit de l'enfance en Angleterre : A. Barnham "The Children Act", 1980, "Parenthood and guardianship", *Family Law*, 1990, p. 192 sv. — M.E. Freeman : "La nouvelle charte de l'enfance en Angleterre", *Regards...*, p. 41 sv.

Grèce — Le Code Civil de 1940-45 a, comme en Espagne, subi les répercussions des transformations de la vie politique. Il se caractérisait jusqu'en 1975 par l'inégalité des rapports entre époux et de la situation des enfants comme par l'exclusivité du mariage religieux. L'article 4, le de la Constitution de 1975 a proclamé l'égalité des sexes. Les succès électoraux socialistes de 1981 ont amené l'abrogation de l'exclusivité du mariage religieux par la loi du S avril 1982 (art. 1367 modifié à compter du 19 juin 1982). La loi du 15 février 1983 a mis en œuvre dans les rapports entre époux et à propos de la condition des enfants naturels, les principes d'égalité de la Constitution de 1979. Les réformes du droit interne ont entraîné celles du droit international privé, fondé jusqu'alors sur l'application de la loi nationale du mari aux relations familiales. Cf. sur la réforme du droit au mariage E. Vassilakakis, *Rev. Crit.*, 1982, p. 792. A. Koutsouradis, *Das neue griechische Eheschlie,Bungsrecht*, Fam. RZ. 1983, pp. 851 et ss. — sur la modification de l'ensemble du droit de la famille et du Droit international privé, Aristide Chiotellis TPrpraxis, 1983, p. 302 sur l'union libre, Deliyannis, Colloque Messine 1981, pp. 164 et ss.

Irlande — La constitution irlandaise du 1er juillet 1937 a accordé une valeur particulière à la protection de la famille et du mariage (art. 41 § 1) et l'introduction du divorce a été repoussée par -un référendum de juin 1986. La jurisprudence irlandaise ne refuse pourtant pas systématiquement la reconnaissance des divorces intervenus à l'étranger. Cf. Joël Benoit d'Onorio, "La protection constitutionnelle du mariage et de la famille en Europe", *R.T.D.C.*, 1988, p. 6 — Geraldine Huckey, *Irish Private International Law*, RabelsZ., 1978,pp.268-286.

Italie — Le Code Civil italien de 1942 avait hérité du code de 1865 une conception encore hiérarchisée de la famille où le mari gardait la qualité de chef ("capo di famiglia"). La Constitution du 27 décembre 1947, se référant aux accords du Latran passés avec le "Saint-Siège" en 1929 accordait encore la primauté à la famille comme "société naturelle fondée sur le mariage" (art. 29). La protection juridique n'était assurée aux enfants hors mariage que si elle était "compatible avec les droits des membres de la famille légitime" (art. 30, alinéa. 3). Mais la Cour Constitutionnelle italienne s'est surtout appuyée sur le principe de non-discrimination et d'égalité de sexe pour condamner plusieurs dispositions sur les obligations des époux séparés de fait et l'infériorité successorale des enfants illégitimes. Malgré les protestations du Vatican (en raison des effets civils donnés au mariage religieux par le Concordat de 1929), la loi du 1er décembre 1970 a introduit le divorce (sous le nom de dissolution "scioglimento" du mariage). Elle a été complétée par la loi du 19 mai 1975 sur le divorce "pour caractère intolérable " de la vie commune. Le même texte a profondément remanié les livres et et 2 du code Civil sur les rapports entre époux et l'égalité des enfants légitimes et illégitimes. La loi du 8 mars 1975 avait déjà abaissé à 18 ans l'âge de la majorité. Le droit de l'adoption a été plusieurs fois remanié (Loi du 5 juin 1967 créant l'adoption spéciale" revue par la loi du 4 mai 1983). L'accord du 18 février 1984 passé avec le Vatican a maintenu le principe de reconnaissance du mariage canonique de 1929, mais avec quelques remaniements. Quant au droit international privé, il a été jusqu'à présent dominé par la primauté du critère de nationalité selon les dispositions préliminaires du code de 1942 (art. 18 et 19), mais le recours subsidiaire à la loi nationale du mari a été récemment jugé inconstitutionnel (par arrêt du 26 février 1987, G. Hohloch TPr praxis 1987, p. 257), ce qui entraînera sans doute de nouveaux remaniements. V. sur le droit interne de la famille: Mariage et famille en question: Italie, édit. C.N.R.S. cit., 1982, par L. Hartemann, R. Sacco et autres — D. Dumusc, *Le divorce par consentement mutuel dans les législations européennes*, Lausanne, 1980, pp. 109 et ss. — articles : Mario Mateucci, "La réforme du droit de al famille de la législation italienne", *R.D.I.C.*, 1977, pp. 7 et ss. — G. Luther, RabelsZ., 1978, pp. 304 et ss. (comparaison des droits allemand et italien) — sur la condition de la femme mariée A. Luminoso, *Il diritto di famiglia*, 1984, pp. 1470 et ss. — Sur l'accord de 1984 et les relations entre l'Etat italien et le Vatican, Paolo Moneta, *Il diritto di famiglia*, 1984, pp. 1205. — Sur les principes généraux du droit international privé italien et le divorce, Giorgio Conetti, ZrV. 19789, pp. 161 et ss. — Fausto Pocar, *Rev. Crit.* 1971, 175 — Fr. Durante, *Problèmes contemporains du divorce en droit international privé*, Rec. Cour La Haye, 1976, t. 152 (4, pp. 9 et ss.). sur les pensions alimentaires en droit international privé, "L'obligation alimentaire en droit international privé", Paris, C.N.R.S., 1983 — mot "Italie" par F. Pocar et S. Bariatti, pp. 271 et ss. — Sur l'adoption : S. Mosconi, *Il Diritto di Famiglia*, 1985. 3, pp. 690 et ss. — S. Pieri, *Rivista di diritto internazionale*, 1986, pp. 541 et ss.

Luxembourg — Le Luxembourg avait adopté le Code napoléonien, mais les dispositions sur le droit de la famille ont fait l'objet de plusieurs remaniements, notamment le divorce par une loi du 6 février 1975, et la filiation par une loi de 1979 (cf. D. Dumusc, Lausanne, 1980, cit., p. 56 sv. — "La réforme du droit de la filiation", Bruxelles, 1981 cit. Fr. Schockweiler in *Nationalité et statut personnel*, Bruxelles, 1984, pp. 143 sv.).

Pays-Bas — Le Code civil néerlandais ("Burgerlijk Wetboek) de 1838 n'avait connu que de faibles remaniements jusqu'au lendemain de la seconde guerre mondiale. L'arrivée au Ministère de la Justice du Professeur Van Oven, champion de l'égalité entre époux, a amené la suppression de l'incapacité de la femme mariée par la loi du 14 juin 1956 et la création d'un régime dit "primaire" entre époux (art. 6 livre 1). La loi du 6 Mai 1971 (en vigueur au 1er octobre 1971) a réformé le système napoléonien du divorce avec l'introduction d'une cause unique: le divorce par désunion durable. Le titre sur la filiation a été revu par une loi de 1969 (en vigueur au 1er janvier 1970), l'adoption facilitée par une loi du 13 septembre 1979 — sur le droit hollandais (cf. *Mariage et Famille en question : Pays-Bas*, édit. C.N.R.S. 1980 par D.C. Fokkema — Van Zeben, *Réformes du droit de la filiation, perspectives européennes*, Messine, 1981, cité pp. 109 sv. — sur l'adoption : *L'adoption dans les principales législations européennes*, Institut de Strasbourg, 1985, mot "Pays-Bas" par M.F. Papandérou, pp. 653 sv.... l'adoption qui n'existait pas avant 1956, a soulevé des problèmes internationaux particuliers (cf. A. Luderitz RabelsZ. 1981, pp. 604 sv. et dans les rapports avec la Yougoslavie — Cf. *Revue néerlandaise de droit international*, 1981, pp. 117 sv.). Le droit international du divorce a été revu par la loi du 25 mars 1981, *Rev. crit.*, 1981, 809, Commentaire Van Rooij.

Portugal — Le code portugais du 1er janvier 1867 était fondé sur l'indissolubilité du mariage; malgré la brève existence du divorce sous la République portugaise de 1910, le Concordat du 7 juillet 1940 impliquait pour la grande majorité de la population, renonciation à demander le divorce sous le régime concordataire. Mais le décret du 27 mai 1975, après le changement de régime, a aboli l'interdiction concordataire. La Constitution du 2 avril 1976 a posé le principe du divorce sans distinctions confessionnelles. Il résulte de décrets de juillet 1976 et du 25 novembre 1977 (divorce-faillite). Le même décret de novembre 1977 a organisé l'adoption, protégée constitutionnellement (cf. D. Dumusc, cit., pp. 69 sv., H.E. Horster ZfrV. 1977, pp. 113 sv. — sur l'adoption, Institut de droit comparé de Strasbourg, cit. pp. 671 sv. Le Code du 25 novembre 1966 (qui a remplacé celui de 1867 contient des dispositions sur le droit international de la famille (art. 49-61). Cf. P.H. Neuhaus et H. Rau RabelsZ. 1968, pp. 500 sv. Elles ont été modifiées par le décret du 25 novembre 1977 (Rev. Crit. 1978, 598 Com. Moura Ramos).

République Fédérale Allemande : La Cour Constitutionnelle Fédérale de Karlsruhe a veillé à la réalisation du principe d'égalité dans les rapports familiaux (les dispositions contraires cessant d'être effectives à compter du 1er avril 1953) mais les réformes législatives se sont opérées en plusieurs étapes. La loi du 19 août 1969 (en vigueur à compter du 1er juillet 1970) a entièrement revu la condition des enfants naturels et le droit de la filiation). La loi sur le mariage du 14 juin 1976, complétée en 1977 (“Ehegesetzreform") a abrogé une règlementation remontant à un texte du 6 juillet 1938. L'adoption a été refondue par une loi du 2 juillet 1976, l'autorité parentale par celle du 18 juillet 1979. Peu de droit ont subi autant de modifications depuis l'origine. Les dispositions de la loi d'introduction du Code Civil allemand (EGBGB) à la suite des réformes du droit interne sont devenues caduques et ont fait place à la nouvelle loi du 25 juillet 1986.

La bibliographie est considérable sur le droit interne, ouvrages généraux de *Mariage et Famille en question : Allemagne*, cit. par Giesen, Stratz et autres, C.N.R.S., 1980 — Beitzke, *Familienrecht* 22e éd. 1981 — sur les principes d'égalité dans les rapports entre époux, v. surtout articles de P. Dopffel ZrV. 1978, pp. 1-16 — F.W. Bosch ZfrV. 1984, pp. 241 sv. — sur la filiation J. Schwenzer Fam. RZ. 1985, p. 100 — K. Siehr, Fam. RZ. 1974, pp. 401 sv. (recherche de paternité) — sur l'égalité et la garde des enfants, articles (en français de E. Brand), RIDC, 1984, pp. 391 sv. — Fr. Ferrand, RIDC, 1986, pp. 867 sv. — à propos de l'union libre v. surtout thèses Fr. Namgalies Kiel, 1978 (droit comparé) — K. Ohlenburger-Bauer (droit français et allemand) — H. Marty-Schmid, *La situation patrimoniale des concubins à la fin de l'union libre,* Genève, 1986. — R. Franck, "Nouveaux problèmes, nouvelles solutions", *Regards...,* p. 33 sv. — Sur la tutelle, H. Oberloskamp, *Vormunschaft, Pflegschaft und Vermögenssorge bei Minderjährigen,* ouvrage collectif, Munich, 1990.

Sur le nouveau droit international privé : M. Férid et C. Bohmer, *Internationales Privatrecht,* 3e édit., 1986 — Christian Von Bar, *Internationales privatrecht,* t. 1 (Principes Généraux), 1987, t. 2, 1991, articles F. Sturm et J. Basedow, *Rev. Crit.* 1987 (1), pp. 33 SV. - 77 sv. — D. Henrich ZfrV. 1986, pp. 841 sv. — Fr. de Méo (comparaison droits francais et allemand) ZfrV. 1987, pp. 12 sv.

Scandinavie (Etats scandinaves) — Les droits des différents Etats scandinaves (Suède, Norvège, Danemark, Islande et Finlande) présentent une parenté indéniable, par le déclin du mariage et l'importance de l'union libre, l'égalité parentale et l'attention portée à l'intérêt de l'enfant. V. sur les droits scandinaves en général : *Mariage et Famille en question : Scandinavie,* par J. Sundberg, C.N.R.S., 1980, cit. p. 169 SV. — *Les couples non mariés et leurs enfants,* par M.S. Danielsea — Colloque Messine, Juillet 1981, pp. 121 sv. — F. Schmidt, "The prospective Law of marriage", *Scandinavian Studies in Law,* 1971, pp. 191 sv. — T.F. Baxter I.C.L.Q., 1977, pp. 150168 —Sur le droit suédois en particulier (réformé par la loi du 14 décembre 1978 sur le mariage et la parenté) — A. Agell, *Scandinavian Studies in Law,* 1980, pp. 11 sv. — A. Saalden : "Modification du Code du mariage et réformes envisagées en matière d'adoption, de garde de l'enfant et de diagnostic fœtal", *Regards...,* p. 193 sv. — Bruhl Fam. RZ. 1983, p. 858 — sur le droit finlandais Aulis Aaznio, *Die Finnische Ehe Gesetzgebung heute und morgen,* ZfrV. 1978, pp. 98 SV. — M. Savolainen, "La protection de l'Etat à l'égard des enfants", *RTDC,* 1976, pp. 23 SV. — sur la Norvège K. Strom Bull, "Non Marital Cohabitation in Norway", *Scand. Studies in Law,* 1986, pp. 31 sv. — Sur le Danemark, T.K Margrete Pedersen, *I.C.L.Q.,* pp. 117 sv.

En Droit international privé, les Etats scandinaves sont liés par le Convention nordique du 6 février 1931, V. à ce sujet Lennart Palsson Leyde, 1974, cit. — pour la filiation en droit international, Yves Gonset, *La nationalité de l'enfant naturel en droit comparé,* thèse Lausanne, 1977, pp. 98 sv. — sur l'obligation alimentaire, T. Esko et M. Jantera, mots "Finlande et Suède" in *Institut de recherches juridiques comparatives,* 1983, pp. 134 sv.

Suisse — Le Code Fédéral suisse du 10 décembre 1907 (entré en vigueur au 1er juin 1912) a été profondément remanié dans un sens égalitaire, tant à propos des rapports entre époux que des règles sur la condition des enfants. Dès 1957, une commission de révision a été créée au Ministère de la Justice. Elle a abouti à partir de 1974 à une modification des règles sur les effets du mariage et le divorce (fondé désormais sur la notion de "vie commune insupportable" et surtout à la loi sur la filiation du 25 juin 1976 (entrée en vigueur au 1er janvier 1978). L'égalité des filiations a abouti à la suppression de la légitimation des enfants naturels. Les règles sur l'adoption du Code de 1907 avaient déjà été revues par la loi du 30 juin 1972. Cf. sur le droit interne suisse *Mariage et Famille en question : Suisse*, édit. C.N.R.S., 1980, cit. par Steinauer — A.M. de Graffenried, *Le statut personnel de l'enfant issu ou non du mariage en droit (français et en droit suisse*, thèse, Paris, 1982 — C. Hegnauer "Grundriss des Kindesrechts", 2e édit. Berne, 1983 — O. Guillod, "De la liberté personnelle et du devoir de famille", *Regards...*, p. 205 s. — En droit international privé, la loi fédérale suisse de 1891 avait déjà été notablement amendée, conjointement avec le Droit interne en 1972 et 1978. Cf. A.E. Von Overbeck ZfrV. 1978, pp. 87 sv. et *Mélanges Schnitzer*, Genève, 1979, pp. 361 sv.—Le travail de révision, élaboré dès 1973 (cf. Fr. Knoepfler, "Le projet de loi fédérale sur le droit international privé helvétique", *Rev. Crit.*, 1979, pp. 33 sv.) a abouti à la loi fédérale du 18 décembre 1987 (*Rev. Crit.*, 1988, pp. 409 sv. comment. Von Overbeck, Rev. Crit., 1988, pp. 237 sv.).

Turquie — La Turquie se rattache, sinon géographiquement, du moins juridiquement au système des Etats occidentaux. La tradition islamique a été abandonnée avec la promulgation du code kamaliste du 17 février 1926 (entré en vigueur en octobre). L'influence suisse a été profonde dans la rédaction des textes, mais l'application délicate. La concurrence du mariage religieux et la difficulté d'obtenir le divorce ont abouti au développement de l'union libre. Cf. Mary Zwahlen, *Le divorce en Turquie : contribution à la réception du Code Civil suisse*, thèse Genève, 1981 — H. Yilmaz, *Das Problem der Unehelichkcit in der Schweiz und in der Turkei*, thèse, Berne, 1980 — Le droit international privé turc, suivant un avant-projet remontant à 1974, a fait l'objet d'une codification comprenant à la fois les conflits de lois et de juridictions (loi du 20 mai 1982) sur ce texte turc. Cf. H. Kruger ZfrV. 1982, pp. 169 sv. — N. Uluocak, *Rev. Crit.*, 1983, p. 149.

Vatican — Le code de droit canonique de 1917 a été modifié sous une forme légèrement simplifiée (1752 articles au lieu de 2414) par le nouveau Code entré en vigueur le 27 novembre 1983. Il réglemente le droit du mariage, mais contient aussi des dispositions sur le statut des enfants et le droit des parents — cf. J. Gaudemet, *Revue de Droit canonique*, 1984, pp. 81 sv. — Paul H. Neuhaus RabelsZ. 1983 - 502 — sur les vices du consentement en matière de mariage, J. Schmitt, *Rev. Droit canonique*, 1984, pp. 140 sv. — J. Gaudemet, *Le mariage en Occident*, Paris, 1987, pp. 454 sv.

II. EUROPE DE L'EST

Les droits des Etats de l'Est européen présentent tous des traits communs, à partir de la référence qu'est la législation de l'URSS. La

Révolution russe avait non seulement laicisé le mariage (en supprimant en décembre 1917 le mariage religieux) mais fait du mariage et du divorce de simples actes privés, pouvant résulter de la volonté expresse ou implicite des partenaires. (Le code de novembre 1926 ne distinguait pas nettement l'union de fait du mariage). A partir de 1936 le Droit soviétique amorçait une réaction. Le décret du 8 juillet 1944, supprimait l'union de fait (et aussi la recherche de paternité). Les sources actuelles du droit russe résultent des "principes de base" fédéraux posés par le Soviet Suprême le 27 juin 1968 (en vigueur au 1er octobre 1968). Les Codes des Républiques Unies s'en inspirent. C'est ainsi qu'ont été promulguées quinze Codes des Républiques Fédératives, dont le Code de la "République Fédératives de Russie" du 30 juill. 1969. Ils respectent les principes constitutionnels de laïcité et d'égalité des époux. Ils s'efforcent de combiner le rôle de la volonté des époux, avec une intervention plus ou moins forte de l'Etat, à la fois pour sauvegarder la stabilité de la famille et son caractère communiste. Les mêmes caractéristiques se retrouvent dans les autres Etats. La Yougoslavie présente une place à part, par l'importance législative conférée à l'union libre. Les événements politiques récents reposent le problème de l'évolution de ces droits.

Sur les droits socialistes de la famille, études générales de W. Czachozski in "Introduction aux droits socialistes" (Faculté internationale par l'enseignement du droit comparé), Budapest, 1971, 3e partie, pp. 517 sv. — Fr. Korkisch, *Fragen des ostmitteleuropaïschen Rechts* (Institut fur ostrecht de Munich), Tubingen et Bâle, 1979.

Bulgarie — Code de la famille du 22 mai 1968 modifié par la loi du 27 avril 1979. Cf. L. Nerova : "Le nouveau Code bulgare de la famille", *Revue de droit bulgare,* 1971, pp. 5 sv. — Bruhl Fam. RZ. 1983, p. 858 Dumusc, thèse citée, pp. 229 sv.

Hongrie — La loi sur "le mariage, la famille et la tutelle", de 1952, revue une première fois en 1974 a été refondue par un texte voté par le parlement hongrois le 23 octobre 1986. Cf. sur l'évolution générale, E. Weiss, *Acta Juridica Academéae Hungaricae,* 1985, pp. 43 sv. — Amilia Weiss et llona Stolpe, *Neue Justiz* (RDA), p. 228 — Le droit international privé hongrois, jusqu'alors purement coutumier avait déjà été codifié par le décret-loi 13/1979, entré en vigueur au 1er juillet 1979, cf. F. Majoros, *Rev. Crit.,* 1981, p. 158 — M. Benko et W. Peuster, *Ost-Europa Recht,* 1980 - 1- pp. 39 sv.

Pologne — Le Code de la famille de 1964 (qui avait déjà remplacé celui de 1950, a été complété par une loi du 19 décembre 1975 sur les droits des époux et le divorce. La loi du 1er mars 1976 a réglé les problèmes des obligations alimentaires dans la famille — cf. Z. Radwanski, *Scheidungsrecht in Polen* (droit au divorce) ZrV. 19789, p. 5 SV. — sur le rôle des "tribunaux de famille" en matière d'obligations alimentaires W. Patulski, *Neue Justiz,* 1986, pp. 236-238. Le droit international privé résulte de la codification du 12 novembre 1965. Cf. M. Sosniak, *Précis de droit international privé* *polonais,* Varsovie, Cracovie, Gdansk, 1976. La Pologne a signé avec la France, la Convention du 5 avril 1967 sur les conflits de lois et de juridictions. Cf. R. de Bottini, *Rev. Crit.*, 1970, p. 1 sv.

Roumanie — Le "code de la famille" du 1er janvier 1954 a abrogé l'ancien code roumain de 1864, fortement inspiré du modèle français. Il a été complété par un décret d'octobre 1966 sur le divorce. Cf. sur le droit interne roumain Y. Eminescu et M. Straoanu (condition de la femme), *Revue roumaine de sciences juridiques* 1975, 2, pp. 137 sv. — M. Tonna Eremia (filiation illégitime), *Revue roumaine,* 1974, 1, pp. 79 sv. — sur le droit international privé du mariage, *Revue roumaine,* 1972, pp. 277 sv. — sur l'adoption Tocovesco, "Note sur l'adoption internationale. Doc. Prélim. Conférence La Haye, 1990, n. 2.

Tchécoslovaquie — Les règles autrichiennes sur le droit de la famille, restées partiellement en vigueur, ont été remplacées par une loi du 4 décembre 1949. En droit international privé, la loi du 11 mars 1948 issue d'un projet autrichien de 1912 a été elle-même abrogée par un texte du 4 décembre 1963 sur le "Droit et la procédure internationale" — cf. Fr. Korkirsch, cit., *Rev. Crit.* 1965 - 614 et R. Bystricky, *Bulletin Droit tchécoslovaque,* 1963, 4, p. 229.

U.R.S.S. — Sur l'évolution historique — T. 2, *Le droit soviétique,* par R. David et J.N. Hazard, 1954, pp. 310 sv. Cf. E. Florkowski, *Das sowjetische Ehescheidungsrecht,* thèse, Gottingen, 1967 — F. Korkisch Ost-Europa Recht, 1972, pp. 2 sv. — A. Bilinsky, *Fiklive Ehen in der Sowjetunion*, Ost Europa Recht, 1976 (4), pp. 216 sv .— V. Tadevossian, *La famille, le droit et le développement social en URSS*, Travaux 8e journée, J. Dabin, Bruxelles, 1978, pp. 107 sv. — sur le droit de la filiation, Ivo Lapenna, "The Illegitimate child in Soviet Law", *I.C.L.Q.*, 1976, pp. 156 sv. En droit international privé, les dispositions éparses de 1968 ont été complétées par un décret du presidium du soviet Suprême du 9 octobre 1979. Cf. A. Makarov, Ost-Europa Recht, 1969, p. 1 sv. — P. Wachler, Fam. RZ. 1980, pp.424 sv.

Yougoslavie — La Constitution de 1946, immédiatement après la seconde guerre mondiale, avait donné compétence aux structures fédérales de la Yougoslavie pour élaborer le droit privé (art. 44) et la loi sur le mariage du 3 avril 1946 avait mis fin à la diversité des droits maintenus en application sur le territoire yougoslave (Code serbe, droit autrichien, etc...). Mais à partir de 1971, les Etats de la fédération ont recouvré une compétence législative, particulière reconnue par la Constitution du 30 décembre 1974. Une série de textes ont été promulgués, notamment la loi serbe du 30 décembre 1974, la loi du Kossovo de la même date, la loi slovène du 26 mai 1976, la loi croate du 10 mars 1978, la loi bosniaque du 1er janvier 1980. Ces textes se caractérisent par la place faite à la volonté des intéresses dans les relations familiales. Le divorce par consentement mutuel s'est développé, l'union libre a fait l'objet d'une promotion juridique (surtout en Slovénie). La loi du 27 février 1979 a réglé les conflits interlocaux; celle du 15 juillet 1982 (en vigueur au 1er janvier 1983) a trait aux rapports internationaux sur le droit interne. Cf. S. Cigoj et F. Firsching, *Jugoslawisches Familienrecht,* Francfort, 1980 et spécialement sur le divorce Dumusc, cit., pp. 99 sv. — sur l'union libre, P. Sarcevic : *Cohabitation without Marriage,* A.J.T.L., 1981, pp. 315-338 — sur les rapports internationaux, textes de la Convention franco-yougoslave du 18 mai 1971, *Rev. Crit.,* 1973 - 570 et de la loi du 15 juillet 1982, *Rev. Crit.* 1983 - 353 Miroslava Gec-Korosec et G. Hagen (relations familiales germano-yougoslaves), RabelsZ. 1985, pp. 467 sv. — sur l'adoption (rapports Pays-Bas, Yougoslavie), *Rev. néerlandaise Droit international,* 1981, pp. 117 sv.

III. PROCHE-ORIENT ET AFRIQUE DU NORD

Les droits du Proche-Orient comme ceux d'Afrique du Nord présentent une grande importance par le courant migratoire dans les relations internationales, et une conception de la famille souvent très opposée à celle des Etats occidentaux. Ils continuent d'être dominés par les principes islamiques (sauf le droit tunisien de la famille, très laicisé). Mais les dispositions du Coran restant fort sommaires, jusqu'au XIXe siècle, c'est l'"idjma", forme collective de doctrine qui a prévalu. Les premières tentatives de codification sont venues du projet égyptien de 1875 (dit "Code de QuadriPacha) et du décret-loi turc de 1917. Beaucoup de codifications postérieures à la seconde guerre mondiale s'en sont inspirées, mais avec des divergences qui reflètent celles des "écoles coraniques" (école "hanéfite" au Proche-Orient, "malékite" en Afrique du nord). Dans les Etats pluri-confessionnels (Egypte, Liban), le droit de la famille est étroitement lié à la compétence du statut personnel confessionnel. Les tribunaux religieux n'ont été supprimés que dans quelques pays (en Egypte en 1955, en Tunisie en 1956). Quant au droit israélien, il est marqué par la dualité des juridictions laïques et ecclésiastiques et la soumission des citoyens de confession juive aux principes du droit religieux (compilation de la "Takkama"); seuls ils relèvent des tribunaux rabbiniques. Les conflits internationaux s'inspirent souvent des mêmes principes que ceux des conflits interlocaux.

Ouvrages généraux: A.K. Elgeddawy, *Relations entre systèmes confessionel et laïque en droit international privé,* thèse, Paris, 1971 (préface H. Batiffol) — A.Y. Dennaoui, *La famille musulmane dans certains codes contemporains* (ottoman, syrien et tunisien), thèse (dactyl.), Paris 2,1978 — M. Zwahlen, *Le divorce en Turquie,* thèse cit. Genève, 1981 — Ya akov Meron, *La rencontre contemporaine entre le droit juif et le droit musulman,* RIDC, 1984, pp. 59 sv. — sur les droits d'Afrique du Nord, *Le droit familial maghrébin (Algérie, Maroc, Tunisie) et son application en Belgique* par M. Taverne (préface F. Rigaux), Bruxelles, 1981.

Sur le droit des différents états :

Algérie — L'égalité politique de l'homme et de la femme (art. 8 de la constitution du 10 mars 1972) n'a pas eu de traduction directe dans le "code de la famille" du 9 juin 1984 inspiré par les traditions de l'école Malékite avec le maintien de la polygamie et du divorce répudiation (il est vrai, judiciaire). Le "Code de la Famille" avait été précédé des dispositions consacrées au Droit international privé (art. 9-24) dans le Code Civil du 26 septembre 1975 — Sur le droit interne algérien: Maurice Borrmans, "Le nouveau Code algérien de la famille dans l'ensemble des codes musulmans de statut personnel", *RIDC*, 1986,1, pp. 133 sv. — L. Hamdan, "Les difficultés de codification du Droit de la famille algérienne", RIDC, 1985, 4, pp. 1002 sv. H.B. Hacine Dennouni, "La garde: un attribut de la maternité en Droit algérien", *RIDC*, 1986 (3), pp. 897 sv. — P. Léonard, "Revendication d'un Droit de tutelle, de garde ou de visite sur un enfant issu d'un couple franco-algérien", *G.P.*, 1987 (2.566) — sur le droit international privé : M. Issad, *Droit international privé*, (2 vol.), 1986 — B. Dutoit, *Mélanges Beitzke*, 1979, pp. 459 sv. sur la Convention franco-algérienne du 21 juin 1988, Fr. Monéger Clun. 1989, 41.

Egypte — Le Code Civil égyptien du 16 juillet 1948 a été complété par une loi de 1955 renvoyant pour les litiges de statut personnel des non musulmans à leur législation propre (art. 6). Mais la Constitution de 1971 (art. 2) proclame que l'Islam est religion d'Etat, et que les "principes de Droit islamique sont une source principale de législation" — Les dispositions introductives du code contiennent quelques règles de Droit international privé — Cf. S.A. Aldeeb Abu-Salich, *Non musulmans en pays d'Islam (cas de l'Egypte)*, préf. A. Overbeck, Fribourg, 1979 — sur la protection de l'enfant, Y. Kassem, Journées égyptiennes, Association H. Capitant, 1979, Paris, 1981 (Economica), pp. 91 sv. — sur le droit international privé A.W. El Mikayis, RabelsZ. 1969, pp. 517 sv. — L'Egypte a signé avec la France une Convention du 15 mars 1982 *(Rev. Crit.* 1983, 745) sur l'assistance judiciaire et l'exécution des décisions en matière d'aliments et de garde d'enfants. — Y. Kassem, Journées Egyptiennes.

Emirats Arabes Unis — Code des "transactions civiles" règlementant les relations internationales de décembre 1985, comment. AbuSalich, *Rev. Crit.*, 1986, p. 390.

Israël — L'importance de certains empêchements religieux en droit du mariage a paradoxalement favorisé une promotion de l'union libre. V. sur le droit interne et international : G. Slama: *Le mariage en Israël: une source de conflits entre autorités civiles et religieuses*, thèse, dactyl, Nice, 1976 — Z. Falk et R. Lehmann, *Conflits de juridictions en matière de statut personnel*, Clun., 1980, p. 76 — Sur la protection des enfants A.H. Shaki, *RIDC*. 1984, p. 333. — A. Rosen Zvi, "Israël : une impasse", *Regards...*, p. 161 sv.

Jordanie — La loi n° 43, 1976, entrée en vigueur au 1er janvier a remplacé le Code de la famille de 1951 — sur ce texte traduit et comment. Abu-Salich, *Rev. Crit.* 1987, pp. 644 sv. — Hilmar Kruger IPR-Praxis, 1987, p. 126 sv.

Liban — Sur le Droit libanais, dominé par les problèmes interconfessionnels, M. Mahmassani, "La wilaga et la puissance paternelle au Liban", *Mélanges Wangler* 1975, p. 459 — T. Najjar, *RIDC*, 1979, p. 285 sv. — sur le Droit international privé, P. Gannagé, *Droit intercommunautaire et Droit international privé*, Clun, 1983, pp. 479 sv.

Maroc — Le Droit de la famille relève au Maroc du "code de Statut personnel" (mudawwana) du 22 novembre 1957 (en vigueur au 1er janvier 1958). Il est resté fidèle aux principes classiques de Droit musulman — Cf. M. Taverne, cit. — O. Mounir, "Contribution à une meilleure compréhension de la répudiation", *Rev. marocaine de Droit*, 1982, pp. 223 sv. En Droit international privé, le Maroc est lié à la France par la Convention bilatérale du 10 août 1981. Cf. P. Decroux, clun. 1983, 346 et Clun. 1985 49 comment. Fr. Monéger, *Rev. Crit.*, 1984 - 29.

Syrie — Le Code Civil syrien du 18 mars 1949, trop exclusivement dominé par la tradition hanéfite, a été modifié en septembre 1953 — cf. ElJarrah Chafic : *La formation du mariage en Droit musulman classique et dans le nouveau code syrien de statut personnel*, thèse, dactyl., Paris, 1962.

Tunisie — Le Code de statut personnel du 15 août 1956 a entraîné la suppression des juridictions confessionnelles, et l'unification judiciaire. Il a été complété par la loi du 4 mars 1958 sur la tutelle et l'adoption (seule législature à la connaître) et celle du 3 juin 1966 sur la garde des enfants. Le divorce a été réformé par la loi du 8 mars 1968 sanctionnant l'infidélité du mari — Cf. M. Charfi, "Le Droit tunisien de la famille entre l'Islam et la modernité", *Rev. tunisienne de Droit*, 1973, pp. 11 sv.—37 sv.— G. Wiedensohler (Droit du divorce) RabelsZ. 1977—1, pp. 151 sv.—37 sv. — A. Mahbouli, "L'enfant en Droit tunisien", *Rev. indép. et Coopération*, 1977, pp. 443 sv. — sur le Droit international privé : cf. H. Kruger Fam. RZ. 1977 — 114 (mariages mixtes en Allemagne). — L. Medeeb Hamed : *La détermination de la loi applicable au divorce en Droit international privé comparé tunisien et français*, Mémoire Lille II, 1981 1982 — La Convention franco-tunisienne du 18 mars 1982 (Rev. 1983-539) s'attache à l'exécution de jugements spécialement en matière de garde d'enfants.

Yémen — Les deux Républiques du Yémen, la République arabe du Nord et la République démocratique populaire du Sud (sous l'influence soviétique se sont dotées de codifications en Droit international — cf. loi du 21 avril 1979 pour le Yémen du Nord. — *Rev. Crit.*, 1987, p. 650 et pour le Yémen du sud, *Rev. Crit.* 1987 - 654.

IV. AFRIQUE NOIRE

Le Droit de la Famille d'Afrique Noire était jusqu'à l'indépendance, caractérisé par un extrême foisonnement de coutumes, reposant en général sur une conception très large ou lignagère de la famille. La pratique de la dot et de la polygamie était très répandue. Le législateur européen, surtout français avait commencé d'entreprendre une codification du droit coutumier traditionnel ("Décret Mandel" du 15 juin 1939, "Décret Jacquinot" du 14 septembre 1958). L'indépendance a précipité le mouvement de codification qui s'efforce souvent de combiner traditions et influences européennes, voire plus récemment celles de l'Islam. La codification a été très poussée dans certains Etats (Côte d'Ivoire Sénégal) mais reste encore embryonnaire par ailleurs (Cameroun, Zaire). Un peu partout, l'urbanisation et les conditions économiques de la vie moderne entraînent une dégradation de la structure traditionnelle de la famille.

Sur les problèmes généraux de la famille et de la codification : S.Melone, *La parenté et la terre dans la stratégie du développement : étude critique de l'expérience camerounaise*, Paris, Yaoundé, 1972, "La codification et l'évolution du Droit", numéro de la *Revue Juridique et Politique*, Indépendance et Coopération, janvier - juin 1986 — "Encyclopédie Juridique de l'Afrique, t. 6, "Droit des personnes et de la famille", sous la direction de S. Melone, Les Nouvelles éditions africaines, Abidjan, Dakar, Lomé, 1982 — Le Droit international a donné lieu, lui aussi, à un effort de codification, avec une conception très large du statut personnel qui reflète les particularismes du Droit interne. Le mouvement a même gagné des pays de tradition anglophone (ainsi la Tanzanie avec la loi du 1er mai 1971). Cf. P. Lampué, "Les conflits de loi d'ordre international en Afrique Francophone", supplément du Recueil Penant (octobre, décembre 1972) n° 738 G.A. Kouassigan, *Rev. Crit.*, 1978-641 — Fr. Boulanger, "Essai Comparatif sur la notion de statut personnel dans les relations internationales du pays d'Afrique Noire", *Rev. Crit.* 1982 647. — T. Moalta Tenadji, *L'autorité parentale : étude comparative des problèmes de droit interne et iternational (France et pays d'Afrique Noire Francophone)*, Paris 8, 1991.

Sur le droit des différents Etats :

Cameroun — Etude S. Melone, *cit.*

Côte d'Ivoire — La loi du 7 octobre 1964 a unifié le droit ivoirien, supprimé la dot et la polygamie — Cf. M. Dumetz, "Le droit du mariage en Côte d'Ivoire", Paris, *L.G.D.J.*, 1975 — N' Guessan Mao, "La protection de l'enfant en Droit Civil ivoirien", *RJPIC*, 1977, pp. 279 sv. — L.G. Folquet, *RJPIC*, 1973, pp. 631 sv. (femme mariée).

Guinée — *P.* Gulphe, "Réflexions sur la législation guinéenne en matière de mariage", *Annales Africaines*, 1969, pp. 89 sv.

Gabon — Isaac Nguema, "Les voies nouvelles de la codification des coutumes au Gabon", *RJPTC*, 1986, pp. 319 sv. — Foumané-Mengue, *La dot en droit coutumier*, Mémoire Lille 1,1981.

Mali — A. N'Diaye, "La condition de l'enfant dans la Société contemporaine du Mali", *RJPIC*, 1977, pp. 329-341

Sénégal — Loi du 12 juin 1972 dite "Code de la Famille" modifié par loi du 18 juillet 1974 — sur les mariages mixtes au Sénégal A. Boye, thèse Paris 2,1979 (dactyl.) — sur la filiation : Sédine Lamine, *La filiation en Droit sénégalais* (préf. J.M. Jacquet), Paris, Economica, 1985 — sur le Droit international privé, P. Bourel, *Revue sénégalaise de droit*, 1973, n° 13 et Juriscl. Droit Comparé.

Zaire — "Le statut de la femme en droit privé zairois" par J.M. Pauwels, *RJPIC*, 1973, pp. 819 sv. — sur la codification (projet de Code de la Faille) Kalongo-Mbikagi, *RJPIC*, 1986, pp. 474 sv. — sur le droit international privé J. de Burlet, *Précis de droit international privé congolais*, Kinshasa, Bruxelles, 1971 — sur les rapports de la nationalité et du statut personnel, cf. B.O. Kalongo-Mbikagi, *Nationalité et statut personnel*, Bruxelles, Paris, 1984, pp. 263 sv.

V. AMERIQUE

Amérique latine — L'influence de l'Eglise catholique et l'imitation du Code Napoléon de 1804 s'étaient conjuguées pour un statut rigide de la famille fondé sur le mariage indissoluble et l'inégalité juridique des époux au profit du mari. Mais les différents droits par delà l'influence espagnole ou française ont considérablement évolué. Le divorce s'est généralisé (au Brésil depuis 1977, en Argentine depuis 1987), la condition de la femme mariée et l'autorité parentale ont progressé vers l'égalité. Le sort difficile de l'enfance donne toute son importance au problème de l'adoption internationale. Enfin l'union libre est, presque partout, officialisée, concurremment au mariage.

Sur la capacité de la femme mariée : R. Moser, "Emanzipation und Gleichberechtigung der Ehefreu in Brasilien und im der anderen der Romanischen Rechtskreises", *RabelsZ*. 1965, pp. 357 sv. (émancipation et égalité des époux au Brésil et dans les autres pays romanistes) — sur le rôle de l'union libre, E. Vaz Perreira et M.C. Mane de Tanzer, "Gesetzliche Regelung der "wilden Ehe" in Lateinamerika", *Mélanges T. Zatjay* Tubingen, 1982, pp. 509 sv. — P. Striewe *Anslandisches und Internationales Privatrecht der Nicht chelichen gemeinschaft*, 1986 — sur l'adoption : D. Opperti-Badan : *L'adoption internationale*, cours Académie La Haye, 1983 — II, pp. 303 sv.

Etats :

Brésil — La constitution de 1967 (art. 175) a été modifiée en juin 1977 pour introduire le principe de la dissolution du mariage; la loi du 26 décembre 1977 a admis à la fois le divorce contentieux et celui par consentement mutuel — cf. A.M. Villela, "Le droit international privé brésilien et la question du divorce", *Rev. Crit.*, 1980, pp. 231-275 et sur l'union libre, M. Jon Hoffmann, *Beendigung der ehelichen Gemeinschaft und Konkubinat in Brasilien*, thèse, Marbourg, 1979 — en droit international privé J. Samtleben : "Der Territorialitatsgrundsatz in internationalen Privatrecht Latein Amerikas" (le principe de la territorialité dans le droit international privé d'Amérique Latine) *RabelsZ.* 1971, pp. 72 sv. — B. Rechsteiner — RabelsZ. 1985, pp. 138 sv. (reconnaissance des divorces étrangers).

Colombie — Le Code Civil du 26 mai 1873 a été modifié à plusieurs reprises, notamment pour des lois de 1936 et de 1968 sur l'établissement judiciaire de paternité, pour des lois de 1960 et de 1975 sur l'adoption — cf. J.B. Febres-Cordero : La adopcion — *Implicaciones juridicas y sociologicas,* thèse, Bogota, 1977.

Haïti — S.H. Vieux, *Le "plaçage", droit coutumier et famille en Haïti* (préf. F. Terré), Publisud, 1989.

Mexique — Code Civil Fédéral de 1928. Sur l'union libre au Mexique A. Sanchez-Cordero, "Cohabitation without Marriage in Mexico", *A.J.C.L.*, 1981, pp.279 sv.

Pérou — Le nouveau Code Civil du 24 juillet 1984 remplace les codifications antérieures (de 1851 sous influence française, de 1936 sous influence allemande et suisse). Il contient d'importantes dispositions de conflits de lois et de juridiction — cf. J. Lisbonne, *Rev. Crit ;* 1986 — 192 — J. Samtleben, "Neues Internationales Privatrecht in Peru", *RabelsZ*, 1985, pp. 486 sv., "Heirat und Scheidung von Peruanern in Deutschland" *IPRPraxis,* 1987, pp. 96 sv. (mariage et divorce en Allemagne des Péruviens).

Uruguay — E. Vaz Ferreira, "Le droit de la famille urugayen", *Regards...*, p. 231 sv.

Vénézuéla — Code Civil de 1942 — Cf. sur le droit international privé J. Samtleben, "Die Anwendung der Codige", Bustamante in Venezuela", *RabelsZ.*, 1975, pp. 478 sv. (l'application du Code Bustamente du Venezuela) — J. Esparza, "Une nouvelle approche du droit de la famille au Vénézuéla", *Regards...*, p. 237 sv.

Amérique du Nord

Canada — Le Droit canadien de la famille n'est qu'une expression qui ne peut dissimuler le clivage entre les traditions "continentales" du code Civil de Québec, et provinces s'inspirant de la "Common Law" britannique, comme le découpage délicat entre matières fédérales (telles le divorce) et questions réservées par la Constitution de 1867 à la compétence des diverses provinces. Malgré la diversité des sources et des interprétations, une certaine convergence commence à se réaliser sur les questions de fond; notamment avec l'introduction du divorce (loi fédérale du 1er février 1968 en vigueur au 1er juillet 1968) et l'amélioration du sort des enfants naturels, voire l'importance accordée à l'union libre, et aux problèmes juridiques de la procréation artificielle — sur le code civil du Québec de 1980-1981 (qui a réformé celui de 1886 et est entré en vigueur au 2 avril 1981 — Cf. Jean Pineau : "La famille, Droit applicable au lendemain de la loi 89". Presses de l'université Montréal, 1982 — sur les problèmes de la procréation artificielle : J.L. Baudouin, Colloque de Lausanne, 1985, pp. III sv. — sur l'union libre, notamment en Ontario : Carol S. Bruch *A.J.C.L.*, 1981, pp. 217 sv. — Le droit international privé canadien est lui aussi dominé par la diversité entre Droit du Québec et des provinces de "Common Law" — cf. E. Groffier Atala, "Nationalité et Statut personnel dans le Droit de la nationalité canadienne" in *Nationalité et Statut personnel*, Bruxelles, 1984 — *La pension alimentaire à travers les frontières*, Montréal, Bruxelles, 1980, l'obligation alimentaire en D.T.P., Institut de Recherches Comparatives, Paris, 1983, pp. 79 sv., — sur le Droit international du Québec, cf. E. Croteau, *Du mariage dans le Droit international privé de la province du Québec*, thèse, Toulouse, 1964. — D. Knafo, *L'adoption au Québec*, Thèse, Lyon, 1990.

Etats-Unis — Le Droit de la Famille restant de la compétence des Etats de l'Union, et le contenu très hétérogène, une appréhension d'ensemble du Droit de la Famille est fort complexe pour le juriste européen — cf. l'essai comparatif de M.A. Glendon, *State, Law and Family, Family Law in Transition in the United States and Western Europe* (préf. Rheinstein, 1977). Il y a quelques facteurs d'unité, constitués par l'élaboration de textes généraux comme l'U.M.D.A. (Uniform Marriage and Divorce Act) mais ratifiés par peu d'Etats, et surtout pour le rôle de la Cour suprême, faisant respecter les principes constitutionnels en matière de filiation naturelle et de Droit des enfants. Un tableau (à jour) de la jurisprudence et de la législation des Etats figure au volume XX de la "Family Law Quarterly" n° 4,1987-1988, pp. 440 sv., sur le mariage, étude générale de Spiess, "Die Ungultige Ehe im Recht der Vereinigten Staaten", thèse, Cologne, 1964 — sur la filiation, bon aperçu de J. Ballenegger-Cornaz, *Le droit de la filiation hors mariage aux Etats-Unis et en Suisse*, thèse, Lausanne, 1975 — H.D. Krause, *Illegitimacy : Law and Social Policy*, Indianapolis, Kansas-city et New-York, 1971 — R.L. Stenger, "The Supreme Court and Illegitimacy : 1968, 1977" *F.L.Q.*, 1978, pp. 365 sv. — sur le divorce, particulièrement en Droit californien H. Hill Kay, "An Appraisal of California's No Fault Divorce Law", *California Law Review* 1987, pp. 291 sv. — sur les pensions après divorce : A.D. Neizert, *Beschrankung der nachehelidhen Unterhatspflicht in ausgewahlten U.S. Staaten*, thèse Cologne, 1987 — sur les problèmes juridiques de la procréation artificielle : George J. Annas et Sherman Elias. "In vitro tertilization and Embryo-Transfer", *F.L.Q.*, 1983, pp. 199 sv. — Colloque Lausanne, 1985 cit. — Sur le problème de l'enfance : W. Wadlington, "Un nouveau point sur les questions relatives aux enfants", *Regards...*, p. 139 sv.

Le Droit international privé américain (alimenté au départ par les conflits interlocaux) est largement dominé par les problèmes de compétence juridictionnelle et de reconnaissance des jugements — sur le droit international de la famille — cf. L. Palsson, *Marriage and Divorce in Comparative Conflict of Laws*, Leyde, 1974 cit., North, cours La Haye, 1980, L. 1, pp. 17 sv. cit. — sur les difficultés de reconaissance des jugements en matière internationale, reposant sur les principes de la "comity", C. Kessedjian, *La reconnaissance et l'exécution des jugements en Droit international privé aux Etats-Unis*, Paris

(Economica), 1987, préf. P. Lagarde, "International Enforcement of Family Support", par D.F. Cavers, Columbia, L.R. 1981, pp.994 sv. —

VI. AUSTRALIE ET EXTREME-ORIENT

Australie — Etant un Etat fédéral depuis 1901, l'Australie connaît en matière de droit de la famille, une distinction entre les matières de la compétence des Etats fédérés (filiation naturelle, adoption) et celles ressortant du pouvoir central (divorce—le gouvernement travailliste a modifié des textes antérieurs de 1961 avec un "Act" de 1975 entré en vigueur au 1er janvier 1976) qui a supprimé la notion de faute dans le divorce et crée une "Family Court" pour le contentieux matrimonial — cf. H.A. Finlay, "A New Deal for Family Law : The Australian Family Act, 1975", *RabelsZ.*, 1977, pp. 71 sv. — sur les problèmes de la procréation artificielle — cf. L. Waller, Colloque Lausanne, cit., p. 133.

Chine populaire— Le Droit chinois traditionnel connaissait une conception confucéenne de la famille entièrement large englobant les ancêtres et la descendance future, qui permettait même l'adoption du mari de la fille. L'essentiel était la perpétuation du culte domestique. A partir de 1928, les réformes du Kouo-Min-Tang avaient abouti à une modernisation et une codification du Droit de la Famille de Décembre 1930 (entrée en vigueur au 5 mai 1931 et maintenue à Taïwan). L'avènement d'un régime d'inspiration marxiste avait entraîné la promulgation de la loi du 1er mai 1950. Mais après la période de la "Révolution Culturelle", une loi du 1er juillet 1979 a réorganisé sur une base strictement juridique le Tribunal Populaire Suprême et les cours inférieures. En vertu de la Constitution du 5 mai 1978, une loi sur le mariage du 10 septembre 1980 a abrogé celle de 1950. Elle repose sur les principes de monogamie, liberté et égalité des époux. Le Droit international privé de la famille semble rester assez lacunaire, malgré une loi sur l'enregistrement des mariages du 15 mars 1986, et quelques accords bilatéraux (accord consulaire avec la France du 17 octobre 1980).

Ch'oe Chae-sok, "Etude comparative sur la famille traditionnelle en Corée, au Japon et en Chine", *Revue de la Corée*, 1975, pp. 29 sv. — Lin chu-Chich, *Elterliche Gewalt in deutschen, japanischen und chinesischen Recht* (puissance parentale en droit allemand, japonais et chinois), thèse Munich, 1966 — Dominique T.C. Wang, *Les sources du Droit de la République populaire de Chine*, Droz, Genève, 1982 — sur le Droit international privé F. Munzel, *Das TPR und IZPR der Volksrepublic China*, IPR-Pracis, 1988, pp. 46 sv.—D. Huang, *Rev. Crit.*, 1987, 465.

Corée du sud — La Constitution du 17 juillet 1948 a proclamé l'égalité des époux (§ 8). Mais les projets de codification, mettant fin aux concepts traditionnels de soumission de la femme et de prépondérance maritale n'ont abouti qu'avec le code du 22 février 1958 (en vigueur au 1er janvier 1960). Depuis, l'évolution des mœurs vers une plus grande égalité, a abouti à une révision partielle le 31 décembre 1977 — cf. Mi-Kyung Cho Lee *Koreanisches Scheidungsrecht* (Droit du divorce en Corée), thèse, Cologne,

1986 — sur le statut de la femme coréenne, articles de Mme Yi Tae Yong, *Revue de la Corée*, 1975, pp. 16 sv., Kim chu sv., *Revue de la Corée*, 1985 (2), pp. 28 sv. — sur le Droit international privé, loi du 15 janvier 1962, *Rev. Crit.*, 1972, 347.

Japon — Le Code Civil japonais du 21 juin 1898 (loi "horei") avait entendu moderniser le droit traditionnel et mettre fin au mariage coutumier "naien". Mais les résistances de la pratique ont été très vives et la transformation n'a pu se faire que par étapes. La Constitution du 3 mai 1947 ayant proclamé les principes de dignité et d'égalité des époux, la loi du 22 décembre 1947 a modifié le Code de 1898. Des réformes complémentaires de 1976 et 1980 ont amélioré la situation de la femme quant à son nom et ses droits successoraux — cf. S Anan, "Mariage extra-legem et notion de droit au Japon", *Mélanges*, Roubier, Paris, 1961, t. 1, pp. 1 sv. — Dominique T.C. Wang, *Les sources du droit japonais (interne et international privé)*, Genève, 1978 (préface Y. Noda) — R. Suzuki : "Das japanische Familienrecht in Gegenwart und Zukungt" (droit présent et à venir), *Fam. RZ.* 1986, 2, pp. 122 sv.

Taiwan — Code chinois de 1930-1931, cf. L. Chu-Chich, cit.

Thailande — Le livre 5 du Code Civil thaïlandais relatif au Droit de la Famille, après la Constitution de 1974, a été revu dans un sens égalitaire par la loi du 15 octobre 1976. Le Droit thaïlandais connaît en matière internationale, le Divorce par consentement mutuel devant les autorités consulaires. Cf. Bruhl, *Fam. RZ.*, 1983, p. 862 — M. Fuhrmann, *IPRPraxis*, 1983, p. 137 — G. Kegel, "Scheidung von Auslandern im Inland durch Rechtsgeschaft, *IPR-Praxis*, 1983, p. 22.

CHAPITRE II

Aspects essentiels de l'évolution historique (droit interne et international)

32. Une étude comparative des similitudes et divergences des systèmes positifs ne se conçoit pas sans un certain recul, et une compréhension des origines historiques. Pourtant présenter un tableau même succinct des transformations se révèle malaisé : Ce n'est qu'à une époque récente qu'historiens professionnels et sociologues ont prêté attention aux transformations de la famille et plus sans doute à son environnement économique ou politique qu'à ses techniques. Les "zones d'ombres" subsistent largement : il suffit de songer à la condition juridique de l'union libre ou au statut de l'enfance au travers des siècles. La difficulté croît avec une présentation comparative. Les recherches sont encore rares dans un domaine où les conclusions seraient pourtant fructueuses. Il ne faut pas oublier que les techniques se renouvellent moins fréquemment que les données sociales, politiques ou morales. Les particularismes nationaux ont été moins accentués qu'on a pu longtemps le croire (en droit interne, sinon en droit international privé). Si l'évolution a connu de brusques à-coups (la Révolution française, la Révolution russe de 1917), l'expérience a révélé que toutes les innovations ne résistent pas au temps. Il y a souvent une récupération des doctrines ou des solutions antérieures.

I. L'EVOLUTION DU DROIT INTERNE

33. A l'exception, notoire, du monde musulman resté fidèle à la tradition coranique, et dans une moindre mesure de l'Extrême-Orient, le droit de la famille du XXe siècle, sous des données positives diverses,dérive d'origines communes du Monde européen. Il s'agit d'une part des emprunts au droit romain de l'Antiquité, de l'autre à la tradition canonique de l'Eglise catholique. Jusqu'au XVIe siècle, les particularismes nationaux seront peu marqués. Le droit romain et le droit canonique auront représenté des techniques unificatrices que même les bouleversements modernes n'élimineront pas. Toutefois à partir de la rupture de l'unité religieuse au XVIe siècle, on rentre dans une phase de diversification nationale et politique que l'on peut dater du concile catholique de Trente. Cette nouvelle période (jusqu'à la Révolution) sera marquée par la formation des particularismes juridiques et la laïcisation progressive du droit de la famille. La Révolution franc,aise (droit dit "intermédiaire") représentera une première rupture, atténuée par la Codification napoléonienne et les imitations qu'elle suscitera à l'étranger. Les expériences suisse et scandinave dès avant la première guerre mondiale, la coupure que représentera l'expérience soviétique n'entraîneront pas de modifications profondes jusqu'à la seconde guerre mondiale. Après 1945, les divisions politiques entre systèmes "occidentaux" et socialistes" ne peuvent masquer des réalités communes : un certain déclin des particularismes politiques et religieux, une uniformisation, au moins en Europe et aux Etats-Unis des données économiques, sociales, voire biologiques et médicales. En même temps on assiste à une expansion géographique des concepts européens en Afrique Noire et en Asie. A l'inverse, l'importance de l'immigration contribuera au développement du droit international de la famille.

SECTION I
LES APPORTS HISTORIQUES COUMUNS A LA FORMATION DES DROITS EUROPEENS

§ 1. LES DROITS DE L'ANTIQUITE, LE DROIT ROMAIN

34. Si intéressante que soit pour le sociologue ou l'historien professionnel, la connaissance des structures familiales des droits de la Haute Antiquité (Egypte - Babylone), le juriste contemporain se heurte à des données trop imprécises ou à la difficulté de les utiliser pour saisir la trame de l'évolution postérieure. Même, les antécédents grecs (avec sans doute des concepts moins inégalitaires que devaient être ceux de la famille romaine) ne devaient pas survivre à la civilisation qui les avait élaborés. La seule exception, en raison de sa permanence confessionnelle à travers les siècles et sa diffusion internationale, doit être faite pour le *droit hébraïque*. Il offre un caractère à-temporel, depuis la source première, l'Ancien Testament (comme devait l'être plus tard le Coran pour les musulmans), jusqu'aux interprétations des Rabbins (la "Mischna") et la compilation coutumière du XVIe siècle, dite "Code de Joseph Caro" (Shulkan Arukh). C'est sans doute le seul exemple de droit antique dont la positivité devait disparaître sous l'Empire Romain, mais qui devait néanmoins durer comme un droit d'une communauté religieuse, et servir d'inspiration au XXe siècle à la législation d'Israël[1].

Dès l'Antiquité, le droit hébraïque présente des caractéristiques qui ne seront pas remises en cause. Son droit de la famille est fondé sur la prééminence du couple et des enfants nés du mariage, et comporte d'assez nombreux inter-

1. Cf. sur le droit hébraïque et ses origines historiques Guy Slama : "Le mariage en Israël", thèse, Nice, 1976 [dactyl.], spécial pp. 77 sv. — R. Berg et M. Urbah Bomstein, "Les Juifs devant le droit français", 1984, n° 265 sv. — adde — L. Weill, "Le divorce des Israélites russes en France", *Rev. Crit.*, 1908, pp. 759 sv.).

dits religieux. Comme en droit grec, qui distinguait dans le mariage deux étapes successives ("enguésis", transfert de tutelle exercée par les parents de la femme au mari et "ekdosis", création de la possession d'état d'époux), l'union hébraïque se réalise par étapes : "quiddusin", cérémonie symbolique comportant la remise d'une pièce ou d'un anneau à la femme, puis "nissuin", c'est-à-dire vie commune avec consommation du mariage. Il faudra attendre les progrès techniques du droit romain pour que le mariage se réalise en un trait de temps par le seul accord des volontés[1] . Le prédécès du mari mort sans enfant entraîne pour la veuve la nécessité de perpétuer la descendance ; c'est l'obligation pour la femme d'épouser son beau-frère ou "lévirat". Celui-ci peut s'en affranchir par le cérémonial de la "halitza" (déchaussement). Le "lévirat" subsistera dans les communautés hébraïques jusqu'à l'abolition officielle par le Grand Rabbin de Jérusalem en 1950 (mais la cérémonie de la "halitza" sera maintenue). (Cf. G. Slama, p. 99).

Le droit mosaïque est au départ inégal et peu favorable à la femme. La polygamie est de règle (comme dans les sociétés arabes pré-coraniques puis coraniques). Elle sera permise par le Talmud, puis progressivement prescrite sauf dans les communautés d'Afrique du Nord. L'adultère de la femme n'en n'est pas moins réprimé. Il est une cause de répudiation et les enfants adultérins ou "mamzers" sont frappés d'interdits. L'évolution aboutira à un certain rééquilibre, et la femme aura de son côté des motifs de répudier son mari.

35. L'apport le plus significatif de l'Antiquité, par sa longueur et l'influence qu'il devait encore exercer sur les codifications du XIXe siècle reste bien sûr celui du droit romain. Mais tributaire d'un certain contexte, économique et politique, ses traces sont restées moins marquées que dans le droit des obligations. Il y a du reste peu de traits communs entre la société rurale et semi fermée des débuts de l'Urbs et celle, urbaine, très individualiste, et en voie d'éclatement de la fin de l'Empire Romain. Toutefois, l'évolution est significative : elle décrit une courbe et annonce des problèmes qui se retrouveront amplifiés dans la société moderne. La christianisation de la fin de l'empire annonce l'influence qu'aura l'Eglise sur le droit de la famille.

La famille d'origine est celle d'un clan ou groupement très large, la "gens", regroupant les "agnats", c'est-à-dire tous ceux qui auraient été fictivement soumis à un même ancêtre, si celui-ci n'était pas décédé[2]. Le père de famille (paterfamilias), comme ce sera le cas en Extrême-Orient cumule un rôle religieux et économique (à la tête de son domaine). Il exerce sur les membres de la "gens" une autorité à peu près sans limites : d'abord sur sa femme qui, par son mariage tombe sous la "manus" du mari. Il s'agit d'un acte consensuel, précédé des fiançailles (sponsalia) et suivi d'une cérémonie religieuse (conferreatio). La dissolution du lien s'opère normalement par des formalités symétriques (diffareatio). Le mariage entraîne la qualification de légitime quant à la naissance des enfants qui en sont issus. Selon un texte, à vrai dire un peu tardif des "Nuits Attiques" d'Aulu Gelle, le droit romain aurait connu assez tôt la présomption que l'enfant né pendant le mariage a pour père le mari et fixé à

1. Cf. J. Bemhard, "Le décret Tametsi du concile de Trente", *Revue de droit canonique* 1980, pp. 209 sv. et J. Gaudemet, "Le mariage en Occident", Paris, 1987, pp. 27-29.
2. Cf. R. Monier, "Manuel de droit romain", 1947, p. 246.

dix mois le délai légal de gestation[1]. Mais, même légitime, la filiation ne s'impose pas au père. Le droit grec semblait avoir admis un certain contrôle familial sur la personne de l'enfant. Dans le droit romain des débuts, le père seul a le pouvoir de l'accepter ou de le rejeter. Accepté par le père, il sera dépourvu de personnalité propre. C'est le père, qui dans un système qui ne connaît guère le mécanisme de la représentation, passe seul les contrats au nom de l'enfant. L'abandon "noxal" lui permet de se soustraire aux conséquences des fautes de ses descendants. A un degré inférieur, du mariage "justae nuptiae" existe le concubinat, sorte d'"union du second rang" pour tourner les interdits du droit commun (entre patricien et plébéien, entre citoyen romain et latin ou pérégrin). Il se perpétuera jusqu'à l'Empire Byzantin et une Constitution de l'Empereur Léon Le Sage (IXe Siècle après J.C.) qui y mettra fin. L'enfant né du concubinat échappe à la "manus" du père mais n'a qu'une condition inférieure au légitime. Ce n'est qu'à l'époque impériale que l'on distinguera nettement le concubinat et la liaison illicite (spurius). L'enfant né des relations adultères ou passagères (spurius) sera promis à une condition particulièrement dure avec les progrès du christianisme.

36. Avec l'avancement de l'Empire Romain, se manifeste un double mouvement, annonciation de l'époque moderne. D'une part un relâchement des liens familiaux lié aux transformations économiques. D'un autre côté, par réaction contre l'individualisme, une intervention accrue des pouvoirs publics et des magistrats.

C'est tout d'abord le déclin de la "manus" et l'apparition d'une personnalité juridique propre des descendants. Le fils de famille a la possibilité notamment de recueillir les biens provenant de la succession de sa mère (bien adventices). A partir d'une constitution de Constantine (319) le père de famille n'a plus que l'usufruit des biens de ses enfants (ce qui est à l'origine de la jouissance légale). Le prédécès du père n'entraîne plus comme par le passé une tutelle exclusivement familiale, revenant à défaut de testament aux parents les plus proches. Le Bas-Empire développe la tutelle dite "dative", c'est-à-dire le contrôle de la personne ou l'enfant par les autorités publiques (sous Marc Aurèle : "prêteur de la tutelle" en Italie et "gouverneurs de provinces" ailleurs). La tutelle est moins un profit ou un droit qu'une charge. Une Constitution de l'époque des Sévère ("Oratio Severi", fin IIe siècle) interdit au tuteur de procéder seul aux actes les plus graves (ventes d'immeubles, constitutions d'hypothèques). Sous Constantin, le mineur impubère, dès l'ouverture de la tutelle, bénéficiera d'une hypothèque générale sur les biens du tuteur.

Le même mouvement émancipateur profite à la femme. Au mariage "cum manus" succède le mariage "Sine manu" qui lui évite la rupture avec la famille d'origine. Il est vrai que n'étant plus nécessairement sous la "puissance du mari", la femme n'acquiert pas pour autant son indépendance pécuniaire. Les Empereurs, Auguste, puis Claude invoquent la nécessité de les protéger d'engagements inconsidérés ; le trop fameux "Senatus Consulte Velleien" porte une interdiction générale de garantir les dettes du mari. Mais il s'agit de moins en moins d'une mesure d'ordre public. La femme peut renoncer au

1. Cf A. Médecin, "Etude historique sur la condition des enfants, nés hors mariage", thèse Paris, 1879, p. 100.

Velleien qui est une disposition en sa faveur. C'est d'abord le cas si elle est tutrice, puis sous Justinien, si elle y renonce par écrit et devant trois témoins. Enfin les constitutions successives vont cesser de faire du divorce un acte de répudiation du seul mari, et préciser les fautes qui ouvrent ce droit à la femme : adultère (avec interdiction pour le mari, depuis la "Lex Julia" d'épouser la complice, texte promis à une belle carrière) empoisonnement ou violation de sépulture.

37. L'influence croissante du Christianisme va amener les Empereurs inspirés par la doctrine de l'Eglise, à introduire des principes religieux dans le droit familial. Le rôle du mariage est valorisé, avec un échange du consentement dès avant la cérémonie elle-même. Les fiançailles (suivant d'ailleurs des pratiques orientales) s'accompagnent d'arrhes et de cadeaux restituables en cas de rupture. Les obstacles que constituaient les inégalités de rang disparaissant et le "concubinat" fusionne avec les "justae nuptiae". L'accent mis sur l'union légitime accentue l'inégalité entre les enfants des noces et ceux de père inconnu ou nés d'un adultère. Ceux-là sont condamnés à suivre la condition de leur mère et ne peuvent rechercher leur paternité. En contre partie, l'Eglise encourage le procédé d'assimilation aux légitimes. C'est Constantin qui crée la légitimation "par mariage subséquent", puis Théodose II et Valentinien III, la légitimation par "oblation à la curie" (sorte de "prime à la fidélité" dans les fonctions municipales). Justinien y ajoutera la "légitimation par rescrit en cas de mort ou indignité de la mère. D'autre part les autorités vont amorcer un contrôle de l'autorité parentale, en particulier, pour les enfants maltraités ou délaissés. A partir d'Alexandra Sévère (230), le droit absolu de correction paternelle disparaît, les mesures prises par le père doivent être approuvées par les Gouverneurs de Province. A fortiori, le meurtre d'un nouveau né est assimilé au parricide. Son abandon ou "exposition" à partir d'un décret de Gratien et Valentinien, prive le père des droits de puissance paternelle. Le Bas-Empire connaît se!on des origines hellénistiques, le développement de l'adoption. Il ne s'agit plus, comme dans l'"adrogatio" originaire d'une cérémonie publique devant les Comices Curiates, pour faire passer une personne d'une puissance à une autre, mais d'un acte privé destiné à procurer une descendance à des citoyens sans enfants. Il n'implique pas nécessairement toute rupture avec la famille d'origine.

Enfin, dernière caractéristique, la législation impériale s'efforce de préciser le droit du divorce. L'exercice du droit de répudiation par le mari suppose la commission d'une faute de la femme, et s'accompagne d'un écrit ("libellum repudii" selon une Constitution de 449). L'attitude des pouvoirs publics est fluctuante à l'égard du divorce par consentement mutuel. Admis sous Constantin. Il est supprimé par Justinien en 542, mais rétabli par son successeur Justin II en 566. L'expérience du droit romain annonce celle que connaîtra l'époque moderne.

Bibliographie :

R. Monier, "Manuel élémentaire de droit romain", (6e édit., Paris, 1947, pp. 246 sv.

P. Ourliac et J. de Malafosse, "Histoire du droit privé : le droit familial", t. 3, Paris, 1968.
A. Médecin, "Etude historique sur la condition des enfants nés hors mariage" (à Rome et dans l'Ancien Droit français), thèse, Paris, 1879.
L. Lallemand, "Histoire des enfants abandonnés et délaissés", (étude de la protection de l'enfance aux diverses époques de la civilisation), Paris, 1885.
L. Boyer, "Concubinages et concubinats" (du Code d'Ammourabi à la fin du XIXe siècle in "Les concubinages, Aspect sociojuridique", Paris, 1986, t. 1, p. 127 suiv.
J. Gaudemet, "Le mariage en Occident : les mœurs et le droit", Paris, 1987.

§ 2. LE DROIT CANONIQUE JUSQU'AU CONCILE DE TRENTE

38. La disparition de l'Empire romain ne va pas rompre la relative unité du droit familial dans les pays soumis à sa domination. Il va être pour l'essentiel prolongé et étendu géographiquement par l'Eglise catholique appliquant le droit canonique. Certes, l'Eglise n'est pas la seule source de droit. Il faut tenir compte, après les invasions du rôle des coutumes germaniques, de la construction progressive d'un droit coutumier, avant la remontée, à partir du XVIe siècle, de l'influence des solutions proprement romaines. Mais l'Eglise, partant de la nature sacramentaire du mariage, s'autorise à légiférer sur l'union et ses effets civils. Pendant longtemps, seules les décisions des Conciles et des décrétales pontificales font autorité. Les autorités civiles sont hors d'état d'élaborer ou de contredire des règles qui iraient à l'encontre du droit canonique. Les solutions coutumières ne sont que supplétives. La compétence des Cours écclesiastiques est générale, aussi bien sur le Continent qu'en Angleterre où Guillaume le Conquérant l'a reconnu dès 1085[1]. Il faudra attendre la rupture de l'unité religieuse de l'Occident au XVIe siècle, l'acceptation ou le rejet de la réforme "tridentine" pour voir s'élaborer des règles nationales et la remise en cause de la compétence des juridictions ecclésiastiques.

Les Conciles — ceci est bien connu — interviennent tôt pour réglementer le droit du mariage, éviter les abus de la répudiation qui a survécu au droit romain, et la méconnaissance des plus élémentaires conditions de célébration (notamment le concile de Limoges, 1031 et le 4e Concile du Latran, 1215). L'Eglise catholique est animée par une double préoccupation : d'une part la recherche du fondement du mariage à une époque où l'influence barbare met l'accent sur la "consommation" et rend difficile la distinction d'avec l'union libre. Pour Gratien et l'école de Bologne, l'engagement de se prendre pour époux n'a de valeur définitive qu'avec les relations sexuelles. Les fiançailles (sponsalia verba per futuro) suivies d'un rapport charnel équivalent au mariage. Mais les théologiens, Pierre Lombard et Hugues de St Victor élaborent une théorie plus "spiritualiste" : à l'image de l'union du Christ avec son Eglise, c'est du seul échange des consentements que résultera le mariage et le Pape Alexandre II (1159) 1181) fera sienne cette conception. Toutefois, l'Eglise se réservera la

1. Cf. E. Friedberg, "Das Recht der Eheschliessung in seiner geschichtlichen Entwicklung", Leipzig, 1865.

possibilité de dissoudre un mariage non consommé[1]. Mais l'accent mis sur le rôle du consentement risque d'autre part, de minimiser l'aspect formel ou "cérémonial" du mariage élevé au rang du sacrement par le Concile de Vérone (1184). Le mariage "privé" ou "secret" permet d'éluder les conditions de fond posées par l'Eglise (lien de parenté ou d'alliance), voire de favoriser la bigamie, si un premier mariage "informel" est suivi d'un second célébré publiquement "in facie Ecclesiae". Selon Friedberg, dès le XIIIe siècle, les officialités anglaises connaissent de pareils cas. Aussi le 4e Concile de Latran (1215) précise des règles de forme qui seront répétées et complétées au concile de Trente : nécessité des publications préalables ou "bans", présence obligatoire d'un ecclésiastique. L'Eglise se borne toutefois aux sanctions spirituelles (suspension) sans aller jusqu'au prononcé de la nullité de l'union. D'après Madame Lefebvre-Teillard ("Les Petites Affiches", 8 juillet 1985) l'absence d'état civil organisé (jusqu'à la création des registres paroissiaux avec l'ordonnance de Blois de 1579 et même au delà), la mobilité de la population, rendent illusoire le respect des règles de forme et de fond. Les abandons de domicile conjugal suivis de remariages sont fréquents. Les premières réglementations nationales du droit du mariage "Constitutions de Melfi" de Frédéric II des Deux Siciles (1231), "Siete Partidas" et Fuero d'Alphonse V de Castille (1255) n'osent pas aller plus loin et se bornent à des sanctions pénales et successorales contre les mariages privés[2].

Du moins l'Eglise s'efforce-t-elle de lutter contre les répudiations (encore fréquentes au moment des invasions barbares). Les capitulaires francs, la "loi des Wisigoths" en Espagne, l'édit Lombard de Rhotaric en Italie limitent la dissolution à l'adultère. Dès le Concile d'Agde (506), celui qui renvoie sa femme doit motiver sa décision au Synode provincial. L'indissolublité du mariage est reconnue dans l'Eglise d'occident à la fin du XIe siècle, après quelques crises (refus de l'Eglise de reconnaître la répudiation du roi de France, Philippe 1er en 1092). Le mot "divortium" ne désigne plus que la séparation de corps des époux (quoad thorum et mensam). Elle suppose des actes fautifs limitativement énumérés (adultère, hérésie par la suite violences et sévices graves) et une bulle du Pape Sixte Quint (1586) condamnera la séparation par entente amiable.

39. L'influence du droit canonique est par contre beaucoup plus faible au départ en ce qui concerne les relations familiales et la condition juridique des enfants de ressort coutumier. La tradition germanique originaire est fondée sur la conception d'une famille par le sang, plus restreinte que la "gens" romaine. Mais le système féodal développe la notion de "lignage" ou de "communauté familiale" unissant toutes les personnes qui portent le même nom et les mêmes armoiries. Il est lié le plus souvent à un système de propriété indivise. Un "Conseil de lignage" est imposé à la veuve qui veut marier sa fille[3]. Pourtant, le rôle de la femme n'est pas négligeable à une période où elle n'a qu'un rôle économique restreint. C'est seulement la "remontée" postérieure du droit romain qui aggravera sa condition. Dès le XIIIe siècle,

1. Cf. K. Rasquin, thèse Cologne, 1985, p. 25 sv.
2. Cf. D. Schwab, Bielefeld, 1967, pp. 29-30.
3. Cf. P. Ourliac de Malafosse, cit., pp. 60-61

Beaumanoir prévoit un recours au juge laïc en cas de mauvais traitement de la part du mari. La femme concourt aux côtés du mari pour l'exercice de la puissance paternelle et se voir reconnaître une préférence dans la garde des enfants en cas de séparation[1]. En cas d'absence ou d'incapacité du mari, l'épouse peut obtenir des "lettres de chancellerie" pour agir en son nom. Certaines coutumes (Orléanais, Anjou) l'autorisent à contracter librement comme marchande publique. Cette capacité de la femme sera compromise par la réintroduction du Senatus Consulte Velleien dans le droit français. Il sera officiellement supprimé en 1606. Mais les Parlements de plusieurs régions (Midi, Normandie) refuseront de l'admettre.

40. Droit coutumier et droit canonique s'accordent pour donner la primauté, sinon à l'origine, l'exclusivité des droits aux seuls enfants légitimes issus d'un mariage valable. C'est dire que la condition des "bâtards" est mauvaise. Assujetti aux droits féodaux, l'illégitime ne peut se marier sans la permission du Seigneur (droit de formariage) et se trouve frappé de la "main morte", l'incapacité successorale au profit du Seigneur. Il faudra attendre en France une ordonnance de 1534 de François Ier pour que l'illégitime puisse disposer de ses biens, et pratiquement le XVIIIe siècle pour voir disparaître la "main morte" de la plupart des coutumes. La "Common Law" anglaise réserve un sort aussi rigoureux à l'enfant conçu hors mariage. Encore au XVIIIe siècle, il sera qualifié par Blackstone comme tantôt de "filius nullius", tantôt de "filius populi"[2]. Toutefois des raisons religieuses et morales comme économiques commandent de relever leur situation. A partir d'Innocent III et de Grégoire IX, la Papauté réintroduit la légitimation par mariage qu'avait connu le droit romain. D'autre part, au moins en France, les tribunaux écclésiastiques accueillent les recours des filles-mères : "l'actio dotis" se présente comme une action "en octroi de dot" ou à défaut de dommages intérêts pour compenser la perte de virginité. L'"action en frais de gésine" peut être exercé contre quiconque a eu des relations charnelles avec la demanderesse. Elle est elle-même distincte de l'"actio captionis", c'est-à-dire de la condamnation d'un homme à la prise en charge matérielle d'un enfant depuis la naissance. Celle-ci n'est guère concevable sans une très grande probabilité de paternité résultant le plus souvent de la vie commune des parents[3]. Le motif économique n'est pas moins puissant. Les pouvoirs publics prennent conscience de la nécessité d'éviter un trop grand accroissement du nombre des enfants abandonnés qui retombent à la charge des seigneurs ou paroisses, à défaut d'initiatives privées. Aussi, si la "common Law" se refuse à la légitimation par mariage subséquent, ou même à une adoption qui pourrait améliorer le sort des illégitimes (ceci jusqu'en 1926), un "Bill" d'Elisabeth I de 1576 imposera aux parents d'un enfant illégitime de l'entretenir sous peine d'emprisonnement. Du reste, des divergences apparaissent dans les droits nationaux : les "fueros" castillans ad-

1. Cf. Ch. Lefebvre, "Le lien du mariage", Cours Doctorat, 1913-1923, préf. O. Martin, 2e fascic. pp. 258-259 et 385.
2. Cf. "Mariage et Famille en question", C.N.R.S., 1979, Angleterre par Bromley, p. 120.
3. Cf. A. Lefebvre-Teillard, "L'enfant naturel dans l'ancien droit français", *Recueil*, Société J. Bodin, 1976, t. 36, p. 255.

mettent qu'un enfant naturel a vis-à-vis de sa mère, en l'absence d'autres descendants, les mêmes droits successoraux qu'un légitime. Il peut facilement accéder à la condition d'enfant légitime, soit par légitimation "par rescrit" ou acte notarié, soit même, semble-t-il par adoption. Cette position contraire au droit anglais, devait exercer quelque influence lors de la formation du droit de la filiation aux Etats-Unis, particulièrement sur les Etats du sud et de l'Ouest américain[1].

Bibliographie :

Outre les ouvrages classiques qui figurent dans la bibliographie de P. Ourliac, J. de Malafosse "La famille", 1968 (notamment ceux de G. le Bras et Dauvilliers consacrés au droit canonique), on peut se référer à celle plus récente de J. Gaudemet, "Le mariage en Occident", Paris, 1987 et les monographies ou articles spéciaux :

Ch. Lefebvre, "Le lien du mariage", Cours d'histoire du droit matrimonial français, 2 fascicules, 1913-1923 (préf. O. Martin).

H. Richardot, "Les pactes de séparation amiable entre époux, étude historique, comparative et critique", thèse Paris, 1930.

J. Bemhard, "Le décret Tametsi du Concile de Trente", *Revue de droit canonique*, 1980, pp. 209 sv.

P. Ourliac, "La disparition du lien conjugal", un colloque de l'Université de Pau, 24-25 novembre 1983, numéro spécial : *Les petites affiches*, 27 avril 1984.

A. Lefebvre-Teillard, "L'enfant naturel dans l'ancien droit français" — "Les nullités du mariage à la fin du Moyen Age", *Les petites affiches*, 8 juillet 1985.

Ouvrages étrangers :

Emil Friedberg, "Das Recht der Eheschliessung in seiner geschichtlichen Entwicklung", Leipzig, 1865 ("Le droit du mariage dans son développement historique" — un des rares ouvrages d'histoire du droit comparatif).

D. Schwab, "Grundlagen und Gestalt des staatlichen Ehegesetzgebung in der Neuzeit bis zum Beginn des 19 Jahrhunderts" (Fondements et structure de la législation sur le mariage jusqu'au début du XIXe siècle), Bielefeld, 1967.

Klaus Rasquin, "Das Voranstraungsverbot des § 67 Personen standsgesctz, 1937-1957" (La prohibition de la primauté de la célébration religieuse selon le § 67 de la loi sur l'état civil), thèse Cologne, 1985.

1. Cf. J. McKnight "Légitimation and Adoption on the Anglo-hispanic Frontier of the United States", Tijdschrift voor Rechtgeschiednis, 1985, pp. 135 sv.

SECTION II
L'APPARITION DES DIVERGENCES NATIONALES

§ 1. DU CONCILE DE TRENTE AU DROIT "INTERMEDIAIRE FRANCAIS ET A LA CODIFICATION NAPOLEONIENNE

41. La tenue du Concile de Trente (1552-1563) précédé de la Réforme protestante, marque un important tournant dans l'histoire du droit de la famille, pour des motifs politiques et religieux. Quel que soit le rôle que continue de jouer le droit romain comme source internationale, il faut désormais distinguer les Etats "tridentins" qui recevront les décisions du concile, et les "anti-tridentins" gagnés par la Réforme. De manière générale, le contentieux du droit du mariage et de la famille va être de plus en plus soustrait aux tribunaux ecclésiastiques. C'est le point de départ d'une sécularisation, qui, pour certains états, ne s'achèvera qu'au XXe siècle. D'autre part, le développement des actes écrits et des imprimés, les premières ordonnances sur l'organisation de l'état civil permettront de préciser les règles du mariage et de la filiation. Le droit de la Révolution française ne fera que précipiter une évolution déjà en cours dans plusieurs Etats européens.

La prétention du souverain, et non plus de l'Eglise catholique, à être source du droit de la famille ne date pas seulement du XVe siècle. Dès le Moyen-Age, Guillaume d'Ockham invoquait la continuité de la compétence des Empereurs romains, au profit du Saint Empire germanique, Saint Thomas et Marsile de Padoue distinguaient la "lex divina" et la "lex humana". Le pouvoir laïc se voyait reconnaître une compétence pour légiférer sur le droit du mariage, de concert avec l'Eglise[1]. A partir des écrits sur le mariage de Luther (1530) son caractère sacramentaire est remis en cause. La célébration religieuse ne fera plus que "fortifier" l'échange des consentements. La tradition la plus orthodoxe du protestantisme, avec Théodore de Beze, insistera sur la "double nature" divine et humaine du mariage. Même un théologien catholique, comme l'Espagnol Francisco de Vitoria ("Relectiones Theologicae, 1531) admet que le Prince, au nom du "bien commun" a le pouvoir de prononcer la nullité des mariages. En France, le développement des tendances "gallicanes" au XVIIe, puis XVIIIe siècle esquissera la distinction entre le "mariage sacrement" et le "mariage contrat", comme le témoigne la lettre de 1712 du Chancelier Pontchartrain au Premier président de Besançon[2]. Certains iront plus loin, comme le théologien Hummel (1722-1781) pour qui la célébration religieuse n'est plus qu'un "rite arbitraire". Ce contexte incitera le souverain à s'attaquer à la compétence universelle des tribunaux d'Eglise, pour y substituer les juridictions laïques, et à réglementer les "effets civils" du contrat, c'est-à-dire ce qui touche aux conséquences personnelles et pécuniaires de l'union. Un pas de plus sera réalisé à partir de la fin du XVIIe siècle avec l'école de "droit naturel" de Barbeyrac et Burlamaqui ("Principes de droit naturel" de Burlamaqui

1. Cf. D. Schwab, pp. 35 et 42.
2. Cf. J. Gaudemet, p. 325.

de 1747). Le mariage n'est plus fondé que sur les relations contractuelles et les fins particulières que poursuivent les époux, notamment l'éducation des enfants. Si comme dans le droit de l'Eglise primitif, l'échange des consentements est premier, il peut n'être que purement temporaire. A la fin du XVIIIe siècle, les disciples attardés de l'Ecole de droit naturel, tel Jean-Georges Pillichody ("Le droit naturel d'un père à son fils", 1769), ou Fortuné de Félice ("Code de l'humanité", 1778), justifient la rupture très large du bien conjugal pour mauvais traitements, et même "incompatibilité d'humeur". De Félice, reprenant des idées antérieures de Grotius et Puffendorf, sur le rôle de la Convention des parents quant à l'éducation des enfants, dénonce l'inégalité des pouvoirs dans la famille. Le mariage est une "société admise pour le bonheur des parties et la propagation de l'espèce". "L'autorité d'une femme sur son mari en matière même de choses qui concernent le gouvernement de la famille n'a rien d'incompatible avec la notion de société conjugale"[1].

42. Cette évolution des esprits ne manque pas d'avoir des répercussions sur le droit positif. L'Eglise catholique réagissant contre les abus antérieurs et les doctrines protestantes promulguera le fameux décret "Tametsi" du concile de Trente. Certes, il ne nie pas la valeur de l'échange des consentements dans le mariage, et c'est un texte pontifical bien postérieur (Décret "ne temere" de 1907) qui exigera la présence active du curé, mais l'accent est mis sur le rôle "sacramentaire" et formel du mariage[2]. Pour la première fois, la délégation française conduite par le Cardinal de Lorraine fait valoir que la nullité doit s'appliquer aux conditions de forme comme de fond. Le concile pose l'exigence d'une cérémonie publique,en présence de deux à trois témoins qualifiés dont le "propius parochus" (écclésiastique de la paroisse du domicile). L'ordonnance de Blois de 1579 qui introduit en France le Concile de Trente surenchérit sur ces règles en imposant quatre témoins et le rôle actif de l'ecclésiastique. Le même texte de Blois, complété postérieurement par l'ordonnance de 1667 organisait les registres paroissiaux avec une tenue en double, et l'obligation de transmettre un exemplaire au greffe de la Cour royale. Surtout, il devait interdite tout mariage privé et par notaire, suspect d'éluder des exigences de consentement familial, voire de régulariser une liaison antérieure. Une déclaration royale du 6 novembre 1639 confondait dans une même opprobre le mariage clandestin et le mariage "à l'extrémité de la vie". Sans porter atteinte à la validité du sacrement, la déclaration privait les enfants de tous droits successoraux. Les Parlements, par la célèbre pratique de l'"appel comme d'abus" allaient connaître des contentieux des ordonnances de 1579 et 1639[3]. Enfin, les protestants étaient exclus de la nouvelle réglementation du mariage. Après une très brève tentative d'organisation de mariage civil (déclaration de septembre 1685), les unions mêmes mixtes étaient annulées, et pénalement sanctionnées. Il fallut attendre l'"édit. de tolérance" du 28 novembre 1787 pour qu'apparaisse en

---

1. Cf sur ces tendances, A. Dufour, "Autorité maritale et autorité paternelle dans l'école de droit naturel moderne", *Archives de Philosophie du droit,* 1975, p. 89-125 et "Le mariage dans l'école romande de droit naturel du XVIIIe siecle, Genève, 1976).
2. Cf. J. Bernhard, *Revue de droit canonique*, 1980, pp. 209 sv.
3. V. M. Gendrel, "Les mariages in extremis", thèse, Paris, 1958 spécial, pp. 62-63 et 75.

France la première forme de célébration laïque du mariage. A la veille des réformes du droit intermédiaire, le protestant pouvant désormais opter pour un mariage devant un magistrat, ou un ecclésiastique, mais dans sa maison et en présence de quatre témoins. Une sévérité analogue tenant à l'observance des règles du concile se retrouvait dans les Etats européens qui l'avaient acceptée comme la Pologne et l'Espagne. Les sanctions prévues dans ce dernier pays dès Philippe II au XVIe siècle, allèrent en se renforçant : une "Pragmatique" de 1776 et une déclaration de Charles IV de 1803 sanctionnaient l'inobservation des conditions par la nullité et la sanction pénale du bannissement.

43. La conséquence logique de ces exigences nouvelles était la lutte contre le "mariage informel" ou le concubinage résultant de la seule volonté de mener une vie commune. Un édit de Louis XII de 1629 annulait les donations entre concubins (mais celles entre époux allaient être également frappées). Les Parlements privaient de tout effet successoral les mariages "de dernière extrémité" (in extremis) déguisant le plus souvent la volonté de régulariser une liaison prolongée. Ainsi dans l'affaire "Arson", soumise au parlement de Paris, le 16 mars 1736 sur les réquisitions de l'Avocat Général Chauvelin. Le testament du sieur Arson, ayant vécu de longues années en union libre, fut annulé pour avoir été rédigé trois jours avant sa mort, le jour même du mariage[1]. Dans la pratique et en raison de l'évolution des mœurs, la sévérité à l'égard de l'union libre, se relâche. Dans son "Traité de la séduction" rédigé en 1781, Fournel reconnaît que l'édit de Louis XIII, qui s'était heurté à des refus d'enregistrement, n'était "ni suivi, ni cité". Les Parlements valident les dons modiques ou ceux d'usufruit entre concubins, comme les donations universelles, réciproques par contrat de mariage "régularisant" une liaison antérieure[2].

Parallèlement, la condition des enfants illégitimes va évoluer, de la rigueur à la tolérance. Certes, l'édit de 1556, plusieurs fois répété (en 1585 et 1708, ce qui fait douter de son application) impose aux "filles mères" une déclaration de grossesse et d'accouchement pour éviter la suppression d'enfant. Mais à la différence des règles posées pour les enfants légitimes, elles ne sont pas tenues de déclarer le nom du père aux Officiers de Justice ou aux Commissaires. Les parlements leur reconnaîtront les actions déjà admises devant les Juridictions ecclésiastiques : action provisoire en "frais de gésine" pour l'accouchement, action dite "de stupre" pour l'entretien et l'éducation de l'enfant, distincte de celle de "rapt de séduction" en réparation du préjudice causé par la liaison. On voit apparaître la notion d'"intérêt de l'enfant" qui limite certaines initiatives du père naturel. Ainsi dans un arrêt sur Requête du 7 juillet 1761 (cité par Fournel, p. 193), le Procureur Général ordonnait la réintégration d'un enfant naturel placé par sa mère au Couvent de Port-Royal à Paris, alors que le père, de sa seule initiative, avait voulu le transférer à Nevers. Dans quelques cas (ivrognerie, indigence, voire même religion non catholique de la mère) l'enfant pouvait être placé hors de la famille (sentence de Châtelet du 27 juillet 1758). Dans quelques régions, les coutumes allaient plus loin en donnant à l'enfant illégitime un droit sur la succession de sa mère (Flandre, Dauphiné), voir la possibilité de choisir son propre nom. Quant aux

1. Cf. Gendrel, p. 94.
2. Cf. arrêt parlement de Paris, 30 mai 1769 cité par Fournel, p. 243.

incestueux et adultérins, ils pouvaient recevoir des libéralités, mais non au delà du minimum alimentaire. Un rapprochement s'effectuait avec la condition de l'enfance légitime.

Par contre la situation de l'"enfance abandonnée" apparaît encore très précaire. En raison des carences seigneuriales, les efforts des particuliers et des établissements religieux se révèlent insuffisants. Les premières initiatives royales remontent au XVIe siècle (création par François 1er de la Maison des Enfants Rouges pour les orphelins d'étrangers décédés à Paris). Mais il faut attendre un édit de juin 1670 pour que l'Hôpital Général (maisons de la couche et de St Antoine à Paris) prenne en charge les enfants trouvés. Les administrateurs des hôpitaux étant de plein droit tuteurs des enfants de moins de vingt cinq ans. Le XVIIIe siècle voit se développer le placement rémunéré chez les nourrices (règlement de 1761) et devant les peines frappant l'abandon ou "exposition solitaire" de l'enfant, le dépôt aux Commissariats de quartier à partir de 1770[1]. Les chiffres du XVIIIe siècle sont éloquents : les admissions des enfants privés de tout secours passent de 17 400 de la période 1710-1719 à 57 000 en 1780-1789, malgré un arrêt du Conseil du Roi de janvier 1779 interdisant d'amener les enfants de la province à Paris.

44. Au total, le droit français de la famille présente à la veille de la Révolution, des traits qui, par delà une vague temporaire de réformes, se retrouveront dans la société du XIXe siècle. C'est celui d'une famille encore fondée sur le mariage des parents (bien que l'union libre fasse des progrès et la situation des illégitimes s'améliore). Son indissolubilité n'est tempérée que par la séparation "ob multas causas" pour le concile de Trente. Dans la pratique, la femme peut la demander pour mauvais traitements mais le mari seul peut invoquer l'adultère avec la possibilité de la faire condamner et enfermer dans un couvent. La famille reste essentiellement rurale (crises et famines augmentent les cas d'abandon) et se caractérise par une inégalité de situations, entre l'homme et la femme. Celle-ci souffre à partir du XVIe siècle, de la renaissance du droit romain et de la non abrogation du Velleien. L'article 235 de la Coutume de paris la met dans une incapacité générale de contracter. Selon la phrase de Pothier[2], la puissance du mari sur la personne de la femme consiste dans le droit qu'à le mari d'exiger d'elle tous les devoirs de soumission qui sont dûs à un supérieur". Les critiques se font d'ailleurs jour au XVIIIe siècle, notamment celle de Condorcet dans l'"Esquisse du progrès de l'esprit humain" : "l'inégalité n'a d'autre origine que l'abus de la force et c'est vainement qu'on a essayé depuis de la justifier par des sophismes". L'incapacité de la femme mariée est appliquée avec quelques nuances par les tribunaux. Ainsi la Cour de Cassation, dans un arrêt, il est vrai postérieur au Code Civil (7 novembre 1820), mais faisant application de la Coutume de Paris, reconnaîtra que la femme n'avait plus besoin d'autorisation maritale pour s'engager si le tiers ne

---

1. Cf. L. Lallemand, "Histoire des enfants abandonnés et délaissés", 1885, spécialement, pp. 161-181 — J. Dehaussy, "L'assistance publique à l'enfance, les enfants abandonnés", Paris, 1948 (introd. historique).
2. Cité par F. Laurent, "Principes de droit civil", 1878, t. 2, p. 112.

s'était pas assuré au préalable de l'approbation du mari et que la dépense était "proportionnée à son rang et faculté"[1].

45. L'évolution du droit du mariage et de la famille devait se révéler différente dans les pays marqués par la rupture avec Rome et le refus d'appliquer les décisions du concile de Trente. Ce devait être d'abord le cas de l'Angleterre. La mise en place de l'Eglise anglicane ne mettait pas fin à la compétence des tribunaux ecclésiastiques et au rôle du clergé dans la célébration du mariage, l'appel à l'Archevêque de Canterbury replaçant celui du pape (règlementation de 1532). Mais le problème du mariage des dissidents se posait. La pratique devait reconnaître la validité (selon les enseignements du courant doctrinal chrétien primitif) du simple échange des consentements. La vie commune, comme preuve ou élément de validité de l'union comptait plus que la célébration religieuse. Dès 1503, l'Ecosse consacrait le mariage "by habite and repute". La distinction d'avec l'union libre devenait mince, et ne reposait plus que sur la volonté persistante de se considérer comme époux. L'Angleterre allait alors réagir dans la crainte de voir éluder des conditions de fond, comme le consentement des parents au mariage, voire la bigamie ou la proximité de parenté. Ce fut l'objet du "bill" de 1753 (Lord Hardwick's Act "for better preventing of clandestine marriage"). Le mariage exclusivement anglican (excluant juifs et quakers jusqu'à la sécularisation partielle de 1836) supposait une licence délivrée par la paroisse du domicile et une publicité préalable pour prévenir les oppositions. Disposition importante du texte, l'autorisation parentale était exigée pour les mineurs de moins de vingt et un ans, assortie des sanctions les plus sévères (nullité du mariage et même déportation pénale). Dans un cas "Watson v/Little" (1805) la nullité fut prononcée à la requête de la femme pour défaut de cette condition, malgré dix huit ans de vie commune : l'intéressée ne s'était mariée que cinq semaines avant l'âge fatidique ![2]. Cette sévérité propre au droit anglais interne n'allait pas faire disparaître toute possibilité de mariage de "Common Law" à l'étranger). Encore en 1843, la Chambre des Lords avait à connaître d'un mariage secret célébré en Irlande (non touchée par le "Hardwick's Act"), devant un ministre presbytérien — (affaire "Milles"). Un arrêt très controversé refusait d'en tenir compte et d'annuler pour bigamie une deuxième union célébrée cette fois dans une paroisse anglicane de Londres[3].

Pas plus qu'en Irlande, l'"Act" de 1753 ne fut reçu en Amérique. L'utilisation du mariage consensuel fut reconnue en 1827 par le juriste Kent, et par la Cour Suprême des Etats Unis en 1878. La survie de formes "Pré-tridentines" préparait les esprits à la reconnaissance du "mariage informel" voire de l'union libre. Malgré les efforts faits par de nombreux Etats membres de l'Union pour réglementer le mariage, la validité de l'union de "Common Law" n'a pas disparu, et joue comme nous le verrons, un rôle préventif de nullités.

1. Reconnaissance de dette de la Duchesse de Choiseul-Stainville au profit de la Dame Bertin, marchande de modes de la Reine Marie-Antoinette, cit. par F.A. Vazeille, "Traité du mariage", t. 2, 1825, p. 76.
2. Cf. E. Friedberg, cit., pp. 356-357.
3. Cf. J.C. Hall, "Common Law Marriage", *Cambridge Law Journal*, 1986, pp. 106 sv.

46. La pénétration des idées protestantes, la survie d'unions "informelles" détachaient le mariage du sacrement. Les pays pluri-confessionnels, les Etats américains manquant de célébrants, allaient, bien avant la Révolution française, consacrer une forme laïque du mariage. Parfois autoritaire (ainsi dans l'Angleterre de Cromwell en 1653 au profit du juge de paix), elle se présentait sous forme d'une option : des ordonnances des Pays-Bas hollandais de 1580 et 1656 organisaient ainsi le mariage à l'Hôtel de Ville ou au Consistoire protestant (avec publicité préalable et approbation des familles). En Amérique, l'Etat du Massachusetts imposait la forme civile dès 1640.

La tendance devait s'accentuer au XVIIIe siècle avec la volonté des "Despotes éclairés" de considérer que la formation ou la dissolution du lien conjugal relevait de la "police des cultes". En Autriche, la "patente" de Joseph II de 1783, devait être la première réglementation complète et laïque du mariage (limitation des empêchements, nécessité des autorisations préalables, etc...), les ministres des différents cultes ayant par ailleurs une compétence égale pour la célébration. Le code prussien (A.L.R. de 1794) allait un peu plus loin en prévoyant l'intervention de l'autorité étatique dans la désignation du célébrant, en cas de "mixité" de confession des futurs époux et refus éventuel d'un ministre du culte de procéder à la célébration[1]. Une ordonnance bavaroise du 21 décembre 1806 prescrira par la suite de se régler sur la confession du fiancé, lors de la célébration. Pour les pays protestants, le mariage a cessé d'être indissoluble depuis l'interprétation des passages de l'Evangile de St Mathieu autorisant le divorce pour adultère ou abandon. Le Danemark, dès 1536, puis la Suède en 1572 introduisent le divorce. Au XVIIIe siècle, l'A.L.R. prussien de 1794 connaît un divorce pour causes élargies : à côté de la notion de divorce pour faute, il introduit celui par consentement mutuel — interdit en présence d'enfants — et surtout innovation remarquable reconnait la possibilité d'un divorce pour simple échec de l'union, "aversion insurmontable", même pour "infirmité physique ou mentale". En Autriche la "Patente" de Joseph II inaugure un système qui sera repris par l'ABGB de 1811, et pratiquement en vigueur jusqu'en 1938. Sans prétendre imposer un régime uniforme, elle se règle sur la confession des intéressés : Protestants et israélites auront la faculté de dissoudre leur union par divorce, alors que cette possibilité est refusée aux Catholiques. Tel est le nouveau contexte qui fait présager les réformes françaises du droit intermédiaire et de la codification.

Bibliographie

P. Ourliac et de Malafosse, "La famille", 1968, cit.
Fournel, "Traité de la séduction considérée dans l'ordre judiciaire", Paris 1781.
M. Gendrel, "Les mariages in extremis", thèse, Paris 1958.
E. Friedberg, cit. D. Schwab, thèse Bielefeld, 1967, cit.

1. Cf. Kl. Rasquin, cit., p. 55.

II. " LA PERIODE DU DROIT INTERMEDIAIRE" ET DE L'OEUVRE DE CODIFICATION FRANCAISE

A/ *Le droit intermédiaire*

47. Le droit, dit "intermédiaire" ou révolutionnaire, dont l'importance a été longtemps (parfois volontairement) sous estimée, nous est mieux connu aujourd'hui (notamment depuis l'ouvrage de Mrs Garaud et Szramkiewicz paru en 1978). La portée et l'application des mesures adoptées restent sujettes à controverse. Il annonce les réformes réalisées en 1917-1918 par le nouveau pouvoir soviétique en Russie, avec sa "rafale" de lois et de décrets. Le temps manquera pour faire passer dans la pratique les déclarations de principe. Le code Napoléon, en retour, sera beaucoup plus conservateur. On a pu reprocher aux auteurs des réformes (mais le contexte économique n'avait guère changé depuis l'ancien droit) de ne pas avoir pressenti l'importance des données nouvelles du XIXe siècle : le début de concentration urbaine, et le relâchement des liens familiaux qui s'en est ensuivi, le rôle nouveau du travail féminin peu compatible avec le maintien de son incapacité[1].

48. Les premières réformes vont unifier le droit applicable à toute la France et le séculariser. Le droit du mariage sera lié à la réorganisation de l'état civil, ôté au clergé des paroisses. Dès août 1789 à la suite de divers incidents (notamment refus de bénédiction ecclésiastique du mariage du comédien Talma), l'Assemblée Nationale décida que les dispenses résultant de la parenté ou de l'alliance ne seraient plus délivrées par Rome, mais par les évêques français, gratuitement quelle que soit la confession. Le rapport présenté par Durand de Maillane au comité ecclésiastique de la Constituante était dans la ligne du mémoire rédigé par Portalis dès 1770 sur la validité du mariage des protestants en France et de la "Patente" de Joseph II. Le mariage, antérieur au christianisme est "un contrat que le sacrement a sanctifié". Empêchements et dispenses constituent des obstacles à faire disparaître. Le rapport conclut que la loi ne reconnaît le mariage que comme un contrat civil". Il devra faire l'objet d'une publicité adéquate, ce qui lie le mariage à la réorganisation de l'état civil, sans distinctions confessionnelles. L'article 7 de la Constitution du 3 septembre 1791 dispose que "le pouvoir législatif établira, pour tous les habitants le mode par lequel mariages, divorces et décès seront constatés"[2].

49. C'est seulement l'Assemblée législative qui va élaborer, avec l'organisation de l'état civil, une règlementation purement laïque du mariage en 13 articles (loi du 20 septembre 1792). Les conditions sont réduites au minimum et le mariage placé sous le signe de la liberté. Les empêchements tenant à la parenté et l'alliance (très étendus sous le droit canonique) sont limités ; le

1. En ce sens J. Solé, "La Révolution française a-t-elle désagrégé la famille traditionnelle ?", Paris, Le Seuil 1988, in "La révolution en question").
2. Sur l'attitude de la Constituante a l'égard du droit antérieur, cf. A.H. Hunssen, "Le droit du mariage au cours de la Révoution française", Tijdschrift voor Rechtsgeschiednis (Leyde Anvers), 1979, pp. 9-51.

consentement parental n'est plus requis que jusqu'à vingt ans (au lieu de trente et vingt cinq respectivement pour les garçons et les filles sous l'ancien droit). L'âge "nubile" est abaissé à quinze et treize ans. Parallèlement, la dissolution du mariage est instaurée par une législation "conquérante"[1] qui ne se retrouvera même plus dans la loi française de 1975. Outre les causes classiques déjà existantes dans la séparation (adultère "dépénalisé", sévices et injures graves, dérèglement des mœurs), le texte nouveau retient le consentement mutuel, des cas "objectifs" comme la démence et l'absence depuis cinq ans et même l'incompatibilité d'humeur. Un des rapporteurs, Aubert Dubayet défend curieusement le texte pour des raisons démographiques, (il favorisera les remariages et les naissances !) et la défense des droits de la femme qui ne pouvait demander la séparation pour adultère (elle ne doit point être "la victime du despotisme des pères et de la perfidie des maris"). La loi distingue s'il y a ou non consentement mutuel. Dans le premier cas, les époux doivent se plier à la conciliation préalable du tribunal de famille composé des parents ou d'amis et un mois après se présenter devant l'officier municipal. Dans les autres situations, un jugement est rendu, voire même un simple "acte de notoriété" constate la séparation. Le divorce se présente alors comme une homologation administrative. Des précisions intéressantes quant aux suites du divorce étaient apportées par la loi : en cas de faute d'un époux, le demandeur pouvait recevoir une rente viagère prélevée sur le patrimoine de son conjoint, et l'"assemblée de famille" désignait le cas échéant, le gardien des enfants. Le divorce par consentement mutuel pouvait, lui aussi, appeler une pension pour "indigence" d'un des conjoints. La garde des enfants, sauf convention contraire était confiée jusqu'à sept ans à la mère, au delà au père. Il est difficile de mesurer l'application de ce texte qui a dû surtout être importante en milieu urbain et parisien : c'est là que se manifestait le désir d'émancipation féminine[2]. On a pu citer pour Paris le chiffre de 13000 divorces sur 55000 mariages de 1792 à 1804. Dès le départ, l'aspect administratif l'emportait sur le rôle judiciaire dans la dissolution, un trait que l'on retrouvera après la Révolution russe. Il devait être facilité par des textes postérieurs, un décret de Nivose an II (décembre 1793) et Floréal an II (avril 1794). La simple production d'un acte de notoriété établissait six mois de séparation de fait permettant le divorce. La constatation de dix mois d'abandon de domicile par le mari, autorisait la femme à se remarier.

50. L'œuvre révolutionnaire ne devait pas se limiter à la libéralisation du mariage et au divorce. Elle se devait d'attirer les jeunes générations par l'abolition des inégalités et le contrôle de la puissance parentale. L'Assemblée législative votait la suppression de la vieille "patria protestas" dans les Pays du Midi, fixait la majorité à 21 ans (loi du 20-25 septembre 1792). Le droit de correction fut contrôlé par les tribunaux de famille présidés par un juge de paix. Seul il pouvait ordonner un éventuel emprisonnement de l'enfant, malgré un discours contraire de Robespierre pour qui "le fils serait accusateur du père"[3]. Certains conventionnels projetèrent d'aller plus loin, tel Danton déclarant que "les enfants appartiennent à la République avant d'appartenir à leurs

1. Cf. V. Demars-Sion, RTDC, 1980, pp. 231 sv.
2. Cf. J. Solé, p. 298.
3. Cf. Garaud, p. 137.

parents" et Lepelletier de St Fargeau proposant que les enfants soient sans distinction à partir de cinq ans placés dans des internats nationaux. Ces idées extrêmes, mais promises à un certain avenir, restèrent sans suite. Le désir persista d'effacer les distinctions de naissance. Les droits seigneuriaux de "batardise" avaient disparu dès 1789. La Convention alla plus loin avec la célèbre loi d'égalité successorale du 12 Brumaire an II. On sait que ce fut un des premiers exemples de texte rétroactif, les successions devant être réouvertes à compter de 1789. Mais l'Assemblée s'effaroucha de manière très exagérée, d'un établissement judiciaire de paternité (les procès de l'ancien droit n'entraînaient en réalité qu'une prise en charge alimentaire de l'enfant s'appuyant sur un faisceau d'indices). L'établissement de la filiation naturelle dont les origines étaient dûes "aux erreurs religieuses et aux invasions féodales" (Cambacérès dixit) se ferait par acte authentique de reconnaissance, et même pour les enfants de parents morts depuis 1789, par preuve de soins ininterrompus ou de la possession d'état.

51. L'égalité n'avait pas seulement une signification idéologique. Les Assemblées successives s'inquiétèrent des répercussions des troubles politiques et économiques. Dès les débuts de la Constituante, le Trésor Public supprimait toutes les aides financières aux paroisses, hôpitaux et hospices en faveur de l'enfance abandonnée. Municipalités et départements devaient y pourvoir. On espéra avec la "promotion de l'enfant naturel" diminuer la charge publique de l'enfance délaissée. Un décret du 28 juin 1793 prévoyait la création dans chaque district d'une "maison de la fille enceinte" assurée su secret. Dans le même esprit, l'adoption en sommeil en France depuis l'époque romaine apparût comme la possibilité de favoriser les enfants de classe pauvre de moins de seize ans, (on proposa même que le nom des citoyens ayant adopté des enfants soit "inscrit au tableau d'honneur de la salle des conseils généraux"[1]. La Révolution voulut adopter des mesures beaucoup plus générales : la déclaration des droits de l'homme prévoyait la création d'"un établissement général de secours public" ; d'après le décret du 21 juin 1793, la Nation se "chargeait de l'éducation physique et morale des enfants connus sous le nom d'abandonnés". Ces principes demeurèrent théoriques, et d'après Léon Lallemand (p. 257) la situation de l'enfance, très précaire. Le seul texte positif fut un décret du 27 frimaire an V (décembre 1797) décidant que jusqu'à leur majorité, les enfants abandonnés seraient placés sous la tutelle du Président de l'Administration municipale de l'arrondissement dans le ressort duquel se trouvait l'hospice où ils avaient été déposés. Au total ce fut un échec.

Il en alla de même dans un autre domaine, celui des rapports entre époux. Malgré une campagne menée notamment par Condorcet et Desmoulins partisans de l'abolition de la puissance maritale, et quelques mesures ponctuelles (possibilité pour la femme d'être témoin dans les actes d'état civil, validité des donations entre époux selon un décret de 1793), la question ne fut pas abordée de front. Par certains aspects, la condition de la femme fut aggravée, comme la suppression du droit d'habitation accordé à la veuve non remariée. Les révolu-

1. Cf. Garaud, p. 95.

tionnaires se rallièrent à la formule de Rousseau pour qui "les femmes ont fait la société à leur image, frivole et corrompue, pour y régner"[1].

B/ La codification napoléonienne

52. On attribue à Bonaparte la phrase suivant laquelle il "fallait en finir avec le roman de la Révolution". Il est difficile aujourd'hui où le texte primitif du Code Civil a presque disparu, sous l'abondance des réformes, d'apprécier l'état d'esprit des rédacteurs et du Premier consul dont l'influence a pesé sur la rédaction du livre I du Code Civil.

La partie la plus "militante" — et à vrai dire la seule où pèse le bouleversement politique et religieux de la Révolution — a trait au mariage et au divorce. La Révolution avait réduit le mariage à un acte purement civil, le décret du 12 août 1793 punissant de la déportation les prêtres qui s'y opposeraient. La signature du concordat — complété par les articles organiques — impliquait dans un esprit d'apaisement, que l'aspect "sacramentaire" ne soit pas négligé. Mais dès 1801, la priorité du mariage civil était affirmée : "les prêtres ne donneront leur bénédiction nuptiale qu'à ceux qui justifieront, en bonne et due forme, avoir contracté mariage devant l'officier d'état civil". L'article 165 du code Civil précise qu'après deux publications, le mariage sera "célébré, publiquement devant l'officier d'état civil du domicile". Le respect de la règle est imposé par les célèbres articles 199 et 200 du Code pénal qui, de manière significative, figurent à la Section III, chapitre III : "des troubles apportés à l'ordre public par les ministres des cultes dans l'exercice de leur ministère". Amende, puis en cas de récidive, emprisonnement de deux à cinq ans (voire déportation à la deuxième récidive !) forment l'arsenal répressif. La catholicisme était placé sur le même pied que les autres cultes et le Pape Pie VII devait, par la suite, vainement protester. Selon la formule de Laurent[2], "le prince peut mettre la main à l'ostensoire et faire prévaloir ses lois sur celles de l'Eglise". La loi de séparation du 9 décembre 1905 n'abrogera pas les dispositions du code Pénal (d'après une déclaration d'Aristide Briand). Durant le XIXe siècle, cette priorité du mariage civil allait demeurer un sujet de polémique[3].

53. Cérémonie civile, de caractère contractuel, le mariage peut être dissout. Plutôt que de dissolution, il vaut mieux parler d'une "indissolubilité tempérée". Les rédacteurs du code maintinrent avec une certaine répugnance le principe du divorce, introduit en France par la Révolution. Le "véritable motif — devait déclarer Portalis — est la liberté des cultes". On retrouve aux articles 229-232 les causes classiques de séparation — qui deviennent d'ailleurs communes au divorce et à la séparation de corps réapparue à l'article 306 : adul-

1. Sur cet état d'esprit. cf. L. Schimséwitsch, "Portalis et son temps", thèse, Paris, 1936, p. 304.
2. Laurent, *Principes de droit civil*, t. 2, 3e édition, 1878, p. 335.
3. Cf. sur les incidents créés par les "Eléments d'instruction morale et civique" de Comparé dans le département du Tam et l'intervention de Jules Ferry au Sénat en mai 1883, J.N. Jeanneney, "La guerre des manuels scolaires", Joumal *Le Monde*. 29 août 1987. — sur les articles 199 et 200, cf. T. Revet, *J.C.P.*, 1987-3309.

tère, condamnation à une peine infamente, excès, sévices et injures graves. Aux côtés du divorce par faute, se maintient le divorce par consentement mutuel (appelé à une belle carrière, sinon en France, du moins en Belgique, jusqu'à ces dernières années). Bonaparte impose la rédaction de l'article 233 "le consentement mutuel et persévérant des époux, exprimé de la manière prescrite par la loi, sous les conditions et après les épreuves qu'elle détermine, prouvera suffisamment que la vie commune leur est insupportable et qu'il existe par rapport à eux, une cause péremptoire de divorce". Loin de faciliter le divorce, le consentement mutuel se présente comme une "course d'obstacles", pour les époux qui ne veulent pas faire un étalage public de leur dissentiment[1]. Des conditions d'âge (deux ans de mariage, minimum de vingt cinq et vingt et un ans) et de consentement unanime des parents sont posées (art. 278). Un inventaire doit être dressé et les enfants, dès la première déclaration se voient attribuer la moitié des biens (art. 395). L'article 302 confie l'enfant à celui qui a obtenu le divorce, mais le tribunal peut le remettre à l'autre parent ou à un tiers "pour le plus grand avantage de l'enfant". Autre concession à l'indissolubilité : le remariage est envisagé avec la plus grande défaveur[2]. Une femme divorcée ne peut se remarier qu'au bout de dix mois — ou trois ans en cas de consentement mutuel (art. 296-297). Selon la vieille "lex Julia" romaine, il est exclu qu'elle puisse le faire avec son "complice" (art. 298), la femme adultère est ainsi doublement pénalisée, puisque le divorce n'est pour elle une possibilité que si le mari "a tenu sa concubine dans la maison commune" (seule allusion faite d'ailleurs, en 1804 aux liaisons hors mariage). Le mari peut, par contre, invoquer l'adultère de sa femme dans tous les cas, et n'est pas frappé de la prohibition de remariage. Des règles particulières montrent même en cas de décès du mari, la méfiance pour les secondes noces de la femme. Elle est tenue de convoquer le Conseil de famille qui décide l'éventuel maintien d'une tutelle en sa faveur (art. 305). Elle est privée du droit de demander des aliments à ses gendres et belles-filles, ceux-ci pouvant toujours en exiger d'elle (art. 206).

54. Ces inégalités entre mari et femme à propos du divorce ne sont qu'un aspect du déséquilibre des prérogatives des époux en faveur du mari. Dans une société encore agraire et hiérarchisée, les emprunts à l'ancien droit sont évidents. On peut parler de "restauration". Vazeille écrira en 1825 ("Traité du mariage, de la puissance maritale et de la puissance paternelle", t. 2, p. 2) que "si au physique la différence des sexes opère leur rapprochement, au moral, la différence des esprits produit souvent des vues et volontés contraires, et rend indispensable la puissance d'un côté et la soumission de l'autre". Le devoir d'obéissance de la femme est inscrit dans l'article 213 en contrepartie de la "protection" accordée par le mari. Domicilié chez son mari, l'épouse est tenue de le suivre "en tous lieux" (art. 108 et 214). Son obligation est "générale et absolue" alors qu'au cours de la discussion au Conseil d'Etat, avait été évoquée l'exception traditionnelle du mari à l'étranger — amendement rejeté — Bonaparte devait même proposer que le refus d'aliments sanctionne automatiquement la non-cohabitation. La question fut en définitive abandonnée aux

1. Cf. D. Roughol Valdeyron, R.T.D.C., 1975, pp. 482 sv. : "Le divorce par consentement mutuel et le Code Napoléon").
2. Cf. N. Sulpice Mégy, "Le remariage", thèse, Toulouse, 1972.

mœurs... et à la jurisprudence. L'ancienne "incapacité velleienne" ressuscite dans les articles 215 et 217. Même "marchande publique", la femme ne peut agir en justice sans l'autorisation du mari, ni accomplir tout acte gratuit ou onéreux. Si le consentement marital n'est pas exprimé dans l'acte, il doit être réalisé par écrit (art. 217).

Certes, la femme partage avec le mari, le devoir d'élever les enfants (art. 203) et les frais d'éducation incombant au seul époux comme dette de la communauté (art. 1405). Mais le titre IX de la puissance paternelle "donne au père seul des mesures coercitives dans la ligne de l'ancien droit. Le Code Civil le laisse en tête-à-tête avec les enfants avec la disparition des tribunaux de famille" de la Révolution, et l'effacement des ascendants (sauf pour consentir au divorce). L'enfant mineur (le Code civil a repris de la Révolution l'âge de la majorité à vingt et un ans) ne peut quitter la maison paternelle sans autorisation. Jusqu'à vingt cinq ans, il est tenu de requérir l'autorisation de ses deux parents pour se marier, et, en cas de dissentiment, le consentement du père prévaut (art. 148). Encore au-delà, il doit solliciter un avis par acte respectueux. Des "motifs très graves de mécontentement" permettent au père de requérir des mesures de détention auprès du président du Tribunal. Tout au plus, celui-ci doit consulter le Procureur, et la détention ne doit pas excéder un mois au-dessous de seize ans, six au-dessus (art. 376-378). La mère survivante doit dans l'exercice de ce droit s'assurer le concours des "deux plus proches parents paternels" (art. 381). Le décès de l'un des époux assure "de plein droit" la tutelle au survivant, désormais légale et non plus dative comme dans l'ancien droit. Toutefois là encore, par testament ou déclaration notariée, le père a pu prévoir un "conseil spécial" sans lequel la femme ne peut agir (art. 390 et 391).

55. La sollicitude des rédacteurs du code ne va guère qu'à la famille, fondée sur le mariage. Les solutions du droit intermédiaire sur l'égalité des filiations dans le mariage et hors mariage sont rejetées. Les preuves de la filiation légitime sont étroitement réglementées ; l'attribution au mari des enfants conçus pendant le mariage a la valeur d'une véritable règle de fond. Il ne dispose que d'un délai très bref (un à deux mois) pour les rejeter (art. 316-317) et il devra établir (à l'exclusion de l'impuissance) son impossibilité de cohabiter. En dehors de ce cas, la constatation de la filiation illégitime ne résultera le plus souvent, comme en droit révolutionnaire que de la reconnaissance par acte authentique (art. 334). La recherche de paternité, exclue par le droit intermédiaire, n'est prévue qu'en cas de rapt, celle de maternité sera possible, mais rare. Selon la formule de Démolombe, "les crimes contre la morale demeureront ensevelis dans l'obscurité et le silence".

L'enfant naturel, si sa filiation est établie, n'aura que des droits réduits. Selon la formule brutale de l'article 338 : "il ne pourra réclamer les droits d'enfant légitime". Certes d'après l'article 383, il est passible des mesures de détention prises à l'encontre des enfants issus du mariage. Mais sa part successorale inférieure à celle du légitime, l'impossibilité de le reconnaître pendant le mariage au détriment du conjoint et des enfants du mariage en font, selon l'expression de Monsieur Jean Foyer, l'"enfant humilié". Le sort de l'adultérin ou de l'incestueux est pire. Il ne peut être reconnu, ni légitimé (art. 335 et 331). C'est le "paria" réduit à des aliments selon l'article 762 (mais l'article 761 permet aussi, par attribution anticipée de la moitié des biens, d'écarter le naturel simple de la succession).

Les "portes de sortie" sont rares. La seule légitimation admise, est celle par mariage, héritée du droit canonique. (Il n'y a plus, contrairement à la tradition, de légitimation par "rescrit" ou "lettres royales". L'adoption aurait pu favoriser les illégitimes, puisque suivant le mot de Napoléon[3] , "les mœurs ne sont plus outragées, si cette capacité (de succéder) leur est rendu indirectement par adoption". Les conditions posées malgré le désir du premier Consul ("les hommes ont les sentiments qu'on leur inculque. Si donc on forme de bonne heure ceux de l'adopté, il préférera son père adoptif à son père naturel") restent très rigoureuses. Il ne s'agit plus de l'adoption de mineurs, (comme dans la loi révolutionnaire du 18 juin 1792) mais de celle d'enfants majeurs, ayant bénéficié, dans leur minorité de six ans de soins non interrompus (art. 345 et 346). L'adoptant doit avoir dépassé l'âge de cinquante ans (très élevé pour l'époque) et n'avoir aucun descendant légitime. L'adoption se présente comme un contrat qui devra être homologué par le tribunal qui vérifiera les conditions et la "bonne réputation "de l'adoptant (art. 355). Les effets autres que successoraux sont des plus réduits. L'article 348 précise que l'adopté conserve tous les droits dans sa famille d'origine. Tout au plus l'adopté ajoute à son nom d'origine celui de l'adoptant. En dehors de l'hypothèse très spéciale de l'"adoption rémunératoire" (après un combat ou un incendie), l'adoption apparaît comme réservée aux gens âgés, sans descendance légitime, désireux par ce moyen de "passer l'éponge" sur l'enfant né d'une liaison hors mariage. Elle ne répond nullement au problème de l'enfance abandonnée.

55 bis — La situation de celle-ci reste préoccupante : un décret du IS Pluviose an XIII (1805) place de nouveau les enfants sous la tutelle des commissions administratives des hôpitaux (selon le mot de Regnaud de St Jean d'Angely, le gouvernement a dû créer une "paternité sociale" dont est investi le directeur). Un autre texte, le décret du 10 janvier 1811, pour limiter le nombre des enfants tombant sous la charge de l'Etat (63 000 en 1800, dont beaucoup d'indigents) précise que seuls bénéficieront de l'assistance, les enfants "trouvés" c'est-à-dire ceux nés de père et mère inconnus "exposés dans un lieu quelconque" ou portés dans un hospice (art. 2) ainsi que les enfants "abandonnés", c'est-à-dire ceux nés de père et mère connus, mais sans qu'on ait de nouvelles des parents ou qu'on puisse recourir à eux. (Rentrent dans cette catégorie, les enfants de parents qui se sont rendus coupables d'"attentats aux mœurs" au sens de l'article 335 du code Pénal et qui ont été déchus de leurs droits). Le décret de 1811 pour éviter le "délaissement" public des enfants et assurer le secret pose le principe de "tours" déjà réclamés à la veille de la Révolution, et apparu dans le Royaume de Naples. L'inconvénient est l'irrévocabilité de la mesure, qui fera place par la suite à l'"admission à bureaux ouverts". L'article 340, C. Pen, réprime par contre l'exposition "en un lieu solitaire". Le même décret de 1811 règle en termes assez durs le sort des enfants assistés. Ils seront placés en apprentissage (comme éventuellement l'enfant adultérin ou incestueux qui apprend un "art mécanique" selon l'art. 764 — C. Civ.), voire militarisés (une disposition du décret mettant les enfants de

3. Cf. Laurent, art. p. 296.

plus de douze ans à la disposition du Ministre de la Marine ne sera pas appliquée, mais Napoléon crée le "régiment des pupilles de la garde").

Au total, malgré un effort d'organisation, pour les enfants les plus défavorisés, la famille du code civil est hiérarchisée ; l'autorité est concentrée entre les mains du père de famille. Les autres membres ont des devoirs, non des droits. Un tel état de choses appellera postérieurement la critique, mais convient encore à la société rurale et fermée de l'ère napoléonienne.

Bibliographie

Sur le droit révolutionnaire :

M. Garaud et R. Szram Kiewicz, "La Révolution française et la famille" (préface J. Carbonnier), 1978.
A.H. Hunssen, "Le droit du mariage au cours de la Révolution française", Tijdschrift voor Rechtigeschiednis, 1979, pp. 9-51-99-110.
J. Solé, "La Révolution en questions", Le Seuil, 1988.
A. Médecin, "Etude historique sur la condition des enfants nés hors mariage", 1879, cit.
P. Barret, "Histoire et critique des règles sur la preuve de la filiation naturelle en droit français et étranger", Paris, 1872.
L. Lallemand, "Histoire des enfants abandonnés et délaissés", 1885, cit. V. Demars-Sion, RTDC, 1980, pp. 232 sv.

Sur le droit du Code Napoléon :

F. A. Vazeille, "Traité du mariage de la puissance maritale et de la puissance paternelle" (2 volumes), Paris, 1825.
F. Laurent, "Principes de droit civil", 3e édit., 1878, t. 24. N. Sulpice-Méguy, "Le remariage", thèse Toulouse, 1972. L. Lallemand et J. Dehaussy, cit.
Lydie Schimsévitsch, "Portalis et son temps", thèse Paris, 1936.
J. Ph. Lévy, "L'évolution du droit familial depuis 1789", Mélanges Aubenas, Montpellier, 1974, pp. 485 sv.

§ 3. L'EVOLUTION POSTERIEURE EN DROIT FRANCAIS ET ETRANGER : LES CODIFICATIONS NATIONALES ET L'EXPERIENCE SOVIETIQUE D'APRES 1917

A/ L 'évolution en France

56. La plus grande partie du XIXe siècle va être marquée en France par la stabilité des structures juridiques du code Napoléon : jusqu'en 1880, les réformes sont à peu près inexistantes. Tout au plus l'indissolubilité du mariage est entérinée par la loi de Bonald du 8 mai 1816 qui supprime le divorce.

Les époux comme dans l'ancien droit, n'ont plus le choix qu'entre la séparation de corps et l'action en nullité du mariage.

Cette absence de modifications juridiques, ne peut masquer les transformations économiques et sociales, ni les critiques, plus importantes qu'on a coutume de présenter. L'urbanisation et l'industrialisation accélérées attirent d'abord l'attention sur le sort de l'enfance. Malgré les sanctions pénales, le chiffre des abandons ne cesse de croître : 84 000 en 1815, 127 000 en 1827. De manière significative, un texte réglementaire de 1823 rappelle que l'indigence ou le décès des parents légitimes ne peut être assimilé à un "abandon" au sens du décret de 1811. Aucun enfant au-dessus de douze ans ne pourrait bénéficier de l'aide publique[1]. Une loi du 10 janvier 1849, organise la "Direction de l'Assistance Publique" à Paris, le directeur étant le tuteur des enfants trouvés ou abandonnés. Le fonctionnement des Commissions hospitalière est améliore par la création des "inspecteurs départementaux". Ils apportent les secours aux filles-mères (et les incitent à la reprise des enfants, pour diminuer les frais des Conseils généraux investis à partir d'une loi de 1866, du pouvoir de statuer sur le service de l'enfance). Le nombre des enfants abandonnés, après avoir atteint son maximum sous la Monarchie de Juillet, baisse sous le Second Empire — (en 1865, se crée la première association pour la protection de l'enfance). Mais il remontera à la fin du siècle jusqu'en 1920 (chiffre de 128 000 à 124 000 enfants abandonnés tous les ans, cité par J. Dehaussy, p. 69). Le mouvement en faveur de l'enfance délaissée aboutira aux lois du 27-28 juin 1904 sur l'Assistance à l'enfance. Les enfants de moins de sept mois peuvent bénéficier de l'admission "à Bureau ouvert". Une tutelle administrative est organisée, le Préfet faisant fonction de tuteur et le "conseil de Famille" étant une émanation du Conseil Général.

A côté de la notion d'enfant "matériellement" abandonné, apparaît celle de l'enfant "moralement" abandonné[2]. L'omnipotence paternelle suscitait les louanges de Demolombe écrivant (1866) que "la puissance paternelle est le meilleur auxiliaire de la puissance publique quand elle sait inspirer aux enfants des sentiments de religion ou de morale, les former à des habitudes de discipline et de travail)". Mais à l'inverse, Laurent devait souligner (t. 4, p. 348) que "le droit de l'enfant est reconnu en théorie et en fait il est à la merci de l'ignorance et de l'aveuglement des pères". La seule cause de déchéance prévue par le Code Pénal pour incitation à la débauche ou attentats aux mœurs se révélait des plus insuffisante. Il fallut prévoir (loi du 6 et 26 décembre 1874) l'emploi des enfants à la mendicité ou dans des professions ambulantes, avant la loi du 24 juillet 1889 (proposée dès 1881). Désormais, en dehors de toute condamnation pénale, le nouveau texte (complété par la loi du 5 avril 1898), vise la déchéance pour "indignité morale" de ceux qui compromettent "la santé, la sécurité et la moralité de l'enfant" par inconduite, ivrognerie ou mauvais traitements".

57. En dehors du son de l'enfance, c'est le principe d'indissolubilité du mariage qui est assez vite contesté. Tout d'abord du fait des Saint-Simoniens

1. Cf. Lallemand, cit., p. 274.
2. Cf. B. Schnapper, "Le père, le procureur et l'enfant, le mythe des enfants martyrs au XIXe siècle" in Le *droit non civil de la famille*, pp. 359 sv.

et des "utopistes" — Saint Simon et Olinde Rodrigues, son "disciple" préconisent le divorce pour impossibilité de vie commune. Il serait prononcé par un prêtre de la "Religion nouvelle". Pour Enfantin, un des premiers défenseurs de la polygamie, tout homme devrait connaître deux mariages, l'un permanent, l'autre "mobile et changeant"[1]. Les "utopistes" feront la transition entre les Saint-Simoniens et les socialistes, Robert Owen proscrit le mariage et audacieusement Fourier défend la "polyandrie" ("une femme peut avoir un époux, un géniteur, un favori"). Naquet, député de gauche, réclame dès 1876, le retour à la législation de 1792. N'ayant pas eu de succès, il parvient à faire voter la loi du 27 juillet 1884. Avec le recul, ce texte apparaît comme timide, au moins dans ses intentions. Le consentement mutuel n'a pas réapparu. Il faut des faits limitativement énumérés à caractère fautif : adultère, condamnation criminelle, "excès, sévices et injures graves", (les causes mêmes de 1804). Certes, très tôt, la Cour de Cassation refuse de contrôler la qualification des faits, mais les chiffres initiaux restent très modestes (1657 divorces pour la fin de 1884, 4123 en 1885, 7 700 en 1895)[2]. La loi de 1886, complétant les dispositions du code civil sur la séparation de corps, permet au demandeur de transformer à tout moment de la procédure la demande en divorce en demande en séparation de corps (art. 239). Le parti socialiste et les associations féminines vont vite trouver ces textes insuffisants. Au "congrès de la condition et des droits de la femme" en 1900, malgré les réticences du "leader". Viviani, une motion préconise le divorce unilatéral au bout de trois ans de mariage et le divorce par consentement mutuel[3]. Ces vœux ne seront exaucés qu'en 1975.

58. Par contre un important tournant est pris avec la loi du 15 décembre 1904 qui lève l'interdiction du remariage du conjoint adultère avec son complice. Il en sortira une série de textes relatifs à la légitimation des adultérins (lois de 1907 et de 1915). Ils affaibliront de plus en plus l'interdiction de l'établissement de la filiation adultérine. Selon le mot de Monsieur Jean Foyer (rapport Assemblée Nationale, 28 juin 1971), le code Civil révèle l'"inefficacité de sa stratégie" — il faudra, là encore, attendre la réforme d'ensemble de 1972. Les enfants naturels simples, qui en dehors de la reconnaissance, ne bénéficieraient que d'une action indemnitaire de la jurisprudence en réparation de la séduction à l'encontre de leur mère, pourront à partir de la loi du 16 novembre 1912 — et encore avec certaines limitations — établir en justice leur paternité. L'interdiction avait été dénoncée comme "une prime à la canaille aux gants jaunes" (Vauvenargues et Laurent, dixit).

59. Enfin, malgré des atténuations, comme la création par la jurisprudence d'un "mandat domestique tacite", et quelques mesures ponctuelles (ainsi la loi du 9 avril 1881 sur les dépôts dans les Caisses d'Epargne), l'incapacité de la femme mariée subsistera presque intacte jusqu'à la loi du 18 février 1938. L'instauration par la loi du 13 juillet 1907 du droit pour la femme de toucher librement les produits de son travail ("dite loi sur les biens réservés") échouera

1. Cf. Ch. Thibaux, "Le féminisme et les socialistes depuis Saint-Simon jusqu'à nos jours", Paris, 1906, p. 19.
2. Cit. M. Planiol, "Traité élémentaire", 1901, t. 3, p. 158.
3. Cf. Thibaux, p. 148.

devant la réticence de la pratique et la structure de la communauté. Le mari gardera la prééminence dans la fixation du domicile conjugal et l'autorisation à donner à l'exercice de l'activité professionnelle de la femme[1]. Il faudra attendre l'"époque contemporaine pour l'abolition de ces règles.

Bibliographie

Vazeille, "Traité du mariage", cit. F. Laurent, "Principes de droit civil", cit. Lallemand, "Histoire des enfants abandonnés", cit.

Ch. Thiébaux, "Le féminisme et les socialistes depuis St Simon jusqu'à nos jours", Paris, 1906, cit.

G. Ripert, "Le régime démocratique et le droit civil moderne", Paris (2e édit.), 1948. B. Schnapper, "Le droit non civil de la famille", cit.

B/ *L'évolution dans les systèmes étrangers*

60. Les succès français, lors des guerres de la Révolution et de l'Empire devaient entraîner une extension des réformes du "droit intermédiaire", puis du code Napoléon. L'Europe continentale voit s'introduire l'organisation de l'état civil, les règles sur le mariage civil et de divorce. (Ainsi dès 1795 aux Pays-Bas où l'"option" confessionnelle est supprimée, en 1798 sur la Rive Gauche du Rhin, en 1810 dans le Grand Duché de Berg, etc...). Mais l'écroulement de l'Empire entraînait pour une bonne part l'abrogation de ces textes (comme le préalable du mariage civil en Belgique, de 1815 à 1830). Le XIXe siècle va voir se développer les codifications nationales et s'accentuer les particularismes.

L'influence française va néanmoins se faire sentir de plusieurs manières : conjuguée au courant rationaliste du XVIIIe siècle, elle entraîne une laïcisation progressive du droit de la famille, soustrait à la compétence des tribunaux ecclésiastiques. La première, la Belgique connait la primauté du mariage civil (constitution de décembre 1830 et loi du 5 février 1831). L'Angleterre, avec le "marriage Act" de 1836 n'instaure qu'une faculté de mariage civil (pour les dissidents). Le principe d'indissolubilité subsiste presque intact jusqu'en 1857. Les tribunaux ecclésiastiques restent compétents pour statuer sur la séparation de corps. Il faut une décision du Parlement (private Act) pour prononcer le divorce, subordonné à un engagement du mari de subvenir à l'avenir de la femme. Après 1857, le divorce judiciaire est instauré. Il reste très restrictif et inégal suivant la personne des époux. Le mari l'obtient sur la seule preuve de l'adultère de la femme. Celle-ci ne peut y parvenir que si l'adultère s'accompagne de circonstances aggravantes, comme le viol ou la "conduite perverse" du mari ("innatural offence"). Il faudra attendre 1923 pour que les conjoints soient placés sur un pied d'égalité, 1937 pour que les causes de divorce soient

1. Cf. sur l'incapacité de la femme mariée, O. Ripert et J. Boulanger, t. 1 : "Traité du droit civil de Planiol", édit. 1956, pp. 2142-2147).

élargies[1]. En Ecosse, par contre, le divorce judiciaire pour adultère ou abandon avait été introduit dès la Réforme.

Par la suite, une accélération se produit. La Suisse, après la "guerre des cantons" de 1846 soustrait, dans les Constitutions de 1848, puis de 1874, le mariage et le divorce à l'emprise confessionnelle[2]. L'Italie et l'Allemagne dont l'unité nationale s'est accompagnée de violents conflits avec la Papauté, instaurent le mariage civil obligatoire : la première dans le code Civil de 1865 (jusqu'aux accords du Latran de 1929 qui reconnaîtront les effets civils des mariages religieux), la seconde, par plusieurs textes, de l'époque du "Kulturkampf". Après une loi de 1870 sur le mariage civil des Allemands à l'étranger, la loi prussienne du 9 mars 1874 sur l'état civil et le mariage laïc, est étendue à l'ensemble de l'Empire allemand, par le § 67 de la loi du 6 février 1875. Assortie de sanctions pénales (sauf la tolérance du mariage ecclésiastique en cas de "maladie grave"), elle passera dans le B.G.B. de 1900. La Rhénanie avait jusqu'alors conservé le système du Code Civil, mais en supprimant les art. 199 et 200 du Code Pénal.

La laïcité devait rencontrer toutefois certaines limites. Les pays latins restaient attachés à l'indissolubilité du mariage (en Italie malgré la forme civile, au Portugal dans le code de 1867 jusqu'à la Révolution de 1910 introduisant le divorce par consentement mutuel, en Espagne dans le Code de 1889). La Grèce, depuis une "Novelle" byzantine du IXe siècle s'en tenait toujours au seul mariage devant un prêtre orthodoxe, de même que la Russie jusqu'en 1917 pour les sujets de cette confession". (Les divorces relevant des consistoires, et les autres confessions de leurs ministres du culte respectifs). L'Autriche, dont l'ABGB de 1811 (selon le modèle de la Patente de Joseph II) règlementait mariage et divorce en fonction des croyances des intéressés, ne faisait place que lentement au mariage civil (loi du 9 avril 1870 pour les individus sans confession déterminée ou d'origine musulmane). Il faudra attendre l'annexion temporaire et la loi allemande du 6 juillet 1938 ("Ehegesetz") pour que le mariage civil devienne obligatoire pour les catholiques[3]. Au moment de la première guerre mondiale, le mariage civil n'est pas encore général en Europe et le divorce reste restreint.

61. La structure familiale du code Napoléon, avec la concentration des pouvoirs aux mains du mari et l'inégalité des filiations, devait exercer une influence persistante dans des pays à l'organisation sociale et économique proche de celle du début du XIXe siècle, nations méditerranéennes ou d'Amérique du Sud. Le Code Civil italien, tout en ne plaçant pas la femme sous le régime d'incapacité générale du Code français, connaissait encore la notion de "potesta maritale" — L'épouse ne pouvait sans son mari accomplir les actes à titre gratuit ou onéreux excédant l'administration normale : celui-ci comme "chef de la famille" ("capo di famiglia") fixait la résidence conjugale. Malgré quelques mesures en faveur de la femme (loi de 1877 sur sa possibilité d'être témoin dans des actes publics et privés, loi de juillet 1919 l'introduisant dans les

1. Cf. Bromley in "Mariage et famille en question", pp. 11-12 qui relève la très faible progression des divorces : 356 en 1880, 491 en 1900, encore moins de 3000 en 1920.
2. Cf. H. de Riedmalten, Rev. Jurid. et Pol. Ind. et Cooper, 1984, pp. 722 sv.
3. Cf. K. Rasquin, p. 186.

conseils de famille), l'inégalité devait subsister dans le Code Civil de 1942, qualifié de structure "pyramidale" et "autoritaire"[1]. Plusieurs Codes d'Amérique du Sud, le Code Civil argentin de 1869-1882, le Code Civil colombien de 1873-1887, le Code Civil brésilien de 1916 (avant l'acquisition de la pleine capacité juridique pour les femmes mariées par la loi du 27 août 1962) insistaient sur la concentration de pouvoir du mari ("chefe du sociedade conjugal"). Toutefois, la loi portugaise de 1910, en instaurant le mariage civil supprimait le devoir d'obéissance de la femme[2]. Le B.G.B. allemand, malgré un courant protestataire socialiste, (l'ouvrage d'Auguste Bébel en 1883 : "La femme et le socialisme") insistait déjà sur les liens entre la structure économique et familiale) ne devait pas beaucoup s'écarter de ce schéma. Sans indépendance professionnelle, ni domicile propre, la femme était soumise au régime légal d'"administration des biens" favorable au mari. Son activité extérieure supposait qu'elle était "compatible avec d'autres tâches" (§ 1356 2). Le père exerçait un pouvoir prépondérant dans l'exercice de l'autorité parentale (Stichentscheid) et la représentation de l'enfant[3]. Les causes de divorce demeuraient restreintes, fondées comme dans le droit français sur la faute. La seule nouveauté (empruntée à l'AL.L.R. prussien à était le divorce pour maladie mentale (§ 1565-1569 B.G.B.). Il faudra attendre la loi du 6 juillet 1938 pour que le divorce soit élargi à la séparation prolongée et la désunion des époux[4].

62. Quelques systèmes offraient toutefois un aspect plus novateur qui devait préluder aux transformations du droit de la famille dans le système soviétique. C'était le cas du droit suisse et de celui des Etats scandinaves. En droit suisse, dès le milieu du XIXe siècle, selon Monsieur Neuhaus[5] le Code du Canton de Zarich de 1853, s'inspirant d'un projet de loi prussien devait introduire la notion de "délabrement de l'union conjugale". Après la loi fédérale de 1874, le Code Civil de 1907 cumulait à la fois les causes déterminées (attentat à la vie, sévices et injures graves", art. 138 maladie mentale reconnue incurable au bout de 3 ans, art. 141) et la "cause générale" de l'art. 142 "le lien conjugal si profondément atteint que la vie commune devient insupportable". Le droit suisse (et à sa suite le Code turc du 17 février 1926) se présentait ainsi comme le plus large dans l'admissibilité du divorce. La filiation illégitime bénéficiait elle-même d'une "promotion". Si l'enfant naturel n'était assimilé au légitime que vis-à-vis de sa mère et ne pouvait agir en recherche de paternité que pour promesse de mariage ou "cohabitation délictueuse (art. 323 "1"), son droit à entretien était proclamé en cas d'échec de recherche de paternité (art. 319). La législation scandinave, de son côté, très précoce (code suédois du mariage de 1734) devait présenter plusieurs traits annonçant le droit

1. Cf. A. Luminoso, "La condizione giuridica della donna in italia, tra pas sato, presente et avvenire. Il diritto di famiglia, 1984, pp. 1179 sv.
2. Cf. R. Moser, "Funanzipation und Gleichberechtigung der Ehefrau in Brasilien und in der anderen Landem der romanischen Rechtskreises", (Emancipation et égalité des femmes mariées au Brésil et dans les autres pays latins), Kabelsz, 1965, p. 357 sv.
3. Cf. R Hepting, "Effets généraux du mariage in *Mariage et famille en qestion*" (Allemagne, p. 70 sv.).
4. A. Wacke, "Franzozische und deutsche Scheidungsrechts Reform in vergleichender Sicht", étude comparative du divorce Fam RZ, 1978, pp. 217 sv.
5. "Ehe und Kindschaft in rechts-vergleichender Sicht", Tubingen, 1979, pp. 172 sv.

moderne de la famille : d'une part, l'importance reconnue au mariage "informel" ; les fiançailles suivies des rapports sexuels permettaient à la femme de se prévaloir d'une situation maritale et de porter le nom du mari (jusqu'en 1915, date à laquelle le rôle des fiançailles devait s'estomper, mais non celui de l'union libre). D'autre part, la femme mariée devait bénéficier très tôt de la pleine capacité juridique. Dès le XVIIIe siècle, plusieurs jugements l'autorisaient à passer des actes et administrer elle-même ses biens (ce que confirmait une ordonnance de 1798). La fin du XIXe siècle voyait se développer la solidarité commune des époux[1]. Enfin le divorce fondé sur une séparation plus ou moins prolongée des époux était connu dès le XVIIIe siècle, même s'il ne pouvait résulter que d'une décision royale en Suède comme au Danemark (ordonnance suédoise de 1810 se contentant d'un an de séparation). Le code suédois du mariage de 1920 et le code danois de 1925 se fondaient sur la "mésentente profonde et durable" comme cause de divorce[2].

63. Les droits suisse et scandinave restaient encore des cas isolés. En dehors de leur extension géographique de l'Europe Centrale et Outre-mer, les codifications européennes devaient peu évoluer dans l'entre deux guerres mondiales. Par contre, comme plus d'un siècle auparavant, pour la Révolution française, la Révolution russe inaugurait de nouvelles "expériences" familiales. Se déroulant à I 'origine "en vase clos", elles devaient toutefois être appelées à influencer les nouveaux "Codes socialistes" d'Europe de l'Est après 1945. Par là se sont multipliées les législations "avancées". Jointes à des nouvelles conditions démographiques et économiques, elles ont servi indirectement d'exemple à une modification plus égalitaire des droits "occidentaux" de la famille, et à préparer les rapprochements contemporains.

Dans un pays où le droit en grande partie coutumier reposait sur l'emprise confessionnelle et une structure hiérarchique de la famille, la Révolution devait entraîner une explosion d'anarchisme. Ses dirigeants et notamment Lénine, désavouaient des initiatives, pour lesquelles la destruction de l'ordre social et politique était synonyme de celle de la famille. Ainsi en juillet 1918, la ville de Wladimir créait un "bureau de l'amour libre" où toute jeune fille de plus de 18 ans devait se faire enregistrer et choisir un compagnon, les enfants à naître devenant "propriété de la République"[3]. Néanmoins les réformes se succédèrent à un rythme brutal, dans la conviction, que le nouvel ordre économique engendrerait une transformation des rapports familiaux. Les décrets des 18 et 19 décembre 1917 abolirent le mariage religieux, transformé en simple cérémonie privée (y compris pour les populations musulmanes d'Asie) et introduirent le divorce par demande conjointe et unilatérale. Une première codification générale de septembre 1918 (qui devait être reprise en 1926) interdisait toute recherche judiciaire des motifs du divorce. Le Code du 19 novembre 1926 devait être le premier texte assimilant dans ses effets l'union de fait et le mariage. L'union civile pouvait donner lieu à enregistrement non

1. Cf. M. Speck, "Das schwedische Eltem und Kindersrecht in Zeichen der Gleichberechtigung der Geschlechter (Les rapports parents-enfants sous le signe d'égalité des sexes), thèse Francfort, 1964, pp. 16-48).
2. Cf. F. Schmidt, "Scandinavian Studies in Law", 1971, p. 196, 199.
3. Cf. Fr. Korkisch, "Ost Europa Recht", 1972, p. 6, n° 10.

comme condition de forme, mais comme simple règle de preuve. La volonté expresse ou implicite de deux partenaires de partager une existence commune suffisait : en cas de contestation, les tribunaux se fondaient sur divers indices, l'échange de correspondances, connaissance par les tiers, éducation commune des enfants, etc... (art. 11). Symétriquement une déclaration unilatérale à l'état civil suffisait pour le divorce, si le mariage avait été enregistré. Cette "démarche administrative" n'était même pas nécessaire, mais facilitait la preuve des accords passés sur l'éducation d'un enfant. Toute femme avait la possibilité, avant la naissance d'un enfant, de faire une déclaration au bureau d'état civil de sa résidence, portant sur le nom du père supposé. Celui-ci ne disposait que d'un délai fort bref pour contester sa paternité, deux semaines à l'origine, puis un an dans le Code de 1926, pour agir en justice — faute de contestation, l'intéressé était désigné comme le père et tenu de pourvoir à l'entretien de l'enfant — Une disposition originaire (art. 144 du code de 1918) permettait même une condamnation conjointe et solidaire et tous ceux qui avaient eu des rapports avec la mère. Mais le Code de 1926 obligera la mère à préciser la désignation de son amant.

64. L'application de ces textes devait révéler la limite des transformations possibles, de la confusion de l'union de fait et du mariage. La satisfaction des besoins sexuels n'était "pas comparable à un verre d'eau", selon la formule même de Lépine. L'absence d'enregistrement obligatoire du mariage et du divorce entraînait dans la pratique des cas de polygamie, des réclamations concurrentes de l'"épouse enregistrée" et d'une autre compagne (situation qui ne devait pas être sans avenir). Le père supposé de l'enfant restait trop souvent inconnu ou irresponsable, le vagabondage de la jeunesse, une plaie du régime soviétique[1]. L'évolution postérieure montrait la volonté officielle de faire "machine arrière" : à partir de 1936, mention du divorce dans le passeport "interne", selon l'"oukase" du 8 juillet 1944 exigence d'un enregistrement du mariage pour la "protection de la famille", et soumission du divorce à une procédure judiciaire. L'adoption supprimée comme "institution bourgeoise" en 1918 était rétablie. Par contre la recherche de paternité, et même l'action alimentaire contre le père supposé disparaissaient ; l'état se réservait, par une aide spéciale, de leur venir en aide. Les illusions à ce sujet devaient être brèves. Les transformations n'ont pu toutefois faire disparaître toute idéologie du droit de la famille. Les "principes de base" posés par le Soviet Suprême, le 27 juin 1968, et le "Code de Russie" du 30 juin 1969, sont le résultat de compromis. Le mariage devant un officier d'état civil redevient seul admis (art. 6 des principes) ce qui le distingue de l'union libre. La filiation illégitime (y compris celle qui résulterait d'un mariage religieux, nul pour le pouvoir soviétique) peut être assez largement établie. A côté de la reconnaissance, le droit soviétique a rétabli la recherche de paternité, fondée sur la cohabitation et les soins apportés aux enfants. Mais une nouvelle catégorie d'exclus résulte de ceux issus d'une simple "rencontre de hasard" réprouvée par la "morale socialiste". Ce sont les enfants illégitimes, dont la filiation ne sera jamais établie. Quant au divorce, les textes combinent à la fois celui qui est possible devant un officier d'état civil (en l'absence d'enfants communs mineurs) et le divorce judiciaire.

1. Cf. R. David et Y. Hazard, "Le droit soviétique", t. 2, 1954, pp. 293 sv.

Celui-si suppose à la fois des motifs déterminés et une clause très générale : "l'impossibilité de vie commune". Le rapprochement est sensible avec les principes modernes français.

Bibliographie :

Sur l'évolution comparative en général :

N. Neuhaus, "Ehe und Kindschaft in rechtsvergleichender Sicht" (aperçu comparatif du mariage et de la filiation), Tabingen, 1979.
Steiner, "Mariage et famille en question : Suisse", édit., C.NR.S., 1980.
D. Dumusc, "Le divorce par consentement mutuel dans les législations européennes", thèse, Lausanne, 1980.
Klaus Rasquin, thèse cologne, 1985, cit.

Sur l'Italie :

A. Luminoso, "Il diritto di famiglia", 1984, cit.

Sur l'expérience scandinave :

M. Speck, thèse Francfort, 1964, cit.
F. Schmidt, "The prospective Law of marriage", *Scandinavian Studies in law,* 1971,pp.191 sv.

Sur le droit soviétique :

R. David et J. Hazard, 1954, cit.
E. Florkowski, "Das Sowsjetische Ehescheidungsrecht (droit soviétique du divorce), thèse, Gottingen, 1967.
F. Korkisch, "Das neue Ehe und Familienrecht der Sowjetunion", *ost Europa Recht,* 1972, p. 2 sv., p. 27.
J. Lapenna, "The illegitimate child in soviet Law", I.C.L.Q., 1976, pp. 156 sv.

SECTION III
LES CONVERGENCES ET LES PROBLEMES CONTEMPORAINS

65. Les trente dernières années se sont caractérisées par une vague de réformes et de codifications sans précédents. Le droit de la famille s'est construit — nous croyons l'avoir montré — sur une série d'antagonismes politiques et religieux dont il était un des enjeux. Ce n'est plus le cas à la fin du XXe siècle. L'exemple soviétique a montré que les tentatives les plus extrêmes pour modifier le droit de la famille aboutissent à des compromis. C'est la "mort des idéologies" — Le législateur renonce à des formulations trop précises dictées par des "présupposés". La notion de droit impératif et détaillé est en recul. Les formules législatives deviennent des "directives", la législation use de formules très générales, "le plus grand intérêt de la famille ou de l'enfant", l'"échec irrémédiable de la vie conjugale" en matière de divorce. Ce sera à la pratique ou aux magistrats de préciser ce qu'elles recouvrent. Cette technique reçoit l'approbation de certains auteurs. L'application stricte des textes paraît désormais un obstacle à une interprétation libérale, supposée souhaitée par la pratique. "Ce que condamnent les lois actuelles, a écrit Madame Labrusse, c'est l'interprétation littérale qu'une exégèse étriquée fait encore prévaloir"[1]. Mais il y a là un double risque : le premier est celui d'une véritable "implosion" du droit de la famille. Le droit devrait s'incliner devant les conclusions du médecin ou du service social ; les magistrats ne trouvant qu'un trop faible secours dans le textes recréeraient un "gouvernement des juges" que d'ailleurs ils ne souhaitent pas. Paradoxalement à une époque où les juges formés à la technique de la "common Law" reçoivent Outre Manche un plus grand appui des textes, on attend du juge continental une tâche de "pacificateur" disproportionnée à ses possibilités. En second lieu, le droit de la filiation et du divorce le prouvent, il y a quelque danger à user de formules trop générales. La notion d'intérêt de l'enfant en est un exemple fameux en droit interne comme en droit international. Doit-elle aller dans toute affaire intéressant l'établissement comme les conséquences de la filiation à faire dépendre l'issue de l'approbation de l'intéressé, ou en matière internationale, à déterminer le choix de la loi par une comparaison des textes supposés être les plus favorables à l'enfant ? Si le progrès a consisté à le faire passer, comme il "était trop souvent de la catégorie d'objet de droit" à celle de "sujet de droit", l'attitude inverse entraîne de délicates interrogations tant sur l'âge à partir duquel l'enfant pourrait décider ou arbitrer les conflits familiaux que sur la place à faire à d'autres intérêts. L'entrée en vigueur de la Convention de New-York donne une actualité particulière à ces questions. La notion de "faveur" s'avère plus morale et subjective que véritablement juridique — De même dans le droit du divorce, celle d'"échec irrémédiable" reste tout aussi équivoque — s'agit-il par là de constater des faits objectifs qui ne reposent que sur l'incompatibilité de caractère de deux époux, incapables de vivre en commun, ou y-a-t-il une responsabilité individuelle à l'origine de cet échec ? L'expérience révèle la difficulté d'éliminer totalement la notion de faute. Soit qu'elle réapparaisse dans les preuves ou conséquences du divorce, soit pour abréger les délais de dissolution du mariage[2].

66. Ce ne sont pas seulement les similitudes de techniques qui rapprochent les droits contemporains, mais — c'est bien connu — le nivellement des conditions de la vie urbaine de civilisation industrielle. A la famille rurale, large, reposant sur le mariage stable, ont succédé des formes conjugales dont la brièveté contraste avec l'allongement de la vie humaine. Si les "communautés de groupes" (de plusieurs ménages d'union libre) restent encore

1. Cf. "Le juge et la loi ; de leur rôle respectif à propos du droit des personnes de la famille", *Mélanges Rodière*, 1981, p. 161.
2. En ce sens l'article de D. Henrich, "Schuld ohne Suhne ?, Rechtsvergleichen Betrachtungen zum Ehescheidungsrecht, *Mélanges Férid*, 1978, pp. 525 sv.

expérimentales, la fin du XXe siècle est largement celle du "mariage informel" et des foyers "monoparentaux". La vieille distinction des filiatures légitimes et illégitimes, avec les nouvelles lois d'égalité, la fréquence des divorces et des remariages fait place à celle, plus sociologique du "noyau stable" des parents et enfants (même issu d'un précédent mariage à, et par contraste, celle résultant de la relation d'un seul parent avec les enfants, qu'il soit divorcé ou que les enfants soient nés hors mariage. A l'intérieur même des couples mariés, les relations sont le plus souvent celles de deux égaux dont les différends appellent l'intervention du juge et contribuent souvent à "fragiliser" l'union.

De manière plus générale, un certain déclin des idées morales et religieuses traditionnelles a conduit à une “déjuridisation” des catégories classiques. Le rôle croissant de la volonté des membres de la famille contribue à la pénétration du droit, des obligations, au recul des caractères des actions d'état inaliénables et imprescriptibles.

Plus que toute description, les tableaux suivants (empruntés à la Revue *Population* en 1983-1984), éclaireront l'évolution comparative de la famille dans ses données sociologiques et les réformes réalisées dans les dernières années.

1. SITUATION JURIDIQUE DE LA POPULATION ADULTE*

		Célibataires	*Mariés*	*Divorcés*	*Veufs*
France	1975	52	13	11	24
	1981	55	7	14	24
R.F.A.	1972	49	16	12	23
	1981	55	11	14	20
Suisse	1970	56	10	14	20
	1980	60	11	15	14
Et.-Unis	1970	40	14	19	27
	1980	46	13	25	16

* Chiffres comparés de 1975 et 1981. Cf. Population, 1983, pp. 995 sv. Pourcentage (Hommes).

2. POURCENTAGE COMPARATIF DES UNIONS LIBRES ET DES FILIATIONS ILLEGITIMES

a/ *Unions libres*

	France	*R.F.A.*	*Etats-Unis*	*Canada*
1946	19 %	12 %	9 % (1950)	6 % (1950)
1970		25 %		
1975	22 %			
1981	24 %	30 %	24 %	20 %
1990	30 % (229.000 illégitimes)			

b/ *Filiations illégitimes*

Grèce	1,4 %	Allemagne	7,1 %
Espagne	2,1 %	Portugal	8,2 %
Belgique	3,4 %	France	10,3 (15,4 % en 1983, 30 % en 1990)
Pays-Bas	3,5 %	Grande-Bretagne	10,6 %
Italie	3,8 %	Canada	12,2 %
Irlande	4,6 %	Etats-Unis	17,1 %
		Danemark	30,7 %
		Suède	37,5 %

3. TABLEAU COMPARATIF ET CHRONOLOGIQUE DES REFORMES

	France	*Belgique*	*Gde.Bretagne*	*R.F.A.*	*Italie*	*Espagne*
1964	administration légale tutelle					
1966	adoption				adoption	
1967					adoption	
1969			divorce	filiation		
1970	autorité parentale		divorce (suites)		divorce	
1972	divorce	divorce	autorité parentale droits successoraux concubins		filiation rapports entre époux	
1976		droits des époux		mariage et divorce		
1979			adoption			
1983					adoption	
1981						filiation divorce
1985	nom administration des biens des mineurs					
1987	autorité parentale	filiation adoption autorité parentale				adoption

III. L'EVOLUTION DU DROIT INTERNATIONAL

SECTION II
LA FORMATION DU DROIT INTERNATIONAL DE LA FAMILLE JUSQU'AU XIXe SIECLE

67. A la différence du droit interne, la formation du droit international de la famille est beaucoup plus récente et a prêté à bien des incertitudes. Les raisons en sont nombreuses : elles tiennent d'abord à l'universalité des règles qui ont longtemps prévalu, celles du droit romain et du droit canonique comme "droit positif" ou "raison écrite". Dans tout l'Occident, la compétence des juridictions ecclésiastiques était générale. Il a fallu attendre la sécularisation des tribunaux et la formation de systèmes nationaux particuliers pour entrevoir un conflit international, c'est à dire le XVIe siècle. Dans la mesure où la fameuse distinction du "statut personnel" et du "statut réel", beaucoup plus ancienne (puisque remontant à l'école italienne du Moyen Age) a abordé les problèmes familiaux, c'est seulement dans un cadre inter-coutumier et de manière incidente à propos des effets pécuniaires du mariage : fallait-il ou non ranger des institutions comme l'usufruit légal des parents sur les biens des enfants ou l'hypothèque légale de la femme mariée dans le statut réel ? Enfin, dernière raison (et non des moindres) le mariage du sujet d'un souverain suivi d'une installation possible à l'étranger est religieusement et politiquement suspect (idée qu'on retrouvera à l'époque moderne en U.R.S.S.). Une union "mixte" peut être de nature à diminuer le nombre des sujets du pouvoir politique. Dès le XIIIe siècle, Frédéric II des Deux-Siciles interdisait à ses ressortissants de se marier avec des étrangers. La prohibition se retrouvera en partie au dernier siècle de la monarchie française : des ordonnances de 1716 et de 1717 condamnent les mariages avec les "filles du pays" dans les "Echelles du Levant" (Proche-orient musulman), en Italie, Espagne et Portugal. Dans tous les cas les enfants "sous puissance d'autrui" ne peuvent se marier à l'étranger, sans la double permission des parents et du Roi. Le Parlement de Paris, par arrêt du 5 janvier 1700, rendu en matière successorale, qualifiera la prohibition de règle de fond. Il annulera le mariage du duc Henri II de Lorraine, célébré à Bruxelles, à l'âge de 27 ans, sans permission du roi[1].

68. Le mérite — bien connu — de l'école italienne médiévale des glossateurs et post glossateurs est sans aucun doute d'avoir dégagé l'idée d'une nécessaire stabilité du statut personnel. Le changement de domicile ne doit pas rendre caduques les qualités ou aptitudes attachées à la personne. Mais les raisonnements notamment chez Balde (1319-1400) ne visent que la capacité, notamment celle du fils de famille pour conclure des contrats. Il n'est pas encore question de la formation des liens familiaux. D'après Monsieur Gutzwiller (pp. 47-58, note 19) l'hésitation persiste d'ailleurs en cas d'acquisition d'un domicile postérieur à la naissance. Fallait)-il s'en tenir au domicile d'origine

1. Sur ces règles, cf. R. Létinier, "La création de nouveau~ empêchements du mariage dans la pratique gallicane de l'Ancienne France", *Jus Canonicum* (Universidad de Navarra), 1981, pp. 140-141.

ou à celui acquis postérieurement ? Encore au XVIe siècle, certains auteurs italiens (Albertus Brunus à Venise) s'en tenaient au domicile présent, mais la doctrine française préférait le domicile d'origine.

. Le problème du mariage du national et de l'étranger sera abordé par Barthélémy de Chasseneuz dans son commentaire de la coutume de Bourgogne (1582) et surtout par Ulrich Huber (1636-1694). On voit apparaître une distinction, relativement ferme en doctrine et dans la jurisprudence des Parlements, entre conditions de fond essentielles pour la validité de l'union qui suivent la personne en tout lieu et problèmes de forme ou de célébration. Dans le premier cas, ce sont surtout les prohibitions liées à la parenté ou l'absence de consentement parental qui retiennent l'attention. Huber cite le cas d'un habitant du Brabant qui a obtenu une dispense pontificale pour se marier à un degré prohibé. La validité de l'union est reconnue même dans d'autres territoires qui ignorent la dispense. Pareillement, le consentement des parents au mariage est une condition liée au domicile d'origine. Le Parlement d'Aix-en-Provence, le 29 octobre 1644, prononçait la nullité du mariage d'un habitant de Marseille d'avec une ressortissante d'Avignon (alors territoire pontifical) qui n'avait pu obtenir l'accord de sa famille[3] . Il en allait de même par arrêt du parlement de Paris du 16 juillet 1711 pour le mariage d'un mineur en Hollande[1].

69. Par contre il et admis au XVIIIe siècle que la cérémonie de célébration du mariage est une question de forme relevant de la loi locale. L'Université de Halle devait être consultée en 1713 sur la validité du mariage d'une ressortissante de Leipzig, fiancée pendant trois ans à un Hollandais. Elle convola aux Pays-Bas, civilement sans bénédiction religieuse (possible, mais non obligatoire selon le droit de l'époque) avec inscription au registre des mariages. l'Université concluait en faveur du caractère légitime de l'union[2]. De même, le barreau de Paris devait reconnaître la légitimité d'une fille née en 1740 du mariage de deux catholiques franc,ais devant un ministre du culte protestant en Angleterre[3].

La soumission de l'union à la règle du lien de célébration devait poser toutefois un double problème. Tout d'abord, celui de savoir si une des parties n'avait pas en se mariant à l'étranger, la volonté d'"éluder une règle considérée comme fondamentale pour la validité du mariage. Un arrêt du Parlement de paris de 1723 retenait le "concert frauduleux" dans le cas de deux protestants domiciliés à Sedan ; désireux d'éluder l'exigence du mariage devant le curé de la paroisse, ils s'étaient mariés à Liège, puis avaient publiquement vécu comme mari et femme à Sedan. A la suite d'une contestation successorale entre la veuve et les héritiers du mari, le mariage était postérieurement annulé (Cf. Delaume, p. 156). On devait s'interroger ensuite sur le caractère obligatoire de la soumission à la loi locale. Jusqu'à la Révolution, l'ancien droit français tolérait, semble-t-il, quelques dérogations en faveur du mariage religieux. C'est ainsi que dans l'affaire "Moriseau" soumise au parlement de Paris le 16 mars 1672 (rapportée par M. Gendrel : "Les mariages in extremis", Paris, 1958,

3. Cf. R. Létinier, cit., p. 115.
1. Cf. G.R. Delaume, p. 224.
2. Cf. Friedberg, p. 297.
3. Cf. Delaume, p. 37.

p. 109), le frère du défunt avait voulu remettre en cause la régularisation d'une liaison de longue date entre un Français et une Berlinoise. Les époux avaient regagné leur domicile parisien (le marié étant alors malade) après consécration de leur union par un Jésuite à Berlin. Le frère alléguait le défaut de publicité (mariage sans témoins, ni publication préalable) et la nécessité d'une célébration devant l'Aumonier de l'ambassade de France. Le mari ayant obtenu des dispenses de bans, la requête fut rejetée par le Parlement sur les conclusions de l'Avocat Général Talon. La Cour de Cassation, dans les débuts de son fonctionnement (arrêt du 27 juillet 1809) admettait par application de l'ancien droit, la validité d'un mariage célébré par un prêtre en Egypte entre un Français et une Géorgienne (cf. Delaume, p. 224). La Révolution devait mettre fin à cette éventuelle compétence de religieux français à l'étranger. Un mémoire du Ministre des Affaires Etrangères, Delacroix à son collègue Merlin de Douai (tenant d'ailleurs du caractère obligatoire de la règle "locus..." suggérait pour la première fois, semble-t-il, en 1796, d'investir les agents diplomatiques de la tenue des actes d'état civil à l'étranger[1]. L'option en faveur du mariage consulaire apparaissait. On comprend alors que les rédacteurs du code Civil aient consacré deux articles (48 et 170) à ce problème de la forme des actes de mariage.

70. Les autres aspects de la vie familiale, comme les questions de compétence et de reconnaissance des décisions étrangères, ne paraissent avoir été que beaucoup plus sommairement abordés... Bouhier et Boullenois, en matière de filiation, se sont surtout souciés des problèmes internationaux de la légitimation. La doctrine opposait la légitimation par mariage subséquent relevant du domicile d'origine des intéressés, à la légitimation par "lettres royales". Pour Boullenois un enfant né en Angleterre (ignorant à l'"époque toute légitimation) n'était pas légitimé par le mariage de ses parents en France. La loi du domicile d'origine de l'intéressé ne pouvait admettre qu'il soit "légitime" dans un pays, "naturel" dans un autre. Par contre, la légitimation "par lettres" ou "rescrit" était considérée comme une "faveur" dénuée d'effet extra territorial. C'est en ce sens qu'avait statué le "Grand Conseil de Malines" (organe judiciaire suprême des Pays Bas autrichiens). Un Flamand, père d'une fille naturelle née a Anvers s'était retiré en Allemagne où il avait obtenu en faveur de sa fille des lettres de légitimation. Celle-ci au décès du père, s'efforçait de faire valoir ses droits de fille légitime et de recouvrer des fermages en Flandre. Le Grand Consul devait la débouter, sa légitimation n'ayant pu produire d'effet hors d'Allemagne[2].

A propos des rapports entre parents et enfants, la doctrine proposait, sans que les solutions fussent bien fermes, de distinguer entre les rapports d'autorité soumis à la coutume du domicile du père, et ceux intéressant le sort des biens de l'enfant, notamment l'usufruit légal sur les immeubles, celui-ci relevant de "lex sitae". L'incapacité de la femme mariée parut également dépendre de la loi du domicile des époux, sans que la nécessité du lien familial créé soit nettement dégagée.

---

1. Cf. Hunssen, cit., p. 107.
2. Cf. G.R. Delaume, p. 229 et H. Richard, "La place du Président Bouhier dans l'histoire du droit international", p. 123.

Au total, l'apport le plus important de l'ancien droit est dans la notion de permanence de la condition de la personne, le souci d'éviter les contradictions de son état d'un ressort coutumier à l'autre. L'idée se fait jour — elle s'amplifiera au XIXe siècle — qu'il y a un lien entre le droit applicable et la compétence juridictionnelle. Le national même hors du Royaume, peut se réclamer de son "juge naturel", tant qu'il n'a pas été naturalisé[1]. Loi applicable et juridiction compétente iront de pair. Ce qui amènera à nier qu'une juridiction française puisse être compétente, s'agissant du statut familial d'un étranger[2].

Bibliographie

G.R. Delaume, "Les conflits de lois à la veille du Code Civil", Paris, 1947.
J. Hudault, "Sens et portée de la compétence du juge naturel dans l'ancien droit français", *Rev. Crit.*, 1972, pp. 27 sv.
H. Richard, "La place du président Bouhier dans l'histoire du droit international", Mémoire de la Société d'Histoire du Droit de Dijon, 1973-74, pp. 37 sv.
R. Létinier, article Jus Canonicum, 1981, pp. 140 sv. cit Friedberg, 1865, cit.
M. Gutzwiller, "Geschichte des Intemationalen Privatrecht", Bâle et Stuttgart, 1977.

SECTION II

LE SUCCES DU CRITERE DE NATIONALITE DANS LE DROIT INTERNATIONAL DE LA FAMILLE AU XIX' SIECLE

71. La jurisprudence des Parlements qui avait à peu près généralisé le critère du domicile d'origine, devait être dépassée par la substitution du concept de nationalité au domicile dans les relations internationales. Les conditions dans lesquelles devait s'opérer ce passage sous la Révolution sont encore mal connues. Probablement l'unification du droit interne, l'idée que le Français était justiciable même à l'étranger de son "juge d'origine", accréditaient l'idée que le "statut personnel" du Français à l'étranger relevait que la seule loi française. Par contre, les projets successifs élaborés sous la Révolution, d'abord en 1793, puis en l'an VIII ne témoignaient d'aucune volonté de réciprocité. Il est important de souligner que devaient apparaître de manière précoce les penchants pour le règlement unilatéral des conflits, l'"unilatéralisme" étant se-

1. Cf. J. Hudault rapporte l'affaire de l'annulation du mariage de la Comtesse de Wiltz, d'origine française dont le mari était domicilié au Luxembourg, *Rev. Crit.*, 1972, p. 251.
2. Cf. D. Holleaux, "Compétence du juge étranger et reconnaissance des jugements", thèse, Paris, 1970, préf. H. Batiffol, p. 288 sv.

lon la définition de Monsieur Gothot[1], "la règle par laquelle le législateur détermine le domaine d'application de la loi qu'il édicte, ou désigne les rapports tombant sous l'empire de sa propre législation". Si, en effet, les Français à l'étranger continuaient de relever de la loi française, "la personne et les biens des étrangers en France étaient placés sous la protection des lois (texte de 1793), puis, selon le texte de l'an VIII (1800) "la loi oblige indistinctement tous ceux qui habitent le territoire ; l'étranger y est soumis par les liens qu'il possède et sa personne pendant sa résidence". Il fallut une observation du Tribunal de Grenoble sur la "distorsion" de ces dispositions pour corriger le projet primitif de réduction de l'article 3, et limiter l'application du droit français aux "lois de police" expression ambigue[2].

72. On peut dire néanmoins que la répartition des compétences n'était pas au centre des préoccupations des rédacteurs du Code Civil. L'aspect "nationaliste" du projet de l'an VIII devait connaître un succès surprenant, et en général mal connu. Il n'était certes qu'éphémère en Europe (art. 56 du code du royaume de Naples de 1819 en vigueur jusqu'en 1860) les codifications postérieures devant "bilatéraliser" l'application de la loi nationale. Mais nombre de droits américains n'estimèrent pas contradictoire de faire régir le statut familial de leurs ressortissants à l'étranger par loi nationale tout en appliquant leur propre droit aux étrangers. Du Code de Louisiane (1809-1825), le texte de l'an VIII devait passer en Amérique du sud : tout d'abord au Chili, l'article 15 du Code de 1855 affirmant "la ley es obligatoria para los habitantes de la Republica inclusos los estranjeros", puis au Pérou. Si le code de 1912 ne parlait que de la compétence exclusive des tribunaux péruviens pour le statut personnel des étrangers, celui de 1936 les soumettait à la loi du domicile, tout en appliquant la loi péruvienne aux Péruviens à l'étranger. Le Vénézuéla devait suivre la même voie avec la Constitution de 1830 (art. 218) et le Code de 1862 (revu en 1942). Le cas du Brésil mis à part, les tendances unilatéralistes n'ont cessé de prévaloir jusqu'à l'époque contemporaine, les traités internationaux, comme celui de Quito, de 1903 ou le Code Bustamante de 1928 ont été impuissants à imposer la "bilatéralisation"[3]. La jurisprudence française paraît elle-même avoir marqué quelques hésitations. Au pied de la lettre, l'article 3 était muet sur l'application du statut personnel des étrangers, et ne visait que l'"état et la capacité" des Français à l'étranger. Certains auteurs ont considéré que l'application de la loi étrangère s'était imposée dès un arrêt de la Cour de Paris du 13 juin 1814 "Busqueta"[4]. En réalité, le problème soulevé, celui de l'annulation du mariage d'une Française d'avec un moine défroqué espagnol était à la limite de la capacité et du droit familial. La Française avait fait valoir une incapacité spéciale du droit espagnol, prohibant le mariage des ecclésias-

1. "Le renouveau de la tendance unilatéraliste en droit international privé", *Rev. Crit.*. 1971, pp. 1 sv.
2. Cf. sur ces avatars, A. Laine, "La rédaction du code civil et le sens de ses dispositions en matière en droit international privé", *Rev. Cri~.*, 1905, pp. 21 sv.
3. Sur ces problèmes, cf. les articles de M. Samtleben, "Der Territorialitatsgrundsatz im internationalen privatZecht Lateinamerikas", RabelsZ. 1971, pp. 72 sv. — "Die Anwendung der Codigo bustamante in Venezuela", RabelsZ. 1975, pp. 475 sv.
4. Cf. B. Ancel et Y. Lequette, "Grands arrêts de la Jurisprudence française de D.T.P.", 1987, n° 1.

tiques. L'intéressé soutenait au contraire qu'admis à domicile, il devait bénéficier de la même liberté matrimoniale que le Français. La Cour de Paris devait annuler le mariage pour éviter l'"alliage monstrueux" qu'aurait été une union valable en France, mais nulle en Espagne. Mais s'agissant, non plus de formation, mais de dissolution du lien conjugal, les textes de la Révolution et du code Civil qui avaient autorisé le divorce, étaient qualifiés de "loi de police" ou "d'ordre public applicable à tous" (affaire "McMahon"). C'est finalement l'arrêt "Bulkley" du 28 février 1860 (S. 1860, p. 210) qui à propos de la validité du divorce survenu aux Pays-Bas entre une Anglaise et un Hollandais, devait imposer l'idée de permanence du statut familial étranger. Le Procureur Général Dupin, à l'encontre de la prohibition française de l'époque, faisait valoir que "l'étranger dont le premier mariage a été légalement dissous porte avec lui cette liberté partout où il lui plaira de résider"[1].

73. Quoi qu'il en soit, le succès du critère de la loi nationale ne devait plus se démentir sur le continent européen ; d'abord dans les codifications nationales, aux Pays Bas en 1829, en Italie en 1865, en Espagne en 1889, puis dans les Conventions internationales signées au début du siècle à la Haye (mais qui auront une vie brève), notamment celle de 1902 sur le mariage et de 1904 sur la tutelle.

La nationalité présente alors un double avantage : celui de son caractère "publiciste" ou "politique" et celui qui traduit les conceptions familiales dominantes de l'époque.

L'application de la loi nationale aux relations familiales paraît d'abord n'être que le reflet de la volonté des Etats d'étendre le plus possible l'application de leur droit) l'extérieur. De façon significative, avant même Mancini, l'ouvrage de Mailher de Chassat est intitulé en 1845, "Traité des statuts ou du droit international privé considéré comme conséquence ou reproduction dans le sens individuel, du droit international public". Cet auteur écrit : "donnons à l'article 3 le seul et unique sens qu'il comporte : les questions individuelles relatives à l'état, à la condition, à la capacité des personnes disparaissent pour ne laisser intervenir que des questions générales de collitions de puissances ou de nationalités accidentellement élevées dans la limite de droits individuels". Critère simple, puisqu'elle résulte de l'appartenance nécessaire à un Etat, la nationalité est un concept unitaire. La comparaison paraît particulièrement avantageuse avec les multiples sens que le droit anglais attache du concept de "domicile" qu'il soit d'"origine", "de choix" ou de "dépendance". Ainsi, dans le cas "Harrisson/Harrisson" cité par Monsieur Morris (1953)[2]. Un Anglais naissait en Angleterre en 1930 de parents qui devaient émigrer en Australie du sud, avant sa majorité en 1948. Le jeune homme, à son tour, partait pour la Nouvelle Zélande en 1950. Il s'y mariait et décidait d'y fixer son domicile "of choice". Mais trois mois avant sa majorité, il repartait avec son épouse en Angleterre pour un complément de formation. Deux ans après celle-ci formulait une requête en divorce. La quête du "droit du domicile" applicable devait

1. Sur les hésitations initiales de la jurisprudence française, cf. F. Laurent, "Droit Civil international", t. 5, 1880, Bruxelles, Paris, pp. 257 et 289, comp. P. Lagarde, "Recherches sur l'ordre public", Paris, 1959, n° 12-13.
2. Cf. "The Conflict of Laws", Londres, édit., 1971, pp. 28-29.

être particulièrement laborieuse. Le "domicile de dépendance" maintenait fictivement l'enfant domicilié chez ses parents en Australie. Son mariage et sa volonté d'installation en Nouvelle Zélande entraînaient la perte du domicile australien originaire. Mais le départ pour l'Angleterre ne permettait plus d'admettre le transfert effectif au nouveau domicile. Devant le vide créé, il fallait en revenir au domicile originaire anglais.

Les exceptions à l'application de la loi nationale sont peu fréquentes au départ et n'en compromettent pas le principe. C'est tout d'abord le renvoi opéré par le système de la loi nationale étrangère désignée à la loi du domicile ou à une loi tierce. Il n'y a pas abdication, mais coordination des systèmes en présence voulue par la loi nationale. Le renvoi au "premier degré" a l'avantage de rétablir le parallélisme entre loi applicable et juridiction compétente détruit dès lors que le juge français a une compétence générale pour connaître des litiges familiaux entre étrangers. La seconde atténuation (rare jusqu'à la première guerre mondiale) concernera les apatrides, privés de leur nationalité originaire sans en recouvrer une autre. Certains systèmes, tel le BGB allemand particulièrement attaché à la loi nationale, feront jouer la loi de la dernière nationalité jusqu'en 1938. L'irréalisme de la solution amènera le BGB comme le faisait la jurisprudence française à faire application de la loi du domicile, voire de celle de la résidence principale. Les Conventions de Genève du 12 juillet 1951 sur les réfugiés qui ne peuvent invoquer la protection diplomatique puis celle de New-York du 28 septembre 1954 seront en ce sens[1].

74. L'application de la loi nationale étrangère aux rapports familiaux confondue avec la loi du mari, chef de la famille, est la réplique de l'organisation familiale, voulue par la plupart des Codes de l'époque. Avec le mariage, la nationalité de la femme est absorbée dans celle du mari. Ainsi l'article 10 de la loi italienne du 13 juin 1912 déclarait que "la femme mariée ne peut prendre une nationalité autre que celle de son mari, même s'il existe une séparation de corps entre les époux"[2]. De même jusqu'en 1927, la loi française ignorera les différences de nationalité à l'intérieur de la famille. Les articles 12 et 19 du code Civil donnaient à la femme étrangère la nationalité du mari. A l'inverse l'alliance avec un étranger faisait perdre la sienne à la Française. Même après 1927, où on devait tenir compte de la différence de nationalités, l'unité subsistait si la Française fixait son premier domicile à l'étranger avec son mari[3]. Quant aux enfants, les textes sur la nationalité maintenaient la différence entre les légitimes et les naturels, les légitimes suivant la nationalité du père et les naturels n'ayant que celle de l'auteur vis-à-vis duquel la filiation était établie. La volonté de réformer le droit de la nationalité à l'image des transformations du droit interne de la famille précipitera la crise de la loi nationale. Elle ne sera plus adaptée à l'unité nécessaire des rapports familiaux. D'autres solutions devront être envisagées.

1. Cf. H. Batiffol, P. Lagarde, t. 2, n° 387.
2. Cf. S. Bariatti in "Nationalité et statut personnel", sous la direction de M. Verwilghen, Bruxelles Paris, 1984, n° 263.
3. Cf. H. Batiffol, P. Lagarde, t. 1, n° 124.

Bibliographie :

Mailher de Chassat, "Traité des statuts", 1845, préc. F. Laurent, "Croit Civil international", t. 4 et 5, 1880.
H. Batiffol, P. Lagarde, "Droit international privé", t. 1,1981.
"Nationalité et statut personnel : leur interaction dans les traités internationaux et dans la législation nationale", sous la direction de M. Verwilghen (préf. Van Hecke), Bruxelles et Paris, 1984.

SECTION III
DECLIN DU CRITERE DE LA NATIONALITE ET LES NOUVELLES PERSPECTIVES

75. Le modification du droit français de la nationalité en 1927 ne poursuivait au départ qu'un objectif limité : mettre en accord la règle juridique avec les réalités démographiques et sociologiques. Il s'agissait de permettre à la Française ayant épousé un immigré fixé en France de conserver sa nationalité. Dès ce moment pourtant, l'application de la loi nationale s'avérait difficile. Le droit de la nationalité devait être de manière plus ambitieuse, systématiquement réformé en Europe Occidentale après la seconde guerre mondiale pour tenir compte des nouveaux principes constitutionnels d'égalité des époux et des filiations. Ainsi, en Allemagne Fédérale, depuis la première "loi d'égalité" de mai 1949, la femme allemande a cessé de perdre sa nationalité par le mariage avec un étranger. Celui-ci de son côté conserve sa nationalité à la suite du mariage avec une Allemande, sauf à faire une déclaration contraire à l'officier d'état civil[1]. Une loi allemande du 20 décembre 1974 se contente de la nationalité allemande d'un seul des parents pour la transmettre aux enfants légitimes. En Italie, c'est la Cour constitutionnelle italienne qui par arrêt du 15 avril 1975, a déclaré contraire à l'égalité la perte de la citoyenneté italienne par la femme italienne qui a épousé un étranger. Une loi de la même année lui a donné la possibilité de la conserver, sauf renonciation expresse de sa part. D'après le texte du 21 avril 1983, la nationalité italienne est transmise à l'enfant, indifféremment par le père ou la mère (cf. S. Bariatti, cit.). En France, l'article 37 du code de la Nationalité du 9 janvier 1973 énonce l'absence de toute influence du mariage sur la nationalité. Les articles 17 et 19 du même texte attribuent la nationalité française à tout enfant, légitime ou naturel dont au moins un des parents est français. C'est ainsi que se multiplient les cas de pluralité de nationalités à l'intérieur d'une même famille et que naît le problème du choix de la loi applicable. Monsieur Christian Von Bar[2] a pu ainsi chiffrer à 10.000 l'accroissement annuel des binationaux en Allemagne. Le problème s'est aggravé, dans les pays attachés au concept de nationalité, du fait de la diminution du nombre des apatrides, et de l'augmentation de la catégorie des "réfugiés". A la différence de ce qui s'était passé dans le cas des émigrés russes après 1918, et des mesures massives de déchéances de nationalité

1. Cf. Ferid Böhmer, "Internationales Privatrecht", 1986, n° 1-23.
2. Internationales Privatrecht, t. 1, Münich, 1978, n° 561, note 240.

après 1945 (par exemple pour les Allemands de Tchécoslovaquie) des réfugiés ont parfois bénéficié de mesures de "réintégration" (ainsi en Pologne). Dès lors, le jeu subsidiaire de la loi et de la compétence du tribunal du domicile devient concurrentiel du critère de la nationalité. Le Tribunal Fédéral Suisse a eu à connaître, après le "Bundesgerichtshof' allemand, des cas de réfugiés hongrois, bénéficiaires depuis 1956 de la Convention de Genève, mais dont le mari obtenait néanmoins un jugement de divorce à Budapest[1].

76. Il y a donc un double ébranlement du critère de la nationalité tenant d'une part à la diversité des lois nationales à l'intérieur d'une même famille, d'autre part au cumul individuel possible de nationalités. Le premier problème a fait ressurgir dans la jurisprudence française les tentations de l'"unilatéralisme" déjà apparues au lendemain du Code Civil, c'est-à-dire celles de s'attacher à la seule loi nationale française d'une des parties en cause, au risque d'aboutir à des décisions "boîteuses" et un refus de reconnaissance à l'étranger. Ce fut le cas du célèbre arrêt "Ferrari" pour le divorce et Fontaine Puelteney" pour la filiation. Ces tendances parurent n'avoir qu'un temps. Les réformes du droit interne de la famille fondées sur un principe d'égalité interdisaient une préférence trop marquée pour ce qui était la solution de la loi d'Introduction du Code Civil allemand, et qui la demeure dans des codifications comme celle du droit algérien, à savoir la loi nationale du mari pour le mariage et ses effets. La soumission du divorce, à défaut de nationalité commune, à la loi du domicile à partir de l'arrêt "Rivière" indiquait que la jurisprudence française avait compris la nécessité de dégager une loi commune exprimant le lien matrimonial[2]. De la même manière, à la veille de la réforme du droit international privé allemand, le "Bundesgerichtshof', saisi d'une demande en divorce d'une Russe domiciliée en Allemagne à l'encontre de son mari Angolais, condamnait malgré les textes, toute référence à l'une ou l'autre des deux lois nationales en présence et se prononçait pour la dernière résidence habituelle commune des époux[3]. Sur le plan international, aux Conventions de La Haye sur le mariage et la tutelle du début du siècle, fondées sur la loi nationale, mais devenues caduques, succédaient celles qui s'attachaient à la "résidence habituelle" de l'enfant, (convention du 24 octobre 1956 sur l'obligation alimentaire, et dans une certaine mesure celle du 5 octobre 1961 sur la protection des mineurs).

77. L'application générale de la loi du domicile (ou de la résidence habituelle selon les conventions de La Haye) n'en n'offre pas moins de très grandes difficultés. Sans parler de l'équivoque par rapport au terme anglais et de son inefficacité dans les pays du proche-Orient où le droit de la famille repose sur des critères confessionnels, le domicile souffre partout d'un manque de précision. Il ne suffit pas de dire qu'il repose sur la conjonction d'un critère matériel (I"établissement en un lieu) et l'intention de s'y fixer. Un auteur comme Monsieur Malaurie a pu douter en droit français de l'assimilation du domicile

1. Cf. A. Bucher. "Divorce de réfugiés dans leur pays d'origine ?" à propos de l'arrêt du Tribunal Fédéral du 22 février 1979, *Revue de droit suisse*, 1982, pp. 1 sv.
2. Cass. 17 avril, 1953, *Rev. Crit.* 1953, 412 note H. Batiffol.
3. B.G.H., 11 janvier 1984 - Clun, 1984, 646 comment E. Jayme.

international au domicile interne des articles 102 et sv. du Code Civil[1]. En l'absence de contrôle de la qualification, le transfert de domicile reste sujet à caution. En droit comparé les définitions du domicile sont rares : ainsi dans la province canadienne du Québec où depuis 1982, les tribunaux sont compétents pour connaître de l'action en divorce à la requête de l'un ou de l'autre époux "domicilié" les testes exigent une fixation de résidence d'un an avant la présentation de la requête et de dix mois d'habitation effective pendant cette période[2]. La jurisprudence amenée à appliquer les conventions de La Haye, notamment celle de 1961 sur l'autorité parentale et la protection des mineurs, a dû procéder empiriquement à une définition sinon du domicile, du moins de la "résidence principale" qui fonde la compétence judiciaire. Ainsi, la Cour Suprême Fédérale Allemande a eu à connaître des cas d'un mineur binational né en Italie du mariage d'une Allemande et d'un Italien. La mère ayant quitté le domicile conjugal alors que l'enfant avait six mois, et, étant retournée en République Fédérale, se faisait attribuer en première instance l'autorité parentale ; la décision fut confirmée en appel par O.L.G. La question était posée de savoir si l'enfant avait sa "résidence habituelle" en R.F.A. Atteignant l'âge de vingt et un mois lors de l'arrêt de l'O.L.G., il satisfaisait à la pratique judiciaire exigeant un minimum de six mois de séjour pour définir la résidence[3]. La loi du domicile n'a pas davantage d'aptitude, à elle seule, pour régir l'ensemble des questions familiales ; si elle exprime l'idée d'un lien matrimonial, sans qu'il y ait à choisir entre la nationalité différente des époux, pour des questions comme les effets personnels ou pécuniaires du mariage ou encore le divorce, elle est difficilement, transposable au domaine extra-matrimonial. En particulier l'établissement de la filiation appelle un "statut de l'enfant", sans distinction sur l'origine des filiations. Procéder autrement (comme la jurisprudence française avant 1972) est aller à contre-courant de l'égalité actuelle des filiations[4]. Il y a donc une impasse dans la mesure où le domicile ne peut, à lui seul, remplacer la nationalité.

78. Pourtant, les inconvénients de la nationalité semblent supérieurs. Une autre source de faiblesse — grave — de la nationalité est la fréquence du phénomène de la pluri-nationalité et du choix à opérer entre les lois nationales d'un même individu. Le clivage passe entre les Etats d'Europe Occidentale (France, Pays-Bas, Allemagne, Italie) et ceux qui tels les Etats socialistes et les pays d'Afrique du nord récusent tout cumul. Ainsi pour l'Algérie comme pour le Maroc, la bi-nationalité est inconcevable, ces Etats ne prenant en compte que leur propre loi nationale (art. 22 C. Civ. algérien). La nationalité crée un lien d'allégeance perpétuel, et il faut un décret spécial pour autoriser

1. Cf. Ph. Malaurie : Mot "Domicile", Répertoire Droit international, 1968, t. 1, n° 2526.
2. Réf. E. Groffier in "Nationalité et statut personnel", cit. n° 523.
3. Cf. B.G.H. 29 octobre 1980 in M. Sumampouw, "Les nouvelles Conventions de La Haye, t. III, n° 21-2, p. 85.
4. En ce sens les remarques de G. Beitzke, "Grundfragen familien rechtlichenKollisionsrechts in den neueren, mitteleuropaischen kodifikationen Zrv. 1981, pp. 110 sv.

les ressortissants à acquérir une autre nationalité[1]. La réponse classique en Europe Occidentale a été empruntée à la Convention de La Haye de 1930 (à une époque, il est vrai, où l'emportait surtout le souci de lutter contre l'apatridie). "Tout individu ayant deux ou plusieurs nationalités pourra être considéré par chaque Etat dont il a la nationalité comme son ressortissant". Ce serait seulement dans le cas contraire, si aucune des nationalités en cause n'était celle de l'Etat saisi, qu'il faudrait s'attacher à la plus effective.

Les textes n'ont guère apporté de réponses. On ne rencontre que rarement une disposition hostile à la bi-nationalité, telle la loi italienne du 21 avril 1983. Son article 5 précise que tout enfant mineur (par le sang ou adopté) tient la citoyenneté italienne de son père ou de sa mère ; mais en cas de double nationalité, il doit opter dans le délai d'un an à compter de sa majorité pour une seule d'entre elle. Les recommandations d'organismes internationaux, comme le Conseil de l'Europe (résolution 77/13) ont plutôt contribué en sens inverse au développement de la bi-nationalité. Dans un esprit d'égalité des parents, elles ont incité les Etats-membres à faire acquérir aux enfants jusqu'à 22 ans la nationalité d'un parent qui ne leur aurait pas transmis à la naissance[2].

79. Dans ces conditions, les juridictions nationales, jusqu'à une époque récente s'en sont tenues au système de La Haye de 1930. Ainsi la Cour de Cassation française dans un arrêt "Kasapyan"[3] a fait application de la seule loi française à une bi-nationale franco-turque domiciliée en France et introduisant une requête en divorce contre son mari turc. Pareillement, en Allemagne, le B.H.G. à propos d'enfants ayant une double nationalité allemande et étrangère et leur résidence habituelle en Allemagne, n'a voulu appliquer à leur statut que le droit allemand[4]. Dans le cas "Dax" qu'avait à connaître le Tribunal Fédéral suisse le 22 février 1979 (cf. n° 75) la compétence des tribunaux suisses des réfugiés fut jugée exclusive de celle des tribunaux nationaux et fondée sur la seule domiciliation en Suisse. Poursuivi en paiement d'une prestation alimentaire par son épouse, le mari ne pouvait opposer le jugement de divorce de Budapest.

Cette attitude apporte toutefois d'assez sérieuses mécomptes. Comme nous le montrerons, l'application de Conventions comme celle de La Haye de 1961 sur la protection des mineurs est faussée dans son application aux bi-nationaux. (Elle a entraîné pour la France la nécessité d'une convention bilatérale avec le Portugal du 20 juillet 1983). La reconnaissance des jugements étrangers peut être compromise pour méconnaissance d'un critère d'exclusivité national (art. 14 et 15 en France). Aussi une évolution se dessine pour une prise en compte de l'effectivité. Ainsi en France, un arrêt "Dujaque" du 22 juillet 1987 a accordé l'exequatur à un jugement polonais sur les suites d'un divorce, "bien qu'au regard de la loi française toutes les parties en cause fussent fran-

1. Cf. L. Darras, "La double nationalité", thèse dactyl., Paris 2, 1986, pp. 18 sv. — M. Issad, "Droit international privé algérien", t. 1, Alger, 1986, p. 104.
2. Cf. M. Killerby, "Travaux du conseil de l'Europe", in M. Verwilghen, *Nationalité et statut personnel*, art. n° 170.
3. 17 juin 1968, *Rev. Crit.*, 1969-59, note H. Batiffol, "Grands Arrêts" par Ancel et Lequette, n° 45.
4. B.G.H., 7 décembre 1977, cité par J. Samtleben RabelsZ, 1978, p. 462.

çaises"[1]. La mère de l'enfant, résidant avec lui en Pologne avait obtenu une modification de la garde en sa faveur par le Tribunal de Varsovie. En Allemagne, quelques décisions laissaient présager un revirement : ainsi un arrêt de la Cour de Dusseldorf de 1974 qui avait fait jouer la loi israélienne pour le divorce d'une bi-nationale, Allemand et israélienne mariée en Israël et qui était retournée vivre dans ce dernier pays. La nouvelle loi du 25 juillet 1986 s'attache pourtant à la solution classique (art. 5). C'est seulement si aucune des nationalités considérées n'est l'allemande qu'on s'en tient "aux liens les plus étroits". La règle est toutefois adoucie en matière de nom (art. 10/2°) et d'effets du mariage (art. 14/2°). Si un conjoint a plusieurs nationalités, il peut opter pour une des nationalités qui est en même temps celle de son conjoint (en éludant donc la nationalité allemande). Selon l'exemple donné par Mrs. Férid et Bohmer (Internationales privatrecht, n° 8-85), le bi-national suisse et français, marié à une Française, pourrait aux yeux des tribunaux allemands, opter pour la nationalité française, malgré un domicile suisse. Aux Pays-Bas, la loi du 25 mars 1981 se réfère au "lien le plus fort" pour le divorce d'un bi-national (art. 1-3). En Suisse même, le nouvel article 23 de la loi du 18 décembre 1987 distingue conflits de compétence et conflits de lois. Pour les premiers seule compte la nationalité suisse s'il s'agit de compétence directe (art. 231). Par contre, pour la reconnaissance d'une décision étrangère, on se contente de "la prise en considération d'une des nationalités" (art. 23-3)[2]. La notion d'effectivité ou de "relations les plus étroites" reste toutefois difficile à mettre en œuvre ; la preuve ne sera facile que s'il s'agit de reconnaissance de jugement émanant d'un Etat dont le pluri-national a la nationalité. Le droit international public marque quelque réticence, comme l'avait rappelé la commission de conciliation américaine dans l'affaire "Flegenheimer" (sentence du 20 septembre 1958) ; "la théorie de l'effectivité manque d'un fondement assez sûr pour l'emporter sur la nationalité qui s'appuie sur le droit étatique". On peut se demander si le droit français ne pourrait subordonner une éventuelle prise en compte de la nationalité étrangère au cas de bi-nationalité à une attitude de réciprocité. Faute de quoi, la nationalité française serait systématiquement sacrifiée au profit de la nationalité étrangère de ressortissants d'Etats qui récusent la bi-nationalité.

80. Quoi qu'il en soit, ces défaillances du critère de nationalité, l'impossibilité de trancher de manière décisive entre nationalité et domicile, amènent à la recherche de nouveaux procédés de rattachement, plus empiriques. Il y a une double influence dans les codifications récentes, celles des raisonnements de l'école internationaliste américaine et des modifications du droit interne[3]. On sait que c'est à partir d'un article de Cavers à la "Harvard Law Review" de 1933-34 que devaient se développer les critiques américaines contre les rattachements trop abstraits de l'école européenne. La doctrine américaine devait

1. Cf. Rev. Crit., 1988-86 et P. Lagarde, "Vers une approche fonctionnelle du conflit positif de nationalités", Rev. Crit., 1988, p. 29 sv.
2. Cf. Rev. Crit. 1988, 412 et comment. F. Knoepfer - P. Schweizer, Rev. crit., 1988, 210.
3. Cf. P. Lagarde, "Le principe de proximité dans le droit international privé contemporain", Cours Académie de La Haye, 1986, 1, p. 25, D. Mayer, "Evolution du droit de la famille en droit intematinal privé" (lun. 1977, pp. 447 sv.).

populariser l'idée qu'aussi bien pour le choix de la loi que pour la reconnaissance de la décision étrangère, il faut tenir compte du "centre de gravité" ("grouping of contacts") et de la relation étroite avec l'affaire (most signifiant relationship"). L'idéal en fonction d'un droit interne qui n'est pas neutre est de parvenir à la règle du "meilleur résultat" (better rule)[1]. La difficulté réside dans la traduction pratique de ces idées : d'un côté la plupart des réformes contemporaines en Europe traduisent le progrès de l'individualisme, les "favor matrinonii" avec la multiplication des divorces et remariages. La conséquence en serait une facilité accrue de reconnaissance des jugements étrangers, un désir de coordination et de lutte contre les "mariages boiteux". Mais de l'autre, on assiste à un renforcement des contrôles administratifs et judiciaires de la vie familiale, à une compétence de la loi et du juge du "for" saisi, peu compatible avec ces premières tendances.

81. Le droit positif va connaître des solutions plus concrètes qui tendent de mettre fin à l'opposition du domicile et de la nationalité. Tout d'abord, en Grande Bretagne même, la réforme de la notion de domicile s'efforce d'éliminer ses aspects les plus fictifs (comme le témoignait le cas "Harrison" n° 73) et le rapprocher de sa définition "continentale"[2]. Le projet de loi déposé au Parlement à la fin de 1987 définit le domicile par la présence et l'"intention d'y demeurer pour une période indéfinie". Les tribunaux doivent s'en tenir à une simple "confrontation de probabilités". La notion de "liens les plus étroits" apparaît tant pour le domicile des majeurs (adulte vivant dans un territoire fédéral ou incapable) que pour les mineurs. En particulier, si les parents d'un enfant ne vivent pas domiciliés dans un même pays, l'enfant est "présumé entretenir les liens les plus étroits" avec le pays du domicile du parent chez lequel il vit".

En Europe continentale, les vingt cinq dernière années ont été marquées par une vague sans précédent de codification ou de renouvellement des sources existantes. Après les pays socialistes de l'Est européen (Tchécoslovaquie en 1963, Pologne en 1965, R.D.A. en 1975, Hongrie en 1979), les réformes ont gagné la plupart des pays occidentaux : Espagne (en 1974 et 1981), Portugal (en 1966 et 1978), Autriche en 1978, Turquie et Yougoslavie en 1982, Allemagne Fédérale en 1986 et Suisse en 1987. Les premiers textes d'après la seconde guerre mondiale, notamment le code tchèque de 1963 témoignaient déjà du souci de rompre avec la "neutralité" classique de la règle du conflit pour la mettre en accord avec le droit interne. Notamment les articles 22 et 24 à propos du divorce et des rapports entre parents et enfants réservaient la loi tchèque si "la loi étrangère compétente ne permettait pas le divorce ou ne l'admettait que dans des circonstances très difficiles"[3]. De même, dans les relations familiales, l'"intérêt de l'enfant" commande d'évincer une éventuelle loi étrangère (loi personnelle de l'enfant) compétente. Des textes postérieurs sont encore plus précis : ainsi le § 41 de la loi hongroise de 1979. Par exception à

1. Sur ces idées B. Audit, "Le second Restatement du conflit de lois aux Etats-Unis", Travaux comité Français, D.T.P., 1977-1979, séance 24 février 1978, p. 29 et E. Vitta, "The impact in Europe of the American COnnictS Revolution", A.J.C.L., 1982, pp. 1 sv.
2. Cf. *Rev. Crit.* 1988, p. 401 et comment. H. Muir-Watt, *Rev.*, 1988-403.
3. Idem § 20 - 2e loi de la R.D.A. du 5 décembre 1975.

l'application de la loi étrangère (en principe loi personnelle commune ou dernière loi personnelle) le divorce est régi par le droit hongrois s'il satisfait aux conditions de dissolution de la loi hongroise. La faute doit être exclue, et le juge doit examiner si la "communauté de vie est intégralement et irrémédiablement disloquée (§ 41 a b et c, *Rev. Crit.* 1981, 169). C'est en réalité une conception très étendue de l'"ordre public" international ou peut être plus exactement une extension internationale des règles matérielles. Sans aller aussi loin, la réforme française de la filiation en 1972 ont introduit des règles de conflit "engagées" selon l'expression de Mademoiselle Mayer[1]. Il s'agit d'aboutir au résultat le plus favorable à l'enfant, notamment en matière de reconnaissance ou de légitimation des enfants naturels par le jeu des "rattachements alternatifs".

82. La plupart des Codes récents (sauf le nouveau droit suisse) ont conservé un rattachement de principe en faveur de la loi nationale. Mais plusieurs facteurs le corrigent fondement : tout d'abord par l'idée de la "hiérarchie de rattachements" appelé aussi "échelle de Kegel"). La conciliation entre la nationalité et le domicile est trouvée par l'appel à plusieurs rattachements successifs possibles. La loi autrichienne du 15 juin 1978 en donne un bon exemple en matière d'effets personnels du mariage (§ 18) : à défaut de "statut personnel commun" ou "dernier statut personnel commun", de la loi de la "résidence habituelle" ou "dernière résidence habituelle" des époux, on appliquera le droit autrichien, sauf s'il existe "un rapport plus fort" avec un autre pays. Cette notion de "rapport le plus fort" ou "clause échappatoire" peut être considérée comme la traduction européenne de la notion américaine des "points de contact". Elle avait été introduite lors de la réforme du droit suisse de la filiation, dans l'article 8 dl (alin. 3) de la loi de 1891. La compétence des tribunaux suisses pouvait être déclinée si l'espèce présentait "des liens prépondérants avec un autre pays" qui ne reconnaissait pas la compétence des juridictions suisses. L'imprécision de la formule en a rendu l'application difficile[2]. L'article 19 de la loi fédérale de 1987 n'en reprend pas moins l'idée à propos des conflits de lois (art. 15) : le droit désigné n'est "exceptionnellement pas applicable" si "au regard de l'ensemble des circonstances", il est manifeste que la cause n'a qu'un lien très lâche avec ce droit".

La logique de ces idées conduit à permettre aux intéressés d'exercer une option quant à la loi ou à la juridiction compétente. Les objections ont paru, pendant longtemps très fortes, tenant notamment du caractère d'indisponibilité des actions d'état, et à la crainte d'un "forum shopping" d'un choix par les parties qui généraliserait la fraude à la loi. Toutefois le droit positif progresse en ce sens. Après la loi yougoslave du 27 février 1979 (an. 16) qui en matière de conflits interlocaux, a offert une option aux époux pour la loi du domicile ap-

1. Clun. 1977, cit. n° 23.
2. Cf. A. Von Overbeck, "L'intérêt de l'enfant et l'évolution du droit international privé de la filiation", *Mélanges Schnitzer,* Genève, 1979, p. 374 et Cour de Justice de Genève, 7 octobre 1983. Annuaire suisse, droit intern.. 1984, 296, observ. Lalive-Bucher. Refus de compétence d'un tribunal suisse dans une action en recherche de maternité d'un enfant et d'une mère allemande domiciliée en Suisse, contre un individu de nationalité grecque et domicilié en Grèce, le lien prépondérant paraîssant être en Grèce).

plicable à leurs rapports personnels, la loi hollandaise du 25 mars 1981 a consacré l'idée du choix en matière internationale[1]. La dissolution du mariage et la séparation de corps sont régies par la loi nationale commune, à défaut la loi de la résidence habituelle. (Le législateur assimile audacieusement au défaut de nationalité commune la notion sociologique d'"absence de lien social effectif avec la nationalité commune"). Mais les intéressés peuvent revenir à la nationale commune, ou préférer immédiatement l'application de la loi néerlandaise, qui n'interviendrait normalement qu'au 3e degré de l'échelle, à défaut de nationalité commune ou de résidence habituelle dans un même pays. Le nouveau droit international privé allemand fait pareillement place à l'idée de choix des époux, soit en matière de nom, soit surtout en matière d'effets du mariage et de divorce (art. 10,14 et par analogie 17). L'échelle légale de l'article 14 se réfère à la nationalité ou dernière nationalité commune, à la résidence ou dernière résidence habituelle, à défaut à la "loi du lien le plus étroit". La pluralité de nationalités d'un des époux permet, on le sait, malgré la nationalité allemande qui est la sienne, qu'il opte pour celle de son conjoint. Le choix peut s'exercer aussi en faveur de l'Etat de la résidence qui ne serait celui d'aucun des deux nationaux. Ce serait le cas d'un Allemand qui épouserait aux Etats-Unis ou au Brésil, une réfugiée chilienne et opterait pour le droit chilien. La loi précise que le choix, définitif, devrait faire l'objet en Allemagne d'un acte notarié (homologué pour la doctrine) et à l'étranger d'un acte analogue à un contrat de mariage.

83. Ces tendances nouvelles ne se font que faiblement sentir dans le droit international français de la famille. Une appréciation globale est difficile en raison de la dispersion des sources entre les Conventions de La Haye ratifiées par la France (celles de 1961 et de 1980 sur la protection des mineurs et l'enlèvement international d'enfants, celle de 1973 sur les obligations alimentaires) et les textes très fragmentaires du droit interne (en matière de filiation et de divorce). Si on excepte les rattachements alternatifs cités en matière de filiation et des cas comme la Convention de La Haye sur les aliments, l'idée de faveur et de choix de la loi applicable est assez éloignée des règles nouvelles. La caractéristique de l'unilatéralisme renaissant sera la désignation impérative de la sphère d'application du droit français. C'est le cas manifeste de la loi de 1975 sur le divorce, mais en grande partie aussi celui du droit de la filiation malgré un rattachement de principe bilatéral (la loi de la mère) en raison du rôle considérable dévolu à la possession d'état en droit interne français. On peut dire de manière générale que le critère de la nationalité lié à la bilatéralité a décliné. La loi de la résidence habituelle joue le plus grand rôle dans l'application des Conventions de La Haye, le principe de la loi nationale est "rongé par les exceptions en matière de filiation. La loi du domicile est substituée à la loi nationale commune en matière de divorce quand les époux ont l'un et l'autre leur "domicile sur le territoire français" (art. 310). Il est vrai que pas davantage le nouvel article 310 ne généralise la loi du domicile dans le droit du divorce[2]. On ne retrouve un plus grand libéralisme et un recours aux méthodes

1. *Rev. Crit.* 1981, note R. Van Rooij, pp. 810 sv.
2. Sur ces difficultés d'appréciation cf. Y. Loussoum et P. Bourel, "Droit international privé", 3e édit. 1988, n° 325.

étrangères des "points de contact" qu'en matière d'effets des jugements étrangers. La méfiance traditionnelle pour la fraude fait place à un adoucissement des conditions classiques d'exéquatur posées par les arrêts "Munzer" et "Bachir". La compétence juridictionnelle est abandonnée à l'appréciation du droit étranger, si selon l'arrêt "Simitch", le litige se rattache "de manière caractéristique au pays dont le juge a été saisi, et s'il n'y a pas de compétence exclusive des tribunaux français[1].

Bibliographie :

G. Beitzke, "Grundfragen familienrechtlichen Kollisions-rechts", cit. ZrU, 1981, pp. 1 10 SV.

A. von Overbeck, "Les questions générales du droit international privé à la lumière des codifications et projets récents", Rec. Cours La Haye, 1982 III (t. 176)., p. 23 SV.

E. Vassilakakis, "Orientations méthodologiques dans les codifications récentes du droit international privé en Europe", thèse, Paris 2,1984.

P. Lagarde, "Le principe de proximité dans le droit international privé contemporain", Cour La Haye, 1986, pp. 25 sv.

M. Férid et C. Bohmer, "Intemationales Privatrecht", 3e édit. Francfort, 1986.

1. Cass. 1. 6 février 1985. *Rev. crit.* 1985 ; 369 et commentaire F. Francescakis, *Rev. crit.*, 1985, pp. 243 sv.

CHAPITRE III

La notion de personnalité morale de la famille et les intérêts qui s'y rattachent

84. L'histoire et le droit comparé révèlent la variabilité dans le temps et l'espace des rapports individuels familiaux. On peut cependant se demander avant d'aborder l'étude des règles particulières sur la formation, le fonctionnement et la dissolution des couples, s'il existe une entité abstraite de la famille, qui serait titulaire de droits qui lui seraient propres. La réponse, a priori, est négative. L'étendue de la famille est variable : elle ne constitue pas en soi une personnalité distincte de ses membres, titulaire d'un patrimoine. La plupart des codifications ne lui consacrent pas de règles spéciales. Ce serait toutefois une réponse trop rapide. Certains droits voient bien dans la famille une réalité particulière. En France même — et aussi à l'étranger — s'est développée une controverse sur la notion de personne morale que serait la famille. Quelle que soit l'analyse, il n'en demeure pas moins qu'une série de droits et d'intérêts extra-patrimoniaux ne s'expliquent que par l'appel à une entité générale. Les uns concernent l'identification familiale, les autres visent les biens à affectation familiale que sont les bijoux et souvenirs de famille. D'autres encore forment une prolongation posthumes des rapports familiaux. Un examen des problèmes internationaux possibles terminera le chapitre.

SECTION I

LES EXEMPLES ETRANGERS ET LA CONTROVERSE SUR LA PERSONNALITE MORALE DE LA FAMILLE

85. Si beaucoup de systèmes étrangers ne perçoivent dans la famille qu'une série de rapports ou de règles particulières, cette vision n'est pas générale. C'est ainsi qu'en Espagne, le Tribunal Suprême a reconnu que "la famille a une unité organique, naturelle et juridique". En cas d'attitude divergente de ses membres, c'est au pouvoir judiciaire qu'il appartient de dégager la notion d'"intérêt de la famille". La loi du 2 mai 1981 sur les prérogatives et l'autorité parentale en fait application, quand elle prévoit que les époux fixent d'un commun accord le domicile conjugal. Le défaut d'entente oblige alors le juge à définir un "domicile familial" qui transcende les intérêts particuliers (art. 70)[1]. Ce sont surtout les droits italien et suisse qui consacrent dans les textes la notion d'entité familiale. En droit italien tout d'abord, une série de dispositions éparses, pénales et civiles font de la famille le centre de valeurs et de prérogatives extra-patrimoniales[2]. Les règles pénales assez critiquées généralisent ou excusent des infractions individuelles applicables à l'ensemble des membres de la famille (ainsi l'assimilation à la violence contre une personne, celle exercée contre un ascendant, un descendant ou l'époux. L'absence de conséquences pénales pour des délits comme le faux témoignage ou le refus de participer à une enquête de justice, s'il s'agit de sauvegarder l'honneur de l'ascendant, de l'époux ou de tout parent jusqu'au 3e degré). Le Code Civil italien de son côté (art. 8) défend l(utilisation abusive qu'on pourrait faire du nom de famille. Une personne, même alliée ou descendante sans être directement titulaire du nom, peut invoquer des "raisons familiales" pour la défense du nom. En cas de décès d'un de ses membres, une loi du 21 avril 1941 a organisé une "protection familiale" posthume. Le texte (art. 93 et 96) établit une hiérarchie de ceux qui peuvent s'opposer à la divulgation du portrait ou du courrier du défunt : conjoint et enfants, à défaut père et mère puis frères et sœurs, ascendants et descendants jusqu'au 4e degré. Outre le centre de défense des droits extrapatrimoniaux, la famille qui travaille dans l'entreprise (impresa) a une réalité économique propre. L'article 230 bis du "Codice Civile" italien énumère tous ceux qui travaillant dans l'entreprise, participent aux bénéfices, exercent un droit de vote sur leur utilisation ou leur emploi (conjoint, parent jusqu'au 3e degré, alliés).

De son côté, le droit suisse fait bénéficier la famille d'un patrimoine propre. Il est toujours possible, par acte entre vifs ou à cause de mort de créer une "fondation de famille" (Familienstiftung" art. 89 - 89 bis ZGB), destinée à assurer les frais d'éducation et de subsistance de ses membres. Acquérant de par sa création et l'inscription au registre du commerce la personnalité morale, elle fonctionne sous la surveillance des autorités judiciaires. De même la maison d'habitation occupée par le propriétaire ou les membres de sa famille (époux, frères et sœurs, parent en ligne ascendante ou descendante) peut constituer le "foyer familial" (Heimstatte) comme tout bien rural ou commercial. L'inscription au livre foncier, du vivant du propriétaire, frappe d'affectation le bien. Exceptionnellement par disposition testamentaire et autorisation cantonale, l'affectation persiste au décès du propriétaire. L'existence du foyer est à la source d'une responsabilité, beaucoup plus large que la responsabilité parentale du droit français, puisqu'elle s'exerce, en raison de l'autorité du chef de famille, sur les enfants même majeurs et le personnel de maison[3].

86. L'absence de dispositions légales a par contre suscité en France des débats contradictoires sur la personnalité morale de la famille. Ils ont été ou-

1. Cf. M.A. Garci Garcia, "El llamodo interés supraindividual o familial", *Revista General de legislacion y jurisprudencia*, 1982, pp. 373 sv.
2. Cf. R. Sacco et P. Cendon in "Mariage et Famille en question", Italie, 1982, pp. 33 sv.
3. Cf. C. Hegnauer "Grundriss des Kindesrechts und der übrigen Verwand-schaftsrechts", Principes des droits de l'enfant des autres membres de la parenté", 2e édit. Berne, 1983, pp. 175-183.

verts sur un projet élaboré au début de la Seconde Guerre Mondiale par la Société d'Etudes législatives. Le rapporteur, le Doyen Savatier voyait dans la famille "une personne morale méconnue"[1] à une époque où comme nous le constaterons, la Cour de Cassation dégageait la spécificité des "souvenirs de famille". L'analyse de René Savatier était par la suite contestée par le juriste belge, Jean Dabin[2]. Mais l'idée que la famille pouvait représenter des droits et des intérêts distincts de ceux de ses membres a de nouveau trouvé des défenseurs dans les dernières années, notamment en la personne de l'Avocat Général Lindon[3] et de Madame Reynaud-Chanon[4]. Les objections à l'existence d'une personne morale ne manquent pas : aucun texte ne la prévoit. La famille est dépourvue de représentant permanent qui défendrait ses droits en justice, comme d'un patrimoine autonome propre (à la différence du droit suisse). On peut toutefois alléguer que, depuis l'arrêt de la Cour de Cassation de 1954 "Comité d'établissement de St Chamond"[5], l'octroi de la personnalité morale n'est pas une concession du législateur. Elle appartient, dit la Cour de Cassation "à tout groupement pourvu d'une possibilité d'expression collective pour la défense d'intérêts licites". Or, la représentation de la famille semble être assurée par les Associations familiales (union nationale et unions départementales). Les textes (une ordonnance du 3 mars 1945 revue par une loi du 11 juillet 1975) leur confèrent le droit de se porter partie civile devant les juridictions répressives[6]. Elles l'ont exercé dans des cas comme l'avortement ou l'atteinte aux bonnes mœurs[7]. La Cour de Cassation est pourtant réticente à voir l'action des associations concurrencer les droits du Ministère Public. Il ne s'agit que de la défense intermittente d'intérêts moraux généraux ; les associations familiales, à la différence d'organes d'autres personnes morales n'assurent pas de façon permanente la défense des droits et intérêts particuliers de telle ou telle famille. Celle-ci n'est sauvegardée que par une action individuelle devant les juridictions civiles. Il n'en demeure pas moins que si la famille n'est pas techniquement une personne morale au sens strict, elle regroupe un certain nombre de droits et intérêts marqués par l'affectation familiale.

1. Cf. D. 1939, chron. p. 49.
2. "Le problème de la personnalité morale de la famille", *Bulletin de l'Académie Royale de Belgique*, classe de lettres 1949, pp. 329 sv.
3. "Dictionnaire Juridique des droits de la personnalité, Paris, 1983.
4. "Les souvenirs de famille, une étape vers la reconnaissance de la personnalité morale de la famille", D. 1987, Chr. 264 — Pour une opinion contraire, J. F. Barbiéri "Les souvenirs de famille, mythe ou réalité juridique ?, *J.C.P.*, 1984, 3156.
5. 2e civ. 28 janvier 1954, D. 1954, 217 note G. Levasseur.
6. Cf. H.J.L. Mazeaud et F. Chabas, "Leçons de droit civil", t. 1, 7e édit., volume 2, p. 902. — H. Périnet-Marquet, "L'ouverture du droit pénal à l'action civile familiale in "Le droit non civil de la famille", Poitiers, 1983, pp. 281 sv.
7. Cf. pour un exemple de l'action de l'Union Départementale de Paris contre la projection d'un film "portant indiscutablement atteinte aux intérêts matériels et moraux de la famille considérée dans son ensemble", T.G.T., Paris 8 novembre, 1976, J.C.P. 1979 19004 note H. Blin.

SECTION II
L'IDENTIFICATION FAMILIALE

87. Le premier élément de réalité familiale est le signe extérieur d'une appartenance commune de tous les membres. Elle se distingue de l'individualisation particulière (nom, domicile, actes d'état civil). Il s'agit d'une part du livret de famille, de l'autre de la protection du nom familial. Les règles d'acquisition du nom serait étudiées à propos du mariage et de la filiation. Les problèmes que pose la création d'un "nom familial" ne se laissent pas facilement dissocier des événements qui en sont à l'origine.

Le livret de famille apparaît tout d'abord comme la "photographie" de l'ensemble des rapports familiaux. Le Code Napoléon n'avait organisé que de manière fragmentaire et ponctuelle la preuve de l'état des personnes. Les actes établis à l'occasion de divers événements juridiques familiaux (mariage, reconnaissance d'enfant naturel) restaient dispersés. Une pratique tardivement reconnue créait le livret à titre de renseignements, pour suppléer à la destruction d'actes (à Paris après la Commune de 1871) et pour faciliter les rapports avec l'administration. "Officialisé" par une série de textes (décret du 15 mai 1954, avril 1960 et enfin décret du 15 mai 1974 et circulaire du 4 août 1974) le livret a changé de signification. D'une même force probante que les extraits d'actes d'état civil (art. 13 du décret de 1974), il regroupe l'ensemble des éléments intéressant la vie familiale. N'étant délivré à l'origine qu'à l'occasion du mariage, il soulignait les différences entre les différents types de "familles" légitimes ou illégitimes. Le décret du 9 avril 1960 a créé le livret de la "mère célibataire" remis à sa demande par l'officier d'état civil du lieu de naissance d'un enfant ou de sa résidence. Le père d'un enfant naturel dont la filiation est établie a pu, lui aussi, réclamer un livret de famille, à moins qu'il ne s'associe à la démarche de la mère (art. 9 et 4 du décret de 1974). L'adoption plénière est, également, la cause de remise du livret, si elle est prononcée au profit d'une seule personne ou que les père et mère de l'adopté soient légalement inconnus (art. 6). Pour éviter toute inégalité entre les époux postérieurement au mariage, le principe de l'unité du livret a été abandonné. La séparation de corps ou de fait, au même titre que le divorce appellera la remise d'un second livret à "l'époux qui est est dépourvu"[1].

Le document, adopté à toutes les circonstances regroupe l'ensemble des actes de la vie familiale : extraits d'actes de mariage des époux, de naissance et de décès des enfants mineurs, de décisions judiciaires intéressant la famille (changements de nom, jugements de divorce ou de désaveu). L'officier d'état civil qui reçoit un acte ou un jugement appelé à figurer sur le livret le réclamera au déclarant. Le décret de 1974 a prévu qu'à l'étranger, les services consulaires auraient la tâche de délivrer les livrets de famille (art. 7). D'autre part, dans un but d'unification, la Commission internationale d'état civil (C.T.E.C.) a été à l'origine de la Convention de Paris du 12 septembre 1974 sur la création du "livret de famille international". Comme le livret interne, il regrouperait l'ensemble des événements familiaux (mentions originaires et

1. An. 14 sur ces transformations cf. J. Massip. "La nouvelle réglementation du livret de famille", D. 1975, Chron. 37.

postérieures), avec un formulaire pluri-lingue, lui donnant valeur légale dans n'importe quel des Etats contractants. Mais la convention ne prévoit qu'une seule délivrance de livret et seulement à l'occasion du mariage[1].

88. Du livret de famille on peut rapprocher la jurisprudence sur la protection du nom familial. En l'absence de textes, une série de décisions judiciaires, d'origine assez ancienne ont vu dans la défense d'un nom de famille la "dernière propriété collective"[2] ou celle d'un "patrimoine d'honneur" de la famille[3]. On sait que le nom, bien qu'élément de l'état des personnes n'avait pas été, comme tel, réglementé par le Code Civil. Les principes, posés depuis la Révolution, d'immutabilité et de relative unité du nom familial, ont permis d'y voir, non seulement un élément d'individualisation d'une personne, mais le signe d'une commune appartenance. La critique du terme classique de "propriété" déjà entreprise par Planiol, a été renouvelée par Monsieur Agostini[4]. Le nom doit être compris, beaucoup moins comme un élément d'appropriation par une personne que comme rentrant dans la catégorie des droits extra-patrimoniaux d'une famille dont les membres pourraient protester contre l'utilisation abusive ou la confusion[5]. Il autoriserait même au nom de la "continuité familiale" à rendre recevable la requête d'un père faisant opposition au changement de nom familial du fils[6].

Plusieurs conditions paraissent nécessaires pour que le nom de famille puisse faire l'objet d'une défense collective. Tout d'abord qu'il ait été porté pendant une certaine durée sans que la jurisprudence s'attache à un délai de prescription acquisitive. Ensuite qu'il ait un "retentissement public" de manière à ce que son utilisation dans une œuvre ou un film, ou son usage commercial réalise de ce seul fait un préjudice pour tous ceux qui peuvent invoquer le rattachement à ce nom[7]. Selon une méthode reprise à propos du choix de la sépulture, les décisions judiciaires se sont refusées à délimiter " a priori" les membres de la famille qui auraient qualité pour agir. Ce seront non seulement les descendants légitimes par le sang, mais également les enfants adoptifs[8] et selon l'arrêt "Tandefelt" tous ceux qui peuvent se rattacher à un ancêtre commun sans en porter le nom (action d'Armand de Durfort et des époux de Dreux Brézé contre le sieur Tandefelt, qui se faisant appeler "Ligny-Luxembourg,

1. Cf. Commission internationale de l'Etat civil : conventions et recommandations Secrétariat Général, Francfort, 1981, rapport explicatif, p. 191.
2. Cf. "Duc de Brissac", Trib. Civ.. Seine, 1er Décembre 1926, D.H. 1927 - 1 - 128.
3. "Philippe d'Oranano", Cour Paris, 5 décembre 1962, D. 1963-129.
4. Cf. "La protection du nom patronymique et la nature du droit au nom", D. 1978 chr. 313.
5. Cf. "Tandefeilt", Cass. civ., 5 février 1968, J.C.P., 1968-15670, R.T.D.C. 1969 111 Comment R. Nerson, — T.G.I. Fontainebleau, 25 février 1970 D. 1970 Som. 211 qualifiant le droit au nom de droit "de caractère à la fois individuel, social et familial".
6. Cf. "Radescu" C.E., 8 décembre 1983 D. 1984-158 Concl. Genevois".
7. Cf. Trib. Seine 1er décembre 1926 où le Duc de Cossé Brissac agissait au nom de sa famille contre le tournage d'un film, où elle jouait un rôle odieux" capable de torner en dérison une classe sociale" — contra affaire "Negresco, Cass. Com. 28 avril 1987, Bullet. Cass. 1987. 4, p. 76 n. 100 où Madame Negresco protestant contre l'utilisation du nom de son père par les Sociétés Sopad et Nestlé était déboutée, faute de notoriété et de rareté suffisante du nom à répoque du fait (idem C.E. 8 décembre 1983 ; notoriété trop étroite du nom de "Vladescu").
8. Affaire d'"Omano", 15 décembre 1962, cit.

créait une confusion regrettable avec leur ancêtre, le connétable de Montmorency-Luxembourg). On peut rapprocher de la défense du nom familial, celle des armoiries, si elles sont un accessoire du nom et jouissent de la même notoriété que lui[1] - [2].

La sanction de l'atteinte du nom familial pourrait être non seulement l'octroi de dommages-intérêts dans les conditions de l'article 1382 C. Civ. mais aussi l'obligation d'effacer les traces matérielles de la confusion créée[3]. Mais on peut s'interroger sur la pérennité de cette protection : elle paraît liée à la transmissibilité permanente d'un nom de famille, quel que soit d'ailleurs le sexe de l'auteur de la transmission. Or la tendance actuelle, au moins en droit français — telle qu'elle apparaît notamment dans la création du "nom d'usage" par la loi du 23 décembre 1985, va vers l'individualisation et l'"éclatement" du nom familial. Selon le mot de Madame Gobert[4], l'"homme se prive de la seule immortalité à sa porte, celle du nom". Le développement d'un droit international de nom aggrave les difficultés. Nous verrons que, là encore, la commission internationale d'état civil a dû intervenir et préparer une convention sur un "certificat de diversité des noms de famille" (Convention de La Haye du 8 septembre 1982).

Bibliographie :

J. Massin, "La nouvelle réglementation du livret de famille", D. 1975, 37.
R. Lindon, "Dictionnaire Juridique des droits de la personnalité", mot "Famille" Dalloz, 1983. R. Nerson, Chroniques à la Revue Trimestrielle de Droit Civil (1969-1972). A. Ponsard, Répertoire de droit civil, mot "Nom" (1953), 344-350.

SECTION III

LES BIENS A AFFECTATION FAMILIALE : BIJOUX ET SOUVENIRS DE FAMILLE

89. Par bijoux et souvenirs de famille, il faut entendre une série de biens mobiliers que leur possession prolongée à l'intérieur d'un même cercle familial, et leur valeur extra-patrimoniale ou sentimentale supérieure à leur valeur vénale font échapper aux règles de droit commun sur l'appropriation et la transmission des biens. L'ancien droit n'avait pas ignoré la spécificité de certains titres ou droits marqués par leur affectation familiale : titres de noblesse,

1. Cf. af. De Failly, Cour, Paris, 20 décembre 1949, D. 1951 - 207 conclusions avoc. Général Rolland note F. Luchaire.
2. Sur l'action de défense du nom, cf. Ph. Nérac, "La protection du nom patronymique en droit civil, thèse Lille, 1975.
3. Ainsi dans l'affaire, au~ multiples rebondissements de "Martial de Roffignac" où le Tribunal de Poitiers, 18 janvier 1971 a ordonné un rectificatif sur un monument funéraire. G.P. 1971.2.637 note F.B. R.T.D.C. 1972, p. 376 n° 3 comment R. Nerson.
4. "Le nom ou la redécouverte d'un masque", J.C.P., 1980, 2966.

portraits de famille, croix ou armes. Pothier excluait les portraits de famille de la masse de la communauté. En l'absence de textes, la jurisprudence des Parlements avait réglé la dévolution de ce qui était déjà considéré comme "souvenir de famille" : priorité était donnée au fils ainé, sauf "suspicion légitime", prédécès ou démence. Dans de pareils cas une préférence était donnée à un autre membre de la famille (par exemple au second fils) à charge de transmettre les biens aux petits enfants. Il est intéressant de constater que la dévolution des titres et souvenirs ne dépendait pas nécessairement de la vocation successorale de droit commun ; notamment l'enfant exhérédé ne perdait pas ses droits[1]. L'individualisme révolutionnaire et la crainte des substitutions devaient expliquer l'absence de toute règle à ce sujet dans le Code Civil. La jurisprudence seule allait combler ces lacunes. A une époque beaucoup plus récente, allait émerger la notion de "bijoux de famille". Un texte particulier, de portée internationale, devait permettre à la Cour de Cassation de définir cette catégorie. Ce fut la Convention de Baden-Baden (Novembre 1919) relative à la levée de séquestre par le gouvernement français du mobilier de ressortissants allemands domiciliés en Alsace-Lorraine. L'article 1 y englobait les "bijoux de famille" à l'exclusion d'une part des "joyaux et pierreries de grande valeur", de l'autre de "ceux qui n'avaient pas une valeur certaine de piété familiale"[2]. Sur pourvoi d'une allemande désireuse d'échapper au séquestre, la Cour de Cassation précisait que "par bijoux de famille on doit entendre des objets d'ornement qui, en raison de leur origine et des souvenirs familiaux qui s'y rattachent, présentent un intérêt de respect ou d'affection indépendant de leur valeur intrinsèque, à l'exclusion de bijoux relevant d'une exploitation commerciale ou acquis dans un but purement spéculatif"[3].

90. Le fait de "prévoir des règles particulières d'attribution ou de dévolution paraît aller à l'encontre de quelques principes généraux du code, à savoir qu'il ne faut pas prendre en compte l'origine du bien, ou déroger à l'égalité entre héritiers (art. 732 et 745 C. Civ.). Aussi la jurisprudence a été amenée à préciser les conditions. Il faut tout d'abord qu'il s'agisse d'un bien meuble, dont la valeur extrapatrimoniale ou sentimentale d'attachement à une famille l'emporte sur la valeur vénale. La liste n'est d'ailleurs pas limitative : tableaux[4], décorations, titres, armes ("sabres d'honneur" comme dans l'affaire Macdonald) correspondance. Mais il est essentiel que les souvenirs ne soient pas le simple accessoire d'un immeuble qui les feraient ranger dans la catégorie des "meubles à perpétuelle demeure"[5]. D'autre part, le seul intérêt historique ou trop général ne justifie pas un régime juridique dérogatoire, précision apparue dans les affaires Chantereine[6] et surtout "de Méneval"[7]. La cour de Cassation a dissocié dans ce dernier cas, la correspondance familiale du Baron

1. Cf. sur tous ces points, Claude Robine, "Les souvenirs de famille en droit français : notion et régime", thèse, Bordeaux, 1944, pp. 19-26.
2. Cf. note A. Chéron sous Colmar, 3 mars 1927 D. 1928. 2.20.
3. Cf. 29 décembre 1932, D.H. 1933, 115.
4. T.G.T. Paris, 29 juin 1988, J.C.P., 1989, 21, 195 note E. Agostini.
5. Argument réfuté dans Cass. Reg. 20 juin 1942 D.H. 1943 - 3 J.C.P. 1943 - 2254 "de Marsilly".
6. D.P. 1869 - 2 -139.
7. Cass. 21 février 1978, conclus. Gulphe, J.C.P. 1978 - 18836.

de Ménéval, secrétaire de Napoléon Ier, transmise depuis cent cinquante ans aux descendants, de lettres adressées par l'Empereur à Marie-Louise qui ne présentaient pas ce caractère. S'agissant de bijoux, il sera nécessaire de distinguer la taille ou le travail ancien dû à une précédente génération du support "modernisé[1].

On touche par là au second élément : l'écoulement du temps, ou au moins la "valeur d'enracinement". La jurisprudence ne se laisse pas enfermer dans des délais : il peut s'agir d'une durée de plus d'un siècle ou de celle égale à une précédente génération[2].

91. C'est précisément cette sorte de "possession collective" prolongée qui risque d'être compromise par l'application de règles sur les donations ou les successions. Dans le cas des "bijoux de famille" remis le plus souvent à un des conjoints par la famille de l'autre à l'occasion du mariage ou même préalablement des fiançailles, le risque est apparu qu'ils puissent être confondus avec les "présents d'usage" ; il s'agit de dons manuels faits lors d'événements familiaux... Or la jurisprudence à partir de l'article 852, a soumis le "don manuel" à un régime d'exception, le faisant échapper aux règles du rapport et de la révocabilité[3]. Le don manuel se caractérise par son côté purement "événementiel" et son importance proportionnée aux ressources du disposant. La tentation sera donc grande pour l'ex-conjoint après la dissolution du mariage par divorce ou décès, d'invoquer le "don d'usage" et de se refuser à restitution. La vocation familiale des bijoux ou du diamant sera détournée de ses fins, avec le risque de le voir passer dans une famille étrangère au disposant. D'où une analyse, parfois contestable, de la remise du bijou par les ascendants en un "don manuel à charge de prêt" pour le conjoint et l'ornement du ménage, ou un "prêt à usage" devant faire retour à défaut de descendants à la famille d'origine[4]. On peut, il est vrai, faire valoir des objections : en l'absence de descendants, il y a une sorte de "retour légal" sans textes au profit de la famille. S'il y a des descendants, on recrée par contre une substitution qui ne profitera qu'aux enfants du mariage et non à ceux d'un autre lit (alors que l'art. 1050 du code civil interdit de pareilles distinctions). Le souci de maintenir les bijoux dans la famille d'origine l'emporte sur les autres considérations.

La jurisprudence la plus récente ne dément pas ces interprétations, notamment dans les affaires soumises au Tribunal de Paris “Veuve de Castelbajac” (avec confirmation par la Cour d’appel)[5] et “Duc de Gramont[6]. Le tribunal de Paris, ayant à statuer sur une restitution d’archives familiales par

1. Cf. Cour Douai, 17 septembre 1985, D. 1986, 301, note J.P. Langlade.
2. Cf. demande par une fille de l'attribution des décorations de guerre de son père. Ch. Reg. 14 mars 1939, D.H. 1939 - 261.
3. Cass. 1, 30 décembre 1952 - D. 1953 - 161 "Sacha Guitry - J. Carbonnier, Répert. Notariat 1950 - 28885 — S. Savatier, RTDC, 1980 - 387.
4. Cf. "affaire la Rochefoucauld", Cour Paris, 19 février 1957, D. 1957 - 321 concl. Avocat Général Lindon et note R. Savatier - Cass. 23 mars 1983, J.C.P. 1984 - 20202, note J.F. Barbiéri, pour une analyse d'une remise dépassant la valeur moyenne du "présent d'usage" et impliquant la restitution d'une bague de famille. cour Douai, 17 septembre 1985, D. 1986 - 301 note J.P. Langlade).
5. T.G.T. Paris, 29 juin 1988, J.C.P. 1989. 21240 n. Barbieri et Cour Paris, 6 mars 1990, J.C.P., 1990. 21572 n. Barbieri.
6. Trib. Paris, 29 juin 1988, J.C.P., 1989, 21195, note Agostini.

certains membres de la famille de Gramont à l'encontre du testament de l'auteur commun qui avait entendu les déposer à la municipalité de Bayonne, parle de souvenirs, qui en raison de leur valeur morale particulière, échappent aux règles du Code Civil relatives au partage, sont susceptibles... d'être remis à un des coindivisaires désigné pour les recevoir, lequel la détient alors au nom de la famille, dont ils demeureront la propriété indivise.

92. Dans un sens large, la conservation des souvenirs de famille, se heurte, elle aussi aux règles classiques sur la dévolution et le partage successoral. Bien que depuis la loi du 31 décembre 1976, la possibilité d'une prolongation conventionnelle ou judiciaire de l'indivision ait été accrue, elle n'exclut ni la licitation, ni la dispersion des souvenirs. Même en réservant la licitation aux seuls descendants du défunt, comme l'ont fait des arrêts anciens du XIXe siècle (Cour Lyon, 20 décembre 1861- D.P. 1864, 2-7) l'attributaire final peut se montrer inapte à la conservation des souvenirs. Plus grave, l'appropriation individuelle prive les autres membres de la famille de la communication ou de la mémorisation des souvenirs. Dans ces conditions les arrêts n'ont pas hésité à s'affranchir des règles successorales ordinaires ; ils décident souverainement de l'attribution en fonction de l'aptitude du titulaire[1] — (malgré les libéralités faites par le défunt à ses petites filles, fils investi des souvenirs militaires de la famille). L'arrêt de Cassation du 21 février 1978 "Méneval"[2] a approuvé la Cour d'Appel d'avoir décidé que les lettres et décorations du premier Baron de Méneval seraient transmises "en bloc" à l'héritier le plus qualifié pour les recevoir. Il ne sera pas nécessaire pour autant qu'il accepte ou recueille la quotité disponible. Selon les termes du tribunal de Lille (cit.) "l'attachement de la petite fille à son aieül ne justifie pas l'attachement à une famille, chaîne de traditions, de souvenirs et de fidélités". Cette attribution ne signifie pas nécessairement une appropriation exclusive des souvenirs. L'arrêt de Cassation du 30 juin 1942 ("De Marsilly", cit.) a qualifié expressément de "dépositaire" l'attributaire des souvenirs, et l'arrêt Méneval prévoit qu'ils resteront "à la disposition des autres membres de la famille". C'est souligner que l'aspect moral crée une sorte de droit collectif "ad exhibendum" dérogatoire du droit commun. Les non-bénéficiaires pourraient, semble-t-il, réclamer un "droit de visite" ou de reproduction des documents familiaux. Dans le même sens le Tribunal de Paris (29 juin 1988, cit.) a déclaré que la protection de l'article 2279 est exclue pour les souvenirs de famille dont la propriété est indivise.

Bibliographie :

Claude Robine, "Les souvenirs de famille en droit français", thèse, Bordeaux, 1944, cit.

1. Cf. Ch. Reg. 14 mars 1939 D.H. 1939, 261, veuve du 2e mariage d'un mari américain préférée au fils pour la conservation des décorations de guerre — T.G.T. Lille, 29 mai 1986, G.P. 1987 — 1 — Som. 123.
2. Cit. concl. Gulphe, J.C.P., 1978 - 18836.

J. Carbonnier, "Le statut des bijoux dans le droit matrimonial", Repert. Not. 1950,26885.
R. Lindon, "Dictionnaire des droits de la personnalité", Dalloz, 1983, mot "Souvenirs de famille".
Reynaud Chanon, D. 1987, 264.
A. Breton, t. 4. H.L.J. Mazeaud, (3e éd.).
Barbieri (J.F.), notes sous Trib. et Cour Paris, 6 mars 1990, J.C.P. 1989, 21240 J.C.P. 1990, 21572.

SECTION IV
LES MANIFESTATIONS POSTHUMES DE LA PRESENCE FAMILIALE

93. Par définition, le passage de la vie à l'au-delà est l'acte le plus terriblement solitaire qu'il soit. Mais la famille par sa présence (ou son absence si on songe au "Père Goriot" de Balzac), est toujours à l'arrière plan. C'est à elle que reviendra d'assurer la "paix des morts", si par exemple certaines attaques de presse contiennent "des diffamations et injures à la mémoire des morts" passibles de la répression pénale de la lois sur la presse (art. 34, loi du 29 juillet 1881). En réalité, l'infraction n'est punissable que si au delà du défunt, c'est "l'honneur ou la considération des héritiers, époux ou légataires universels vivants" qui est en cause. Il s'agit donc d'une protection pénale des valeurs morales de la famille. Grâce à des dispositions comme l'art. 809 C.P.C. la juridiction des référés a des pouvoirs préventifs de saisie[1].

Le plus souvent malheureusement, le décès sera un révélateur de conflits familiaux latents. Une jurisprudence d'une surprenante abondance — où l'affectation supposée portée au disparu n'apporte pas l'apaisement aux proches — a trait d'une part aux membres de la famille les plus qualifiés pour régler le mode et le lieu des obsèques, d'autre part aux problèmes que soulève l'affectation du caveau de famille et les rapports des indivisaires.

94. Il faut remonter aux débuts de la IIIe République pour trouver des dispositions relativement sommaires sur la réglementation des funérailles. Après des controverses sur le caractère religieux ou civil des enterrements, la loi du 15 novembre 1887 se voulait un texte d'apaisement. Il appartient à tout majeur ou mineur émancipé d'exprimer ses volontés (en général sous forme de testament olographe) quant au mode et lieu de sépulture. Une sanction pénale (celle des art. 199 et 200 C. Pén. sur le mariage religieux) est prévue pour ceux qui méconnaîtraient cette volonté ou une éventuelle décision judiciaire (art. 5). A défaut les personnes "qualifiées" devraient intervenir. Lors du vote de la loi de 1887 une proposition qui donnait la priorité aux héritiers, dans l'"ordre légal de vocation" fut repoussée. Seule, une loi du 25 octobre 1946 fixait une hiérarchie pour les sépultures des anciens combattants et victimes de

1. Pour un exemple T.G.T. de Paris, "Aymon de Barbot c/Minute", 16 novembre 1976, J.C.P. 1977, 18701.

guerre (conjoint, orphelins, père et mère, frères et sœurs)[1]. Comme pour l'attribution des souvenirs de famille, la jurisprudence n'est pas liée par les textes pour désigner la personne la plus apte à régler la fixation de la sépulture.

Un principe général domine : les juridictions devront faire prévaloir la volonté expresse ou présumée du défunt, sans s'arrêter à l'absence de disposition testamentaire formelle du "de cujus"[2]. Faute de cette volonté, la formule la meilleure est le choix unanime des membres de la famille intéressée. Il est souhaitable qu'une manifestation de volonté contraire et postérieure d'un des parents ne conduise pas à une remise en cause de l'accord et une exhumation[3]. Selon la formule de l'arrêt de Cassation de 1986 "le respect de la paix des morts ne doit pas être troublé par la division des vivants".

95. Toutefois l'hostilité qui oppose dès le départ certains parents aux autres oblige les décisions à faire un choix. S'agissant de l'emplacement de la sépulture d'un mineur, qui ne peut exprimer de volonté, mais dont les parents sont divorcés, la préférence va à celui des deux, père ou mère qui a la garde[4]. Une dispute prolongée entre les auteurs de l'enfant sur le caractère confessionnel de la sépulture amènerait à prescrire l'inhumation à un emplacement "neutre" (ainsi dans l'arrêt de Paris cit. mettant aux prises le père souhaitant l'enterrement dans un cimetière orthodoxe russe et la mère qui s'y refusait).

Pour un majeur, célibataire ou marié, les membres de la famille les plus proches de son affection de son vivant devraient avoir la priorité de décision — c'est-à-dire soit les parents, soit le conjoint. Il ne s'agit toutefois que d'une présomption simple. C'est ainsi que la Cour de Cassation a pu considérer qu'une amie et légataire universelle de la défunte avait le pas sur la mère ; celle-ci n'avait jamais reconnu sa fille naturelle de son vivant, l'avait placée de longues années en orphelinat, et cessé toute relation avec elle à partir de 18 ans. L'inhumation dans le caveau familial de la mère était contraire aux sentiments manifestés de son vivant par sa fille[5]. La préférence donnée au conjoint survivant sur d'autres parents, comme les ascendants ou les frères et sœurs, a toujours été tempérée par le contrôle de la "bonne intelligence" existant entre époux. Une séparation de fait ou une instance en divorce a été jugée suffisante pour refuser au veuf ou à la veuve l'inhumation ou le transfert du corps[6]. Cette attitude permet de comprendre l'évolution qui s'est dessinée à propos des droits de la concubine ou de la "maîtresse". Les premières décisions rendues à ce

1. Sur la loi de 1887 cf. G. Ripert, J. Boulanger, t. 4, Traité de droit civil, 1959, n° 1509-1511 — A. Breton un H.J.L. Mazeaud, t. 4, 3e édit. 1980, n° 998.
2. Cf. Civ. 26 avril 1984, Bullet. Cass. 1984 - 1 - 110 n° 142, D. 1985, J.R. 18 obs. Lindon
3. Cf. T.G.T. Pontoise, Ier juillet 1971, D. 1972. Som. 59 — T.G.T. Paris, 20 mai 1980, D. 1980 - 575 note R. Lindon, demande de transfert de sépulture formulée pat la veuve de Nijinski à l'encontre de Serge Lifar — Riom, 23 janvier 1981 et Lyon, 18 novembre 1981, J.C.P., 1983, 19956 note Almairac — Cass. 1er Civ. 3 juillet 1986 Bullet. Cass. 1986 — 1. 197 n° 205 D. 1986 Ir. R. 312.
4. Cf. Cour Paris, 16 décembre 1961, D. 1962, Som. 41 — T.G.I. Châlons-sur-Marne, 21 mars 1973 — D. 1973 I.R. 159.
5. Cf. Ordon, ler président, Montpellier, 6 décembre 1982, G.P. 1982, 2 Som. 432 et sur pourvoi, Cass. Civ. 26 avril 1984, Bullet. Cass. 1984 - 1 - 119 n° 142.
6. Cass. 1er Civ. 14 octobre 1970, D. 1971 - 94 - cour Rouen, 23 juin 1972, D. 1972, Som. 176.

sujet lui étaient défavorables[1]. Par la suite, le "réalisme" a prévalu. La "compagne" d'un "de cujus" qui l'a entouré de son affection et a assumé les frais des obsèques doit être préféré aux autres membres de la famille[2]. La Cour de Cassation, au nom du "respect des morts" qui s'opposait à une exhumation, a écarté l'argument de l'absence de durée et de stabilité de concubinage[3]. On a même vu épouse et maîtresse aux prises pour le règlement des frais d'obsèques, cette dernière soutenant qu'ils incombaient à la succession ! La maîtresse (qui avait pris l'initiative), a été condamnée, sans que la question de son éventuelle action récursoire soit réglée[4].

Des témoignages concrets d'affection (comme la rédaction d'un testament ou la souscription d'une assurance-vie) peuvent être interprétés comme donnant une priorité au conjoint sur les parents du défunt)[5].

96. Une seconde série de conflits familiaux va résulter de la nature juridique complexe des concessions de sépulture obtenues dans les cimetières et du caveau de famille. Il y a, à l'origine de la concession, un contrat administratif portant occupation du domaine public et en même temps la création d'un droit extra-patrimonial. Le fondateur peut se réserver la jouissance d'un caveau pour lui-même et les autres membres de sa famille. Si ce droit ne fait pas l'objet d'une cession à titre onéreux, il est admis que de son vivant le fondateur peut le léguer ou même renoncer à ses droits au profit d'autres membres de la famille[6]. Le caractère d'affectation familiale du caveau apparaîtra au décès du bénéficiaire de la concession. Echappant comme les souvenirs de famille aux règles de l'indivision ordinaire et du partage, la sépulture est soumise à un régime d'indivision perpétuelle à usage familial[7]. L'affectation familiale implique une double conséquence. D'une part l'inhumation dans le caveau sera réservée aux membres de la famille, sans qu'il y ait d'ailleurs une définition de cette notion. Les indivisaires descendants du fondateur seraient en droit de faire obstacle à la présence de personnes étrangères à la famille d'origine[8]. Par contre, le conjoint de l'indivisaire rentre dans le cercle des personnes ayant vocation à "profiter" du caveau familial. Dans la mesure des "places dispo-

1. Cf. Trib. Civ. Cognac, 10 janvier 1956. D. 1956 Som. 156 — Cour d'Aix-en-Provence 9 février 1983 G.P. 1984, Som. 59, qui, à propos du choix de la sépulture d'un défunt divorcé mais "partagé entre sa famille légitime et sa maîtresse, donnait la préférence aux enfants comme "représentants d'intérêts légitimes juridiquement protégés".
2. Cf. Dijon, 22 avril 1986, D. 1986 T.R. 308 conbubinage d'une durée de quatorze ans — Cass. Civ. le 8 juillet 1986, Bullet. Cass. 1986. 1 - 197 n° 205, concubine ayant fait graver le nom du défunt et le sien sur le monument funéraire).
3. Cf. Cass. 8 juillet 1986 — les relations n'avaient été que d'un mois avant la décès.
4. Réf. Cass. partielle 1er Civ. 3 mars 1987, Bullet. Cass. 1987, 60 n° 81.
5. Cour Paris, 23 juin 1989, G.P. 1989, 2. Som. 536.
6. Cf. Cass. le 25 mars 1958 D. 1958 - 352 Cass. le 4 décembre 1967 D. 1968 - 133 note J. Mazeaud.
7. Cf. M. Mignon, "Essai d'une résolution de la complexité juridique des concessions de terrain dans les cimetières", D. 1950 chr. 109 - Trib. Civ. Périgueux, 26 novembre 1931 D.H. 1932 - 144 Cass. 1er juillet 1970, J.C.P. 1972 - 17004 note P. Ourliac.
8. Cf. pour l'exclusion du beau père de la veuve Cass. Reg. 12 novembre 1940 D.H. 1940 - 194 pour celle de la grand-mère de la femme, Cour Toulouse 13 novembre 1973, D. 1974 Som. 36 Cass. 2 mars 1976 D. 1976 - 578 note R. Lindon.

nibles", les autres codivisaires ne sauraient y faire obstacle[1]. La jurisprudence récente se relâche d'ailleurs de sa rigueur en soulignant qu'il n'y a pas un "droit acquis" pour tous les membres de la famille. Il est possible en effet, comme nous le savons, que le défunt ait fait un don ou legs de concession et le bénéficiaire serait en droit de refuser la présence de certains membres de la famille[2]. La fondatrice de la sépulture familiale a pu manifester dès l'origine la volonté d'y voir enterrer une personne étrangère à sa famille. Si elle a eu l'accord initial des parents et alliés, on ne saurait revenir sur cette affectation[3].

D'autre part, le régime d'indivision forcée implique une égalité de droits des indivisaires. Toute transformation de la sépulture passe par l'accord mutuel ; un des indivisaires de sa seule initiative ne pourrait modifier les inscriptions ou l'aspect du tombeau. Toutefois, s'il ne s'agit que de simples travaux conservatoires d'entretien, un indivisaire peut faire preuve d'initiative personnelle. Il ne saurait contraindre au paiement des dépenses les autres héritiers qui s'y refusent[4]. Il s'agit d'une faculté individuelle d'utilisation. Au delà, comme pour la pratique de "réunion du corps" (dans un même caveau ou une même case) autorisée par l'Administration moyennant redevance cinq ans après inhumation, l'accord unanime des indivisaires s'impsoerait[5].

L'âpreté de ces affrontements familiaux témoigne de l'importance symbolique de la sépulture dans notre droit. A la différence de la jurisprudence qui s'est formée sur les autres prérogatives extra-patrimoniales de la famille, il ne peut y avoir de solutions de nature à satisfaire l'ensemble des intérêts en présence ; la reconnaissance des droits des uns passe par l'élimination des prétentions des autres. Cet aspect des choses est aggravé en matière internationale.

Bibliographie :

M. Mignon cit. R. Lindon, Dictionnaire des droits de la personnalité, mots "sépulture — concession funéraire".

1. Cf. Cour Montpellier, 39 décembre 1948 D. 1949 - 188 Trib. Bordeaux, 20 avril 1959, D. 1959 Som. III.
2. Cf. Civ. 1er Cass. 6 mars 1973, D. 1973 - T.R. 100 don de sépulture d'une mère à sa fille et droit du petit fils de refuser la présence de l'oncle et de la tante.
3. Cass. 13 mai 1980 J.C.P. 1980, 4, 282 - volonté du fondateur que soit inhumée la belle mère de son fils dans le caveau.
4. Cf. Trib. Civ. Seine Inférieure, 29 avril 1930, D.H. 1930 — 890 Cass. Civ. Ie 12 juin 1974, J.C.P., 1974 IV - 278 D. 1974 Som. 104. Travaux de surélévation à la seule initiative d'un des fils. Contra Cour Lyon, 18 novembre 1981 et Rennes, 18 novembre 1981, D. 1982 T.R., 476 observ. D. Martin indivisaire ayant de sa propre initiative, inscrit à l'avance le nom de son conjoint sur le tombeau et condamné à l'effacer.
5. Réponse à Question écrite Assemblée Nationale, 26 mars 1977, J.C.P. 1977, IV. 148.

SECTION V

L'ASPECT INTERNATIONAL DE L'EXERCICE DES PREROGATIVES FAMILIALES

97. La difficulté éprouvée par le droit international privé à dégager une notion unitaire de la famille explique l'extrême pauvreté, pour ne pas dire l'absence jusqu'à présent, de discussions ou de solutions sur les droits collectifs de la famille. Qu'il s'agisse tout d'abord de la défense du nom familial, on peut hésiter sur la transposition des solutions ayant trait à la défense du nom individuel. Déjà, dans ce dernier cas, l'application de la seule loi du lieu du dommage (lex loci delicti) est douteuse ; le juge se référerait éventuellement à la loi nationale pour savoir si elle sanctionne la confusion[1]. La protection du nom de famille appelle une autre solution que la défense d'un droit individuel. Le juge français saisi par un membre d'une famille étrangère du détournement ou de l'utilisation abusive en France du nom familial, devrait consulter la loi du pays avec lequel la famille a ses attaches (en général la loi du domicile). Elle se prononcerait sur le principe de la protection, même si les modalités relèvent de la loi locale. Tout aussi délicat serait le problème de la sauvegarde des souvenirs de famille. Si la succession s'est ouverte en France, il ne fait pas de doute que c'est à la loi française du domicile du défunt de se prononcer sur d'éventuelles dérogations aux règles de la dévolution et du partage. Si par contre la succession s'est ouverte à l'étranger et que des héritiers français demandent au juge d'assurer la sauvegarde des souvenirs de famille, on peut hésiter sur une éventuelle intervention de la loi française.

C'est surtout à propos des conflits familiaux sur l'emplacement de la sépulture que se sont révélés les problèmes internationaux. D'un côté, la famille ou une partie de la famille d'immigrés en France, n'ayant pas rompu leurs liens avec le pays d'origine a demandé à plusieurs reprises le "rapatriement" du corps du défunt. De l'autre les proches de celui qui s'est créé de nouvelles attaches ("veuves ou maîtresse") ont réclamé l'application de ce que Monsieur Malaurie a appelé la "lex loci cadaveris", la loi française du lieu du décès[2]. Les décisions ont régulièrement fait application de la loi française sans qu'on sache toujours très bien à quel titre elle intervient[3]. L'application du droit français peut se justifier à plusieurs titres : soit parce que le défunt est mort domicilié en France, où se trouvaient ses intérêts et ses affectifs. La loi successorale, au sens large engloberait le problème de la sépulture. Soit parce que la jurisprudence française considère que le respect de la volonté du défunt, expresse ou implicite, est d'"ordre public" et refuse toute hiérarchie en ce domaine. Ainsi dans l'arrêt de 1957 où un Libanais, décédé à Dakar avait été inhumé en France, la Cour de Cassation avait écarté une "loi libanaise maro-

1. Cf. en ce sens Ph. Malaurie mot "Nom - Prénom - Noblesse", Répert. Dalloz, t. 2,1969 n° 41 et par application de la règle française comme loi de police, H. Batiffol et P. Lagarde, t. 2, n° 404.
2. Note sous Cass. 1er Civ. 12 février 1957, D. 1959, 47.
3. Cf. Cass. 12 février 1957, cit. Cour Douai, 19 avril 1975, D. 1978 - 87 note Cazals. Cass. Civ. le 17 février 1982 "Kaci", D. 1983, D. 1978 note M. Beaubrun, *Rev. Crit.* 1984 451 note C. Labrusse-Riou, J.C.P. 1982 - IV, 153.

nite" qui réservait le choix de la sépulture aux consanguins, à l'exclusion de la veuve. Dans l'arrêt "Kaci" de 1982 une ordonnance du Président de Chambre de la Cour d'appel avait prescrit l'inhumation en France d'un Algérien à la demande de la veuve et des enfants. Mais elle n'avait pas pris en compte une "volonté de retour" du défunt comme le soutenaient la mère et les sœurs. Il est certain que pour les droits d'inspiration confessionnelle du proche-Orient et d'Afrique du Nord, les tombeaux gardent une valeur religieuse qui permettrait de les englober dans le statut personnel au sens large, et que le lieu de décès d'un immigré peut être purement fortuit[1]. Il faut observer que si la loi française a été appliquée, c'est à titre de la loi du domicile du défunt qui avait ses attaches en France. Dans l'arrêt de Douai où le "de cujus" était mort en France quinze ans après avoir quitté l'Italie, le fils qui réclamait le retour du corps avait moins de droits que la concubine. "Grillo le défunt, en montrant son affection pour une concubine française, celle-ci peut être considérée comme dépositaire de sa volonté". L'application de la loi française du domicile ne ferait toutefois pas obstacle à un éventuel retour du corps du défunt dans son pays d'origine, si la volonté de celui-ci était sans équivoque. C'est ainsi que le Tribunal d'Albertville, en l'absence de tout emplacement spécifique dans le cimetière local, a fait droit à la demande de la famille du défunt de le faire inhumer en Tunisie[2]. La volonté familiale l'a emporté sur la volonté contraire de l'épouse ou de la compagne survivante.

1. Contre l'application de la loi nationale, Labrusse, Rev. Crit., 1984, cit. p. 455.
2. Trib. Albertville, 26 janvier 1989.

PREMIERE PARTIE

LA FORMATION DU COUPLE ET SES EFFETS JURIDIQUES

90. Le "découpage" des matières juridiques du droit de la famille s'avère délicat. Bien qu'on puisse désormais pour des raisons sociologiques et sans doute chronologiques placer sur le même pied, le mariage (monogamique ou polygamique) et l'union libre, l'étude de cette dernière ne peut utilement se comprendre sans une connaissance des règles qui président à la formation du mariage et ses conséquences dans les rapports entre époux. Le mariage reste encore à l'heure actuelle le mode le plus élaboré de création des couples. Le "statut" de l'union libre se bâtit par reflet ou opposition ; sa différence d'avec le mariage est d'ailleurs, sur un plan comparatif moins sensible qu'il ne pourrait le paraître. Les conséquences personnelles et pécuniaires du mariage débordent par ailleurs les seules relations entre les conjoints pour toucher l'ensemble des rapports familiaux par l'existence de l'obligation alimentaire. Le "statut de l'enfance", c'est-à-dire l'établissement du lien de filiation (légitime ou illégitime) et les rapports entre parents et enfants sera étudié dans une seconde partie ; la troisième sera consacrée à la "désagrégation" du couple, c'est-à-dire à la séparation de fait et à la dissolution légale (divorce ou séparation de corps).

CHAPITRE IV

Le mariage en droit interne, comme liberté publique et expression d'une volonté matrimoniale

SECTION 1

DEFINITION ET SIGNIFICATION SOCIOLOGIQUE DU MARIAGE

99. Le terme de "mariage", en raison probablement de sa richesse potentielle humaine et sociologique est de ceux mieux perçus par le profane que le spécialiste. Il repose dès le départ, comme on l'a fait observer, sur une équivoque de langage. Il désigne à la fois, en effet, l'acte initial d'engagement, et l'état qui résulte de cet engagement, selon le latin de l'Eglise catholique le "matrimonium in fieri" et "in facto esse", en allemand "Heirat" et "Ehe"[1]. Les droits étrangers, qui donnent une définition du mariage précisent moins son mécanisme que ses buts. Ainsi, selon le Code de la Famille de la R.D.A. du 20 décembre 1965 (revu en 1975) art. 5, "par le mariage, l'homme et la femme fondent une union commune reposant sur l'amour réciproque, le respect et la fidélité". De même le "Code de la famille" algérien du 9 juin 1984 déclara (art. 4) que "le mariage est un contrat passé entre un homme et une femme dans les formes légales. Il a entre autres buts de fonder une famille basée sur l'affection, la mansuétude et l'entr'aide de protéger moralement les deux conjoints et de préserver les liens de famille". Le droit canonique d'après la Constitution "Gaudium et Spes" du 7 décembre 1965 passée dans le Code de 1983 (canon. 1055) voit dans le mariage "une union intime et réciproque de deux personnes aux fins de procréation et d'éducation". Le Code Civil ne

---

1. Cf. P. Hayoit, "La conception existentielle du mariage et ses répercussions en matière d'erreur". *Revue Droit Canonique*, 1983, pp. 9 sv. — J. Gaudemet, "Le mariage en Occident", Paris, 1987.

donne pour sa part aucune définition du mariage. La doctrine s'en tient en général à la formule de Portalis, reprise elle-même du juriste romain Modestin : "la société de l'homme et de la femme qui s'unissent pour perpétuer leur espèce, pour s'aider par des secours mutuels à porter le poids de la vie", définition que Laurent jugeait trop "pessimiste", en tout cas probablement trop "archaïque" pour l'état actuel des mœurs car elle postule l'indissolubilité.

Dans l'acceptation la plus généralement reconnue tant des droits "occidentaux" à influence romano-canonique, que des droits socialistes, deux éléments paraissent essentiels à la formation du mariage. Le premier est le concours des volontés d'un homme et d'une femme. Il n'y a pas de mariage sans accord, mais il est difficile de réduire cet accord à la "volonté déclic" (contractus) manifestée au moment de la création du lien. Le consentement est permanent, le long de l'union. Le doyen Carbonnier, de manière imagée a parlé d'un "flot ininterrompu dont dérivent des conséquences juridiques de plus en plus denses"[1]. De manière significative au terme de "contractus", utilisé par le code de 1917, le droit canonique, dans le code de 1983 a substitué le mot "foedus" (alliance Canon 1055), qui exprime la persistance de la volonté dans le mariage-état. En second lieu, le mariage suppose un cérémonial qui réponde aux conditions légales. C'est là, depuis le concile de Trente, la frontière qui sépare le mariage de l'"union libre" ou concubinage : Comme acte solennel, le mariage sert à fixer l'instant où les volontés des futurs conjoints deviennent irrévocables et permet d'en ménager la preuve. La précision apportée de cérémonie "légale" restreint la définition du mariage. Il ne suffit pas d'un accord de volontés et d'une cérémonie publique. Les mariages traditionnels d'Afrique et d'Asie, les unions purement religieuses ne seraient pas reconnues par le droit national, ne constituent pas des mariages. Comme les unions consensuelles de la "common Law" ; ils sont rejetés dans la catégorie des "unions libres"[2].

Il faudrait ajouter aux deux termes de la définition — accord de volontés consacré par une cérémonie légale — un troisième "gommé" par la conception "volontariste" du Code Civil, mais auquel l'Eglise catholique a toujours attaché une grande importance, celui de l'union des sexes ou de l'aspect "charnel" du mariage. Le Code du Vatican de 1917 y voyait (canon 1081) "l'acte de volonté par lequel chaque partie donne et accepte le droit sur le corps de son conjoint pour l'accomplissement des actes qui par leur nature, sont aptes à la procréation des enfants"[3]. Le Code de 1983 va préférer mettre l'accent sur l'entente conjugale, le "pacte irrévocable" et n'a pas repris cette définition. Elle est, au contraire au premier plan de la conception du mariage en droit islamique : "le contrat par lequel un homme acquiert le droit de jouir légitimement de sa femme"[4]. Malgré le rôle comme en Occident, de la volonté

1. Cf. "Terre et Ciel dans le droit du mariage", in *Mélanges* G *Ripert* 1950, t. 1, p. 329.
2. V. à cet égard le panorama très vaste et éclairant dressé par Peter Striewe, "Auslandisches und Internationales Privatrecht der nichtechelichen Lebensgemeinschaft", thèse Osnabruck, 1986 — "Droit étranger et Intmational privé de l'union illégitime".
3. Cf. J. Gaudemet, "Le mariage en Occident", cit., p. 413.
4. Cf. Mary Zwahlen, "Le divorce en Turquie : contribution à la réception du Code Civil suisse", Genève, 1981, p. 42.

dans la formation du mariage, la définition islamique ne se veut pas, au départ, égalitaire. La femme adhère plutôt à un statut légal proposé par le mari. Une sociologue marocaine, Madame Naamane-Guessous analyse le mariage en terme d"échange" inégalitaire : "la femme met à la disposition de l'homme sa force de travail, son savoir-faire, sa capacité de procréation et aussi son corps ; elle recoit en échange un statut social"[1].

100. C'est un thème actuel d'insister sur l'importance de la liberté sexuelle et du déclin du mariage comme institution[2]. De fait, les chiffres, au moins pour la France, paraissent de prime abord impressionnants. Alors que le "taux de nuptialité" était resté stable, depuis le code Napoléon de 1804 jusqu'en 1970 (entre 7,5 et 8 pour 1000) et que le nombre des mariages avait atteint un maximum de 416 000 en 1972, il "chutait" régulièrement à partir de cette date, descendant à 334 000 en 1980, à 300 000 en 1983, 266 000 en 1986[3]. On peut mettre en regard l'accroissement continu des divorces, passant de 40 000 en 1970 à 50 000 en 1973, 88 800 en 1979, 107 000 en 1985, et la brusque augmentation du nombre des enfants illégitimes : de 63 429 naissances en 1975 à 102146, soit 12,7 % des 798 000 naissances de 1982[4]. Nous ne disposons pas de renseignements aussi précis pour l'étranger, seulement d'indications partielles qui montrent que le mariage est atteint : ainsi dans les Etats scandinaves (où il est vrai que depuis le Code suédois de 1734, une place était reconnue à l'union libre), le mariage est tombé au Danemark, de 35 000 dans les années 1950-1960, à à peu près 30 000 pour 1977-1980, au regard de 13 400 divorces. Encore plus spectaculaires sont sans doute les chiffres suédois, passés de 51200 mariages et 8 600 divorces (10,2 % d'enfants illégitimes en 1956) à 37 399 mariages et 20 300 divorces en 1979[5]. Des études et sondages ont démontré aux Etats-Unis et en Allemagne la baisse du taux de nuptialité et parallèlement l'accroissement de l'"union libre". Aux Etats-Unis, le nombre des couples non mariés serait passé de 1 million en 1977, à 1800 000 en 1981[6]. En Allemagne Fédérale, un sondage de l'"Institut Fédéral démographique" de Wiesbaden réalisé en 1978 à Hambourg révélait que sur 2 025 femmes interrogées, de 18 à 28 ans, près de la moitié (soit 1008) n'étaient pas mariées, 240 (soit 25 % des célibataires) vivant en union libre[7].

---

1. Cf. S. Naamane-Gaessous, "Au delà de toute pudeur, la sexualité féminine au Maroc", thèse, Paris VIII, 1985 et 2e édit., 1988, Mohammedia, Maroc, p. 122 — Contra, la thèse assez peu convaincante sur la déformation des paroles du prophète de M. B.A. Sarhang. Pour "Droits de la femme en Islam shiite-imamite", thèse, Paris VIII, 1983.
2. Cf. Ph. Malaurie, "La famille", 1987 cit. n° 117-119.
3. Chiffres in E. Sullerot, "Pour le meilleur et sans le pire", Paris, 1984 et J. Gaudemet "Le mariage en Occident", 1987. Le chiffre des mariages a un peu remonté en 1990 (287 000).
4. Revue "Population", Décembre 1983.
5. Cf. M.S. Danielsen, Rapport du IIe Colloque de droit européen, Messune, 1981 et A. Agell, "The Swedish Legislation on marriage and cohabitation", Scandinavian *Studies* inLaw, 1980, pp. 11 sv.
6. Cf. J.T. Oldham et David S. Caudill Family Law Quarterly, 1984-1, pp. 93 sv. — P. Striewe cit qui relate que sur un sondage entrepris sur 2150 hommes entre 1974 et 1976, âgés de 20 à 30 ans, 29 % des Noirs et 16 % des blancs vivaient en union libre. Cf. P. Striewe, cit. p. 5 et voir les chiffres rapportés au n° 66.
7. Revue "Population", Décembre 1983.

101. Les résultats des enquêtes et sondages doivent toutefois être interprétés avec prudence. On ne saurait tout d'abord parler d'un déclin mondial du mariage. Les relations hors mariage dans les droits religieux du monde islamique ("zina") continuent d'être frappées des sanctions les plus graves (lapidation ou flagellation) sans qu'apparaisse une "promotion de l'union libre". L'importance que nous avons déjà souligné des "mariages parallèles", traditionnels ou religieux ne donne pas nécessairement aux intéressés le "sentiment qu'ils s'écartent d'une union régulière"[1]. Le déclin du nombre annuel de mariages en France n'est pas nécessairement un phénomène irréversible. Les chiffres du XIXe siècle[2] révèlent qu'ils ont été très bas à certaines périodes[3]. On ne peut non plus négliger l'importance des remariages, en augmentation[4]. Un certain nombre de facteurs externes contribuent à cet affaissement du mariage : l'allongement de la durée de la vie humaine, avec corrélativement l'"exutoire des tensions" que constitue le divorce, le refus souvent d'envisager au-delà d'un avenir immédiat, et l'absence de perspective religieuse (selon le mot profond de Jean Carbonnier, tandis que le concubinage n'est qu'une "union pour la vie" le mariage est "une union sexuelle où pénètre l'idée de la mort") à une époque de "refoulement de l'au-delà". Mais surtout semble-t-il, la valorisation de la notion de "liberté matrimoniale" entraîne le déclin des conditions autres que celles relatives au consentement et pousse au rapprochement d'avec l'union libre. Nous verrons d'ailleurs que paradoxalement, les pays qui font produire des effets juridiques étendus au concubinage, en reviennent à poser des conditions "évacuées" en matière de mariage. Un auteur, qui prend en compte les transformations survenues dans les effets du mariage et les obligations des époux a fait valoir, que, dans sa forme actuelle, le mariage est conçu "pour une société qui n'existe plus : où la femme avait besoin d'être prise en charge la vie durant où le devoir de fidélité était essentiel pour assurer un lignage à l'homme"[5]. On pourrait concevoir un "mariage temporaire" — le temps nécessaire d'assurer l'éducation des enfants — à côté d'un "mariage perpétuel", qui pourrait d'ailleurs être dissous par anticipation en cas de maladie mentale incurable, ou de volonté unilatérale de l'un ou l'autre époux. Les critiques de Madame Calais-Auloy portent d'ailleurs plus sur la dissolution du lien et ses conséquences (notamment les prestations après divorce) que sur sa création. C'est surtout la reprise (sans caractère confessionnel) d'une formule déjà connue dans le passé (ABGB autrichien de 1811, concordat de 1940 entre le Portugal et le Saint Siège) : les époux qui auraient recours au "mariage limité", connaîtraient une sorte d'"union libre améliorée". Il est douteux qu'un pareil choix puisse

1. Cf. en France même, les réflexions de l'Avocat Général Gulphe dans l'affaire "Rosilio" Cass. le 6 mai 1985, J.C.P. 1985, 204 ss.
2. Donnés par J. Carbonnier, "Sociologie du droit de la famille, Cours polycopié, 19591960 et A. Rouast, "La famille", 1952 p. 56.
3. 269 000 en 1890, même 258 000 en 1939 avec déjà la dénonciation par André Rouast du déclin du mariage n° 68.
4. 34 400 hommes et 31000 femmes divorcés remariés en 1978 in M. Segalen, "Sociologie de la famille", p. 145.
5. Cf. M.T. Calais-Auloy, "Pour un mariage aux effets limités", R.T.D.C. 1988, p. 257.

s'opérer sciemment lors de la formation de l'union. Nulle part, le "mariage à l'essai" n'a été officialisé.

SECTION II
LE CHOIX DU CONJOINT COMME MANIFESTATION DE L'EXERCICE D'UNE LIBERTE PUBLIQUE

§ 1. LE PRINCIPE DU LIBRE CHOIX DU CONJOINT ET DU MARIAGE

102. Qu'il y ait, dans a formation du lien matrimonial, une manifestation de volonté des futurs époux, ne suffit pas à l'assimiler à celle des contrats ordinaires. Il ne s'agit pas de la prise en compte d'avantages matériels. . . Engageant la personnalité de chacun, la volonté matrimoniale porte sur des éléments extra-patrimoniaux. Mieux même, comme nous l'avons vu à propos des sources du droit de la famille[1], les Conventions internationales (Déclaration universelle des droits de l'homme de 1948 et Convention européenne des droits de l'homme de 1950) élèvent le mariage au rang des droits "naturels et fondamentaux" que les diverses législations positives doivent sauvegarder. Plusieurs Constitutions d'après la seconde guerre mondiale, notamment celles de l'Italie et de l'Allemagne, s'inspirent de la même idée. Il y a en réalité un double sens de la liberté matrimoniale : le premier et le plus positif, est la lutte contre toutes les autorisations ou interdictions qui créent des conditions discriminatoires pour le mariage, si elles sont extérieures à la personne des époux. Le second aspect le plus contestable est un aménagement des structures familiales, tel que chacun ait l'entière faculté de se marier ou non : c'est, nous le verrons, un encouragement indirect au célibat, ou à l'union libre. Il faudra enfin se demander si la reconnaissance officielle de la liberté du mariage ne risque pas d'être remise en cause, au nom d'autres principes moraux ou matériels, dans les actes à titre gratuit, ou les contrats entre particuliers (§ 2).

103. Les articles 8 et 16 de la déclaration des droits de l'homme de 1948, comme l'article 12 de la convention européenne disposent "qu'à partir de l'âge nubile, l'homme et la femme ont le droit de se marier et de fonder une famille". L'article 14 de la même convention condamne les discriminations. Certains particuliers ont utilisé, au nom de ces principes, la possibilité de saisine directe devant la cour de Luxembourg. Ainsi en 1987, la Suisse a été condamnée sur la requête d'un de ses ressortissants, marié deux fois puis divorcée, pour l'article 150 du Code Civil, imposant un "délai de pénitence" de trois ans au conjoint adultère avant le remariage[2]. Jusqu'à présent, ce sont surtout les juridictions nationales qui ont sanctionné les entraves à la liberté

1. Cf. n° 17.
2. Cour Européenne, 18 décembre 1987. G.P. 1988, 1 - 436.

matrimoniale : ainsi, en Allemagne la Cour Suprême fédérale administrative (Bundesverwalltungsgerichtshof), dans un arrêt de 1962, a refusé de voir une violation de ses devoirs, dans le cas d'un fonctionnaire de police marié sans autorisation de ses supérieurs. Un éventuel refus de mariage aurait été, pour la Cour une violation de la Constitution de 1949, plaçant le mariage et la famille sous "la protection particulière de l'Etat"[1]. Aux Etats-Unis, la Cour Suprême s'est appuyée sur la constitution pour qualifier le mariage de "droit fondamental" ; elle a d'abord condamné les restrictions aux mariages interraciaux au nom de l'"equal protection" dans l'affaire "Loving v/Virginia" (1967). Puis elle a annulé comme anti-constitutionnel (violant le 14e amendement) un texte de l'Etat du Wisconsin dans l'affaire "Zablocki v/Redhail" (1978). En l'occurrence un sieur Redhail avait été condamné, à la suite d'un procès en recherche de paternité naturelle, à l'entretien d'un enfant jusqu'à dix huit ans. Sans emploi et indigent, il négligea de remplir ses obligations et deux ans plus tard, sollicitait une licence de mariage. La législation du Wisconsin en subordonnait la délivrance à une autorisation judiciaire, attestant que le père avait rempli ses obligations et que l'enfant ne retomberait pas à la charge publique Redhail intenta un recours successivement devant la Cour de district, puis devant la Cour Suprême américaine. Le juge Marshall fit valoir que la disposition, faisant dépendre la validité du mariage de conditions économiques constituait une entrave à sa liberté. C'était l'exercice d'un droit fondamental" qui était en jeu. Le problème non entièrement résolu, a été de savoir si l'arrêt "Redhall" devait être le point de départ d'un principe fédéral, et entraîner la condamnation de toutes les restrictions à la libre célébration du mariage. La cour Suprême s'est refusée à censurer les interdictions d'unions homosexuelles. Elle a par contre jugé discriminatoires des exigences différentes d'âge nubile pour les hommes et les femmes[2]. Des jurisprudences d'Etat se sont appuyées sur le précédent “Redhail” pour lever des prohibitions de mariage jusque là applicables. Ainsi la Cour Suprême du Colorado, estimant qu'il n'y avait pas de trouve apporté à l'ordre public a validé, dans l'arrêt "Israël v/Allen" 1978 le mariage d'un frère et d'une sœur adoptive[3]. Le principe de liberté matrimoniale domine l'ensemble de la matière du mariage, et nous verrons qu'il peut s'imposer même à l'encontre de certains principes en matière de conflits de lois ou de juridictions. — Il est vrai qu'il est d'une application universelle. Sans parler de prohibitions tenant à la race ou la religion, l'autorisation préalable ministérielle ou administrative, s'il s'agit par exemple du mariage d'un national et d'un étranger y porte directement atteinte.

---

1. Cf. Fam RZ. 1980 a admis un secrétaire des Affaires Etrangères à faire valoir l'illégalité d'un décret de 1969 limitant le choix de son conjoint (cf. D. 1980 TR. 297 ob. Devolvé cité au n° 21). FamRZ. 1962. 303. En France, un arrêt “Bargain” du 18 janvier 1980 du Conseil d'Etat a admis un secrétaire des affaires étrangères à faire valoir l'illégalité d'un décret de 1969 limitant le choix de son conoint (cf. D. 1980 T.R. 297 observ. Devolvé, cit. p. 210).
2. “Stanton v/Stanton”, 1975.
3. Cf. M.A. Becker et A. Honig — *Annual Survey of American Law* — University School of Law, 1979, pp. 511 sv.

104. La notion de liberté du mariage n'est donc pas exempte d'équivoque si on ne distingue pas le principe — l'absence de contraintes extérieures — de certaines conséquences qu'on prétend en tirer sur la suppression des conditions de fond. Elle est également plus douteuse si on prétend nier à l'avance toute différence dans les conséquences du choix opéré par l'intéressé. On sait que tel était le raisonnement soutenu par Paula Marckx devant la Cour Européenne de Strasbourg avant la réforme du droit belge (n° 18). En l'absence d'une "famille naturelle" analogue à la légitime, elle allèguait la contrainte que représentait le mariage pour améliorer la position de l'enfant. La cour Européenne avait certes refusé de la suivre sur ce point précis. Il n'en n'est pas moins vrai que les réformes contemporaines, notamment en droit français, ne veulent plus faire du mariage un choix comportant une situation privilégiée pour les gens mariés. La légitimité autrefois "clé de voûte" du mariage est concevable en dehors de lui : il suffit de songer endroit français à l'adoption plénière pour un célibataire ou la légitimation par autorité de justice à la requête d'un seul parent. L'aboutissement logique de cette notion de liberté matrimoniale est la consécration constitutionnelle de l'union libre ou même du refus de toute vie commune comme du mariage. Telle a été la position de la Cour Constitutionnelle de Karlsruhe en Allemagne Fédérale ; dans un cas où un ancien concubin abandonné par sa maîtresse partie vivre avec son enfant sollicitait le maintien d'un "droit de contact" avec cet enfant, elle a invoqué la possibilité absolue de se marier comme de vivre séparés, ou simplement en commun, mais sans mariage[1].

§ 2. LES CONVENTIONS DEROGATOIRES A LA LIBERTE MATRIMONIALE

105. Ce sont moins les entraves légales — que la volonté des particuliers, dans des clauses insérées dans les actes à titre gratuit ou onéreux qui ont paru menacer la liberté du mariage en droit français. La jurisprudence sur les clauses de célibat ou de viduité (interdiction de remariage) en est un bon exemple. S'agissant tout d'abord des libéralités, les lois révolutionnaires des 57 septembre 1791 (loi de Brumaire an II) avaient condamné toute atteinte à la liberté du mariage. En déclarant non écrite une clause restrictive, la jurisprudence du XIXe siècle adoptait une position plus nuancée. Certains donateurs ou testateurs peuvent obéir en effet à des considérations respectables : le désir de maintenir l'affectation familiale de certains biens, d'éviter de voir par remariage des entreprises péricliter. La pression sur la volonté du bénéficiaire existe, mais elle est faible : celui qui n'exécuterait pas la condition perdrait tout au plus l'espoir de s'enrichir. La position adoptée très tôt[2] a consisté à analyser les mobiles du disposant en recourant au mécanisme de la cause, comme motif déterminant. La clause de célibat ou de viduité est en principe valable et elle ne serait annulée, comme la libéralité toute entière

1. 24 mars 1981, Verfas. G.H. Fam. RZ. 1981, pp. 429 sv.
2. Dès l'arrêt de la Chambre des Requêtes Cass. 18 mars 1867 D. 1867 - 1 - 332.

au sens de l'article 1172 C. Civ., que si celui qui la conteste, en démontrait le caractère illicite ou immoral. Il ne peut résulter en soi de l'atteinte à la liberté du mariage, seulement de considérations répréhensibles propres au disposant. La cour de Cassation s'en remet sur ce point à l'appréciation des juges du fond[1]. Dans quelques cas, la clause a été annulée alors qu'il ressortait des circonstances qu'elle heurtait des considérations d'ordre public[2]. Il faut d'ailleurs remarquer que la jurisprudence a vieilli et que les clauses insérées dans les actes à titre gratuit, se font de plus en plus rares. Avec l'élargissement du divorce et le déclin de l'idée d'indissolubilité du mariage, il faudrait certainement condamner les dispositions qui subordonnent la validité d'une libéralité à l'absence de divorce. La cour de Rennes a cependant validé le legs universel fait par un testateur à son fils, comportant la clause qu'en cas de séparation ou de divorce", il profiterait à la brue. Elle a analysé la disposition comme témoignant du désir du testateur "'d'acquitter une dette de reconnaissance envers sa brue" pour les soins prodigués quelles que soient les vicissitudes du ménage[3].

106. La portée des clauses de célibat ou de viduité est autrement plus grave dans les actes à titre onéreux, spécialement les contrats de travail. On conçoit, certes, qu'en certaines hypothèses, il n'y ait pas une barrière totalement étanche entre la vie privée et professionnelle. L'emploi du salarié peut souffrir de son manque de disponibilité, voire de son attitude ou de celle de son conjoint contraire à l'activité de l'entreprise. Mais il n'y a pas de commune mesure avec le cas des libéralités. La non observation de la clause peut se traduire pour lui par un licenciement fautif sans indemnité et l'extrême difficulté de retrouver un emploi. L'interdiction de mariage est inefficace si l'intéressé vit en union libre. La jurisprudence a pourtant été embarrassée pour des raisons propres au droit du travail, le pouvoir du chef d'entreprise, et la force du règlement intérieur. Après l'affaire, dite des "Hôtesses d'Air France"[4], la Cour de Cassation fixait sa position dans un arrêt "Dame Forestier" du 7 février 1968[5]. C'était à celui qui invoquait la clause de célibat d'en prouver la validité. L'employeur d'une assistante sociale rurale ne justifiait pas de l'incompatibilité de sa fonction avec l'exercice d'une vie familiale. La liberté matrimoniale ne pouvait être restreinte que par "des nécessités impérieuses tirées de la nature des fonctions ou de leur condition d'exercice". Le débat

---

1. Cf. Cass. Req. 30 mai 1927, D.H. 1927 - 448, Cass. Req. 25 mars 1946, D. 1946 - 222 désir jugé valable de "protéger le mari de la défunte contre sa propre faiblesse" - Trib. Chambéry, 2 décembre 1952, D. 1953 Som. 34 — volonté d'empêcher que par le remariage de sa femme, un étranger mette la main sur le commerce familial — Trib. Valognes, 7 mai 1958 D. 1958 Som. 153.
2. Cf. Trib. Seine, 22 janvier 1947, D. 1947 - 127 - legs universel sous condition d'interdiction de mariage avec un Israélite — Trib. Civ. Châtellerault, 8 février 1949 D. 1949 - 467 note J. Carbonnier — legs au mari comportant l'interdiction d'épouser sa maîtresse et de légitimer l'enfant.
3. Cf. Cour de Rennes, 14 février 1972, J.C.P., 1975 - 17934 et comment. approbatif R. Savatier, RTDC, 1975 - 350.
4. où à propos de la clause de célibat, la Cour de Paris, 30 avril 1963 D. 1963 - 429 note A. Rouast et chron. P. Voirin, D. 1963 - 247 voyait dans le droit au mariage "un droit individuel d'ordre public qui ne peut s'aliéner, ni se limiter".
5. D. 1968 - 429 Comm. G. Cornu, RTDC, 1968 - 557.

devait renaître après le licenciement de plusieurs enseignantes d'établissements catholiques vivant en union libre ou se remariant après divorce. Leur congédiement était justifié au dire de ces collègues, par les contradictions entre leur vie privée et les buts de l'établissement, comme par le fait que les convictions religieuses avaient été prises en compte lors de leur embauche[1]. L'Assemblée Plénière de la Cour de Cassation, dans la célèbre affaire "Association pour l'éducation populaire St.Marthe", après une première Cassation et les réticences des juges du fond, devait faire preuve de prudence : l'employeur ne peut limiter la liberté du mariage "que, dans des cas très exceptionnels où la nécessité de fonctions l'exige impérieusement". La formule restrictive n'en devait pas moins entraîner le renvoi de l'institutrice[2]. La "bonne marche de l'entreprise" parut alors justifier le licenciement. La Chambre Sociale devait pourtant un peu plus tard mettre de nouveau l'accent sur la liberté du mariage. Une dame Leemann ayant été licenciée pour avoir épousé un camarade de travail de l'entreprise malgré le règlement intérieur, la Chambre Sociale précisait que les conditions justificatrices n'étaient pas réunies. La perte de la situation compromettait sérieusement la possibilité de mariage de l'intéressée[3].

107. On a pu penser après les arrêts "St Marthe" et "Quo Vadis", que les interférences entre l'emploi et la vie matrimoniale disparaîtraient. Les "lois Auroux" portant sur la réforme du règlement intérieur (modifications des art. L. 122-35 et 123-1, 122-45 selon les lois du 13 juillet et 4 août 1983) ont énoncé de manière relativement précise que "nul ne peut être sanctionné ou licencié en raison de sa situation familiale" (L. 122-45) et de façon plus vague que "le règlement intérieur ne peut apporter au droit des personnes et aux libertés individuelles de restrictions non justifiées par la nature de la tâche à accomplir, ni proportionnées au but recherché". Si aucun arrêt n'a remis depuis expressément en cause le droit au mariage, on ne saurait dire que le "rideau est tombé". La bonne marche ou l'"image de marque" d'une affaire a paru incompatible avec la vie privée d'un employé et justifier son renvoi[4]. Le climat de confiance réciproque "nécessaire" a été considéré, en son absence, comme justificatif du renvoi d'une secrétaire trilingue, alors qu'elle représentait son entreprise dans un litige l'opposant à son mari mis à pied[5]. C'est dans cette affaire la solidarité supposée entre époux qu'a entraîné le licenciement. Les juridictions mêlent donc la vie professionnelle à l'état de mariage ou de

---

1. Cf. T.A. Rennes, 9 décembre 1970 et Cour Chambéry, 22 octobre 1970, D. 1971, 313 note A. Demichel — Cass. Ch. Mixte, 17 octobre 1975, J.C.P. 1976, 18328 note R. Lindon.
2. Cf. Cass. Ass. Plénière, 19 mai 1978, D. 1978 - 546 concl. Avocat Général Schmelek note Ph. Ardant.
3. Société des Editions Quo Vadis, Cass. Soc., 10 juin 1982, J.C.P., 1984 - 20230 note S. Hennion-Moreau.
4. Cf. Cour Paris 13 février 1985, D. 1985 T.R. 269 — chauffeur ayant une liaison avec la femme de son employeur. Comparer Cass. soc. 7 mai 1986, Bullet. Cass. 1986, 5 n° 204 G.P. 1986 — 2 Panorama 184 — licenciement d'un concubin pour faute professionnelle entraînant le renvoi de sa concubine qui jouissait des mêmes avantages de fonction.
5. Goupil C/SA Boussac Saint-Frères Cass. soc. 6 juillet 1983, Bullet. Cass. 1983 - 5, n° 395.

concubinage de leurs employés. On peut craindre que la notion de liberté nuptiale demeure encore fragile dans les contrats de travail.

Par delà l'exercice de la liberté de contracter ou non mariage, la rencontre de volontés qui en résulte est une donnée psychologique qui produit des conséquences de droit. Le consentement doit rester libre jusqu'au jour de la célébration. C'est le problème de la valeur juridique du courtage matrimonial et des fiançailles (Section III). Lors de la cérémonie, le consentement doit satisfaire à certaines qualités : il doit être personnel et lucide, comme exempt de vices (Section IV). On peut enfin se demander s'il peut être mis au service de fins étrangères à la vie commune d'époux. C'est la question de la simulation (Section V).

Bibliographie :

A. Huet, "Les atteintes à la liberté nuptiale dans les actes juridiques", R.T.D.C., 1967, pp. 45 sv.

A. Bénabent, "La liberté individuelle et le mariage", R.T.D.C., 1973, pp. 440 sv.

F. Luchaire, "Les fondements constitutionnels du droit civil", R.T.D.C., 1982, pp. 248 sv.

Y. Madiot et D. Breillat, "La famille, élément des droits de l'homme en Europe", in *Le droit non civil de la famille,* Poitiers, 1983, pp. 215 sv.

N. Coiret, "La liberté du mariage au risque des pressions matérielles", R.T.D.C., 1985, pp. 63 sv.

J.B. d'Onorio, "La protection constitutionnelle de la famille et du mariage en Europe", R.T.D.C., 1988, pp. 1 sv.

P. Boucaud, “Le droit de se marier”, *Rev. Trim. des droits de l'homme,* 1992 (9), pp. 3 sv.

SECTION III

LA SAUVEGARDE DE LA LIBERTE DU CONSENTEMENT JUSQU'A LA CELEBRATION : LE COURTACE MATRIMONIAL ET LES FIANCAILLES

§ 1. LE COURTAGE MATRIMONIAL

108. Comme pour les contrats, le mariage peut être précédé d'une "phase exploratoire" qui monte à la vie juridique. Au siècle de la rationalité et de l'ordinateur, mais aussi de la solitude urbaine, née paradoxalement de la masse, on conçoit le recours à l'entremise d'un tiers, capable de provoquer les rencontres et d'éclairer le candidat au mariage. Le personnage de l'"entremetteuse" est bien connu du théâtre et de la littérature depuis l'Antiquité. Il n'y a plus guère de points communs entre l'activité occulte et douteuse de l'époque romantique et les salons d'entreprises ayant "pignon sur rue". L'"Agence matrimoniale" se présente comme une activité de service qui propose au client potentiel un "contrat de courtage", c'est-à-dire "la convention aux termes de laquelle le courtier s'engage moyennant rémunération, à procurer un parti en rapport avec la situation sociale du client et ses désirs"[1]. Contrairement à d'autres formes de courtage, la convention a paru longtemps tomber sous le coup de la nullité pour atteinte aux bonnes mœurs". Il paraissait choquant à la Cour de Cassation, dans le silence des textes, de lier un acte aussi personnel que le mariage à un accord pécuniaire, de "mêler à la préparation de l'indissoluble société l'intervention et l'intérêt d'un agent dominé par des idées de spéculation et de lucre[2]. Depuis l'arrêt "Gachet", la Cour de Cassation a fait justice de ces raisonnements[3]. Loin d'être immorale, l'intervention d'une Agence peut mieux éclairer la volonté que les hasards d'une rencontre et réduire les risques d'échec de l'union. Le contrat n'est pas sans cause, puisque la rémunération est justifiée par les démarches et l'activité de l'Agence. La remise d'une libéralité à l'issue de la rencontre sera assimilable à une donation faite en vue du mariage et comme telle, révocable[4].

La convention de courtage n'est pourtant pas exemple de certains dangers ou désillusions. Certaines Agences[5] stipulent parfois des honoraires hors de rapport avec les services rendus, voire s'en tiennent à un mode de règlement comportant une pression sur leurs clients[6]. Vis-à-vis des utilisateurs, les Agences risquent d'accroître leurs investigations dans la vie privée où au contraire se voir reprocher une insuffisance de leur obligation de renseignements. Une décision du Tribunal de Douai a ainsi admis qu'une candidate au mariage avait pu valablement se refuser au règlement pour avoir été induite en erreur sur la personnalité du partenaire[7].

La liberté des Agences dans leur fonctionnement et les conditions posées aux clients appellent donc certaines limites. Après un projet de 1978 resté sans suite (nécessité d'un écrit, détail des prestations, interdiction pour les mineurs et les personnes mariées d'y recourir), le courtage matrimonial a été réglementé par le texte très général sur "l'information et la protection des consommateurs" du 29 juin 1989 . L'article 6 réglemente les "offres de rencontre en vue de la réalisation d'un mariage ou d'"une union stable" (est-ce une allusion au concubinage ?). Le contrat doit être rédigé par écrit en caractères lisibles, l'Agence étant tenu, lors de sa conclusion, d'en remettre un

1. Cf. R. Dorat des Monts, "La cause immorale", thèse, Paris, 1956, p. 34.
2. Cass. 1er mai 1855, D. 1855 - 1 - 147 comp. Ph. Malaurie, cit. n° 130-131.
3. Cass. 27 décembre 1944 D. 1945 - 121.
4. Cf. Cour de Versailles, 13 janvier 1989 D. 1989 IR. 76.
5. qui sont pour la Cour de Cassation, des établissements commerciaux, non du domaine des professions libérales Com. 23 avril 1984, Bullet. Cass., 1984 - 4 n° 122.
6. Cf. T.G.T., Dijon, 20 janvier 1983, G.P., 1984 - 1, Som. 186 condamnant une rémunération par étapes, subordonnée au mariage du client. On lui avait faussement présenté comme infirmier d'un hôpital psychiatrique... celui qui n'en était que le client I - Trib. Inst. Douai, 7 juillet 1982, D. 1982, T.R., 491.
7. Cf. D. 1989 - 211 - J.C.P. 1989, 62881. Sur la loi de 1989 complétée par le décret du 16 mai 1990, G. Heidsieck, "Le marché de la solitude", J.C.P. 1990, 3432.
Le décret du 18 mai 1990 (D. 1990. 245) apporte des précisions supplémentaires sur les cas de résiliation du contrat. Ils nécessitent l'envoi d'une lettre recommandée avec accusé de réception. Le prix initialement convenu est réduit en fonction de celui déjà couru et de celui qui reste à courir. Les sommes perçues dans ce cas par le professionnel (2000 agents sur le marché regroupés par la Fédération Française matrimoniale) doivent être remboursées dans les deux mois.

exemplaire au cocontractant (art. 6-1). Il est conclu pour une durée d'un an, sans tacite reconduction, avec faculté de résiliation pour "motifs légitimes" au profit des deux parties (art. 6 3). Le contrat doit éclairer l'usager sur les caractéristiques de l'Agence et de ses prestations, préciser les qualités de l'éventuel partenaire recherché par le cocontractant (art. 6 - 2 - "sans doute s'agit-il de prévenir l'erreur sur les qualités substantielles"). Des précisions doivent également être apportées sur le règlement et ses modalités ; le cocontractant de l'Agence se voit offrir un délai de sept jours pour revenir sur son engagement. Ces règles sont étendues aux "annonces personnalisées" passées par des Agences avec l'accord des intéressés (art. 6 III). Le texte fait peser la menace des sanctions de l'escroquerie (art. 405 C. Pénal) sur les Agences qui auront mis en présence des personnes dont l'une d'entre elles, est, "rémunérée par leurs soins" qui n'auront effectué aucune démarche ou visé des personnes fictives (art. 6 V).

§ 2. LES FIANCAILLES ET LEUR VALEUR JURIDIQUE

109. Avec les fiançailles on aborde une phase de "densification" de la volonté matrimoniale, toujours d'une grande richesse sociologique et folklorique. Le Bas-Empire romain et les débuts du droit canonique y avaient vu un véritable "prémariage" les "verba de futuro" comportant remise de cadeaux et même versement d'arrhes. Mais l'Eglise catholique devait réagir contre la tentation d'assimiler les promesses suivies de consommation au mariage lui-même (verba de praaesenti). La crainte d'unions "clandestines" sans cérémonial officiel devait expliquer le silence gardé sur les fiançailles par le Concile de Trente et au-delà par le Code Civil. Tout au plus, les Officialités ecclésiastiques, puis à la fin de l'Ancien Droit, les Parlements, devaient octroyer des dommages-intérêts aux fiancées séduites et abandonnées, faire droit à l'action "en rapt de séduction" à la suite de promesses de mariage[1]. Les rédacteurs du code Civil en omettant de traiter du droit des fiançailles, entendaient rappeler comme en droit intermédiaire le caractère strictement personnel du mariage, à l'abri des pressions ou préparatifs familiaux.

110. Il est difficile de porter à l'heure actuelle une appréciation globale sur le rôle des fiançailles en droit comparé. Dans certains pays, l'institution est en décadence, voire en disparition, soit en raison de la conclusion très brève des mariages, soit en sens inverse par le refus de transformer des liaisons de longue date en union légitime. Le droit anglais a connu pendant longtemps une action "for breach of promise" de caractère "mixte", à la fois délictuelle et contractuelle. Une réforme de 1970 (Miscellaneous Provision Act) a fait disparaître la plupart des effets juridiques sauf en ce qui concerne la restitution de cadeaux[2]. De même, la Suède n'en tire plus aucune conséquence depuis la loi de réforme du mariage du 4 juillet 1973[3]. La plupart des Etats socialistes

1. Cf. J. Gaudemet, "Le mariage en Occident", cit., p. 303.
2. Cf. Férid Böhmer, "Internationales privatrecht", 1986, n° 8-21.
3. Cf. Fam. RZ. 1983 - 861.

d'Europe de l'Est ont ignoré juridiquement les fiançailles (ainsi l'U.R.S.S. et la R.D.A.), soit les ont règlementé très brièvement (en Tchécoslovaquie pour la responsabilité en cas de rupture, en Pologne pour la restitution des cadeaux)[1].

Par contre, quelques pays d'Europe occidentale les traitent un peu plus longuement. Le droit italien, selon les précédents canoniques, prévoit la rédaction d'un acte public ou privé (art. 81 Codice Civile). La Suisse (art. 90-92 Z.G.B.) admet en cas de rupture la réparation du préjudice moral. Surtout le B.G.B. allemand contient un certain nombre de dispositions qui n'ont pas été touchées par les réformes (§ 1297-1302). Le § 1297 refuse toute action en justice à celui qui prétendrait transformer les fiançailles en mariage. Mais si des fiançailles sont rompues par la faute de l'un des fiancés, les § 1298-1300 admettent une réparation pour les dépenses engagées et le préjudice matériel, y compris celui qui résulte de la cohabitation avant mariage (§ 1300). Un délai spécial de prescription de deux ans est prévu pour la restitution des cadeaux (§ 1302). Les auteurs ne se prononcent pas expressément sur la nature juridique des fiançailles. Si en effet le § 1297 interdit d'y voir un véritable contrat, le caractère illégitime de la rupture est présumé. C'est le défendeur à l'action en réparation qui devra en prouver le motif licite de la rupture. Il y a là une responsabilité pour "atteinte à la confiance" (Vertrauenshaftung)[2].

111. Hors d'Europe, les fiançailles continuent de revêtir une assez grande importance dans des sociétés plus traditionnelles. Le droit musulman insiste sur la nécessité de sauvegarder jusqu'au mariage la liberté des futurs époux. Toutefois les fiançailles peuvent donner lieu à un cérémonial (lecture de la première sourate du Coran) et surtout s'accompagner de versement de la dot et de réception de cadeaux. Le Code Civil syrien de 1949 traite de la restitution de la dot apportée par le mari (art. 4). Si la rupture est le fait de la fiancée, elle est tenue de rendre la dot fournie ou son équivalent. Mais, même si la responsabilité de la rupture incombe au fiancé et que la femme, avec les sommes fournies, ait acheté un trousseau, son seul avantage est l'option entre une restitution en espèces ou celle du trousseau[3]. Le Code algérien de 1984 traite des fiançailles dans son article 5 en précisant qu'elles ne constituent "qu'une promesse de mariage" auquel chacun des deux fiancés peut renoncer". Cette liberté est tempérée par la réparation éventuelle du préjudice matériel ou moral. Traitant de la question des cadeaux fournis à la manière du code syrien, les alinéas 3 et 4 de l'article 5 distinguent selon que la rupture est le fait du prétendant ou de la fiancée ; dans le premier cas, celui-ci ne peut réclamer aucune restitution (contrairement au droit syrien). Si elle est le fait de la fiancée, celle-ci doit restituer les présents non consommés (alin. 4). La plupart des Codes nouveaux des pays d'Afrique Noire contiennent eux aussi des dispositions sur les fiançailles : art. 101 à 107 du code sénégalais (1972) 36 à 40 de l'ordonnance togolaise du 31 janvier 1980, art. 198 à 202 du code

1. Tableau comparatif dans l'article de Fr. Gamillscheg, "Das Verlobnis im deutschen internationalen Privatrecht", Rabels Z. 1968, pp. 488 sv.
2. Cf. G. Beitzke, "Familienrecht", cit., pp. 26 sv. H.W. Stat~, "Fiançailles et mariage", in *Mariage el Famille en question* (Allemagne, 1980, 38 sv.).
3. Cf. El-Jarrah Chafic, thèse, 1962, pp. 127 sv. qui reproche à ces dispositions de ne pas assez prendre en compte la responsabilité des parties.

gabonais de la famille. Dans l'ensemble, ils s'inspirent du principe français de l'absence de force obligatoire des fiançailles (art. 1012 C. Sénégal, 38 Code du Togo). Toutefois l'originalité africaine apparaît dans les exigences de forme relatives aux fiançailles. Le code sénégalais précise ainsi (art. 104) que la convention est passée par chacun des fiancés et un représentant des familles intéressées devant deux témoins. C'est se ménager la preuve en cas de rupture abusive. Il est d'ailleurs possible de poursuivre non seulement l'auteur, mais les personnes qui ont incité les financés à rompre (art. 198 Code gabonais). Comme en droit musulman, la plupart des codifications, traitent de la restitution des cadeaux. En général, si c'est la fiancée qui est à l'origine de la rupture, elle est tenue de restituer ce qu'elle a reçu. Dans le cas inverse, le fiancé ne peut rien réclamer (art. 107-2 Code du Sénégal). La réglementation des fiançailles révèle, derrière les parties, le rôle des familles qui concourent à la préparation du mariage. Pour prévenir certains abus, les textes instaurent parfois une prescription spéciale de l'action en réparation (un an selon le Code gabonais, art. 201). Plusieurs droits prévoient la possibilité pour l'un des ex-partenaires de s'opposer au mariage de son ancien prétendant jusqu'à ce qu'aient été satisfaites les actions en réparation ou restitution de cadeaux[1] - [2].

112. En droit français, la seule jurisprudence a dû œuvrer dans le silence du Code Napoléon. Ce ne sont que des textes relativement récents qui ont visé les fiançailles : d'abord la loi de 1912 qui a considéré la "promesse de mariage ou fiançailles" comme "cas d'ouverture" de recherche de paternité naturelle (art. 340), puis de manière plus allusive comme nous le verrons, la loi du 31 décembre 1959 sur le mariage posthume (art. 171). Après une petite hésitation initiale, les décisions ont très vite refusé de voir dans les fiançailles un contrat dont l'inexécution serait passible de l'art. 1142 C. Civ.[3]. Cette réduction des fiançailles à un fait juridique a permis à certains auteurs[4] de voir une analogie entre fiançailles et union libre. Dans les deux cas, on se trouverait en présence d'une situation inorganisée dont les difficultés juridiques n'apparaîtraient qu'à la rupture. Sous le nom de "cohabitation juvénile" se confondraient union libre et fiançailles, ce que le Doyen Voisin appelait d'un euphémisme "une anticipation spirituelle et charnelle du mariage"[5]. Il est vrai que des difficultés juridiques nées après la cessation de l'union libre tenaient à ce qu'un projet de mariage initial n'avait pas abouti[6]. Mais on ne peut pousser trop loin le rapprochement. Le contentieux des fiançailles tourne autour de la déception causée par la non réalisation du mariage, une perspective repoussée par les tenants de l'union libre. Il s'agit sans doute d'un des derniers domaines,

1. Cf. art. 107 Code sénégalais, an. 22 loi malienne sur la famille.
2. Pour un exposé d'ensemble des problèmes des fiançailles, cf. Christine Youana in "Encyclopédie Juridique de l'Afrique". sous la direction de S. Malone, cit. 1982, t. 6, p. 173-174.
3. Cf. Cour Besançon, 8 mai 1811 et Cass. 30 mai 1838, S. 1838 - I - 494.
4. Cf. A. Benabent n° 20.
5. Note sous Cour Dijon, 7 février 1928 D. 1928 - 2 - 169.
6. Cf. Dijon, 7 février 1928, cit. - Cass. 11 janvier 1984. affaire "Vilais Bardoul", Bullet. Cass. 1984 - 1 - 11 D. 1984 - I.R. 275.

où derrière la personne des fiançés, se manifeste une certaine pression familiale[1].

Le premier problème soulevé par les fiançailles est celui de leur preuve. Par une contradiction bien souvent dénoncée puisqu'il ne s'agissait que d'un fait juridique, la jurisprudence exigeait un écrit, quitte à invoquer l'"impossibilité morale" de s'en procurer.k Dans la mesure où la preuve de la promesse de mariage était nécessaire pour la recherche de paternité, c'était là le "permis de séduire" dénoncé par Capitant. La solution ne fait plus de doute aujourd'hui, depuis que la loi du 15 juillet 1955 a supprimé l'exigence de l'écrit en matière de recherche de paternité. La preuve de la promesse de mariage pourra dont être apportée par tous moyens, témoignages ou photos[2]. Ce n'est d'ailleurs pas seulement le fait même des fiançailles qui pourra être prouvé librement, mais aussi les contrats passés entre les fiancés en raison du "climat de confiance" qui règne entre eux[3].

La valeur juridique des fiançailles se mesure, soit par suite du décès accidentel d'un des fiancés, soit en cas de rupture.

Dans le cas de décès de l'un des fiancés dû à un tiers responsable (par meurtre ou accident) il y a une source de préjudice matériel et moral reconnu par la jurisprudence. Outre le chagrin et le choc affectif éprouvé par le survivant, il a pu engager d'importantes dépenses à la veille du mariage. On ne saurait toutefois admettre que la "perte d'une chance" constitue un chef spécial d'indemnisation, ce qui soulignerait le caractère obligatoire des fiançailles[4]. En dépit d'un courant favorable, l'indemnisation des fiancés s'était heurtée initialement à l'absence du lien de parenté ou d'alliance, condition générale posée par la Chambre Civile de la Cour de Cassation[5]. Le doute n'est plus permis depuis que la Chambre Criminelle a reconnu dans les fiançailles (avant même l'union libre) la source d'un "préjudice actuel, direct et certain"[6]. Il est nécessaire bien entendu d'apporter la preuve du préjudice éprouvé. Des éléments extérieurs contraires permettraient de refuser la réparation[7]. La loi du 31 décembre 1959, créant le "mariage posthume" répond, nous le verrons à ces cas où l'imminence du mariage a été démentie par la mort d'un des fiancés.

113. L'indemnisation réciproque de l'un des fiancés à la suite de la rupture des fiançailles intervenues entre eux pose par contre des problèmes

1. Cf. l'arrêt significatif de Paris, 27 janvier 1955 D. 1956 Som. 8 où une rupture de fiançailles avait abouti, par son caractère abusif à la condamnation "in solidum" de l'ex-fiancé et de sa mère qui avait pris une part prépondérante à la rupture.
2. Cf. J.M. Bermond de Vaulx, "La promesse d'épouser sa maîtresse", D. 1966. 135 - civ. 1, 20 mai 1971 D. 1971 - 501 — utilisation d'une photo de fiançailles non équivoque et, implicitement Cass. Civ. 1 - 3 janvier 1980, Bullet. Cass. 1980, p. 5 D. 1980 I.R. 295.
3. Cf. pour un contrat de mandat Cass. Crim. 3 mai 1976, D. 1967 Som. 98.
4. Cf. J. Dupichot, "Des préjudices réfléchis nés de l'atteinte à la vie ou à l'intégrité corporelle", thèse, Paris, 1969, préface J. Flour, n° 36, 123-124.
5. Cf. Cass. Civ. 19 octobre 1943, D.C. 1944 - 14 note H. Lalou, refusant dans un cas pounant très favorable, la réparation du préjudice matériel.
6. Cf. Cass. Crim. 5 janvier 1956, D. 1956 - 216, cas où les publications préalables de mariage avaient été effectuées et l'appartement aménagé.
7. Cf. Cour Assises, Seine, 5 janvier 1951, D. 1951, som. 40 où la "douleur morale" du fiancé après le décès de la fiancée était démentie par un prompt mariage avec une autre partenaire.

plus délicats. La constance des sentiments ne se commande pas. On ne peut reprocher a priori à un des fiancés, peut être au départ, insuffisamment informé de la personnalité de son partenaire, de revenir sur sa promesse. Une série de décisions, surtout celles des juges du fond ont réaffirmé que la rupture n'est pas, par elle-même source de responsabilité. Il faut un préjudice spécial qui justifie la réparation[1]. Toutefois une partie de la doctrine s'est inquiétée d'une position jurisprudentielle qui n'est pas sans rappeler celle du § 1298 du B.G.B. allemand. La cour de Cassation s'en remettrait aux juges du fond pour déduire a priori une faute des circonstances de la rupture, et par un renversement de la charge de la preuve, obliger le défendeur à faire la preuve du caractère légitime de la rupture[2]. Ce serait, a-t-on dit, un retour partiel à la théorie de Josserand qui voyait une "obligation de faire" dans les fiançailles[3]. En réalité, comme l'a fait valoir, Monsieur Bénébant[4], il ne faut pas formuler de conclusions hâtives. La situation d'une fiancée trompée et enceinte permet bien de conclure au lien entre relations sexuelles et promesse de mariage. La faute se présume. D'autre part, quoi qu'on en dise, les arrêts ne s'en tiennent pas à une conception abstraite de la faute, mais tiennent compte de l'âge ou de l'expérience des partenaires[5]. Les progrès de l'émancipation féminine, les possibilités de contraception ou d'I.V.G. ne permettent pas de déduire la faute de la seule grossesse de la partenaire[6]. Elle existera par contre dans le refus de transformer une liaison en mariage civil régulier[7].

114. Le droit positif n'est pas d'une clarté parfaite en ce qui concerne la restitution des cadeaux à la suite de la rupture. Le Code Civil ne contient qu'une disposition générale, celle de l'article 1088, d'après lequel les donations faites en vue du mariage doivent être révoquées si celui-ci ne s'ensuit pas. La doctrine[8] proposait de faire jouer le principe pour des donations faites par les tiers ou entre fiancés, la mort de l'un d'entre eux permettant de les conserver comme souvenirs. Quant à la bague de fiançailles, elle serait gardée par la fiancée en compensation de la rupture[9]. La jurisprudence a refusé de faire un

---

1. Cf. Cass. Req. 1er mars 1938 D.H. 1938 - 264 - Cour Paris 22 avril 1955 D. 1955 - 598 Colmar, 12 juin 1970 D. 1971 - 406 note G. Wiederkehr, Toulouse, 9 mai 1976 D. 1976 Som. 88 - Bordeaux 6 juin 1978, J.CP. 1980 IV 231.
   La Cour de Paris (12 mai 1987 D. 1987 I.R. 142 a accordé 30.000 F. de dommages intérêts à une fiancée alors quel'auteur de la rupture "ni confus - ni dément", après de multiples démarches, avait annonçé brusquement son intention de ne pas donner suite à un mariage.
2. Cf. Cass. Civ. 2, 2 juillet 1970, D. 1970 - 743 civ. 1 - 20 juillet 1971, Bullet. Cass. 1971 - I - 207 D. 1971 Som. 218 - simple faiblesse de caractère ou opposition des parents invoquée - Cass. I Gv. 29 avril 1981 Bullet. Cass. 1981 - 1 - n° 144.
3. Cf. "Le problème juridique de la rupture des fiançailles", D. 1927, chr. 21.
4. "La famille", n° 39.
5. Cf. pour un des rares cas où le fiancé intentait une action en réparation, Cour Paris 22 avril 1955 D. 1955 - 598 soulignant qu'à 26 ans, la fiancée "n'était plus un enfant", Paris, 5 février 1954 - D. 1954 - 685 - architecte de 40 ans ayant séduit sa voisine de 18 ans - Cass. 5 octobre 1957 D. 1958 - 493 note R. Savatier - abus d'autorité d'un homme marié.
6. En ce sens T.G.I. Nice, 18 mai 1983 G.P. 1985 - 2 - Som. 313.
7. Cass. I -15 mars 1988 G.P. 1989 n° 14 -16 mai - p. 4 note J.M.
8. Cf. A. Rouast, "La famille", cit. n° 87.
9. Cf. J. Carbonnier, Répert. Notariat 1950 26885.

sort spécial à la bague[1] et d'opérer des distinctions selon la responsabilité prise dans la rupture. Suivant une opposition déjà évoquée entre "présents d'usage" et "souvenirs de famille"[2] les présents d'usage, cadeaux ou bague ne donneront pas lieu à restitution[3]. Il en irait autrement s'il s'agissait du bijou de famillel[4].

Dans le cas où la rupture de fiançailles interviendrait par correspondance (lettre ou télégramme), il peut être parfois difficile de déterminer le tribunal compétent pour connaître des contentieux de la rupture. Une décision de Lyon s'est attachée à cet égard, non au domicile de la destinataire, mais au lieu de réception qui pourrait n'avoir qu'une valeur accidentelle[5].

SECTION IV
L'EXPRESSION DU CONSENTEMENT DANS LE MARIAGE

§ 1. LE CARACTERE PERSONNEL DU CONSENTEMENT

A 115. Le Code Civil a insisté à deux reprises, en termes particulièrement énergiques sur l'importance du consentement dans le mariage. D'abord au premier chapitre du titre V sur le mariage (art. 146 : "il n'y a pas de mariage lorsqu'il n'y a point de consentement", puis au chapitre IV sur les demandes en nullité). L'article 180 énonce la nécessité d'un consentement libre. Cette primauté du consentement est également affirmée dans des textes internationaux, la Convention de New-York du 10 décembre 1962 sur le rôle du consentement dans le mariage3, puis dans la recommandation de Vienne de la C.I.E.C. (Commission Internationale d'Etat Civil) du 8 septembre 1978. Le préambule de cet "Acte de Vienne" rappelle à ce sujet la "large communauté de vue" entre les Etats-Membres[6].

Toutefois le code Civil est resté très laconique sur les modalités d'expression du consentement. L'étude comparative révèle les divergences des droits sur ce sujet.

Acte le plus personnel de tous, le mariage suppose en droit français un consentement exprimé par des personnes présentes. C'est dire que contrairement à des précédents de l'ancien droit, le mariage par procuration

---

1. V. cependant Paris, 3 décembre 1976 D. 1978 - 339 note I. Foulon-Piganiol.
2. Cf. supra n° 91.
3. Cf. Cass. Civ. 1er février 1960, Bullet. Cass. 1 n° 62 - Cour Paris, 30 mars 1978 et Cass. 19 décembre 1979, D. 1981 - 449 note T. Foulon-Piganiol.
4. Cass. 19 décembre 1979, cit. et 23 mars 1981, J.C.P. 1984, 20202 note Barbiera et Répert. Notariat 1984 - 33215 note A. Breton — arrêts rendus à la suite d'un divorce mais dont le principe pourrait être étendu aux fiançailles, adde Cour Douai (1986), 17 septembre D. 1986 - 301 note J.P. Langlade.
5. Cf. T.G.T. Lyon, 10 novembre 1971, J.C.P., 1971 - 16961 note J.A. qui s'est déclaré incompétent, bien que le domicile de la fiancée fut à Lyon, le télégramme de rupture ayant été reçu à Monaco.
6. Cf. L. Palsson. "Marriage and divorce in Comparative Conflict of Laws", Leyde, 1974, p. 26.

n'est pas admis. On en percoit aisément les raisons. L'article 75, alinéa 1 et 3 du code Civil fait figurer au nombre des conditions de célébration, la présence personnelle des futurs conjoints. Il serait à craindre que la volonté du représentant ne corresponde plus à la volonté du représenté, si celui-ci avait entendu revenir sur ses projets initiaux, et que la révocation de son consentement ne parvienne pas à temps. A titre dérogatoire, et de manière exceptionnelle une législation de guerre a permis le mariage par procuration[1]. Il a même été admis à la limite, que l'absence de mandat ou même le décès ne serait pas des obstacles, si le consentement avait été constaté au lieu de la résidence par un membre de l'état civil ou un officier selon l'article 93. L'application de ces textes n'en a pas moins suscité parfois des difficultés[2].

Un examen du droit comparé révèle pourtant l'importance des mariages par procuration ("proxy marriages" en anglais". Si certains pays européens, tels la Grande Bretagne et l'Allemagne Fédérale ne l'admettent pas, le désir de travailleurs migrants éloignés d'épouser une autochtone, des contraintes politiques et économiques ont contribué à son développement. C'est ainsi qu'en Afrique Noire, la loi malienne du 3 février 1962 modifiée par celle du 25 janvier 1963 (art. 10) a autorisé un des futurs époux au loin à se faire représenter après avoir donné son consentement à l'officier d'état civil de sa résidence[3].

L'article 111, 4e du Code Civil italien, les articles 102 et 44 du code Civil fédéral mexicain autorisent le mariage par procuration, mais prévoient des conditions de forme ; nécessité d'un acte public de représentation en droit italien, de deux témoins en droit mexicain, destinés à s'assurer de la réalité de la volonté[4]. La loi argentine sur le mariage du 12 juin 1987 connait, elle aussi, le mariage à distance, selon lequel le “non-présent” émet son consentement devant l'autorité du lieu ou il se trouve. Le document qui le constate ne peut être produit que dans les 90 jours de l'émission de ce consentement (art. 173)[5]. En Europe, Monsieur Neuhaus a pu relever une pratique du mariage par procuration en Pologne (qui tolère cette forme) pour permettre à des citoyens d'origine ethnique allemande de rejoindre leur conjoint en République Fédérale[6]. La pratique des mariages par procuration a d'ailleurs donné lieu à des abus, notamment aux Etats-Unis. Il est apparu que la possibilité d'épouser par procuration un ressortissant américain selon le droit de plusieurs états fédérés permettait d'excéder les "quotas" prévus au terme des lois sur l'immigration. D'où les exigences de l"Immigration and Nationality Act" du 27 juin 1952 : le terme "époux" ou "épouse" ne peut inclure celui

---

1. Décrets du 9 décembre 1939 et loi du 5 mars 1940 - décrets des 5 août 1953 et 28 novembre 1957, cf. A. Weill et F. Terré, "Droit de la famille", 5e édit., 1983, n° 211.
2. Cf. Trib. Civ. Nancy, 25 novembre 1943 D.C. 1944 — 58 note A. Rouast, — mariage par procuration d'un officier prisonnier de guerre, annulé bien que la révocation du consentement soit parvenue après la cérémonie, alors qu'il y ait eu des démarches en ce sens de la mère du lieutenent.
3. Cf. M. Dumetz, "Le droit du mariage en Côte d'Ivoire", Paris, 1975, p. 98 qui précise "a contrario" la prohibition de la loi ivoirienne.
4. Cf. pour un mariage par procuration d'Italiens au Mexique qui ne satisfaisait pas aux conditions du droit mexicain, Cour d'Appel de Rome, 22 avril 1985, *Rivista di dirretto familiare*, 1986, p. 876.
5. Rev. Crit., 1989, 425.
6. Cf. P.H. Neuhaus : "Ehe und Kindochaft", cit., 1979, p. 80.

dont le statut résulte d'une cérémonie où les intéressés n'ont pas été physiquement présents, sauf "consommation" postérieure du mariage[1]. Il n'y aurait pas d'ailleurs d'obstacle à reconnaître quant au fond, la valeur d'une pareille union. Le libéralisme américain va jusqu'à admettre dans plusieurs Etats de l'Union (Missouri, Pennsylvanie) le "mariage par correspondance" (qui posent en matière conflictuelle, comme nous le verrons, des problèmes analogues à ceux des contrats entre absents). La commission internationale d'état civil s'est montrée, quant à elle, plus réservée. Sa "recommandation" de Vienne de 1976 (III) admet le mariage par procuration, mais dans des cas exceptionnels et si un des époux est présent. La Convention de New York du 7 octobre 1962 sur le consentement du mariage (ratifiée par certains Etats tel l'Argentine) avait prévu la nécessité de la présence d'une des parties "ayant exprimé son consentement devant une autorité compétente et ne s'étant pas départie ensuite"[2].

B 116. L'hypothèse du mariage conclu entre seulement un des époux et le représentant de l'autre pour empêchement ou éloignement doit être distinguée de celle où l'un des époux, en l'occurrence la femme serait assujettie à un système de représentation "légale". On entend par là une conception du mariage résultant beaucoup plus de l'alliance entre deux familles ou "lignages" que la volonté propre des intéressés. Il en était ainsi dans les sociétés traditionnelles d'Extrême Orient (Chine impériale, Corée et Japon). Le mariage était préparé, voir célébré par les chefs de famille respectifs, le mari ayant d'ailleurs la possibilité, par suite du mariage, d'être adopté par la famille de la femme et de porter le nom de celle-ci[3]. Les réformes modernes ont mis fin à ce système. Les résistances sociologiques ont dû être fortes, si on en juge par les précisions et rappels de la loi chinoise du 10 septembre 1980 en vigueur au 1er janvier 1981). L'article 4 énonce que "le mariage doit être consenti par les deux parties contractantes". Il interdit que l'une des parties impose sa volonté à l'autre. L'article 3 prohibe tout "arrangement mercantile" ou intervention relative au libre consentement[4].

L'égalité des volontés des époux demeure par contre beaucoup plus théorique dans les systèmes juridiques relevant du droit musulman. Le Prophète, et après lui les écoles coraniques ont insisté sur le danger que représente le mariage pour la femme, et les risques de "disparité sociale" qu'elle encourt[5]. D'autre part, l'union ne se conçoit pas sans le versement d'une dot "biens et avantages que la famille du jeune homme procure au chef de famille de la jeune fille en compensation de la perte subie par la famille de la jeune fille"[6]. D'où le rôle du "wali" ou "tuteur matrimonial"[7]. Pourvu qu'il

---

1. Cf. L. Palsson, cit., p. 221 et note 185.
2. Clunet 1974 - 161.
3. Cf. Ch'oe Chae Sok, "Etude comparative sur la famille traditionnelle en Corée, au Japon et en Chine", *Revue de la Corée*, 1975, pp. 29 sv.
4. Cf. texte traduit et commenté par D.T.C. Wang, "Les sources du droit de la République populaire de Chine", Genève, 1982, pp. 127 sv.
5. Cf. A.Y. Dennaoui, "La famille musulmane de certains codes contemporaines", thèse Paris I, 1978, p. 55 — M. Taverne, "Le droit familial maghrébin et son application en Belgique", préf. F. Rigaux, Bruxelles, 1981.
6. Cf. définition de C. Youana, in "Encyclopédie Juridique de l'Afrique", t. 6, cit., p. 176.

remplisse le minimum de conditions requises (masculin, majeur et sain d'esprit) il représente la femme dans la conclusion du mariage et reçoit la dot (d'après le Code syrien, il est consulté sur la "condition sociale" du mari). Les textes prévoient une désignation légale du "wali" (père ou "tuteur testamentaire" qu'il aurait nommé, sinon frère et fils de frère). A défaut, le juge devrait suppléer au wali (art. 13 du Code marocain — art. 11 2e Code algérien). La femme ne joue donc pas un rôle actif dans la formation du mariage. Elle ne saurait pas pourtant être contrainte (art. 13 du code algérien). L'article 12 du droit algérien exige pourtant que le mariage lui soit profitable et prévoit un recours judiciaire pour l'autoriser. L'article 12, 4c du code marocain ne maintient la primauté de la volonté du wali que si une "mauvaise conduite" est à craindre de la part de la fille[1].

Les pays d'Afrique Noire ne connaissent pas, quant à eux, l'institution du Wali. Mais la plupart de leurs droits traditionnels subordonnaient le mariage au versement de la dot. Celle-ci intervenait le plus souvent après une rencontre entre les chefs de famille pendant la période des fiançailles. L'intervention d'un officier d'état civil pour la célébration du mariage ne faisait qu'entériner un "arrangement" antérieur où n'intervenait guère la volonté de la future épouse. On comprend que la lutte contre la pratique de la dot aboutisse à valoriser la notion de consentement libre et légal des deux époux[2]. Les lois camerounaises des 7 juillet 1966 et 11 juin 1968 après avoir séparé fiançailles et mariage, ont organisé l'échange des consentements devant l'officier d'état civil. Il devient indépendant du versement dotal. Le versement de la dot est devenu facultatif au Mali et au Sénégal (l'art. 132 1er du code sénégalais en fait une convention matrimoniale, et non plus un élément constitutif du mariage). Les lois gabonaises de 1963 et ivoirienne du 7 octobre 1964 ont même supprimé la dot. Le mariage ne peut plus résulter que du seul consentement des époux dans ce pays[3].

C 117. Dans les systèmes modernes de tradition romano-chrétienne la dernière — et très modeste — intervention familiale à propos de la conclusion des mariages concerne l'autorisation à donner au mariage des enfants mineurs. Il ne peut s'agir d'ailleurs pour un acte aussi personnel que d'un "supplément de consentement". La question jusqu'au XIXe Siècle a présenté une grande importance : après le concile de Trente, la lutte contre les "mariages clandestins" s'est confondue en bonne partie avec celle contre les mariages sans autorisation paternelle (et s'accompagnent de mésalliances). Les sanctions laiques, à l'exclusion toutefois de la nullité du mariage s'abattaient sur les enfants qui avaient passé outre à la volonté familiale[4]. La mère puis le tuteur sur délibération du conseil de famille n'intervenaient qu'à défaut du père. Le Code Napoléon devait encore traiter de ces questions avec un grand luxe de

7. Code Civil syrien de 1949, "Mudawwana" ou code de statut penonnel marocain de 1957 — Code de la famille algérien du 12 juin 1984.
1. Cf. Taverne, cit. p. 56.
2. En ce sens, pour le Cameroun, S. Melone, "La parenté et la terre dans la stratégie du développement", Paris, Yaoundé, 1972, p. 85.
3. Cf. M. Dumetz, cit. et Chr. Youana.
4. Peines du "rapt de séduction", exhérédation successorale, supra n° 43 et G. Ripert — J. Boulanger, t. 1, n° 1174-1175.

détails (art. 148 à 160 C. Civ.). Jusqu'en 1907 subsistait une "majorité matrimoniale" spéciale (jusqu'à 25 ans) distincte de la majorité ordinaire (21 ans). Au delà les notifications notariées ou "sommations respectueuses" étaient nécessaires jusqu'à 30 ans pour les garçons, 25 ans pour les filles. La loi du 2 février 1933 après un processus de simplification les a fait disparaître. La majorité matrimoniale (uniformément fixée à 21 ans depuis 1907) a été abaissée à 18 ans avec la majorité légale (loi du 5 juillet 1974). Le domaine de l'autorisation parentale s'est considérablement rétréci : sauf cas exceptionnel de dispense pour un garçon de moins de 18 ans, il n'intéresse guère que les filles de quinze ans révolus (âge nubile) jusqu'à leur majorité. La plupart des articles du code sur le consentement parental ne sont plus que des "branches mortes". Les progrès de l'individualisme et du mariage d'inclinaison en ont fait perdre l'intérêt. Les prévisions légales sont du reste trop étroites pour permettre une opposition familiale[1].

Les deux parents doivent être en principe consultés sur le mariage de leur fille mineure, dans une famille légitime (art. 148). Mais en cas de dissentiment, le consentement d'un seul suffit (sans que le mari n'ait aucune prééminence). C'est la règle que le "partage emporte consentement" (art. 148) sans distinguer selon que les parents sont mariés ou divorcés (cas où on peut penser que celui qui n'a pas la garde passerait "outre" à la volonté de l'autre, ce que certains auteurs ont regretté[2]). Si il y a décès d'un parent ou incapacité pour lui de manifester sa volonté, on se contentera d'un seul consentement (art. 149). A défaut de parents, le même système est applicable aux grands parents dans les deux lignes paternelle ou maternelle (art. 150). Les articles 154 et 155 (mais ont-ils été de quelque application ?) prévoient la constatation officielle des dissentiments soit par acte notarié notifié au conjoint opposant, soit par lettre que ferait parvenir ce dernier à l'officier d'état civil dûment légalisée[3]. Le "Conseil de famille" (et non pas le tuteur qui pourrait avoir un intérêt particulier comme dans l'ancien droit) interviendra dans les situations de défaillance familiale. Pour les enfants naturels, le consentement est lié à la reconnaissance d'un ou des deux parents, sinon le Conseil de famille là encore donne son consentement : (art. 159). Reste le cas des "pupilles de l'Etat" ou enfants abandonnés relevant de l'Aide Sociale à l'enfance. Le "Conseil de famille" administratif aurait éventuellement à statuer sur son mariage. Il se peut que l'autorité parentale ait été déléguée à un particulier par l'Aide Sociale (art. 376 sv. C. Civil). La délégation englobera le droit de consentir au mariage.

118. Le seul problème contentieux soulevé par l'autorisation tient à la nature de ce droit. On admet sans difficultés qu'il est spécial (relatif à une personne déterminée) et concomitant à la célébration jusque là l'ascendant peut se rétracter). Mais le droit de consentir au mariage est-il discrétionnaire ? Il le

---

1. Cf. pourtant Cass. Civ. le 17 janvier 1979 D. 1979 T.R. 236 — parents mécontents du mariage de leur fille adoptive de 24 ans avec un ouvrier portugais, ce qui aurait "décu leur espérance matrimoniale" — ne pouvant pas en raison de l'âge de la fille refuser leur consentement ou manifester leur opposition, ils réclamaient sans succès une révocation de l'adoption simple.
2. Cf. G. Marty, P. Raynaud, "Les personnes", 1976, n° 85.
3. Cf. G. Ripert — J. Boulanger, t. 1, n° 1182.

semble bien dans l'état actuel des textes ; il n'a pas à être motivé et contrairement à ce qu'on a soutenu, le parent qui n'a pas donné son consentement ne devrait pas être condamné pour retrait abusif[1]. Seules les délibérations du conseil de famille peuvent faire l'objet d'un recours "dans tous les cas "devant le tribunal de grande instance, à la requête du tuteur des autres membres de la famille ou du juge des tutelles" (art. 1222 C. Proc. Civ.).

La position française est, dans un contexte comparatif, bien isolée. Le désir de liberté individuelle, même pour une union non réfléchie, pousse à lutter contre les dernières contraintes familiales. Le vœu émis par la C.I.E.C. à Vienne en 1976 risque d'être peu entendu : "ne doivent être admises à contracter que les personnes dont l'âge fait présumer qu'elles ont atteint un stade suffisant de maturité physique ou intellectuelle". C'est ainsi que la Belgique a organisé un recours judiciaire avec la loi du 8 avril 1965 (art. 160 bis C. Civ.). Le consentement parental gardait un intérêt plus réel qu'en France avec une majorité fixée à 21 ans et la nécessité d'actes respectueux jusqu'à 25 ans (art. 150-154 selon la loi du 14 juillet 1953). Aussi le texte admet une requête devant le "Tribunal de la Jeunesse", mais sur la seule initiative du Procureur du Roi s'il estime abusif le refus des parents[2]. En Allemagne Fédérale, où comme en France, la majorité a été abaissée à 18 ans (loi 31 juillet 1974), il suffit, selon la "loi d'égalité" qu'un des deux fiancés soit majeur pour le mariage (§ 1 "Ehegesetz"). Le mineur de plus de 16 ans, garçon ou fille, a une possibilité de demander au "Tribunal des tutelles" de passer outre au refus parental[3]. Le droit canadien du Québec connaissait jusqu'à la loi du 2 mai 1969 l'exigence du double consentement parental comme le droit anglais depuis le "Lord Hardwick's Act de 1753. Mais celui-ci prévoit un recours judiciaire pour les mineurs de 16 à 18 ans[4]. Depuis 1969, le droit canadien se contente d'une seule autorisation parentale, ou à défaut, de celle du tuteur après convocation du conseil de famille[5]. La plupart des pays d'Afrique noire d'expression française" (Côte d'Ivoire, Gabon, Sénégal) ont maintenu la majorité matrimoniale à 21 ans (18 ans au Mali) et exigent le consentement des parents au mariage des enfants mineurs. Mais, même ces droits, pourtant imprégnés d'une forte tradition d'autorité familiale prévoient désormais la possibilité de passer outre au refus des parents par un recours judiciaire ou administratif (devant un Tribunal au Gabon, devant un "chef de circonscription" fonctionnaire du Mali)[6].

119 D. La dernière — et d'apparence la plus rationnelle — , exigence tenant au caractère personnel du consentement, serait qu'il soit échangé entre

1. V. pourtant en ce sens, une des rares décisions Trib. Fougères, 21 novembre 1962 D. 1963 Som. 78 RTDC. 1963 - 696 ob. Desbois.
2. Cf. Rigaux in "Mariage et Famille en question", Belgique, 1980, p. 91 et Mons 20 décembre 1978, Pasicrisie, 1979. 2. 24 note A. Broder, Clunet, 1984 - 362 mineure de moins de 21 ans mariée en Ecosse après le refus du Procureur, mariage nul. L'abaissement de la majorité à 18 ans en droit belge rendra la question bien plus rare.
3. Cf. Stratz in "Mariage et Famille en question", Allemagne, cit., p. 45.
4. Cf. Bromley in "Mariage et Famille en question", Angleterre, cit. 117.
5. Cf. J. Pineau, cit. "La famille au lendemain de la loi 89 — 1982, p. 33 et Cour Supérieure Québec, 1973, "Desbiers v/Allia", père ne pouvant s'opposer au mariage d'une mineure autorisée par la mère seule.
6. Cf. Chr. Youana, cit., p. 176.

deux personnes, sinon présentes — du moins vivantes — Pourtant, par une sorte d'exaspération métaphysique du rôle de la volonté, la loi du 31 décembre 1959 à créé en France le mariage "avec une ombre", le mariage posthume (art. 171 C. Civ.). Il présente la singularité de transformer ce qui était un simple projet de mariage en union "officialisée" par décision "régalienne" du Chef de l'Etat. Né d'un événement conjoncturel (la rupture du barrage de Malpasset) il est devenu une institution permanente (à la différence d'autres cas spéciaux et temporaires comme les mariages posthumes de militaires morts en A.F.N. et autorisés par décret du Ministre des Armées). L'article 171 C. Civ. exige, comme préalable, indispensable qu'il n'y ait "aucune équivoque" sur le consentement des futurs époux, et que la preuve réside dans "l'accomplissement des formalités officielles" (publication des bans, démarches officielles) précédant l'union. Un décret présidentiel, après enquête, peut autoriser, alors le mariage pour "motifs graves". On peut penser à ce stade que des réformes postérieures, comme la possibilité de légitimer un enfant par requête en justice à la suite d'un mariage impossible (loi 3 janvier 1972 — art. 333 C. Civ.) auront ôté au mariage posthume tout intérêt[1]. Mais comme l'a fait remarquer Monsieur Bénabent[2], la légitimation judiciaire ne crée un lien d'enfant légitime qu'à l'égard du seul parent qui a formulé la requête. D'autre part, si les "motifs graves" sur lesquels doit s'appuyer le Chef de l'Etat tiennent le plus souvent à la naissance prochaine d'un enfant[3], ils ne sont pas nécessairement liés à cette circonstance. Le désir de respecter la volonté du défunt et le "traumatisme" du survivant semblent suffisants[4].

Les effets du mariage posthume présentent un double aspect : d'une part, par le jeu d'une fiction, il rétroagit, en remontant fictivement au jour qui précède le décès de l'un des époux (art. 171 2C). D'autre part pour prévenir le jeu de requêtes suspectes et intéressées, il ne peut produire aucune conséquence matrimoniale ou successorale (art. 171 3e). Le texte étant limitatif, certains effets patrimoniaux découleront du mariage posthume : l'époux survivant pourra faire valoir une créance alimentaire. Des donations faites dans la perspective du mariage, seront valables[5]. On peut aller plus loin. Ayant à apprécier les effets d'un mariage posthume, à la suite du décès de l'un des futurs conjoints dans un accident, successivement la Cour de Liège[6] puis la Cour de Cassation belge[7] ont pris une position contraire à celle en première instance du Tribunal d'Arlon[8]. L'accident étant considéré comme antérieur au mariage posthume, la veuve était fondée à réclamer à la Compagnie d'Assurance, réparation du préjudice matériel et moral.

Une dernière question peut être soulevée : celle d'un éventuel recours contre la décision du Chef de l'Etat. Touchant à l'état des personnes, la légalité

1. En ce sens Ph. Malaurie, "La famille", n° 144.
2. "La famille", 3e édit., n° 70.
3. Cf. pour un curieux cas d'autorisation de mariage posthume qui avait permis à l'époque de torner la prohibition de l'établissement de la filiation adultérine, T.G.T. Seine 25 mai 1964, D. 1964 - 546 note P. Esmein
4. En ce sens T.G.I. Albertville, 3 juillet 1987, G.P. 3-10 janvier 1989, p. 11.
5. Cf. G. Durry, RTDC, 1973 - 571.
6. 6 février 1980, J.T. 1980 - 492.
7. 2 avril 1981 Pasier 1981 - I - 835 clun. 1984 - 363.
8. 16 janvier 1973 Rev. Crit. 1973 - 322 note Verwilghen.

du décret, selon le Conseil d'Etat, échappe aux tribunaux administratifs[1]. D'autre part, le Président de la République dispose d'un pouvoir de pure opportunité. Il n'apparaît pas concevable, qu'un membre de la famille (en l'occurrence le père) puisse en l'absence de tout empêchement légal, faire opposition au décret[2], même si les motifs, du vivant du futur époux auraient fait échec à la célébration.

Le "mariage posthume" n'offre guère d'équivalent à l'étranger si ce n'est en Allemagne la "déclaration de légitimité prononcée par le Tribunal des Tutelles (§ 1740 a BGB). Elle suppose que les parents étaient fiancés et que la mort de l'un d'eux a rompu ces fiançailles. "Dans l'intérêt de l'enfant" (par définition illégitime) lui même (ou son représentant légal s'il n'a pas 14 ans §1740 c.) sollicité du tribunal la possibilité d'être assimilée à un enfant légitime (§ 1740 f.). L'action doit être intentée normalement dans l'année du décès, et le tribunal confèrera à l'enfant le nom du disparu, s'il y a accord du survivant (§ 1740 f. 2e). Les complications que représente le mariage posthume font qu'il a été déconseillé lors de la "recommandation" votée par la Commission internationale d'état civil à Vienne en 1976.

§ 2. LES DEFAILLANCES DU CONSENTEMENT : INSANITE D'ESPRIT ET VICES DU CONSENTMENT

120. Avec l'étude de la défaillance du consentement manifestée lors de la célébration, on pénètre dans un domaine dont l'importance tient aux enjeux du mariage. Pendant les siècles où a prévalu l'indissolubilité, l'Eglise catholique consciente que le seul "échappatoire" au caractère perpétuel de l'union était la nullité — notamment en cas de défaillance de volonté — a affiné la notion de consentement dans le mariage. Le développement d'une législation "laïque" n'a pas mis fin à la compétence des tribunaux d'Eglise et à l'application du droit canonique. D'autant que les codes du XIXe siècle, à l'image du code Civil se sont montrés singulièrement restrictifs, aussi peu soucieux qu'en matière de contrats de pénétrer dans le "for interne". On aurait pu penser que la généralisation actuelle du divorce, avec les facilités qu'il présente et ses conséquences — la dissolution de l'union ne jouant que pour l'avenir — ôterait tout intérêt à ces problèmes. Tel n'a pas été le cas. D'une part, l'annulation du mariage pour absence ou défaut de volonté couvre des hypothèses qui ne sont pas toutes visées par le divorce ; elle apparaît comme un remède partiel à l'absence de renseignements sur le conjoint qui est trop souvent la règle avant le mariage. "L'acheteur d'un réfrigérateur à crédit est désormais plus protégé que le futur marié" a pu écrire Monsieur Hauser[3]. Ceux

1. C.E. 19 février 1964, v. G.P. 1989 - 13.
2. Cf. T.G.T. Albertville, cit. G.P. 1989 - 13 note J. Pascal. — La Cour de cassation, par arrêt du 6 décembre 1989 (D. 1990. 225 note J. Hauser, J.C.P. 1990, 21557 note F. Boulanger) a précisé que l'existence, comme la gravité des motifs, relevait du pouvoir discrétionnaire du Président de la République. Elle a écarté l'action d'une fille dupremier mariage faisant valoir que le mariage projeté n'avait pu être célébré en raison de la mise sous tutelle du défunt atteint d'aliénation mentale.
3. Cf. J. Hauser, "Une voie à redécouvrir : la nullité du mariage", Colloque de Pau 24-25 novembre 1983, "La disparition du lien conjugal", *Les Petites Affiches*, 27 avril 1984.

qui n'entendent pas recourir au divorce continuent d'invoquer la compétence des officialités et du tribunal de la Rote romain. Si en France même, le contentieux des nullités demeure très modeste, une moyenne actuelle de 200 à 300 demandes, une réussite entre 30 et 40 cas[1] au regard des 100.000 divorces, celui des tribunaux ecclésiastiques s'accroît de manière très importante : 3.500 actions en nullité en 1960, 25 000 demandes en 1972 dont 10.000 annulations, 46.000 en 1984 (sur ce chiffre, il est vrai plus de 36.000 annulations sur des demandes provenaient des Etats-Unis, cf. Gaudemet, p. 454). Des pays comme l'Italie qui reconnaissent les effets civils du mariage canonique, mais qui ont pourtant introduit le divorce, continuent d'avoir un chiffre des nullités très supérieur à celui des divorces. D'autre part, les Etats qui échappent à l'influence catholique, même s'ils ont fait parfois disparaître les cas de nullité (telle la Suède) connaissent en réalité une véritable "osmose" entre nullité et divorce (tans dans les causes que les conséquences) au point qu'un auteur belge dans un travail comparatif remarqué, Madame Pousson-Petit a pu parler de "démariage" pour désigner les situations où le mariage prendra fin aussi bien par la nullité que par le divorce[2].

A 121. Il n'y a guère au départ de controverses entre les droits positifs pour admettre que la condition nécessaire et suffisante du mariage est la lucidité, c'est-à-dire la volonté interne de contracter mariage, et la possibilité d'en percevoir les fins[3]. C'est dire que les obstacles extérieurs tenant à une infirmité ou à l'âge ne peuvent en soi porter atteinte à la validité de l'union. Notamment dans le cas des sourds-muets. Il y a à ce sujet quelques précédents historiques : une décrétale du Pape Innocent III déclarant que le consentement pouvait s'exprimer par signes et des arrêts du parlement de Paris de 1658 et 1776 validant pareils mariages[4]. Le code civil n'a pas abordé ce cas, mais des circulaires du Ministère de la Justice ont admis la possibilité d'une formulation écrite du consentement3 . Le Code algérien de la famille rappelant que le consentement découle de la demande d'une partie et de l'acceptation de l'autre "en tout terme signifiant le mariage légal" ajoute que le consentement de l'handicapé, s'exprimera "sous toutes formes écrites ou gestuelles signifiant le mariage dans le langage ou l'usage" (art. 10, alin. 1 et 2).

Pas davantage l'âge très avancé ou même la proximité de la mort ne peuvent par eux-mêmes porter atteinte à la validité du consentement. C'est dire qu'il n'y a plus de problème spécifique du mariage "in extremis" bien qu'il ne puisse produire un des effets normaux de l'union, la possibilité d'une descendance. Les motifs de prohibition propres à l'ancien droit (clandestinité, crainte de régularisation d'une liaison) ont disparu[5]. Tout au plus peuvent-ils soulever, comme nous le verrons, quelques problèmes de forme (et de compétence ecclésiastique). S'il est arrivé que la validité d'un mariage "in

1. Chiffres donnés par J. Gaudemet, "Le mariage en Occident", 1987, cit. p. 453 et R. Nerson et J. Rubbelin, R.T.D.C., 1981, pp. 1235 sv.
2. Cf. Jacqueline Pousson-Petit, "Le démariage en droit comparé, Larcier, Bruxelles, 1981, préface F. Rigaux et R. Nerson.
3. Art. 146 C. Giv. français, 97 C. Civ. suisse, 89 C. Civ. turc.
4. Cf. Vazeille. "Traité du mariage", 1825, t. 1, p. 93.
5. Cf. G. Raymond, "Le consentement des époux au mariage", thèse Poitiers, 1959, p. 46. 2 . Cf. supra n° 43.

extremis" ait parfois été remise en cause, c'est pour un motif plus général, la contestation de l'intégrité mentale du mourrant[1].

122. Les difficultés apparaissent si derrière l'expression du consentement, un doute s'insère sur sa valeur en raison de l'état mental d'un époux. Où commence le trouble mental qui risque d'entraîner la nullité du mariage et quel sera le régime de la preuve ? La réponse qu'on peut apporter dépend de la définition qu'on donne du consentement et du progrès des connaissances médicales sur les troubles mentaux. Si on s'en tient à une conception du "consentement déclic", on s'en tiendra à la seule manifestation de volonté dans un instant de lucidité ou de rémission, sans tenir compte d'une dégradation des facultés mentales de longue durée. On peut au contraire se montrer plus exigeant si dès après la cérémonie, le conjoint revient à un état pathologique[2]. Alors que le XIXe siècle ne s'en tenait qu'aux états apparents de folie, "démence ou fureur" coupée de rémissions, les connaissances modernes insistent sur l'évolution lente, et parfois non apparente des maladies mentales. Il est significatif de voir à cet égard le renforcement des exigences du droit canonique : le code de 1917 (art. 1086-1) déclarait que le consentement interne "était toujours conforme aux paroles et aux signes utilisés lors de la célébration du mariage" ; celui de 1983 (Canon. 1095) voit une incapacité de contracter le mariage pour "déficience psychologique du sujet" :

1/ dans l'absence d'usage suffisant de la raison,

2/ le défaut de discernement réciproque sur les droits et devoirs qui découlent du mariage,

3/ les causes psychologiques qui empêchent d'assurer les obligations essentielles du mariage[3].

123. La tradition française en la matière a toujours insisté sur le caractère personnel du mariage qui ne pouvait pas être soumis aux mêmes règles que les autres actes juridiques et s'est montrée méfiante à l'égard de demandes d'annulation trop intéressées. Pothier admettait la validité du mariage dans un intervalle lucide ; et les rédacteurs du Code renoncèrent à insérer un article disposant que l'"interdit" pour "cause de démence ou fureur" serait incapable de contracter mariage". Ils se contentèrent de l'article 174, offrant une large possibilité aux membres de la famille de faire opposition à un mariage pour démence. Mais la charge de la preuve leur incombait et ils devaient invoquer l'ouverture d'une tutelle[4]. La validité de principe fut admise

---

1. Cf. supra n° 43.

2. Cf. Cour Paris, 20 mars 1872 D. 1872 - 2 - 109 relevant la "lésion de mouvement et de sensibilité" et "la torpeur croissante des trois drniers jours", Cass. 22 janvier 1968 "Combe" consentement ne se traduisant plus que par signes, mais interprété comme suffisant. D. 1968 - 309 RTDC. 1968 - 537, n° 3 Comment. Nerson.
Cf. le cas soumis au T.G.I. Le Mans, 18 mars 1965, D. 1967 - 203 note Pradel : époux mariés en avril et dès le mois de juin tentative de la femme... pour étrangler le mari, celle-ci soutenant par la suite qu'il ne s'agissait que d'une crise isolée.

3. Comparer P. Hayoit, "La conception existentielle du mariage et sa répercussion en matière d'erreur", Revue *droit canonique*, 1983, pp. 9 sv. et J. Gaudemet, "Le mariage en Occident", cit. pp. 460-461.

4. Cf. le cas rapporté par Vazeille, "Traité du mariage", cit. p. 38, "Joliot Martin", Cass. 9 janvier 1821 — femme mariée en 1816 à un homme dont l'interdiction était en cours

dans un arrêt de la Chambre des Requêtes du 12 novembre 1844[1]. La Cour de Cassation devait justifier sa solution pour un argument de texte, la nécessité d'interpréter de manière restrictive l'article 184 ouvrant à toute personne ayant intérêt (y compris le Ministère public) le droit de remettre en cause l'union. Il suffisait d'une célébration dans un "intervalle lucide". Des arguments de fait plaidaient pour la solution, le Conseil de famille ayant par deux fois donné un consentement pour un mariage qui aurait été suivi d'une légitimation ; ce n'est qu'au décès de l'interdit que sa sœur tardivement agissait en nullité. Cette position a trouvé une consécration législative avec le texte du 3 janvier 1968, instaurant une "gamme de protection" pour les incapables majeurs. Qu'il s'agisse de l'hypothèse la moins grave, où le majeur en raison d'une altération de ses facultés n'a besoin que d'être conseillé (régime de la curatelle de l'art. 508) ou de celle où "la maladie, l'infirmité ou l'affaiblissement de l'âge", comme toute altération mentale médicalement établie nécessitent la protection continue de la tutelle (art. 490 et 492) le mariage est valable. Mais la loi l'entoure de certaines précautions, le majeur sous curatelle devra obtenir le consentement du curateur, à défaut celui du juge des tutelles (art. 514). Quant à celui sous tutelle, son mariage nécessitera une réunion spéciale du conseil de famille qui entendra les futurs époux et le "médecin traitant" habituel (art. 506). Si le majeur en tutelle a encore ses deux parents vivants, exceptionnellement leur double consentement est requis. Il semble, d'après les textes, que l'avis médical ne soit dans ce cas qu'une simple formalité. Pour Monsieur Massip[2], en cas d'autorisation parentale, le médecin devrait remettre un certificat analogue du "certificat prénuptial", sans précision sur l'avis. (Mais il pourrait formuler une opposition de fond devant le Conseil de famille). Le secret médical est ce sens, mais la précaution légère. Le code reste d'autre part muet sur les délais de prescription, quand la majeure en tutelle ou curatelle a déjoué les précautions légales. On se demande s'il faut s'en tenir à la solution la plus sévère (c'est-à-dire la prescription quinquennale de l'art. 1304) ou admettre que par analogie avec le cas des mineurs (art. 183) le mariage ne peut plus être remis en cause au bout d'un an. C'est cette solution, qui à propos d'un majeur en curatelle, a eu les faveurs de la Cour de Cassation[3]. Nous ne croyons pas pour notre part que l'assimilation entre les personnes atteintes de faiblesses mentales nécessitant certaines précautions, et les mineurs soit justifiée. L'écoulement d'un trop bref délai n'est pas synonyme de guérison, et les exigences légales peuvent être méconnues[4].

S'agissant des majeurs sous "sauvegarde de justice", comme de ceux qui ne bénéficient d'aucune protection spéciale, les textes sont muets. La solution

---

et qui lui avait consenti une donation mutuelle de biens par contrat de mariage. L'intéressé devait décéder après sept mois de mariage à l'hospice de Charenton, mais les parents du mari ne purent obtenir la nullité du mariage, faute de preuve suffisante de la démence lors de la célébration.

1. D. 1845 - I - 100 *rapport* cons. Mestodier.
2. Cf. J. Massip, "La réforme des incapables majeurs, 3e édit., n° 189, t. 1, Répen. Notoriat, 1977
3. Cf. cass. I - 17, mai 1988, sullet. cass. 1988 - I - n° 147, J.C.P., 1989, 21197 note F. Soulanger majeur francais ayant contracté mariage en Espagne sans l'autorisation de son curateur en avril 1981 — celui-ci, tardivement informé, a été déclaré forclus après assignation en jullet 1982.
4. Contra J. Massip, n° 191 et 294

traditionnelle consistait à exiger la preuve de la déficience mentale au jour même du mariage. Faute de quoi il était valable[1]. Mais l'arrêt de Cassation du 23 mai 1980 a opéré un renversement de la charge de la preuve. Dans le cas d'un vieillard marié dans la dernière année de son existence, mais dont la tutelle n'avait été ouverte que trois mois après le mariage, la Cour se fondant sur des témoignages extérieurs, a constaté un "état permanent de démence sénile" justiciable de la nullité. C'était à la femme défenderesse d'apporter, le cas échéant, la preuve contraire[2]. Cette décision a témoigné de la difficulté de s'attacher à la notion d'"intervalle lucide"... comme du paradoxe de la plus grande fragilité de l'union sans régime spécial d'incapacité... par rapport à celle qui en comporte un[3].

124. La plupart des droits étrangers se caractérisent par une beaucoup plus grande sévérité que le droit français à l'égard des maladies mentales, et un moindre attachement à la liberté du mariage. Soit, comme nous l'avons vu à propos du droit canonique, qu'ils exigent que le consentement implique la perception des devoirs du mariage, soit qu'ils craignent la transmission de tares à la descendance. Il n'y a guère que les droits africains, inspirés du droit français tel le Code gabonais, pour admettre le mariage dans un intervalle lucide, avec autorisation du tuteur donnée par acte notarié ou devant l'officier d'état civil et avis d'un psychiatre[4]. Un grand nombre de droits européens font de l'interdiction un empêchement au mariage (§ 2 "Ehegesetz" allemande, art. 11 Code polonais 8-4 Code de la D.D.R. etc...). Le Code Civil italien voit une cause de nullité, non seulement dans l'interdiction contemporaine du mariage, mais dans celle prononcée postérieurement à la demande de tout intéressé[5]. Il est vrai que le droit italien connaît une prescription annale. Cette question, comme l'âge des mariés, et les empêchements de parenté, a d'ailleurs été une source de difficultés dans les rapports entre le Vatican et l'Etat italien. Le Concordat du Latran de 1929 admettait de plein droit la reconnaissance civile des mariages canoniques par transcription sur les registres d'état civil. Après l'introduction du divorce en 1970 et plusieurs décisions de la Cour constitutionnelle (dont une de 1972 relative à l'état mental lors de la célébration de l'union), la révision du 18 février 1984 a entendu effacer certaines distinctions entre le "mariage concordataire" des catholiques et le mariage des non-catholiques. Il y a donc désormais des conditions de mariage uniformes sur certains points ; la divergence entre le droit canonique et le droit italien sera privée d'effets[6]. D'autres systèmes sont non moins sévères à l'égard des maladies mentales : c'est ainsi qu'en U.R.S.S., lors de la

---

1. Cf. cour Paris, 8 novembre 1965, D. 1966 - 134 refusant de prononcer la nullité d'un mariage, alors que la femme n'avait fait l'objet d'un traitement que trois ans après le mariage — cass. 29 janvier 1975 Bullet. cass. 1975 - 1 n° 42.
2. Cf. cass. I - 28 mai 1980, Bullet. cass. 1980 - 1, n° 159 - J.C.P. 1981, 19552 note G. Raymond.
3. Cf. la proposition curieuse de M.A. Bénabent, cit. p. 76 incitant les personnes atteintes de faiblesse mentale... à vivre en union libre.
4. Art. 204 1er et 2e cit. par Chr. Youana, p. 175.
5. Cf. J. Pousson-Petit, cit., p. 485, art. 85 et 119 C. Civ. italien).
6. Cf. P. Moneta, "Il matrimonio nel nuovo Concordato con la Santa Sede", *Il diritto di famigliia*, 1984, pp. 1205 sv.

célébration du mariage, les futurs époux doivent attester par écrit qu'ils se sont communiqués leur état de santé, mental comme physique, et l'interdiction pour maladie mentale ou faiblesse d'esprit est un empêchement au mariage[1]. En Belgique, une loi du 19 juin 1973 a assimilé "l'arriéré mental grave" à un mineur de moins de quinze ans "quant à sa personne et à ses biens" (art. 487 bis). Il y a eu création d'un empêchement au mariage qui peut être invoqué par le conjoint du malade mental. La doctrine a même pu parler de mariage "inexistant"[2]. Sans aller aussi loin, les droits anglais et allemand annuleraient le mariage de celui dans un tel état de sénilité qu'il ne comprendrait pas le sens de la cérémonie[3].

Les législations les plus "draconiennes" sont celles qui ont recours à des mesures "préventives" de stérilisation ou castration qui rappellent des précédents fâcheux de l'Allemagne hitlérienne. Tel est le cas des lois danoises du 13 juin 1973 et suédoise (loi du 1er janvier 1935 remaniée par celle du 1er janvier 1976)[4]. Ces procédés qui d'après les lois scandinaves ne visent que les "tares mentales" susceptibles de transmission, ne sont pas inconnus aux Etats-Unis, où le problème a une ampleur nationale. On estime que six millions d'Américains (soit 3 % de la population) sont rangés dans la catégorie des "attardés mentaux". La majeure partie des Etats de la fédération (soit 37 et le District de Colombia) font de l'état mental une prohibition de mariage. Certaines législations telle celle du Kansas ont interdit aux déficients mentaux le mariage avant 45 ans. La première stérilisation a été réalisée en 1889, le premier Etat à la légaliser, l'Indiana en 1907, jusqu'à ce que la cour Suprême condamne le procédé comme inconstitutionnel et non respectueux des garanties de la défense. Toutefois certains Etats continuent de la pratiquer, tel le Nébraska (§ 42 102-103 du statut de 1974). L'attitude de la Cour Suprême n'a d'ailleurs pas été toujours négative : dans un précédent "Buck v/Belle de 1927, elle justifiait les mesures de stérilisation par le désir de préserver de certaines tares la descendance. La question devait de nouveau se oser dans le cas "Stump v/Sparkman" (1975). En raison de retards mentaux très importants de la part d'une fille de quinze ans, le Juge Stump avait prescrit pareille mesure, en cachant à la fille la nature de l'opération. Quatre ans plus tard elle découvrait sa stérilité, et intentait une série de recours contre Stump. La Cour Suprême devait faire valoir l'immunité juridictionnelle du Magistrat dans se prononcer directement sur l'atteinte à la liberté de mariage et la valeur du procédé[5].

B 125. Si on passe du défaut de discernement lors de la célébration, aux vices du consentement susceptibles après le mariage d'amener son annulation, on est en présence d'un phénomène psychologique très proche. Dans un cas

---

1. Décision du "Praesidium du soviet Suprême" du 16 avril 1945 et art. 10III des "Principes Fondamentaux du mariage et de la famille du 17 juin 1968 cités par Fr. Korkisch, "Das neue Ehe and Familienrecht der Sowjetunion", 0st Europa Recht, 1972, p. 15.
2. Cf. F. Rigux, in "Mariage et famille en question" Belgique, 1980, cit. p. 92.
3. Cf. J. Pousson-Petit, p. 498.
4. Cf. J. Pousson-Petit, cit., p. 474.
5. V. sur ces points Jeffrey M. Shaman, "Persons who are mentally retarded : their right to marry and have children", *Family Law Quarterly*, 1978, pp. 61-84.

comme dans l'autre un époux n'a pas été à même d'apprécier la personnalité de son conjoint et les suites du mariage. Mais il ne s'agit plus de déficience mentale. Le vice de la volonté résulte soit de la négligence d'un époux à s'informer davantage de son partenaire, soit de la dissimulation ou des manœuvres de son conjoint ou de tiers. On conçoit que la déloyauté du partenaire, voire l'erreur excusable de l'époux, puisse entraîner la nullité. Mais il faut être prudent dans l'analogie avec les actes juridiques. Il n' s'agit pas de rétablir "a posteriori" un équilibre entre deux contractants. La brièveté de l'expression formelle lors de la célébration rend la preuve particulièrement ardue[1]. Plus encore que dans le cas d'insanité d'esprit où on peut recourir à des éléments extrinsèques de preuve, il sera nécessaire de se livrer à un examen subjectif de l'état d'esprit des partenaires[2]. Il faut enfin que les faits invoqués soient antérieurs au mariage : c'est une différence théorique importante avec le divorce qui ne devrait se fonder que sur des causes postérieures à l'union. Mais la distinction est un peu artificielle : il est connu qu'en droit français par exemple un époux a pu invoquer comme "injure grave", la dissimulation de faits antérieurs au mariage. A l'inverse, le droit italien qui accorde une assez large place aux nullités, se fonde sur des faits (maladie, condamnation) qui prolongent leur influence bien au delà de la célébration de l'union. Nous verrons d'ailleurs qui, si on passe aux effets, le rapprochement s'est accentué entre nullité et divorce, les conséquences de la dissolution dans les deux cas n'étant amené à jouer que pour l'avenir. Une proposition qui n'a pas eu de suite lors de la réforme française du divorce en 1975, aurait permis au juge saisi d'une démarche en divorce de lui substituer en l'absence d'enfant le prononcé de la nullité pour erreur sur les qualités substantielles[3].

126. Les difficultés de preuve et la crainte d'une annulation trop fréquente, expliquent les réticences initiales du droit canonique. Le point de départ devait être un célèbre décret de Gratien relatif au cas de la femme noble mariée par erreur à un serf. Gratien se refusait à faire de l'erreur dans le mariage "une cause générale d'annulation". Seules pouvaient être prises en compte les erreurs sur la condition et l'identité de la personne. A côté de l'erreur, l'abbé Hugues de St Victor (1130-1143 ouvrage "De Sacramentis") devait retenir le dol provoqué par le conjoint et entraînant l'annulation à titre de réparation[4]. Contrairement au travail d'approfondissement d'analyse de volonté en matière de contrats, l'Eglise s'en est tenue longtemps à une position restrictive. Le code de 1917 (canon. 1083) ne reflétait guère les travaux d'Alphonse de Liguori (canoniste du XVIIIe siècle) sur le rôle des intentions et n'admettait que l'erreur sur la personne" (au sens de son identité) ou l'"erreur sur les qualités" si elle était équivalente à une erreur sur la personne. Il a fallu attendre une jurisprudence récente pour connaître de l'élargissement des cas d'erreur.

---

1. Cf. comparer G. Ripen - J. Boulanger, t. 1, n° 1143.
2. Cf. pour le refus d'un conjoint de se plier à une expertise, alors que son époux invoquait l'"erreur sur l'intégrité psychique" référés T.G.T. Arras, 9 octobre 1981, J.C.P. 1982, 19852 note G. Raymond.
3. Cf. J.C. Groslière, "La réforme du divorce", 1976, n. 297 et comment. de M. Rubbelin, RTDC. 1981, pp. 135 sv.
4. Cf. J. Gaudemet, "Droit canonique et droit romain : à propos de l'erreur sur la personne en matière de mariage", extrait des "Studia Gratiana", Bologne, 19s6, pp. 47 sv.

Notamment une sentence de l'Officialité de Moulins confirmée par le Tribunal ecclésiastique de Sens et la Rote (1966), annulait le mariage d'une jeune fille avec un homme se disant "français", résistant et médecin", alors qu'il était "belge, collaborateur et infirmier". Plusieurs décisions complétaient l'élargissement de la notion d'erreur et précisaient le problème de la preuve (qualités qui "dans la considération commune sculptent la figure d'une personne", sentences "Coram Canals" du 21 avril 1970 et "Pompeddo" du 25 novembre 1978)[1]. Le nouveau code de droit canonique de 1983 élargit la notion d'erreur si elle concerne "une qualité directe et essentielle attendue de l'autre partenaire" (erreur sur les qualités, art. 1098) et si elle s'accompagne de dol (notion nouvelle). A côté de l'erreur sur les qualités, le code connaît l'erreur sur la personne (1097) et la violence, même si elle offre un caractère non déterminant (metuus indirectus)[2].

127. Le droit français est passé par une évolution un peu comparable à celle du droit canonique. La tradition exprimée par le "Traité du Mariage" de Pothier, était défavorable à une interprétation subjective et large des vices du consentement. Au cours des travaux préparatoires à l'encontre de ceux qui s'en tiendraient à une conception étroite de l'erreur (sur l'identité physique ou civile), le Premier consul devait faire valoir (séance du 26 Fructidor an IX) que "le nom, les qualités, la fortune entrent dans les motifs qui déterminent le choix d'un époux ou d'une épouse. L'erreur sur ces circonstances détruit donc le consentement, quoi qu'il n'y ait pas d'erreur sur l'individu"[3]. Les rédacteurs du code, sans renvoyer aux principes généraux du droit des contrats firent preuve d'un laconisme plutôt désapprobateur dans les articles 180-181. Des trois vices "classiques" erreur, dol et violence, le dol était exclu. La violence (nécessité d'un consentement libre) ou l'erreur "dans la personne" étaient traitées allusivement. L'article 181 prescrivait une très courte prescription de six mois pour l'action en nullité en cas de cessation de la violence ou de découverte de l'erreur s'il y avait "cohabitation continuée". Les premiers arrêts rendus au lendemain du code devaient éviter une interprétation trop étroite, en retenant les procédés ou manœuvres de natures à fausser le consentement, c'est-à-dire le dol (le plus souvent dans des cas d'usurpation d'état civil au lendemain des époques troublées de la Révolution et de l'Empire)[4]. Le coup d'arrêt était donné par le célèbre arrêt "Berthon" des Chambres Réunies du 26

---

1. Cf. P. Hayoit, "La conception existentielle du mariage", cit., *Rev. Droit Canonique*, 1983, pp. 9 sv. — J. Schmitt, "L'acte positif de volonté en tant que cause de nullité du mariage", *Rev. Droit Canonique*, 1984, pp. 140 sv. — L. de Naurois, "Dissolution et nullité du mariage en droit canonique", Colloque de Pau, cit. *Les Petites Affiches*, 24 avril 1984.
2. Cf. de Naurois, cit., Ilse Schmidt-Dalhoff, "Auswirkungen von Willensmangeln bei Eingehung der Ehe nach bisherigem and Kunftigem Recht" (conséquences des vices du consentement lors de la célébration du mariage dans le droit actuel et futur), thèse Bonn, 1986, p. 38.
3. Cf. Fr. Laurent, "Principes de droit civil", t. 2, pp. 376 cit.
4. Cf. Cour Colmar, 6 décembre 1811 — annulation du mariage d'un organiste qui avait été moine profes. et Bourges, 6 août 1827 — individu prisonnier de la guerre d'Espagne, se disant colonel et baron à partir d'un acte de naissance fabriqué par ses soins, cf. F. Laurent, cit. n° 383 — G. Cornu, "Centenaire", D. 1959, Ch. 215.

avril 1862[1]. La Cour de Cassation refusait de faire du passé pénal chargé d'un individu (condamnation aux travaux forcés pour complicité d'assassinat) une cause d'annulation : "le texte et l'esprit de l'article 180 du Code Civil n'admettent la nullité que pour erreur sur l'identité de la personne... (elle reste) sans extension possible aux simples erreurs sur les conditions ou qualités de la personne".

Cette position devait fixer la jurisprudence pour près d'un siècle. Certes, l'arrêt de 1862 comportait des motifs contingents : la prohibition du divorce qui aurait pu être tournée par une conception large des nullités, la peur de créer, sur le plan civil, une peine complémentaire aux sanctions pénales (notamment celle de la dégradation civique de l'art. 34). Mais de manière plus générale, on devait retrouver à propos du mariage l'esprit qui animait le droit des contrats, la crainte de pénétrer dans le "for interne" et la difficulté de preuve, l'idée que dans toute union, il y a une "acceptation des risques" par les partenaires. Des qualités qui n'étaient pas déterminantes pour le partenaire au moment de la formation de l'union n'ont pas paru justifier la nullité. C'est ainsi que la jurisprudence a refusé de tenir compte de fausses indications sur l'âge et la nationalité[2], et de manière plus discutable de la dissimulation du passé de la femme et de la naissance d'un enfant[3]. Une décision du Tribunal de Bressuire et plus encore une autre du Tribunal de Grenoble[4] ont été présentées comme amorçant un revirement de jurisprudence. En réalité la jurisprudence a été placée devant un problème analogue à celui de la cause dans les contrats. Une simple déception sur l'âge et la beauté du partenaire ne peut évidemment suffire. Il faut :

1/ que lors de l'union l'absence de tout élément touchant aux fins du mariage ait été connu ou susceptible d'être connu du partenaire ;
2/ que cet élément, selon l'expression de Monsieur Malaurie, soit "sociologiquement déterminant".

S'agissant de l'état mental du conjoint, la jurisprudence exige que sa gravité pu être ignorée de l'autre époux et qu'elle nécessite un régime de protection. De simples soins dans un hôpital psychiâtrique avant le mariage ont été jugés insuffisants pour le prononçé de la nullité[5]

C'est dire qu'il faut prendre en compte les circonstances extérieures, l'époque et l'entourage des mariés. C'est ce qui explique des décisions apparamment contradictoires, l'annulation du mariage pour erreur sur la nationalité à une époque d'exaspération nationaliste[6], et le refus d'y attacher

---

1. D. 1862 1 - 153 concl. Dupin.
2. Cf. Trib. Seine, 6 décembre 1949, D. 1950 - 103 - Cour Paris, 7 juin 1973, J.C.P. 1973, 27539 D. 1974 - 175 note Guiho.
3. Cour Angers, 6 décembre 1928, D.H. 1929 - 154 Trib. Seine, 18 janvier 1938, D. 1939 - 2 - 32., 26 juillet 1944 (D. 1945 - 94.
4. 13 mars et 23 novembre 1958, D. 1959 - 495 note critique Cornu.
5. En ce sens Cour Paris, 1er décembre 1988, D. 1989. T.R. 6 mais pour le prononcé de la nullité T.G.T. Vesoul, 28 novembre 1989, D. 1990, 590, note C. Philippe.
6. Cf. cas du mariage d'une Française avec un Allemand se faisant passer pour alsacien, Trib. Seine, 4 février 1918, s. 1920 - I - 129 note A. Rousseau.

une importance particulière[1] dans un contexte d'apaisement. S'il y a évolution, c'est dans la prise en compte de plus en plus attentive aux suites que peut comporter le mariage. S'agissant de causes déjà existantes au moment du mariage, la nullité sera possible là où les décisions hésiteraient peut-être à prononcer le divorce et où les conditions ne seraient pas réunies (même postérieurement à 1975, le divorce par rupture de vie commune exige, selon l'article 238 une grave altération des facultés mentales depuis six ans). C'est ainsi qu'a pu être retenue l'"erreur sur l'intégrité physique et psychique" (Trib. Grenoble précit.) l'impuissance physique du conjoint alors que les époux étaient "dans la fleur de l'âge"[2].

128. La loi du 11 juillet 1975 a confirmé cette jurisprudence en modifiant le 2e alinéa de l'article 180. Désormais l'erreur sur la personne ou "des qualités essentielles de la personne " est cause d'annulation. S'il y a erreur chez l'un, il y a souvent réticence mensongère chez l'autre. Dans la mesure où d'après le droit commun des contrats,la réticence peut être constitutive de dol, il est peu exact de dire que ce vice est exclu du droit français du mariage. C'est ainsi que l'ignorance du passé pénal est devenue contrairement au précédent Berthon, cause de nullité[3].

Cette importance (relative) de la notion d'erreur contraste avec le déclin, dans les faits, du vice de violence. Son rôle avait été longtemps lié à la lutte contre les mariages célébrés sans le consentement des parents (répression du "rapt de séduction" jusqu'à la Révolution). Le silence gardé par le Code Civil sur les conditions de l'action au chapitre "du mariage" a obligé de se référer aux règles générales sur les contrats (art. 1112-1114). Il faut entendre toute pression physique ou morale de nature à amener une personne à donner malgré elle son consentement. Le Code exige un mal "considérable" et "présent" qui ne résulte pas de la seule pression des parents ou "crainte révérencielle" (art. 1114). Le caractère de relativité du vice (en fonction de l'âge et du sexe) et la brève prescription (six mois s'il y a eu cohabitation) ne sont pas de nature à faciliter l'exercice de l'action. Il y a eu pourtant quelques exemples, dans des régions de forte cohésion familiale où le mariage exerçait un prestige social[4]. L'utilisation de la nullité pour violence pourrait avoir une nouvelle fonction

1. Cf. Cour Paris, 7 juin 1973 — réfugié arménien qui se serait fait passer pour réfugié bulgare.
2. T.G.T. Lille 17 mai 1962, D. 1963 So. 10 — Trib. Avranches, 10 juillet 1973 D. 1974 — 175 cit. note Guiho.
3. Cf. Trib. Tarascon, 8 juillet 1982 - 2 Som. 235 — mari interpellé à la frontière, après trois semaines de mariage. Il en va de même pour la dissimulatin d'une liaison antérieure suivie de l'abandon de la femme, alors qu'elle avait été élevée dans une famille "pieuse et unie" (T.G.T. Le Mans 7 décembre 1981 I.C.P. 1986 - 20573) (Cour Paris 26 mars 1982, G.P. 1982 - 2 - 519). S'agissant de l'état mental du conjoint, la jurisprudence exige que sa gravité ait pu être ignorée de l'autre époux, et qu'il nécessite un régime de protection. De simples soins dans un hôpital psychiatrique avant le mariage ont été considérés comme insuffisants : Cour Paris, 1er décembre 1988, D. 1989, T.R. 6 - mais pour la nullité, T.G.I. Vésoul, 28 novembre 1989, D. 1990, 590 note C. Philippe.
4. Cf. Cour Bastia, 27 juin 1949, D. 1949 - 417 menaces de mort pendant la cérémonie, et Bastia, 24 octobre 1955 D. 1956 Som. 37 Cass. 17 mars 1959, D. 1959 - 540 prétendue allégation de paternité pour contraindre au mariage.

protectrice : défendre de jeunes génération d'enfants d'immigrés en France contre une trop forte emprise familiale[1].

129. Un examen du droit comparé montre des positions assez contrastées sur le rôle et l'importance des vices du consentement. De tradition, le droit anglais rejette le dol, et n'admet l'erreur qu'en se fondant sur des distinctions sur le régime des nullités remontant à l'époque de la compétence de juridictions ecclésiastiques (avant 1857). En cas de mariage "void" (nul de plein droit ou inexistant) ne compte que l'erreur sur l'identité corporelle ou la nature de la cérémonie. Le mariage est "voidable" (annulable judiciairement) dans des cas un peu plus larges d'erreur sur les capacités physiques ou l'état mental du conjoint[2]. Au Canada, le droit du Québec a connu originairement une définition de l'erreur sur la personne aussi étroite que celle du droit français. C'est ainsi qu'en 1980 encore, la Cour Supérieure se refusait à annuler le mariage d'une femme avec un homme qui s'était prétendu avocat, alors qu'il se trouvait sans profession[3]. Le nouveau article 426 du Code du Québec retient à côté de l'erreur sur l'identité, l'erreur "sur une qualité essentielle du conjoint par suite du dol de ce dernier ou d'un tiers[4]. Le droit des Etats Unis se ressent de la tradition restrictive anglaise. L'erreur sur les qualités n'est pas normalement pris en compte ; toutefois, selon les Codes de plusieurs Etats (Californie, Idaho, Sud Dakota) certaines réticences dolosives d'un conjoint peuvent entraîner la nullité : celles portant sur un passé criminel, sur des maladies susceptibles d'affecter le couple, voire le silence gardé sur la naissance d'un enfant illégitime ou la fausse croyance d'une paternité ayant conduit au mariage6.

Des pays d'Europe Continentale, c'est sans doute l'Italie qui accorde le plus d'importance aux nullités. La réforme du droit de la famille qu'a réalisé la loi du 19 mai 1975 a entendu éviter les difficultés de preuve que suscite la notion d'"erreur essentielle". Aussi procède-t-elle par voie énumérative. A côté du cas classique d'erreur sur l'identité, l'erreur est qualifiée d'"erreur essentielle sur les qualités personnelles de l'autre conjoint" si on peut relever les faits suivants : maladie physique ou psychique, comme déviation sexuelle de nature à empêcher le développement de la vie conjugale, condamnation pour délit volontaire non inférieure à cinq ans ou "délinquance professionnelle", état de grossesse causé par une personne autre que le sujet tombé dans l'erreur (ce qui vise la dissimulation d'une naissance avec le mariage) (art. 122 C Civ.). L'action en nullité est ouverte à l'un et l'autre époux, étant entendu qu'elle est prescrite par une cohabitation de un an (auparavant de six mois)[5]. Le droit suisse (art. 124, 2e C. Civ.) comme le droit turc qui s'en est inspiré (art. 116

1. Cf. Cour Paris, 20 mai 1983, G.P. 1983 - 2 Som. 424 mariage d'une Morocaine élevée en France, annulée à la requête de la mère, le mari ayant usé de violences et l'ayant privé de ses papiers après le retour au Maroc — "ayant à peine seize ans au jour du mariage, elle avait subi une contrainte morale et physique qui l'avait empêché de s'exprimer").
2. Cf. T. Schimidt-Dalhoff, cit., p. 130.
3. Cf. J. Baudouin, RTDC, 1982 - 236 n° 2. Cf. J. Pnieau, cit., p. 32.
4. Cf. H. Spiess, "Die ungullige Ehe im Recht der Vereinigten Staaten", Les causes d'annulation de mariage en droit améridain, thèse Cologne, 1964, p. 85.
5. Cf. J. Pousson-Petit, cit., p. 203 et M. Matteocci, "La réforme du droit de la famille de la législation italienne", R.D.T.C. (Bruxelles), 1977, n° 2, pp. 7 sv.

C. Civ.) visent les qualités "si essentielles" du conjoint que leur absence rend la vie commune insupportable" ("Unzumutbarkeit"). Le dol qui met en péril la santé du conjoint l'est également retenu (art. 125 C. Civ. Suisse). Dans le même esprit mêlant des causes d'erreur morales et physiques, le droit yougoslave cite la condamnation pour faits déshonorants, les habitudes dépravées, l'impuissance (art. 42, 2e C. Yougoslave). Le droit brésilien (art. 219) retient l'erreur sur l'honneur et la réputation.

Le droit allemand est passé par plusieurs phases : les précédents du Code Civil allemand de 1900 étaient favorables à une conception assez extensive des vices du consentement : le code prussien de 1794 (A.L.R.) admettait déjà l'erreur sur les qualités et le dol, et surtout le code saxon de 1863 (§ 1595-97) retenait des cas comme l'existence de maladies physiques ou mentales incurables, l'impossibilité d'entretenir des rapports sexuels. Le B.G.B. revenait par contre à une conception beaucoup plus stricte de l'erreur. Seules était retenues les qualités "partie intégrante de l'individualité" et un arrêt du Reichsgericht refusait de considérer comme telle l'erreur sur la religion du conjoint[1]. Les textes de l'époque hitlérienne (loi sur "la protection de la santé du peuple allemand" du 18 Octobre 1935 et loi sur la famille du 12 avril 1938) devaient d'une part supprimer la rétroactivité originaire de la nullité, et surtout l'élargir à l'"erreur sur les circonstances qui concernent l'autre conjoint" (on visait par là une éventuelle ascendance israélite de l'un des époux). La loi sur la famille de 1946, confirmée par la réforme du 14 juin 1976 a repris le terme d'"erreur sur les qualités" telle qu'une appréciation raisonnable aurait fait obstacle à l'union (32 Ehegesetz). Pareillement, les textes admettent le dol commis par un époux envers l'autre, et la violence (§ 33-34). Seul a été conservé le principe du maintien pour l'avenir des suites de la nullité[2].

Le rôle des vices du consentement apparaît enfin beaucoup plus modeste dans les pays de droit islamique ou en Afrique Noire. En liaison avec le problème de la dot, l'école islamique "hanafite" s'est surtout attachée à l'"erreur sur la disparité sociale" commise par la famille de la mariée envers le marié[3]. Les codes d'Afrique Noire s'en tiennent parfois à la formule traditionnelle (exemple de l'art. 32 de la loi ivoirienne : erreur sur l'"identité physique ou civile"), mais parfois aussi se montrent plus larges (ainsi l'art. 212 C. gabonais traite de l'erreur sur la nationalité, la religion, l'état de santé du conjoint au moment de la célébration). Les "sévices ou menaces" pour obtenir le consentement sont également pris en compte[4].

130. On peut au total constater, en droit comparé, la progression du rôle des vices du consentement, et de l'idée que le mariage n'est pas seulement un échange immédiat de volontés mais doit correspondre à la représentation mentale que chaque époux pouvait se faire de l'autre. Certes, pour beaucoup, le divorce apparaît la voie la plus simple ; (mais non toujours la plus sûre, les nullités tendant à porter sur des cas plus précis, tandis que le divorce "faillite"

1. Cf. T. Schmidt-Dalhoff, cit., p. 37.
2. Pour un refus d'annulation du mariage en raison d'une erreur sur l'existence de troubles chroniques ne mettant pas en danger la descendance, O.L.G. Hambourg, 31 août 1982 Fam. RZ. 1982 1211.
3. Cf. A.Y. Dennaoui, p. 41.
4. ex. an. 652e ordonnance camerounaise, cf. Chr. Youana, cit. p. 174.

se heurte parfois à des fins de non recevoir et des problèmes de preuve). L'inconvénient le plus grave de la nullité, mettre à néant les effets antérieurs de l'union, tend comme nous le verrons, à disparaître des droits contemporains. La nullité, comme le divorce, ne dissoudra le mariage que pour l'avenir. On ne peut à notre avis, que se féliciter d'une telle évolution qui permet de mieux "cibler" certaines défaillances physiques ou mentales dissimulées à un conjoint. Une réforme utile du droit français consisterait à faire une place au dol dans le mariage, à côté de l'erreur et de la violence.

Bibliographie :

G. Raymond, "Le consentement des époux au mariage", thèse Poitiers, 1959 (public. Paris, 1965).

J.J. Lemouland, "L'intégrité du consentement au mariage", thèse (dactyl.), Bordeaux 1, 1984.

Colloque de l'Université de Pau, 24-25 novembre 1983, "La disparition du lien conjugal", communic. L. de Naurois et J. Hauser, "Les Petites Affiches", 27 avril 1984, n° 48-51.

R. Koering-Joulin, "L'évolution de la jurisprudence civile en matière d'erreur sur le mariage", *Rev. droit canonique*, 1979, pp. 80 sv.

J. Pousson-Petit, "Le démariage en droit comparé", Bruxelles, 1981.

H. Spiess, "Die UngultigeEhe in Recht der Vereinigten Staaten", thèse Cologne, 1964.

T. Schmidt-Dalhoff, "Auswirkungen von Willensmangeln bei Eingehung der Ehe", thèse, Bonn, 1986.

R. Nerson et J. Rubbelin Chron., RTDC, 1981, pp. 135 sv.

J. Carbonnier, "Terre et ciel su le droit français du mariage", *Etudes Ripert*, t. 1 (1950), p. 325 s.

§ 3. LA QUESTION DU MARIAGE SIMULE OU "DETOURNE"

131. Avec le mariage simulé on aborde une hypothèse différente des cas jusqu'alors étudiés. L'expression du consentement ne connaît aucune altération. Les époux ont agi avec discernement, sans qu'aucun d'eux évoque l'erreur ou le dol. Mais l'échange des volontés n'est qu'un moyen, sans désir de fonder une famille. Suivant l'expression de Monsieur Dagot[1], ils ont "créé intentionnellement une apparence". Tantôt la cérémonie n'est suivie d'aucune vie en commun : c'est le "mariage en blanc" proprement dit. Tantôt les intéressés font un choix parmi les conséquences habituelles du mariage écartant les unes (comme la cohabitation) et admettant les autres (la légitimation d'un enfant). On peut alors parler du mariage aux "effets conventionnellement limités".

1. Cf. "La simulation en droit privé", thèse, Toulouse, 1967, préf. P. Hébraud, p. 245.

La simulation pose un problème difficile. Elle n'est pas, en soit, une cause de nullité dans les actes juridiques ; il est délicat de dresser a priori une liste des effets ordinaires du mariage hors desquels celui-ci serait sans valeur. L'entente des époux, rendra particulièrement difficile la possibilité qu'auraient des tiers ou le Ministère Public de faire annuler le mariage. Toutefois, il est certain que le mariage ne peut se résumer à un acte formel permettant d'éluder certaines exigences légales. La liberté matrimoniale a, comme contrepartie, la nécessité de ne pas encourager la fraude à la loi. Si, comme l'a écrit Madame Gobert, il ne faut pas "sanctionner l'imagination" (J.C.P. 1982, 19842), le caractère institutionnel du mariage ne permet pas de laisser sans conséquences le mariage simulé.

132. Le mariage simulé n'est pas une idée récente, puisqu'on a pu citer le cas, dès l'Antiquité, de femmes mariées fictivement pour obtenir leur émancipation et au Moyen-Age une décrétale d'Alexandre III admettant la simulation[1]. Le Code canonique de 1917 devait d'ailleurs postérieurement, en raison du caractère sacramentel du mariage, déclarer toute simulation nulle (art. 1086-2e). Quelques espèces au lendemain du code Civil, muet sur la question (comme les autres textes de l'époque) entrainèrent la destruction du mariage fictif. Ainsi celle qu'eut à connaître la Cour d'Aix-en-Provence du 4 mai 1813 sur le pseudo-mariage d'un mendiant et d'une jeune fille, ceci afin de lui permettre de bénéficier de la dot que la mère avait constituée pour cet événement[2].

Il a fallu attendre le début des troubles politiques et des migrations humaines après 1918 pour voir se développer un phénomène international de la simulation. (La première décision française de l'époque est, semble-t-il en jugement du Tribunal de Grenoble du 11 juillet 1923 annulant le mariage contracté par une Française avec un américain en Turquie pour éviter l'inernement[3]. Les changements politiques radicaux d'après la Seconde Guerre Mondiale, de l'Allemagne au Vietnam devaient multiplier les mariages blancs aux fins d'acquisition d'une nationalité étrangère. Certains mariages d'étrangers et d'"autochtones" ne s'inspiraient que du désir d'échapper à des obligations militaires. De manière moins dramatique, plusieurs pays d'Europe Occidentale voient se développer les mariages fictifs, pour permettre à des étrangers d'acquérir des autorisations de séjour ou même la nationalité du pays d'accueil. Le cas de la Suède semble particulièrement typique. Monsieur Sundberg a pu déplorer la multiplication des "épouses de papier" d'étudiants ou d'étrangers sans permis de séjour "achetées" autour de la gare centrale de Stockholm, pour une somme de 7 à 10 000 couronnes. On dénombrait en 1976 six mille mariages fictifs en Suède[4].

L'usage le plus fréquent du mariage fictif s'est développé dans un Etat qui a été le seul, semble-t-il, à prendre une mesure législative d'ensemble contre le mariage simulé : l'U.R.S.S. Sur l'ensemble du territoire de l'Union Soviétique, l'utilisation du "mariage blanc" a permis de nombreux avantages :

1. Cf. Dagot p. 241.
2. Cf. Dalloz, Jurispr. Génér. Mariage n° 443, cit. G. Raymond, p. 114 - Dagot, p. 237.
3. Cf. G. Raymond, p. 115.
4. Cf. J. Sundberg in "Mariage et Famille en question", cit. Scandinavie, 1980, p. 191.

tourner les règles de répartition autoritaire des postes de travail, permettre à des provinciaux de bénéficier de permis de séjour dans les grandes villes et à Moscou, voire en cas de déménagement, garder le bénéfice du maintien sur les lieux accordés du locataire principal. L'originalité de la situation tient à l'utilisation très large du divorce par consentement mutuel qui suit pareils mariages (il est possible, en l'absence d'enfants communs de divorcer par simple declaration devant l'officier d'état civil[1]). Certains avantages sociaux (rente d'incapacité de travail) ou de logement restent acquis à l'ex-époux. On a pu citer le cas (rapporté par le Journal les "Izvestja" de decembre 1975) de la pianiste de Bakou venue en visite chez sa sœur moscovite et ayant épousé le plombier-réparateur, dont elle devait rapidement divorcer, aux seules fins d'obtention d'un permis de séjour. Une telle situation devait entraîner une réaction des pouvoirs publics. Les "Principes Généraux " du droit de l'U.R.S.S. de 1968-1969 (art. 151) déclarent une union judiciairement nulle, si elle a été enregistrée "sans intention de fonder un véritable foyer conjugal"[2]. Les Codes des Républiques fédérées, notamment celui de la "Grande Russie" ont apporté quelques précisions. A défaut des époux, l'action peut être intentée, même après divorce pour toute personne ayant un intérêt et le Ministère Public ; (art. 44-2). On ne peut considérer l'union comme fictive, si les intéressés ont connu, avant l'instance judiciaire, une vie commune conjugale (art. 432). Toutefois la mort d'un époux après le mariage n'est pas considéré comme un obstacle à l'action en nullité. Les conséquences sont celles qui s'attachent à toute nullité (anéantissement rétroactif du régime matrimonial, perte du droit au logement), sauf à tenir compte de l'éventuelle bonne foi de l'un des époux qui lui permet de garder le nom de famille et de maintenir le caractère légitime de la descendance (art. 46-6).

133. En dehors de l'U.R.S.S. les réactions au mariage simulé ont été plus partagées, en raison des difficultés de preuve. L'Angleterre et les EtatsUnis connaissent la notion de "mariage fictif" ou à "effets limités" (shame marriage). Mais le droit américain, reconnaît comme valable, semble-t-il, le mariage qui n'a pour but que de légitimer un enfant ou de permettre à la fiancée du frère décédé de transmettre son nom à l'enfant[3]. Au Canada, le nouvel article 424 du code du Québec permet d'annuler l'union contractée par une personne qui s'est pliée aux formalités de la célébration, sans intention d'assumer les obligations du mariage. Ainsi la Cour supérieure, dans une affaire "Lanzetta v/Falco" annulait le mariage d'un Italien résidant au Canada qu'il avait contracté avec une Américaine pour échapper à l'expulsion à l'expiration de son visa[4].

En Europe, plusieurs pays se sont montrés sévères quant à la validité de l'union qui n'a d'autre but que de faire échec aux règles sur l'immigration. C'est ainsi que la loi suisse du 29 septembre, 1952 sanctionne par la nullité absolue le mariage qui tournerait les règles de la naturalisation, sans intention

1. Cf. n° 64.
2. Cf. Andr. Bilinsky, "Fiktive Ehen in der sowjetunion", Ost Europa Recht, 1976 (4), DD. 216 sv.
3. Cf. Spiess, cit., p. 77.
4. Cf. J. Pineau, p. 28.

de fonder un foyer conjugal. Comme en U.R.S.S., la nullité pourrait être prononcée même après un jugement de divorce qui aurait conservé au conjoint le "droit de cité"[1]. Le droit allemand semble distinguer les motifs qu'aurait une personne de conclure un mariage fictif et souligne la difficulté de préciser les buts du mariage[2]. Mais en sens inverse, on a fait valoir que l'institution du mariage fait l'objet d'une protection constitutionnelle et qu'on pourrait en faire un usage abusif ou immoral. L'officier d'état civil aurait même la faculté préalable de s'opposer à la célébration de certaines unions. Plusieurs décisions ont condamné les mariages qui d'après les éléments de la cause, ne permettaient qu'une prolongation de séjour des étrangers[3]. En Belgique, la Cour de Bruxelles a été saisie et une requête en annulation du mariage d'un Marocain célébré devant devant l'officier d'état civil de cette même ville. L'union n'avait été suivie ni de cohabitation ou relations sexuelles, ni de versement de dot. Les intéressés faisaient valoir que le mariage belge n'était qu'une apparence pour permettre au mari d'obtenir un permis de séjour et de travail. La Cour a alors annulé le mariage, les parties n'ayant utilisé les formes belges "que pour détourner ces formes de leurs fins véritables"[4]. Par contre, la Cour de Liège a refusé de voir une simulation dans le mariage conclu entre un citoyen belge et une Mauricienne à l'Ile Maurice du seul fait que les motifs particuliers des époux divergeaient, le mari voulant échapper à la solitude, la femme a la pauvreté. Le mariage n'étant pas nul, le mari demandeur a obtenu le divorce[5].

134. Le droit français s'est retrouvé confronté à des difficultés analogues à celles des droits étrangers. Dans un premier temps, un arrêt de la Cour de Cassation "Appietto", qui a fait l'objet de critiques a entendu distinguer les fins du mariage, celui-ci étant sans valeur si les conjoints attendaient un résultat "étranger à l'union matrimoniale", où au contraire justifié s'il ne s'agissait que de procurer à un enfant la situation d'un légitime[6]. La sanction de la fictivité avait-on étrangement suggéré, serait le maintien de l'union[7]. La loi sur la nationalité du 9 janvier 1973 a paru donner un essort au mariage fictif, en permettant, par exception au principe de l'article 37 que le mariage est sans effet sur la nationalité, à tout étranger ou apatride de souscrire devant le juge d'instance, une déclaration en faveur de la nationalité française. Le texte primitif ne donnait au gouvernement que la seule faculté pendant un an de s'opposer à l'acquisition de la nationalité en arguant "l'absence de communauté de vie" entre les époux[8]. Il semble que l'opposition (contrôlée par le Conseil d'Etat) ait été très rare et les abus manifestes. On a même pu citer les recours au mariage fictif pour tourner la règlementation de clubs de football, limitant

1. Cf. J. Pousson-Petit cit., p. 231.
2. Cf. P.H. Neuhaus, cit., p. 71.
3. Cf. O.LG. Karlsruhe, 7 octobre 1982, Fam. RZ. 1982 - 1210 ; Allemande de 70 ans mariée à un Turc de 35 ans — O.L.G. Hambourg 25 novembre 1982 Fam. RZ 1983-64.
4. Cf. Cour Bruxelles, 17 janvier 1984, R. Trim. Droit Familial, 1986, p. 28.
5. Cour Liège, 19 mai 1988, RTDF 1988, 4539.
6. Cf. Cass. 120 novembre 1963, D. 1964-465, note G. Raymond, chr. J. Foulon-Piganiol, D. 1965-9.
7. Monsieur Malaurie, n° 168 a fait valoir qu'il "serait malhonnête de tricher avec les institutions".
8. Cf. II. sattifol ct P. Lagarde, *Droit international Privé* t. 1 - 7e édit., 1981, n° 127.

le nombre de joueurs étrangers dans les équipes locales[1]. La loi du 7 mai 1984 a modifié l'article 37-1 du Code de la nationalité, en faisant du délai de six mois de vie commune, une condition de recevabilité de la déclaration d'acquisition de la nationalité française. Une pareille mesure devait décourager un trop grand recours aux mariages fictifs[2]. Toutefois, comme l'a fait remarquer Monsieur Lagarde, le gouvernement a perdu la faculté d'opposition si la vie commune cesse dès le lendemain de la déclaration. L'art. 107-2 Code de la Nationalité réserve, il est vrai, une possibilité de contestation au Ministère Public). La circulaire ministérielle du 2 août 1989 (prise en application de la loi du même jour sur les conditions d'entrée et de séjour des étrangers) a rappelé la nécessité de la lutte contre les mariages de complaisance[3]. D'autre part, le droit pénal s'est efforcé de lutter contre les incitations publicitaires au "mariage blanc". Une disposition de l'ordonnance du 2 novembre 1945 sur "les conditions d'entrée et de séjour des étrangers en France", toujours en vigueur (art. 21) a érigé en délit autonome l'aide directe ou indirecte apportée au séjour irrégulier d'un étranger (emprisonnement de 2 mois à 2 ans et amende de 2 000 à 200 000 F pour une application concernant une annonce en faveur d'un mariage fictif)[4].

Malgré ces mesures, la jurisprudence fait preuve de réticence à porter directement atteinte à la liberté matrimoniale et contrôler l'usage du mariage. Certaines décisions ont repris la formule d'"Appietto" et annulé un mariage pour consentement "dépourvu d'intention conjugale" le résultat étant "étranger à l'union"[5]. Dans d'autres cas, comme la célèbre affaire "Taleb", il s'agissait moins d'un mariage fictif que d'une volonté réelle de vivre en commun, mais avec un procédé détourné (par divorce puis remariage) pour une déclaration en faveur de la nationalité française.[6] La manœuvre a été déjouée avec le maintien du remariage, mais l'annulation de la déclaration de nationalité (la rétroactivité conférée à l'acquisition de la nationalité française par la loi de 1984 a rendu sans objet le cas "Taleb"). Dans une espèce plus récente, la Cour de Paris a sanctionné le mariage fictif en refusant d'accorder à la femme turque (qui avait épousé un Français pour éviter l'expulsion) toute contribution aux charges du ménag[7]. On peut considérer comme une solution "boiteuse" celle qui consiste à maintenir le mariage, tout en niant les effets. L'absence de toute "possession d'état" ou Communauté d'existence devrait suffire à amener le Parquet de requérir la nullité du mariage pour défaut de volonté matrimoniale réelle.

La simulation semble toutefois prendre un essor très important. Le mariage connait un véritable “détournement d'institution” pour permettre à

---

1. Cf. C.R. de M. Paul Lagarde sur l'étude de M. Collomb, “L'acquisition de la nationalité française à des fins sportives”, *Rev. Crit.* 1977 -190.
2. Cf. P. Lagarde, *Rev. Crit.* 1984 - 542 - D. Holleaux, J. Foyer et G. de la Pradelle, Droit international privé, 1987, n° 83.
3. J.C.P. 1989, 63024.
4. Cf. cass. crim. 25 novembre 1980, D. 1981 LR. 142 observ. Roujon de Bougée.
5. Cf. T.G.I. Le Mans, 24 avril 1984, G.P. 1984 - 2 som. 289, mariage blanc pour obtenir un titre de séjour.
6. Cf. “Procureur Général près de Lyon c/Taleb”, Cour Lyon, 16 janvier 1980, D. 1981 577 note P. Guiho cass. I-17 novembre 198 ; , J.C.P. 1982, 19842 note M. Gobert, Comment. R Nerson et J. Rubbelin, RTDC 1983 - 334.
7. Cf. cour Paris 26 septembre 1986, D. 1987 -134, note D. Mayer et P. Cale.

l'étranger de bénéficier d'un titre régulier de séjour en France[1] soit pour lui éviter une expulsion imminente[2]. La Cour de cassation exige l'existence de sentiments affectifs et une véritable communauté de vie "pour écarter le détournement". La difficulté continue de résider dans la preuve[3]. Elle peut résulter d'une série de faits postérieurs à l'union, comme un divorce suivant le mariage dans un délai très bref ou la naissance d'un enfant reconnu par un tiers[4].

Bibliographie :

G. Raymond, "Le consentement des époux au mariage", thèse Poitiers, 1959, cit.

M. Dagot, "La simulation en droit privé", thèse Toulouse, 1967.

P. Neuhaus, "Ehe und Kindschaft...", Tubingen, 1979, cit.

J. Pousson-Petit, "Le démariage en droit comparé", Bruxelles, 1981.

A. Bilinsky, "Fiktive Ehen in der Sousjetunion", 0st. Europa, Recht, 1976, pp. 216 sv.

J. Hauser, "Au mariage, on peut tout trouver", RTDC, 1991, 296.

1. Trib. Administratif, Besançon, 3 octobre, 1991, J.C.P. 1992, IV. 1392 (mariage suivi d'un divorce).
2. Cour Versailles, 15 juin 1990, D. 1991, 268 note J. Hauser.
3. Cass. 1, 5 mars 1991 (Singh Balbir), J.C.P., 1992, 21789 note F. Laroche-Gisserot - sur un cas curieux d'opposition au mariage faite par le Procureur de la République sur l'union d'un détenu et d'une Mauricienne, T.G.I. La Rochelle, 2 mai 1991. D. 1992, 259 note P. Guiho.
4. Trib. Administr. Besançon cit.

CHAPITRE V

Les autres conditions de fond et de forme du mariage La preuve et les sanctions

L'importance conférée au rôle et à l'analyse de la volonté ne peut faire oublier l'existence d'autres conditions de fond et la nécessité d'une célébration publique du mariage. Celui-ci est avant tout une conjonction de sexes, ce qui implique un minimum d'exigences (plus grandes en droit comparé qu'en droit français) sur l'aptitude physique au mariage, voir sur la santé et la possibilité de remplir les devoirs conjugaux (§ 1). En outre (à mi-chemin des exigences physiques et morales) le mariage ne peut méconnaître certains interdits tenant à la parenté ou à l'alliance (§ 2 - les interdits religieux seront étudiés avec la célébration). Enfin en droit français, comme dans ceux de tradition chrétienne, la monogamie ou lien unique est le principe. Il est tempéré par les possibilités de remariage et l'existence officielle dans les systèmes musulmans et africains, de la polygamie.

SECTION I
LES CONDITIONS DE FOND

§ 1. LES EXIGENCES PHYSIOLOGIQUES DU MARIAGE

135 A. Le mariage est classiquement défini en doctrine comme l'union de deux personnes de sexe opposé. Cette précision figure dans certains Code modernes qui font de son absence, une cause d'inexistence de l'union[1]. Le Code Napoléon s'est contenté de faire allusion à ces différences en prévoyant dans l'article 144 des âges de mariage distincts pour l'homme et la femme. Les rédacteurs du code ne se sont pas posés le problème de la définition du sexe. L'Ancien Droit avait pourtant été confronté à quelques difficultés relatives au mariage des "hermaphrodites", individus empruntant des traits de deux sexes

1. Cf. 5 2 C. Polonais 5 - 51 Code R.D.A. - art. 401 Code du Québec. Union résultant de la volonté de "l'homme et de la femme" de se prendre pour époux.

opposés. C'est ainsi que le Parlement de Paris, par arrêt de la Tournelle du 10 janvier 1765 avait condamné deux époux à se séparer pour confusion sur l'identité sexuelle. Le mariage avait été en apparence valablement célébré ; mais le marié n'offrait qu'une apparence masculine, ayant été baptisé comme de sexe féminin. Une indiscrétion postérieure devait remettre en cause le mariage[1]. Le Code Civil prussien (A.L.R. de 1794) faisait quelques allusions à ces situations en laissant aux parents d'abord, puis à l'intéressé lui-même à partir de 18 ans le soin de déterminer son sexe. Mais à une époque de connaissances médicales incertaines, la validité du mariage était maintenue, dès lors qu'il y avait une différence morphologique des sexes. Deux arrêts de Cassation devaient être en ce sens[2]. La conclusion était claire : certaines imperfections ou faiblesses d'organes n'étaient pas de nature à justifier la nullité de l'union[3].

Le problème a été renouvelé à l'époque contemporaine avec l'élargissement de la définition d'appartenance à un sexe et la naissance du phénomène du "transsexualisme", c'est-à-dire "le sentiment qu'a une personne d'appartenir au sexe opposé de celui qui lui a été assigné à la naissance"[4]. Il est en effet admis aujourd'hui que le sexe ne se résume pas seulement à une conformité externe, mais présente également des caractéristiques chromosomiques et offre même un aspect d'identité psychologique.

Le "transsexualisme" n'est autre que la rupture de certains de ces éléments. L'intéressé, inscrit à sa naissance sous un sexe déterminé, souhaite obtenir une modification de son état. S'il est célibataire, il voudra épouser une personne relevant du sexe duquel il entend se dégager. A l'inverse, déjà marié, il invoquera la nullité du mariage fondé sur une différenciation apparente, pour survenance d'une identité sexuelle. On a pu objecter à cela le principe que la modification de l'état de l'individu ne saurait dépendre de sa seule volonté, et que le "transsexualisme" ne se confond pas avec une indifférenciation initiale du sexe. Dans un pareil cas, un texte comme la loi suédoise du 20 avril 1972 permet de corriger les déformations initiales et d'acquérir l'appartenance au sexe la plus proche de la réalité biologique. La jurisprudence française, saisie d'assez nombreuses demandes de modification d'état civil s'est partagée entre un accueil favorable des juges du fond, et un refus persistant de la Cour de Cassation d'entériner des changements sans nécessité médicale avérée[5]. Dans une hypothèse où un individu inscrit à l'état civil au moment de la naissance comme de sexe féminin, avait obtenu un jugement rectificatif lui attribuant un prénom masculin, et désirait se marier, le père de sa future femme a fait tierce opposition. Le futur marié n'a pu obtenir la main-levée de l'opposition devant la Cour de Paris, malgré une position favorable du tribunal de Grande Instance.

---

1. Affaire Grandjean in P. Darmon, "Le tribunal de l'impuissance", Paris, 1979, pp. 50 - 62.
2. Cass. Civ. 15 janvier 1872 D. 1872 - I - 53 ét. civ. 6 avril 1903 D. 1904 - 1 - 395 concl. Beaudoin.
3. Cf. B. Edelman sous Cass. Civ. 30 novembre 1983 D. 1984 - 165.
4. Cf. D. Thouvenin, "Le transsexualisme, une question d'état méconnue, *Rev. Tr. Droit sanitaire et social,* 1979, pp. 291 sv. J. Petit, RT.D.C. 1976, pp. 263 sv., A. Schneider "Rechtsprobleme der Transsexualität", thèse, Cologne, 1975
5. Cf. cass. 3 mars 1987, D. 1987, D. 1987 T.R. 61 - Cass. 7 juin 1988 D. 1988 - I.R. 177.

La décision a témoigné en réalité de son hostilité au mariage du transsexuel[1]. Nous pensons pour notre part qu'il est peu logique à partir d'une modification judiciaire d'état civil entourée de certaines garanties, de refuser au transsexuel la possibilité de contracter mariage.

136. Le phénomène a pris une ampleur suffisante à l'étranger (notamment aux Pays-Bas et en Allemagne où on compterait plus de 2 000 transsexuels à) pour entraîner une intervention législative. Une loi allemande du 10 septembre 1980 (en vigueur depuis le 1er janvier 1981) rend désormais possible la modification judiciaire de l'état, moyennant certaines garanties. Il doit s'agit d'un majeur de 25 ans, récusant depuis trois ans le sexe figurant à l'état civil, et après avis de deux médecins spécialistes, ayant subi une opération pour arriver à "une approche de l'autre sexe". Ce changement devait alors lui permettre, contrairement à la jurisprudence antérieure, de demander la nullité du mariage originaire[2]. En Angleterre une décision "Talbot" avait d'abord admis la nullité du mariage de deux femmes, dont l'une croyait de bonne foi, avoir épousé un homme. Mais dans le cas "Corbett v/Corbett", le demandeur, après intervention chirurgicale modifiant son aspect, a en vain sollicité l'annulation du mariage originaire (1970). Une expertise avait témoigné du maintien de l'appartenance chromosomique masculine. Il n'est pas certain, à l'avenir, que les obstacles opposés jusqu'alors au mariage des transsexuels, soient considérés comme conformes à la Convention européenne des droits de l'homme. On sait, en effet, que la Cour européenne a fait un impératif du respect de la vie privée et du droit de fonder une famille[3]. L'objection classique, que les traitements médicaux subis ne permettraient jamais une transformation biologique complète du transsexuel et le rendraient incapable de procréer, ne tient pas compte des nouveaux aspects de la filiation (adoption, insémination).

On remarquera que le phénomène du transsexualisme ne se confond pas avec l'homosexualité, c'est-à-dire[4] "la déviation de la libido caractérisée par une attirance pour une personne de son propre sexe". L'homosexualité a été traditionnellement condamnée par l'Eglise catholique ; le tribunal de la Rote y a vu un empêchement au mariage. Plusieurs droits modernes (loi yougoslave, loi canadienne du 1er février 1968) en font même une cause spéciale de dissolution du mariage. La position des Eglises protestantes a été plus libérale, notamment en Suède et aux Pays-Bas (d'après Mme. Pousson-Petit, il y aurait même eu des célébrations de mariages homosexuels). Le Parlement danois, par acte du 7 juin 1989 (entré en vigueur au 1er octobre) a légitimé le mariage

1. Cf. T.G.I. Paris 13 décembre 1983 et Cour Paris 17 février 1984, D. 1984 - 350 note M.L. Rassat.
2. Sur la loi allemande, cf. J. Pousson-Petit, p. 390 et C. Saint-Alary-Houin, "La sexualité dans le droit civil contemporain", Annales de l'Université de Toulouse, 1985 (t. 33), p. 7 sv.
3. Cf. supra, an. 8 et 12 évoquées dans l'affaire "Van Oosterwijck" où seules des raisons procédurales ont évité à la Cour de se prononcer directement n° 18 s. Regourd cit. et M. Goben, "Génétique, Procréation et Droit", Rapport 1985 p. 175.
4. Selon la définition du Hongrois Berken rapponée par M. Pousson-Petit, p. 405.

homosexuel (mal différentié malgré son enregistrement du concubinage). Il n'exige pas une intention de vie commune[1].

137 B. On comprend qu'un acte aussi personnel que le mariage comporte un minimum de maturité psychique et physiologique. La fixation de 'âge minimum ou "âge nubile" dépend de plusieurs facteurs : physique et climatique (plus grande précocité sous les climats méditerranéens), mais aussi de la conception qu'on se fait de la liberté matrimoniale et de la politique démographique. Les droits religieux (nés aussi sur les bords de la Méditerranée) étaient par tradition favorables à un minimum très bas hérité du droit romain : 14 et 12 ans pour les garçons et les filles en droit canonique, 13 ans et un jour pour les garçons, 12 ans et six mois pour les filles en droit hébraïque. Les rédacteurs du code Civil, tenant compte des conditions climatiques ont fixé des chiffres dans l'article 144 (inchangés depuis 1804 même si la majorité a été, comme on le sait, abaissée) : 18 ans révolus pour les garçons, 15 ans révolus pour les filles. Il est possible de descendre au-dessous de cet âge par la pratique des dispenses pour "motifs graves" (art. 145). Le soin d'accorder des dispenses dépendait traditionnellement du Chef de l'Etat en droit français. Depuis la loi du 23 décembre 1970, c'est le Procureur de la République du lieu de célébration du mariage qui est le seul juge d'octroi de la dispense (le motif grave étant le plus souvent, l'attente d'un enfant pour la femme). Il semble que dans les faits, il y ait une certaine recrudescence des dispenses (77 en 1922, actuellement aux abords de 400 d'après M. Bénabent).

Un certain nombre de droits européens retiennent l'âge de 18 ans, sans toujours distinguer a priori entre les sexes : ainsi la Suède (loi de 1978), l'Allemagne Fédérale (qui se contente depuis la loi du 31 juillet 1974 que l'un des futurs époux ait atteint 18 ans, l'autre ayant au minimum 16 ans), l'Italie (loi du 9 mai 1975). La fixation de l'âge matrimonial a été dans ce dernier pays, une source de difficultés, en raison des divergences avec le droit canonique (qui a pourtant relevé l'âge matrimonial à 16 ans et 14 ans selon canon 1083 du Code de 1983). La révision des accords du Latran du 18 février 1984 (déjà signalé à propos de l'état mental des époux n° 124) a imposé sur ce point la prééminence du droit italien, nonobstant la transcription civile du mariage canonique. L'âge minimum du mariage tombe à 16 ans révolus en Irlande (loi de 1981), à 16 et 14 ans en Espagne (avec dispense). Le droit anglais avait conservé jusqu'en 1929 les délais traditionnelles de 16 et 14 ans pour les garçons et les filles. Depuis cette date, les futurs mariés doivent l'un et l'autre, avoir plus de 16 ans (jusqu'à 18 ans, le consentement parental reste exigible, sauf dispense judiciaire). Quelques droits européens ont toutefois une réglementation impliquant un minimum d'âge plus élevé que celui du droit français : ainsi le droit suisse (20 ans et 18 ans) et le droit autrichien (19 et 16 ans selon la loi de 1973). Une disposition originale des droits italien et autrichien est de permettre l'abaissement de l'âge minimum par une comparution judiciaire des intéressés qui démontreront qu'ils possèdent une maturité suffisante.

1. Cf. M.H. Pederson : le certificat de concubinage homosexuel et les nouvelles dispositions concernant le divorce et la séparation in *Regards sur le droit de la famille...*, cit, p. 127.

Hors d'Europe, il est assez fréquent (surtout dans le monde musulman et visant les filles) que l'âge minimum du mariage soit bas : 16 et 15 ans en droit jordanien, 15 et 13 en droit syrien (l'art 19 du code syrien voit néanmoins dans la trop grande différence d'âge un motif d'opposition au mariage), 18 et 15 ans au Maroc, 18 et 16 ans en Egypte. Le Code Civil turc s'est démarqué du droit suisse en abaissant l'âge du mariage (17 et 15 ans). Toutefois la tendance n'est pas uniforme, et quelques droits ont relevé l'âge du mariage. Ainsi en Israël, une ordonnance britannique de 1936, dans un souci de protection, avait écarté le minimum hébraïque, et interdit des mariages au-dessous de 15 ans. Une lois israélienne du 8 août 1950 a fixé l'âge nubile à 17 ans[1]. Pour des raisons démographiques, semble-t-il, contrairement au Maroc, la Tunisie et l'Algérie ont relevé l'âge des mariages : pour la première, qui en 1956 s'était référée aux règles françaises (18 et 15 ans révolus), l'âge minimum est passé depuis 1964 à 20 et 17 ans[2]. Le Code algérien de la famille (art. 7) a fixé le minimum à 21 et 18 ans, le juge pouvant accorder une dispense pour "raison d'intérêt" et "en cas de nécessité".

En Amérique, si le "Domestic Relations Law" de New-York maintient un minimum bas (16 et 14 ans section 15 a) le code de Québec a réformé l'âge du mariage, le faisant passer à 14 et 12 ans (art. 402-403). L'Afrique Noire avait connu la pratique des mariages coutumiers trop précoces. Aussi, dès l'époque coloniale, des mesures de protection avaient paru nécessaires. Sur les territoires français les "décrets Mandel" du 15 juin 1939 avaient imposé un minimum de 16 ans révolus pour les hommes, 14 ans pour les femmes[3]. Les nouveaux Codes africains ont en général relevé ces chiffres (18 et 17 ans Code sénégalais). Toutefois, ils connaissent des dispenses administratives ou judiciaires. Enfin le droit de la République populaire de Chine a sans doute l'âge nubile le plus tardif. La loi du 10 septembre 1980 a revu l'âge minimum qui avait été prévu par un texte de 1950 (20 et 18 ans). L'homme ne peut désormais se marier avant 22 ans révolus, la femme avant 20 ans. Sans équivoque, les articles S et 12 de la loi de 1980) déclarent que les mariages et procréation tardives sont "encouragés", et que les époux ont le devoir de mettre en œuvre une politique de planning familial[4].

138 C. La question reste ouverte de savoir si la célébration du mariage dépend que de la seule constatation de l'âge nubile. On pourrait concevoir qu'en raison des répercussions possibles sur la descendance, le mariage soit subordonné à l'exigence de l'état de santé des futurs époux. C'est la politique, dite de l'"eugénisme", dont nous avons constaté une application partielle, notamment aux Etats-Unis en matière de maladies mentales (n° 124). L'expression la plus complète des exigences sur l'état physique des futurs époux figurait dans la loi de l'Allemagne nationale socialiste du 16 octobre 1935. Chaque conjoint devait alors présenter un certificat de l'"office sanitaire" attestant qu'il n'était pas

1. Sauf dispenses, les orthodoxes étant valablement mariés à 17 et 15 ans, les catholiques à 16 et 14 - Cf. G. Slama, cit., p. 152.
2. Cf. Dennaoui, cit., p. 48.
3. Cf. Encyclopédie de l'Afrique, cit. et M. Dumetz, "Le droit du mariage en Côte d'Ivoire", Paris, 1975.
4. Cf. D.T.C. Wang, "Les sources du droit de la République populaire de Chine", Genève, 1982, p. 106.

porteur d'aucune maladie contagieuse ou mentale héréditaire[1]. A la même époque du reste des lois danoises et suédoises faisaient de l'existence de maladies vénériennes une cause d'empêchement au mariage.

Le très mauvais souvenir laissé par le droit national socialiste a fait que la plupart des droits contemporains ont renoncé à faire du bon état de santé physique des époux, un préalable du mariage. Même les lois suédoises et danoises ont été abrogées (en 1968 et 1969). Il faut toutefois souligner qu'en contre-partie, plusieurs Etats font de l'existence d'une maladie contagieuse, notamment vénérienne, une cause de nullité. C'est le cas de l'Angleterre depuis 1937. Le mariage est "voidable" (annulable) si le conjoint, à l'époque de l'union était atteint d'une maladie contagieuse ignorée de son partenaire. Le droit yougoslave (art. 42-2) et le droit norvégien (art. 35-3, loi 7 février 1969) prennent pareillement en compte les maladies vénériennes pour l'annulation. Quelques textes vont un peu plus loin : ainsi le Code Civil suisse continue de faire de l'épilepsie un empêchement préalable, si elle porte atteinte à la faculté de discernement (art. 97). Certains droits africains visant comme cas de nullité la "maladie grave et incurable" dissimulée au conjoint lors de l'union (art. 138 du Code sénégalais). La législation la plus exigeante paraît en définitive être le droit turc. Depuis la réforme du droit turc en 1921 le mariage est subordonné à un examen médical complet (art. 122 et 124 C.Civ. turc). Il a pour but de déceler l'existence de maladies, telles que la tuberculose, la syphilis, l'épilepsie. Dans certains cas (tuberculose) le mariage peut être différé, dans d'autres interdits[2].

139. Le droit français a fait un pas timide vers un préalable médical du mariage avec le "certificat prénuptial" créé par la loi du 16 décembre 1942 (et maintenu par l'ordonnance du 2 novembre 1945). L'article 63, alin. 2 prévoit que les époux, lors de la célébration, remettent un certificat datant de moins de deux mois, et attestant qu'ils ont été examinés en vue du mariage. Un décret du 17 mars 1978 (art. 6-1 modifié d'un décret du 19 juillet 1962) précise que l'examen médical doit surtout être attentif aux risques de maladie contagieuse (examen sérologique pour le dépistage de la syphilis, le cas échéant, examen radiologique pulmonaire, pour les femmes examen sérologique de la rubéole). Mais tout le système repose sur la conscience morale des futurs époux. Le certificat ne doit pas contenir d'attestations sur l'état de santé de chaque époux. Aucun des conjoints n'est tenu de communiquer les résultats à l'autre ; l'officier d'état civil peut même en dispenser en cas de mariage "in extremis" (art. 169, alin. 3 C. Civ.). L'omission du certificat ne sera pas en fin de compte, une cause de nullité (il n'y aura qu'une amende à la charge de l'officier d'état civil). La loi du 18 décembre 1989 sur "la protection et promotion de la santé de la famille et de l'enfance" a prévu (art. L. 153, Code de la Santé publique) la remise d'une brochure d'éducation sanitaire à chacun des futurs conjoints avec le certificat médical. On peut dans ces conditions (comme à propos du majeur en tutelle n° 123) douter de la valeur du certificat. On comprend qu'il n'ait rencontré qu'un succès très relatif à l'étranger. Le Luxembourg (loi du 19 décembre 1972) a imité le système français. Le droit norvégien (loi 7

1. Cf. J. Pousson-Petit, cit., p. 366.
2. Cf. J. Pousson-Petit, cit., p. 371.

février 1969) prévoit une information spéciale sur les maladies vénériennes, et l'article 413-2 du code du Québec vise l'opportunité d'un examen préalable. Mais la plupart des Etats européens (Grande-Bretagne, Espagne, Italie, Allemagne Fédérale) n'admettent rien de semblable. La "recommandation" de Vienne de la C.I.E.C. s'est montrée hostile à l'idée de faire dépendre la validité du mariage du résultat d'un examen médical. La propagation de certaines maladies contagieuses (SIDA) inciterait peut-être à prendre l'attitude opposée. Mais, ce serait aller à l'encontre de la liberté du mariage, et favoriser l'union libre.

La question de l'introduction d'un certificat prénuptial a été récemment soulevée en droit russe en raison de l'état médical alarmant de la population[1].

140 D. On ne saurait confondre l'absence d'interdits médicaux préalables au mariage avec le refus de prendre en compte les relations sexuelles résultant de la cohabitation entre époux. Les droits religieux ont toujours eu une approche très réaliste du "commerce" entre conjoints. En droit musulman où la préparation et la cérémonie du mariage s'accompagnent du versement partiel de la dot (n° 110), ce n'est le plus souvent que la "consommation" du mariage qui rendre exigible la totalité de la dot[2]. L'Eglise catholique a vu très tôt dans la non consommation du mariage une atteinte au caractère "sacramentaire". Dès le IXe siècle, les conciles de Verberie et de Compiègne imposaient la séparation des époux pour impuissance. Devant les Officialités, puis les Parlements devaient se dérouler des procès en nullité pour impuissance (comportant le plus souvent l'interdiction du remariage). Le recours à la procédure dite "du congrès" devait entraîner des procès assez scandaleux, comme celui du 31 mai 1678 où devant le Parlement de Paris, après le décès de sa femme, un veuf, père de trois enfants, était poursuivi en nullité par sa belle-sœur, pour impuissance ![3]. Le droit canonique depuis une constitution de Sixte-Quint de 1587, frappant d'"empêchements publics", les Castrats ou eunuques, jusqu'au Code de 1983, a mis l'accent sur l'accomplissement des devoirs conjugaux. Les articles 1094-1097 du Code actuel condamnent les conventions par lesquelles les époux excluraient la cohabitation sexuelle et annulent le mariage pour "incapacité psychique" d'en assumer les obligations essentielles[4].

Selon la tradition canonique, certains droits ont fait une cause spécifique de nullité de l'impuissance ou du refus de consommer le mariage. Le code Civil italien de 1942 (Codice Civile) contenait ainsi un article 123 précisant que l'ignorance où était un époux de ce que son conjoint était dépourvu des possibilités physiques de générations, et la découverte de cette impuissance, l'autorisait à agir dans les trois mois[5]. La réforme de 1975, accentuant le rôle du consentement dans le mariage, a supprimé cette disposition. Mais la formulation très large de l'article 122 du Code "erreurs essentielles sur les quali-

1. O. Khazova "Quelques problèmes du droit de la famille soviétique", in *Regards sur le droit de la famille*... cit., p. 224.
2. Cf. art. 16 Code algérien de la famille.
3. Cf. P. Darmon. "Le tribunal de l'impuissance", cit., pp. 118-123.
4. Canon 1095. cf. J. Gaudemet. "Le mariage en Occident", cit., p. 461.
5. Cf. J. Pousson-Petit et L. Hartemann, "Mariage et Famille en question", Italie, cit., p. 13.

tés de l'autre conjoint" qui cite notamment les "maladies physiques ou psychiques" permettra d'annuler un mariage pour impuissance (cf. supra n° 129). En Angleterre, le texte des "Matrimonial Causes Act" (M.C.A.) de 1973, remplaçant un précédent de 1937, invalide un mariage pour "refus de consommer". Quelques décisions ont apporté des précisions à ce texte. Le refus doit être volontaire et permanent (Horton, 1947). L'usage de pratiques anti-conceptionnelles n'équivaut pas à un refus de relations sexuelles. Aux Etats-Unis, les "statuts" de plusieurs états (Californie, Delaware, Iowa) condamnent le mariage de celui qui est "incapable of performing the sex act"). Deux d'entre eux, ceux de la Floride et de la Caroline du Nord en font même un cas d'"inexistence du mariage"[1].

Par contre, les rédacteurs du Code (surtout Portalis et Tronchet) avaient été marqués par les souvenirs des procès de l'Ancien Droit. Ils se refusèrent à faire de l'impuissance naturelle une cause spéciale de nullité. L'article 312 a propos du désaveu d'un enfant légitime ne visait que l'impuissance relevant de "quelque accident" (blessure ou maladie). Certains, comme Merlin, avaient à vrai dire laissé entendre que l'impuissance naturelle, comme accidentelle pourrait entraîner la nullité du mariage. Un arrêt de la Cour de Trèves de 1808 y vit même un empêchement[2]. Mais l'évolution de la jurisprudence fut bloquée à partir de l'arrêt "Berthon". Ce n'est qu'à une époque plus récente marquée par les décisions du Tribunal de Grenoble[3] que les décisions devaient prendre en compte l'"erreur sur l'aptitude sexuelle" au titre des qualités essentielles. Le demandeur se heurtera d'ailleurs à des difficultés de preuve : il lui faudra démontrer l'antériorité au mariage de l'impuissance (ce qui risque de se heurter au secret médical) et son caractère insurmontable qui ferait obstacle à des rapports normaux[4]. On remarquera que parallèlement à la nullité, l'impuissance par "ses répercussions postérieures au mariage" a pu être être retenue comme injure grave, constitutive du divorce. Si son caractère définitif n'était pas avéré, le refus de traitement pourrait, lui aussi, être justiciable du divorce[5].

Bibliographie :

J. Pousson-Petit, "Le démariage en droit comparé, cit. J. Gaudemet, "Le mariage en occident", cit.

P.H. Neuhaus, "Ehe und kindschaft", cit.

P. Darmon, "Le tribunal de l'impuissance", paris, 1979.

M. Culioli, "La maladie d'un époux : idéalisme et réalisme en droit matrimonial français", R.T.D.C., 1968, pp. 259 sv.

C. St. Alary-Houin, Annales de l'Université de Toulouse, 1985, cit.

J.P. Branlard, *Le sexe et l'état des personnes*, thèse Paris, 1991.

1. Cf. Spiess, cit., p. 116.
2. Cf. Vazeille, "Traité du Mariage", t. 1, cit. p. 100.
3. Cf. D. 1959 - 495 note G. Comu et supra n° 127.
4. Cf. Cour Paris, 26 mars 1982, G.P. 1982 - 2 - 519.
5. Cf. Cour Montpellier, 25 octobre 1961, D. 1961 - 776 et Cass. 2 - 16 décembre 1963, D. 1964 - 227.

§ 2. LES INTERDITS FAMILIAUX

141. Sous le nom d'"interdits familiaux", il faut entendre une série de prohibitions tenant à la parenté ou à l'alliance. Elles sont particulièrement nombreuses dans des sociétés rurales et closes. Les interdits moraux et religieux, sans parler des désordres physiologiques commandent la lutte contre l'inceste. Il n'est pas étonnant que l'Eglise catholique ait eu une conception extrêmement large des empêchements matrimoniaux jusqu'au 6ᵉ et 7ᵉ degré canonique, ramenés au 4ᵉ degré (8ᵉ degré civil) à partir du 4ᵉ Concile du Latran de 1215. La prohibition depuis la fin du Bas-Empire et le Haut Moyen-Age englobait non seulement la parenté légitime mais adoptive (lettre de Nicolas Ier aux Bulgares de 866) et même la parenté spirituelle (entre parrain ou marraine et filleuls). Si l'histoire du mariage, comme on l'a écrit, est celle d'une "libération constante", la formule paraît particulièrement exacte à propos des empêchements de parenté. Ils sont en réduction croissante depuis le code Civil, en France comme dans la plupart des pays "occidentaux". Toutefois, cette vision risque d'être un peu trompeuse. Les droits religieux, notamment ceux d'inspiration musulmane, consacrent encore une large place aux empêchements (ceux de nature familiale, comme ceux qui comme nous le verrons, sont de nature religieuse). Ainsi le Code algérien de la famille de 1984 a au titre "Du Mariage" un chapitre consacré aux "empêchements au mariage" (art. 23-31). D'autre part, certains droits d'Amérique du sud, tel le Code bolivien de 1972 (art. 158 sv.) qui consacrent légalement l'"union libre" à l'égale du mariage, en reprennent souvent les conditions, notamment l'absence de parenté du degré prohibé[1].

142. Le droit français distingue, suivant la proximité du degré prohibé, entre les prohibitions dites "absolues", c'est-à-dire celles qui ne peuvent souffrir aucune exception et les autres qui connaissent, suivant la tradition canonique, la possibilité d'une dispense pour "cause grave" (art. 164 C. Civ. qui a maintenu la compétence du président de la République pour les accorder).

Dans la première série, des prohibitions absolues, il faut citer, celle en ligne directe, entre ascendants et descendants légitimes ou naturels, à quelque degré que ce soit (art. 161). Une question classique et controversée est celle de savoir, dans le silence du code si la filiation de fait peut produire des conséquences comparables à la filiation légalement établie[2]. On a objecté le scandale qu'il y aurait à ne tenir compte que de la parenté légale, mais il ne rentre pas dans le rôle de l'officier d'état civil d'apprécier la réalité d'un lien de filiation. Ce serait à lui (ou au Procureur de la République) de s'opposer éventuellement en justice à une célébration.

Dans le cas où un homme aurait été condamné à verser des subsides à un enfant, sans que la filiation soit légalement établie, le nouvel article 342-7 (loi du 3 janvier 1972) applique les prohibitions des articles 161-164.

1. Cf. Vaz Perreira et Mane de Tanzer, "Gesetzliche Regelung der "wilden Ehe" in *Lateinarnerika*, Mélanges T. Zatjay Tabingen, 1982, p. 517.
2. Cf. H.L.J. Mazeaud et de Juglart, "Leçons de droit civil", t. 1, 3e vol. 6ᵉ édit., p. 138.

On assimile à la prohibition absolue en ligne directe celle en ligne collatérale entre frères et sœurs légitimes ou naturels (art. 162). Par contre si le mariage est encore prohibé entre oncle et nièce, tante et neveu, une dispense est concevable dans un pareil cas (163-164). Il est rare qu'un pareil mariage ait été célébré sans que la dispense soit obtenue[1]. L'alliance crée, elle aussi, une prohibition entre ascendants et descendants d'une part, et alliés de l'autre. Mais l'article 164 prévoit aussi la dispense si la personne qui a créé l'alliance, décède (le gendre veuf pourra épouser sa belle mère).

Enfin la parenté adoptive entraîne elle-aussi la prohibition.

La raison ne peut en être que morale (troubles dans la famille) non physiologique. S'agissant de l'adoption, simple, la moins complète, les articles 364-366 prévoient un cumul de prohibitions : celles qui existent avec la famille d'origine (art. 364) et celles entre d'une part l'adoptant et son conjoint, d'autre part l'adopté, éventuellement son conjoint et ses descendants. La règle joue aussi dans les rapports entre enfants adoptifs réciproquement, enfants de l'adoptant et l'adopté, mais là encore, des dispenses sont possibles (art. 366). Quant à l'adoption plénière, la règle est l'assimilation à la famille légitime (art. 356). Les interdictions du mariage avec les parents par le sang, subsistent en théorie (mais il n'y en a plus aucune constatation légale à l'état civil).

On voit en définitive que les prohibitions qui ne sont pas susceptibles de dispenses sont bien peu nombreuses. L'indulgence de la loi civile correspond à celle des textes pénaux qui ne connaissent aucune qualification spécifique de l'inceste en général (le droit pénal ne réprime que les attentats à la pudeur des seuls ascendants)[2]. Les réformes postérieures au Code Napoléon ont fait disparaître les empêchements qui existaient entre beaux-frères et belles-sœurs, tout d'abord au cas où le mariage se terminait par la mort du conjoint (loi du 1er juillet 1914) puis dans celui du divorce (loi du 11 juillet 1975).

143. A l'étranger, un certain nombre de pays sont allés parfois plus loin que le droit français dans la suppression des prohibitions. C'est ainsi que l'Allemagne Fédérale ne connaît plus la prohibition du mariage entre oncle et nièce ou tante et neveu (depuis 1875 et la loi sur l'état civil). En Suède, une loi du 4 juillet 1973 a même prévu avec une permission royale, la possibilité d'un mariage entre demi-frères et demi-sœurs. La Grande-Bretagne a supprimé, comme le droit français, les prohibitions de mariage entre beaux-frères et belles-sœurs (mais maintenue celle entre oncle et nièce "Marriage Enabling Act" de 1960). Les Pays-Bas depuis la réforme de leur code civil du 1er janvier 1970 ont fait disparaître toutes les interdictions entre beaux-frères et belles sœurs, oncle et nièce, tante et neveu[3]. On sait, aux Etats-Unis, l'impact qu'a eu l'arrêt "Redhail" quant à la possibilité de choisir librement son conjoint[4]. L'attitude de la Cour Suprême a poussé la plupart des Etats à supprimer toute

1. Cf. Cour Paris, 23 décembre 1958, D. 1959 - 271 actions en nullité intentée au bout de 20 ans de mariage, le mari ayant "découvert" son lien de parenté avec une tante qui avait falsifié les actes d'état civil, Cour Rouen, z3 février 1982, G.P. 1982 - 1 - Som. 179 D. 1982 T.R. 211 - prohibition jouant même pour la parenté consanguine.
2. Cf. M.L Rassat, "Inceste et droit pénal", J.C.P. 1974 - 2614.
3. Cf. P. Senaeve, "La prohibition du mariage en raison de la parenté ou de l'alliance", RTDF, 1978, p. 321 sv.
4. Cf. supra n° 103.

répression, pénale de l'inceste (ainsi au Michigan, dans le New-Jersey et en Ohio en 1983), voire à tolérer des mariages entre frères et sœurs adoptés[1].

Quelques droits européens seuls font encore exception : c'est ainsi que le code Civil suisse (art. 100 Z.G.B.) ne prévoir pas contrairement au droit français de dispense pour l'interdiction du mariage entre oncle et nièce. Le droit belge a quant à lui, maintenu l'empêchement du code Napoléon entre beaux frères et belles-sœurs, mais assorti d'une dispense. (D'après les chiffres donnés par M. Senaeve cit. 187 avaient été accordés pour ce motif entre 1960 et 1977 contre seulement 3 refus). Comme le droit français, le droit belge connaît également les interdictions de mariage découlant de l'action alimentaire, même non déclarative de filiation (art. 340 b et c). Un projet de réforme envisage de rendre possible avec dispense, le mariage entre beau-père et belle-fille, belle mère et gendre. On peut penser que si la réduction des interdictions se justifie dans une société urbaine et "éclatée", il y a un minimum au-dessous duquel (le 3e degré de parenté) on ne devrait pas descendre. On remarquera qu'en compensation, l'inceste est parfois une cause de divorce, ainsi dans la loi suédoise du 4 juin 1973.

Cette situation contraste avec celle des Etats de tradition juridique musulmane. Sans parler des empêchements dits de "continence" et de religion sur lesquels nous reviendrons, le droit musulman connaît des prohibitions larges : elles englobent non seulement les ascendants, descendants et collatéraux, mais les femmes veuves ou divorcées des mêmes catégories[2]. Par interprétation d'une Sourate du Coran, le lien entre un enfant et sa nourrice est comparable à celui de sa mère. Il y a une "prohibition d'allaitement", dès lors que l'enfant a été sevré dans ses deux premières années, qu'on retrouve dans presque tous les Codes[3]. Le code de "statut personnel marocain" (C.S.P.) connaît l'"empêchement d'anathème", c'est-à-dire l'impossibilité pour un mari de se remarier avec son ancienne épouse, dont il s'est séparé pour cause d'adultère prouvé devant le juge (suivant le "serment d'anathème", art. 25 C.S.P.). Si le mari ressort d'un statut polygame, il lui est interdit de prendre simultanément pour épouses les deux sœurs ou la femme et la tante, la règle étant également valable pour la famille de la nourrice (art. 29 C.S.P. marocain, 30 Code algérien). La multiplication de ces interdits est sans doute un des traits qui marquent une différence sensible entre le mariage musulman et celui des pays "occidentaux".

§ 3. L'UNITE OU LA PLURALITE DES LIENS CONJUGAUX

A/ *le principe de monogamie et le remariage*

144. Comme la quasi unanimité des droits de tradition romano-chrétienne, le code Civil interdit à une personne d'être engagée simultanément dans des liens avec deux ou plusieurs partenaires. C'est la prohibition de la

1. Cf. C., S. Bratt, "Is Oedipus Free to marry", F.L.Q. 1984, pp. 257 sv.
2. Cf. an. 26 code de la Famille algérien.
3. Art. 35 Code syrien, 17 Code tunisien, 27-28 code algérien, l'interdiction s'étendant à tous les membres de la famille de la nourrice, cf. Dennaoui, cit., pp. 74-75.

bigamie : (art. 147 C. Civ.) "on ne peut contracter un second mariage avant la dissolution du premier". L'importance de cette disposition se mesure à l'énergie des sanctions : non seulement, comme nous le verrons, le mariage d'un bigame peut être frappé de nullité absolue, mais il a fait l'objet d'une sanction pénale : depuis la loi du 17 février 1933 qui a "décriminalisé la bigamie, l'article 340 C. Pén. en fait un délit puni de 6 mois à 3 ans de prison, et d'une amende de 500 à 30 000 F. Ces mesures ont surtout une valeur préventive. Nous verrons que, de puis une loi du 17 août 1897, l'acte de naissance des futurs époux contient une mention en marge de l'éventuelle existence d'un mariage et que l'officier d'état civil, lors de la célébration doit exiger une expédition de l'acte de naissance (art. 70 C. Civ.). L'acte ne doit pas remonter à plus de trois mois, s'il a été délivré en France, six s'il l'a été à l'étranger ou dans un consulat. Il faut être célibataire, veuf ou veuve, ou divorcé pour se marier. On ne peut guère concevoir de bigamie dans des situations de part droit interne, que si une personne se remariait dans l'ignorance du caractère définitif d'un précédent jugement de divorce. Madame Rondeau-Rivier[1] a fait observer qu'un pareil cas pourrait se présenter avec le divorce par consentement mutuel et un possible pourvoi en Cassation suspensif pendant 15 jours depuis 1981 (art. 1103 C. Pr. Civ.). La plupart du temps l'annulation du mariage de bigames[2] a trait à des situations en partie internationales : soit qu'un des époux remette en cause devant les juridictions françaises la validité d'un divorce obtenu à l'étranger[3], soit même que de bonne foi, les intéressés se soient crus libres de tout lien[4]. Il est de même fort rare que les juridictions correctionnelles appliquent les peines de la bigamie[5].

144 bis. Dans sa version originaire, comme nous l'avons vu, le Code Civil traitait avec une grande sévérité le remariage[6]. Il y avait là la survivance de l'idée canonique que le remariage serait une "polygamie successive" à laquelle l'Eglise refusait primitivement la bénédiction nuptiale et un acte qui porterait préjudice aux enfants du premier lit[7]. La plupart des interdictions et incapacités ont disparu, notamment la première d'entre elles, héritée de la vieille "lex Julia", c'est-à-dire l'interdiction de remariage avec le complice de l'adultère : en France, depuis la loi du 15 décembre 1904, mais beaucoup plus récemment en Belgique (depuis 1973), en Allemagne (depuis 1976) et en Espagne (depuis 1978). Dans quelques cas seulement, comme en France avec

---

1. Cf. M.C. Rondeau-Rivier, "Le remariage", thèse, Lyon, 3, 1981, p. 49.
2. D'après M. Nerson et M. Robbelin, R.T.D.C., 1981, pp. 135 sv., une vingtaine de cas par an en France sur les 80 à 40 de nullité.
3. Cf. Cass. Civ. I - 2 oclobre 1984, Bullet. Cass., 1984 - I n° 242 - G.P. 1985 Panor. 75 (1), note Grimaldi. Cass. Civ. 31 janvier 1990, D. 1990.445, note J. Massip, *J.C.P.* 1990, IV.12 (demande de nullité pour bigamie après divorce du mari au Mexique et remariage, la femme restant mariée en France).
4. Cf. T.G.T. Nanterre, 13 janvier 1983, G.P. 1983 - 2 - Som. 424 - époux mariés à Rosario/Argentine et dont l'acte d'état civil portait en marge la mention de "divorcio", à l'époque simple séparation sans dissolution du lien conjugal.
5. Cf. Trib. Correct. Paris, 8 avril 1987, G.P., 1987, 2, 474 note M. Domingo, *Rev. Crit.* 1988 - 73 note Y.L., Libanais marié à la Mairie du 5e arrondissement de Paris et ayant contracté une 2e union au consulat d'Algérie.
6. Cf. supra n° 53.
7. Cf. J. Bosquet-Denis, "Le remariage", R.T.D.C., 1979, p. 526.

le "Code des pensions" (loi 26 décembre 1964) les conséquences du remariage ont un effet négatif, pouvant entraîner la suppression de le pension de veuve (L. 342-5 (nous étudierons par la suite les conséquences du remariage sur les pensions après divorce). Dans l'hypothèse où la première union s'est terminée non par un décès, mais par un divorce, le droit français connaît une situation qu'on retrouvera dans le cas d'un mariage polygamique (voire de l'union libre) : celle d'un concours entre le précédent époux divorcé et le survivant. Il est alors prévu, par le calcul des pensions de réversion (L. 353-3 loi 28 décembre 1966) qu'il y a un partage au prorata des années de mariage, la part du survivant ne pouvant être inférieure à la moitié de la pension de réversion.

Deux difficultés vont apparaître à l'occasion du remariage d'un époux : l'observation du délai de viduité, et le problème de l'absence.

1) Par "délai de viduité" il faut entendre une obligation spéciale à la femme, quelle que soit la cause de dissolution de l'union (les art. 228 et 261 C. Civ. visent la mort et le divorce, mais la règle joue aussi en cas de nullité) de respecter un délai de 300 jours avant le remariage. Ce laps de temps correspond au maximum de la durée légale de conception d'un enfant (art. 313). Il est destiné à prévenir, au cas de naissance après remariage, ce qu'il est convenu d'appeler la "confusion de part" (turbatio sanguinis), c'est-à-dire l'incertitude sur l'attribution de la paternité. Le point de départ court, soit du jour du décès ou du jugement d'annulation, soit en cas de divorce, du jour où les époux ont été autorisés à avoir une résidence séparée ou du jour d'homologation de la convention temporaire (en cas de divorce par consentement mutuel - art. 2611). Depuis le Code Civil (qui n'avait pas prévu originairement d'exception au délai de viduité), cette exigence a été adoucie. Tout d'abord (loi 22 décembre 1922 modifiant l'art. 228 et revue en 1975), en cas d'accouchement survenant après le décès, ou certificat médical de la femme attestant qu'elle n'est pas en état de grossesse, la règle n'a plus de raison d'être. S'il y a eu ensuite divorce pour rupture de la vie commune (cas des art. 237 et 238 C. Civ.), les époux ont cessé de cohabiter depuis six ans. Là encore, le texte ne joue plus (art. 261 - 2 _ 2e alin.). Enfin le Président du tribunal de grande instance, dans le ressort duquel le mariage sera célébré, a le pouvoir par ordonnance sur requête, d'abréger le délai (art. 228, alin. 3). Mais celte mesure a été considérée comme une faveur non un droit dont on pourrait faire appel si elle était rejetée[1]. Les droits étrangers modernes tendent à la suppression du délai de viduité, sauf ceux du système islamique qui, sous le nom de "retraite de continence" ou "retraite légale" mélangent motifs physiologiques et règles de convenance (trois "périodes menstruelles" et quarante jours de deuil selon l'école classique). La veuve doit ainsi observer une "retraite" de quatre mois et dix jours selon le Code syrien (art. 121-127) et le code algérien (art. 59) assimile au décès le jugement de disparition, la divorcée n'étant plus tenue qu'aux trois périodes menstruelles (art. 58 C. algérien). Les droits occidentaux, qui ont supprimé les périodes de viduité, peuvent néanmoins connaître un conflit de filiations. Ainsi le §1600 du B.G.G. allemand prévoit que, si une femme se remarie et qu'un enfant nait moins de 302 jours après la dissolution du premier mariage (délai maximum de conception), le conflit possible de paternités est

1. Cf. Cour Paris, 20 novembre 1928 - D.H. 1929, 74.

résolu au profit du second mari. La contestation de cette présomption reste admise. La loi belge du 31 mars 1987 sur la réforme de la filiation a repris cette règle[1].

2) Un autre obstacle au remariage provenait du régime de l'absence dans le Code Napoléon. La situation de celui dont on ne savait s'il était mort ou vivant, était fondée sur une "éternité mythique" selon le mot de M. Teyssié[2]. Les différentes phases juridiques de l'absence ("présomption d'absence", "absence déclarée") n'intéressaient que le régime des biens. Le mariage de l'absent n'était jamais dissous, dans l'attente d'une "résurrection" toujours possible. La loi de 1975 sur le divorce pour "rupture de la vie commune" après six ans de séparation, puis la refonde générale du système de l'absence (loi du 28 décembre 1977) devaient heureusement mettre fin à cette situation. Un jugement de "présomption d'absence" ouvre la période de dix ans, au bout de laquelle une autre décision, dite "jugement déclaratif" met fin au mariage (art. 122 et 128 3e). Le conjoint de l'absent peut donc se remarier (à défaut de constatation préalable de l'absence, il aura dû, au pire, attendre vingt ans à partir de la disparition du domicile). L'article 132 C. Civ. précise, qu'au cas, bien improbable, de réapparition de l'absent, le jugement déclaratif pourrait être annulé. Mais le mariage resterait dissous. Ces délais restent, dans l'ensemble, plus longs que ceux admis à l'étranger. Une règle traditionnelle de la "Common Law" voulait que le disparition physique d'un époux soit équivalente au bout de sept ans, à sa mort, et permette au conjoint de se remarier. Un retour inopiné du premier époux entrainait par contre l'annulation de la seconde union. Le droit moderne américain a raccourci les délais de sept à cinq ans (cas de la Californie et du Texas), et la réapparition du conjoint comme en droit français, ne fait plus tomber le 2e mariage[3]. Plusieurs droits européens qui connaissent le "jugement déclaratif de décès" (repris par le droit français si la mort est une quasi certitude, sans que le corps ait été retrouvé) exigent la bonne foi du couple en cas de second mariage pour le valider, si le premier époux revenait[4].

B/ Le mariage polygamique

145. Le droit du mariage, parallèlement à la tradition chrétienne de monogamie, a toujours connu une plus ancienne, de polygamie, pratiquée par plusieurs peuples de l'Antiquité et survivant encore, au début de l'ère chrétienne, dans l'Arabie pré-islamique.

Les allusions à la polygamie de la société juive sont nombreuses dans l'Ancien Testament (faisant état des nombreuses épouses des rois David et Salomon). La coutume juive, exprimée dans le "Talmud" a constaté, plus qu'approuvé cet état de choses (conseillant à l'homme de répudier son épouse avant d'en épouser une seconde). Le Concile de Worms devait même condam-

---

1. Art. 317 nouveau. Cf. M.T. Meulders Klein, *Rev. Trim. droit belge* 1987/3, p. 245.
2. Cf. B. Teyssié, "Droit civil : les personnes", n° 49.
3. Cf. Spiess, cit., p. 100.
4. § 381 "Ehegesetz" allemande, 43 C. autrichien, 55 C. polonais.

ner la bigamie des Communautés sépharades, mais encore au XVIe siècle, les autorités rabbiniques autorisaient les doubles mariages pour stérilité de l'épouse ou refus de sa part de divorcer. Une polygamie latente devait persister dans les communautés d'Afrique du Nord[1]. Le nouvel Etat d'Israël a interdit la bigamie par la loi du 20 juillet 1959 ("Criminal Law Amendment") pour tous les nationaux israéliens ou résidents de plus de trois mois. L'application de ce texte paraît avoir présenté quelques difficultés dans des cas internationaux, notamment dans un arrêt "Weinberg" de 1965 où un individu de confession juive, mais marié à une chrétienne en U.R.S.S., puis émigré en Israël, avait abandonné le domicile conjugal, il obtenait une dispense rabbinique pour contracter un 2e mariage en invoquant la "disparité de culte". Le Ministère public devait le poursuivre pour bigamie sur le fondement de la loi de 1959. La Cour Suprême rappela la territorialité de la mesure. La "disparité de culte" autoriserait la dissolution de la première union, non la bigamie[2].

L'attitude de l'Islam à ses débuts semble avoir été identique à celle de la religion juive. Le Prophète a tenu compte d'un état social polygame offrant une certaine protection aux femmes veuves ou isolées. Les pertes humaines lors des premiers combats après l'"Hégire" créaient un déséquilibre entre population masculine et féminine. La tradition veut que si Mahomet a été lui-même polygame, il interdit à son gendre Ali de contracter une seconde union après avoir épousé sa fille. La sourate "des femmes" (IV, 3) a limité à quatre le nombre maximum d'épouses et précise : "si vous craignez d'être injuste, n'épousez qu'un ou une esclave". Ces données historiques expliquent à la fois le développement et les limites de la polygamie dans les systèmes islamiques[3]. La quasi totalité des pays islamiques restent tenants du système polygamique à partir de l'article 14 de l'Ancien Code Ottoman de 1917 et 37 du code personnel syrien retenant le maximum de quatre femmes-. Ils y voient un motif d'éviter le divorce unilatéral du mari dans certains cas de stérilité ou d'adultère de la femme (notamment le C.S.P. marocain de 1956-1957, la loi irakienne de 1959, égyptienne de 1975)[4]. Le Code algérien de la famille a à son tour opté pour le régime polygamique "dans les limites de la chari'a" (tradition juridique islamique) selon son article 8.

146. Dans la réalité, l'adoption du système polygamique ne crée pas une opposition totale avec les tenants du mariage monogame. Les "foyers polygamiques" ne semblent tout d'abord concerner qu'une fraction assez faible de la population : d'après une enquête effectuée au Maroc, la polygamie accuserait un recul statistique, passant de 66 % des ménages en 1952 à 3 %, les cas autres que la bigamie étant rares. Les "mariages successifs" après divorce auraient davantage la faveur de nouvelles générations[5]. Ensuite d'assez nombreux Codes modernes exploitent des tendances limitatives déjà incluses dans la tradition islamique : à savoir la nécessité économique, la possibilité

1. Cf. G. Slama, "Le mariage en Israël", thèse Nice, 1976, cit. p. 106. R. Berg et M. Urbah-Bomstein, "Les Juifs devant le droit français", Paris, 1984, n° 209.
2. Cf. G. Slama, p. 162.
3. Cf. S. Naamane-Guessous, "Au delà de toute pudeur, la sexualité féminine au Maroc", cit. pp. 121 sv. Mohammedia (Casablanca, 1988.
4. Cf. A.Y. Dennaoui cit. et M. Borrmans, R.I.D.C., 1986, pp. 133 sv.
5. Cf. S. Naamane-Guessous cit.

pour une femme lors du mariage de se ménager une clause conventionnelle de divorce en cas de bigamie. Ces réserves déjà exprimées dans le Code ottoman de 1917 (art. 38 et 74) ont été reprises : l'article 17 du Code Syrien de 1949-1953 donne pouvoir au juge de refuser une seconde union si le mari ne peut entretenir ses deux femmes. Le Code irakien de 1959 a également réservé l'autorisation judiciaire si l'"iniquité" est à craindre, et si une femme a déjà eu un enfant commun à la suite d'un premier mariage autorisé. Pour le droit égyptien (décret de 1975)[1] comme dans le Code marocain (qui prévoit aussi la réserve de divorce pour bigamie, art. 31) la première épouse doit être informée du mariage projeté. Le mari ne pourra loger la seconde sans l'accord de la première, selon l'article 1192 du code marocain. Le droit marocain, de même le Code algérien (art. 8) s'efforcent de lutter contre la "bigamie clandestine". Les deux femmes pourraient invoquer le dol et demander le divorce pour préjudice grave ou "défaut de consentement". Enfin, seul cas officiel jusqu'à présent parmi les pays du Proche-Orient et d'Afrique du Nord, le Code tunisien de 1956 a interdit la polygamie, en faisant à la fois une infraction pénale et un cas de nullité absolue du mariage (art. 18 et 38 loi du 1er avril 1957). Une circulaire tunisienne de 1968 a même obligé un ressortissant d'un Etat polygame épousant une tunisienne à présenter son certificat de son pays d'origine attestant son célibat[2].

Hors du bassin méditerranéen, les traditions coutumières et l'influence de l'Islam font encore de l'Afrique Noire un bastion important de la polygamie. L'originalité d'assez nombreux droits africains tient à la pluralité confessionnelle (Comme c'est d'ailleurs le cas en Egypte ou au Liban où les communautés chrétiennes sont monogames). La célébration du mariage ouvre ainsi une option entre union monogamique ou polygamique. C'est notamment la situation du Sénégal (art. 133 C. sénégalais prévoyant le maximum de quatre épouses), du Togo (art. 42 C. de 1981), du Cameroun. Dans ce dernier Etat, la loi sur l'état civil du 11 juin 1968 mentionne que les époux doivent faire une déclaration expresse en faveur du mariage monogamique. Faute de quoi, ils resteraient polygames. Par contre la violation du principe de monogamie pour ceux qui auraient opté en ce sens, serait une cause péremptoire de divorce. Un arrêt de la Cour Suprême du Cameroun Oriental a cassé une décision d'appel qui refusait de le reconnaître[3]. Quelques Etats sont allés plus loin : ainsi la Guinée, en interdisant d'abord la polygamie à celui qui n'avait pas les moyens d'entretenir deux épouses, puis en la supprimant totalement par la loi du 5 février 1968 (tout en reconnaissant les effets des unions antérieures). Le "Code de la famille" de la Cote-d'Ivoire a fait également disparaître la polygamie (avec le versement de la dot) avec la loi du 7 octobre 1964.

Les Etats asiatiques, de leur côté malgré la progression des mariages monogamiques "officialisés" par l'Etat, gardent encore quelques traces de polygamie. Si l'Etat hindou l'a fait officiellement effacer en 1955 ("Hindu Marriage Law") elle subsiste au Pakistan, Etat islamique. Les droits tradition-

1. Cf. El. Jarrah-Chafic, "La formation du mariage dans le Code syrien de statut personnel", cit. Paris, 1962, p. 62.
2. Cf. A. Y. Dennaoui, p. 97.
3. Cf. S. Melone, "La parenté et la terre dans la stratégie de développement", Paris, Yaoundé, 1972, p. 106.

nels d'Extrême-Orient (Chine et Corée) admettaient à côté de l'épouse officielle, l'existence de "femmes du second rang" de diverses classes sociales, formule oscillant entre la bigamie et le concubinage "légal"[1]. La République du Vietnam comme la ville de Hong-Kong ont fait disparaître ces formules ("Marriage Reform Ordinance" de 1970 à Hong-Kong). Il semble, d'après Monsieur Striewe que le mariage "enregistré" en Chine n'ait pas fait abolir totalement le mariage selon les rites traditionnels, et qu'ainsi qu'une bigamie de fait se soit instaurée. Un arrêt de la Cour Suprême de Hong-Kong "Kao Yeung Lun Luk" (1975) a annulé un mariage enregistré en tenant compte du fait que le mari vivait avec une autre femme épousée selon la formule du "mariage domestique" traditionnel4. Ces cas extrêmes (comme ceux de l'Afrique Noire) montrent le lien existant entre la polygamie et la forme de célébration, comme la difficulté de séparer parfois mariage et "union libre".

Bibliographie :

Sur les exigences physiologiques et les interdits :

J. Pousson-Petit, "Le démariage en droit comparé", Bruxelles, 1981, cit. P. Darmon, "Le tribunal de l'impuissance", Paris, 1979.
D. Thouvenin, "Le transsexualisme", *Rev. Trim. Droit Sanitaire et Social,* 1979 pp. 291 sv.
C. Saint-Alary-Houin, "La sexualité dans le droit civil contemporain", *Annales de l'Université de Toulouse,* 1985, pp. 7 sv.
J.P. Branlard, *Le sexe et l'état des personnes,* thèse Paris, 1991.

Sur la monogamie et la polygamie :

El-Jarrah-Chafic, "La formation du mariage en droit musulman classique et dans le nouveau code syrien de statut personnel", thèse (dactyl.), Paris, 1962.
A.Y. Dennaoui, "La famille musulmane dans certains Codes contemporains", thèse, Paris 2 (dactyl.), 1978.
M. Taverne, "Le droit familial maghrébin", Bruxelles, 1981.
G. Slama, "Le mariage en Israël : une source de conflits entre autorités civiles et religieuses", thèse (dactyl.), Nice, 1976.
P. Striewe, "Auslandisches und Internationales Privatrecht der nichtehelichen Lebensgemeinschaft", thèse Osnabruck, 1986.
G. Andréo, "Bigamie et double ménage", *Revue Trimestr. Droit Civil,* 1991, p. 263 sv.

1. Cf. Kim-Chu-Su, "La position légale de la femme coréenne, *Revue de la Corée,* 1985, pp. 28 sv. — "Pour une hypothèse de mariage de second rang" qui n'a pu être prouvé en France, T.G.I. Seine, 16 octobre 1967, G.P., 1968 - 1 - 15. 4 . Cf. P. Striewe, p. 48.

SECTION II
LES CONDITIONS DE FORME ET LA PREUVE DU MARIACE

L'importance attachée par les droits modernes aux exigences de fond du mariage (consentement des époux et même conditions physiologiques) donnerait à penser que la forme ne joue qu'un rôle très secondaire, essentiellement au regard de la preuve du mariage. L'évolution historique a pourtant démenti une pareille interprétation, elle a fait de la célébration religieuse ou laïque un terrain de luttes entre les autorités ecclésiastiques et les Etats en gestation[3]. Aujourd'hui encore, malgré le déclin du caractère "sacramentaire" du mariage, la réglementation de la forme de la célébration traduit certaines options idéologiques. Même si les exigences relatives à la célébration de l'union sont réduites, elles sont importantes, car elles marquent la frontière entre mariage et union libre. Le caractère laïc et étatique des règles ne permet pas d'éliminer totalement l'impact de l'aspect religieux du mariage sur certaines règles de fond. Après avoir étudié le mode et la preuve de célébration du mariage (1), nous mesurerons l'influence du facteur religieux sur la validité de l'union (2).

§ 1. LES FORMES DE CELEBRATION ET LA PREUVE DE L'UNION

147. S'il y a une constante dans l'évolution européenne du droit du mariage depuis le Concile de Trente, c'est la progression du caractère formel de l'union. Il a permis de séparer plus nettement le mariage du simple "concubinage" ou union libre. On sait qu'il en est ainsi en Angleterre (malgré l'absence initiale de réception du concile) depuis le "Lord Harwick"s Act" de 1753. Les Etats-Unis ont par contre hérité de la défaillance initiale de l'état civil en milieu colonial et de la répugnance (avec un peuplement de "dissidents") à reconnaître la compétence de la seule Eglise anglicane à procéder à la célébration des mariages. C'est ce qui a expliqué le succès du "mariage informel" ou "mariage du Common Law" au XIXe siècle. Admis dès 1809 à New-York, sa validité fut proclamée par la Cour Suprême en 1878 dans l'affaire "Meister v/Moore"[1]. Le seul consentement des parties, et une cohabitation les faisant paraître comme mariés (reputation of marriage) équivalaient à l'acte de célébration (la cohabitation apparaissant plus comme une règle de preuve que de fond). Le XXe siècle a vu la disparition progressive du mariage "informel" conservé dans un petit nombre d'Etats. Il a été ainsi aboli à New-York dès 1933, dans le Missisipi en 1956, dans le Michigan en 1957, l'Indiana en 1958. Comme nous le verrons, le mariage de "Common Law" continue de

---

3. Cf. supra n° 46-47 et 51.
1. Cf. Spiess, p. 52.

jouer un certain rôle, notamment dans les conflits interlocaux, pour valider une union qui ne satisferait pas aux conditions de forme requises.

148. Etant admis que le mariage a un caractère solennel, il reste à savoir quelle sera l'autorité compétente pour procéder à sa célébration. Le Code Civil de 1804 a fait figure de précurseur en exigeant une cérémonie civile suivie ou non d'une célébration religieuse. C'était là l'héritage de la Révolution et des "articles organiques" du Concordat de 1801 ("ils [les prêtres] ne donneront la bénédiction nuptiale qu'à ceux qui justifieraient en bonne et dûe forme avoir contracté mariage devant l'officier d'état civil"). Il est vrai qu'il a bénéficié d'une organisation déjà ancienne de l'état civil simplement "laïcisé". Ce n'est que progressivement et dans la 2e moitié du XIXe siècle que les Etats européens se sont affranchis du caractère obligatoire de l'union religieuse surtout ceux à prédominance confessionnelle catholique. L'instauration du mariage civil obligatoire est devenue un instrument de la politique de séparation de l'Eglise et de l'Etat. C'est ainsi que, sans parler de la Rhénanie soumise à l'application du Code Civil jusqu'en 1900, successivement la Belgique (Constitution de 1831), puis les Pays-Bas (Code de 1838) ont instauré le mariage civil. Sur le modèle hollandais, un édit prussien du 30 mars 1847 a mis fin à l'union confessionnelle de l'A.L.R. de 1794 (spécialement pour es dissidents religieux et les personnes sans confession). La Constitution de 1849 posait, pour l'ensemble de l'Allemagne, le principe de la primauté du mariage laïc. Mais le programme ne devait être réalisé que sous l'Empire allemand, en pleine lutte de Bismarck contre la Papauté avec la loi du 6 février 1875[1]. La Suisse avait alors (après la guerre confessionnelle des cantons de 1846) laïcisé le mariage avec la loi du 24 décembre 1874 (reprise dans le code de 1912). Le XXe siècle ne devait dans ses débuts enregistrer qu'un seul succès pour l'Eglise catholique : les accords du Latran de 1929 réintroduisant la forme religieuse bannie dans le Code italien de 1865. Mais par ailleurs, soit en raison de la séparation de l'Eglise et de l'Etat (cas du Brésil en 1890 et dans le Code de 1916) soit malgré les Concordats, l'Eglise devait se résigner à ne plus avoir le monopole de la célébration des mariages (ainsi en Autriche, avec l'introduction après annexion, de la loi allemande du 6 juillet 1938 — en Espagne où le mariage civil était réservé aux non catholiques).

149. Le droit positif actuel distingue plusieurs "blocs" en matière de célébration des mariages. Le premier est le plus vaste et le plus hétérogène quant aux nations concernées. C'est celui qui rend indispensable la célébration du mariage devant une autorité civile ; on peut y ranger un certain nombre d'Etats d'Europe Occidentale : France, Bénélux, Allemagne Fédérale, Suisse et Autriche. Il faut y joindre les Etats d'Afrique Noire qui ont rompu avec la célébration coutumière (ainsi la Côte d'Ivoire, la Guinée, le Togo). S'y ajoutent la C.E.I. et les Etats de l'Europe Orientale et Balkanique. Le mariage religieux n'est pas en général expressément proscrit (les droits de la Russie et de la

1. § 67 continuant d'être en vigueur après le Code Civil allemand ee 1900. Cf. K. Rasquin, "Das Voraustraungs verbot des §67 Personenstandsgesetz", thèse Cologne, 1985, pp. 89 et 119.

Pologne ne le mentionnent pas) mais ne vaut que comme cérémonie privée. Toutefois, quelques Etats attachent une importance particulière à la forme civile en l'imposant même à leurs ressortissants à l'étranger[1]. A cette liste, il faut ajouter nombre de pays d'Amérique Latine, quelques nations méditerranéennes en rupture avec l'Islam (Code de la Turquie "Kémaliste" du 17 février 1926 Code de "statut personnel tunisien" du 13 août 1956) ainsi qu'en Extrême-Orient, la Chine, le Japon (Code de 1898).

A l'opposé, on conçoit une liberté totale de choix entre la forme religieuse et civile, qui paraît la plus respectueuse des convictions individuelles. Le prototype de ce système dit "nordique" est fourni par le droit anglais depuis le "Marriage Act" de 1836. Le "Lord Hardwick's Act" de 1753 n'avait en effet jusqu'alors prévu que le mariage de rite anglican, y compris pour les "dissidents" protestants ou les catholiques. L'Act de 1836 a laissé les intéressés libres de se marier devant le "Superintendant" autorité civile, ou un ecclésiastique qui n'est pas nécessairement anglican (pasteur ou rabbin). Le partage s'opère a peu près par moitié, puisqu'en 1971 on comptait 160 000 unions religieuses pour 167 000 civiles[2]. Le mode de célébration est en principe sans influence sur le fond du droit. Toutefois, il y a des divergences possibles dans les publications préalables et les éventuelles oppositions (parfois mal connues). C'est ce qui explique qu'en Ecosse, le "Marriage Scotland Act" de 1977 ait prévu, à partir du même système, des formalités préliminaires uniformes et qu'en Angleterre même, une "Law Commission" de 1973 ait préconisé le mariage civil obligatoire, formule qui s'est heurtée jusque là à bien des réticences[3]. En Europe, le système anglais a été adopté par la Suède : le code du mariage de 1915 modifié en 1973 maintient l'option entre la forme civile et religieuse. Il en va de même du Portugal, selon l'article 1587 C. Civ. (loi du 25 novembre 1977), en Norvège (loi du 31 mai 1918), hors d'Europe, au Brésil (depuis 1977), au Pérou et à Haïti. C'est surtout le cas aux Etats-Unis et au Canada. Dès l'époque coloniale, pour les mêmes causes qui ont amené à reconnaître le mariage de "Common Law", la qualité de l'autorité qui procédait à la célébration n'était pas fondamentale. Ainsi en Nouvelle-Angleterre on avait recours au juge, en Virginie, aux ecclésiastiques. Le "candidat au mariage" obtenait la délivrance d'une "licence" en attestant sous serment qu'il remplissait les conditions exigées[4]. Aujourd'hui on reconnaît pratiquement partout la compétence d'un juge ou d'une autorité administrative ("country clerk", "secrétaire de comté"). Le Ministre du culte doit être habilité à célébrer les mariages ("licensed or ordened minister or priest"). La "licence" nécessaire pour le mariage suppose en général un délai préalable assez court (3 à 5 jours) pour permettre de vérifier si les conditions de fond sont réunies (elle est parfois accompagnée d'un certificat médical). Les règles de forme sont lâches et sauf exception ne sont pas sanctionnées par la nullité. Un projet de l'U.M.D.A. (Uniform Marriage and Divorce Act) a envisagé un enregistrement

---

1. et contrairement à la règle "locus..." § 20, 2e loi tchèque de 1963 - 6 - 3e loi albanaise de 1964.
2. C£ M.A. Glendon, "Family Law in Transition", 1977, pp. 52-53.
3. Cf. Glendon et Cretney in "Mariage et Famille en question", pp. 19 sv.
4. Cf. sur ces origines W.J. Brockelbank, "La formation du mariage dans le droit des EtatsUnis", thèse, Paris, 1934.

national[1]. Au Canada, le Code Civil de la Province de Québec (1866) avait fait du mariage un acte exclusivement religieux. La tenue des registres était confiée aux ministres du culte. Ils ne pouvaient célébrer le mariage que s'il n'y avait aucun empêchement au regard de leur confession, ce qui revenait pour les catholiques à faire application des règles du droit canon[2]. Il est apparu nécessaire de ne pas faire dépendre la tenue des actes d'état civil uniquement des registres confessionnaux en raison des erreurs et omissions. Petit à petit, ils sont transférés aux municipalités. La conséquence en est une certaine "laïcisation" du mariage, et la possibilité depuis 1968 de choisir entre le mariage religieux et celui devant un "protonotaire" civil (art. 412-413 C. Civ. Québec). Une publication préalable est prévue, et selon les cas, ce sont les ministres du culte ou les protonotaires qui accordent les dispenses... Toutefois l'article 412 permet toujours aux ecclésiastiques de se référer à des prohibitions confessionnelles (on dénombrait en 1977, 38 000 mariages religieux contre seulement 8 500 civils).

150. Le système canadien forme la transition avec les droits de type catholique ou "concordataire" où la célébration religieuse comporte des conséquences sur le fond du droit. Il en est ainsi de la République Dominicaine aux Antilles (loi du 20 septembre 1954 en application du concordat du 6 août de la même année). Les époux qui optent pour la célébration catholique du mariage, s'engagent par là à ne pas recourir au divorce. Les formules les plus connues sont celles de l'Italie et de l'Espagne en Europe. L'Italie connaît l'option entre la forme civile et religieuse du mariage. Les Accords du Latran de 1929 avaient admis la reconnaissance civile du mariage canonique (pourvu qu'il soit transcrit sur les registres d'état civil) et la compétence des tribunaux ecclésiastiques (pour le prononcé des nullités). Le concordat révisé, dit "Accords de la Villa Madame" du 18 février 1984 a maintenu le principe. Mais la cérémonie ecclésiastique s'est en partie laïcisée (publication préalable dans les 5 jours à la Mairie, lecture des dispositions du code Civil italien sur les obligations des époux, double exemplaire de l'acte, l'un pour la paroisse, l'autre pour l'état civil). L'Etat italien s'est réservé la possibilité de refuser la transcription, si les futurs époux ne répondent pas à certaines conditions du Code Civil italien (âge, parenté, état mental). L'exécution des sentences canoniques de nullité doit être le fait des juridictions civiles italiennes qui vérifient la compétence des juges ecclésiastiques et la conformité à l'ordre public italien[3]. De son côté l'Espagne a signé avec le Vatican les accords du 3 janvier 1979 qui, comme le précédent concordat de 1953, reconnaissent les effets civils des mariages canoniques. Mais le nouvel article 49 instaure une liberté totale de choix, entre l'union civile ou religieuse, même pour les catholiques (à la différence de l'ancien art. 42). Le juge qui a la charge de la tenue des registres, à défaut, un maire ou un conseiller municipal ont qualité pour procéder à la célébration devant deux témoins majeurs (art. 50 et 51 C. Civil). Les mariages par procura-

1. Cf. Spiess cit., pp. 59-61, Glendon, cit., p. 55.
2. Cf. articles J.L. Baudouin et A.M. Bilodeau, RJPIC. 1984, pp. 460 sv., 469 sv.
3. Cf. J. Gaudemet, "Le mariage en Occident", cit. pp. 444 sv. et P. Moneta, "Il matrimonio nel nuovo Concordato con La Santa Sede", *Il Diritto di Famiglia*, pp. 1205 sv.

tion et même les mariages secrets autorisés par le Ministre de la justice sont valables. Le mariage en la forme canonique suppose un enregistrement à l'état civil. Comme en Italie, la Constitution espagnole du 27 décembre 1978 a réservé la compétence étatique sur un certain nombre de questions de fond[1]. On peut rapprocher des formules italienne et espagnole, celle de la Grèce. La loi du 5 avril 1982 a aboli pour ce pays l'ancien article 1367 déclarant inexistant tout mariage non célébré devant un prêtre orthodoxe, même entre époux de confession différente. Les intéressés ont désormais le choix entre un mariage civil devant le maire, et celui devant le représentant d'une religion "connue" (non plus nécessairement reconnue, art. 1967 — 1e). Suivant le cas, ce seront les autorités locales ou religieuses qui vérifieront si les conditions sont réunies, les tribunaux de droit commun statuant sur les oppositions ou les nullités[2].

151. Reste le problème des mariages purement confessionnels. Si on met à part le cas de Chypre, ils n'intéressent guère que les communautés Israélites et chrétiennes du Proche-Orient. Le mariage musulman a sa spécificité propre, comme étant très peu formaliste en accord avec son caractère consensuel.

En ce qui concerne tout d'abord le droit israélite, les autorités locales de Palestine ont reconnu très tôt la compétence des rabbins : tout d'abord un règlement ottoman du 1er avril 1864, puis une ordonnance du 23 septembre 1919 (sous la période de domination anglaise). La loi du 26 août 1953 a confirmé des pratiques antérieures. Les "Takkanoti" ou "règlements spirituels" distinguent deux phases successives (comme les mariages de l'Antiquité préromaine" "Kiddushin" et "Nessouin". La "Kiddushin" suppose la remise d'un objet ou la rédaction de la "Kétouba" devant notaire. Cette institution (importante en droit international) a pu être définie comme étant "à la fois acte de mariage et contrat de mariage"[3]. Elle précise à l'avance les obligations du mari pendant le mariage (notamment ses obligations personnelles) et contient des clauses pécuniaires ayant trait au versement de la dot. La seconde phase, "Nessouin" donne à l'union son caractère religieux. La bénédiction du rabbin et la présence de dix témoins qualifiés préviennent toute union clandestine[4]. Le rabbin doit, en outre, s'assurer de l'existence de certaines conditions, pour un conjoint déjà marié et divorcé, s'il est en possession du "gueth" (v. infra). L'union doit de plus respecter des interdits, notamment ceux touchant à la religion et l'impossibilité pour la femme adultère d'épouser son complice (les enfants étant "mamzer", catégorie qui regroupe à la fois les adultérins et ceux issus d'une union irrégulière. Les règles religieuses sur le mariage israélite ont été jusqu'à une époque récente, considérées comme applicables aux communautés juives qui subsistaient, hors d'Israël, en Egypte et au Proche-Orient. C'est ainsi qu'encore en 1956, un tribunal du Caire condamnait le "lévirat"

---

1. Age et capacité, art. 32. Cf. Gaudemet et G.E. Glos I.C.L.Q., 1983, pp. 667 sv.
2. Cf. E. Vassilakakis, *Rev. Crit.* 1982-792 et A. Koutsouradis, Fam. RZ. 1983, pp. 851 sv.
3. Cf. M. Urbah-Bomstein, "Les Juifs devant le droit français", cit., n° 321.
4. Cf. G. Slama, "'Le mariage en Isarël", cit., p. 119.

(déjà supprimé à cette date en Israël) comme aliénant la liberté de la veuve d'épouser le frère du mari décèdé[1].

Les systèmes, dits "interpersonnels" comme ceux de l'Egypte ou du Liban ne connaissent encore qu'une union purement confessionnelle. Au Liban, une loi du 2 avril 1951 a interdit le mariage civil (ce qui implique les prohibitions du divorce) pour les communautés chrétiennes. Une divergence religieuse, entre les futurs époux a paru inclure un cumul de célébrations, sauf accord des intéressés pour s'en remettre à la communauté de l'épouse[2]. En Egypte se sont imposés une série de textes particuliers : ainsi pour les coptes orthodoxes, la "collection" de 1955, pour les "catholiques orientaux" une "lettre apostolique" du Pape Pie XII de février 1949. Si chaque Eglise a autorité pour le cérémonial et l'acte de mariage, l'enregistrement est de la compétence des autorités civiles. Une loi dc 1955 tout en appliquant à chaque communauté en cas de litige son statut personnel (pourvu que les intéressés soient de la même confession) a supprimé les tribunaux religieux[3].

Le mariage musulman est de son côté, peu marqué par le formalisme. L'échange des consentements a lieu le plus souvent soit entre l'un des futurs époux et le wali (tuteur matrimonial) de la femme, soit entre les deux époux, mais en présence du wali et de deux témoins6. Les seules exigences concernent la qualité des témoins, de religion musulmane, majeurs et sains d'esprit et la nécessité de la preuve, résultant du versement de la dot devant un notaire ou un fonctionnaire qualifié. La présence d'un "iman", la lecture d'une sourate du Coran ne confèrent pas au mariage le caractère "sacramentaire" de l'union catholique ou judaïque, ce qui présente quelques intérêts en matière internationale.

152. Il est difficile en définitive de porter une appréciation d'ensemble sur les modes de célébration du mariage. Comme nous l'avons constaté, sauf en Afrique du Nord et au Proche-Orient, le mariage civil est en constante progression. Les Etats européens "concordataires" et ceux de "système interpersonnel" connaissent les difficultés d'une option qui ne se limite pas aux règles de pure forme, mais entend également créer un dualisme sur le droit applicable au fond du mariage. D'où la réaction d'Etats, comme ceux d'Italie ou d'Espagne qui après avoir introduit le divorce, répugnent à une application concurrente de leur droit national et du droit canonique. La formule anglo-américaine qui se limite uniquement à la forme de célébration paraît la plus respectueuse des consciences. Elle suppose toutefois une bonne tenue des registres par les différentes confessions ; autrement la preuve du mariage pourrait être mal assurée et des oppositions méconnues. C'est ce qui explique les tentatives des Etats pour reprendre le contrôle de l'enregistrement des mariages. A l'inverse, la "laïcisation" n'est nullement une garantie. Sans parler — nous y reviendrons — de la résistance locale de populations habituées aux normes religieuses traditionnelles — de nombreux pays d'Afrique Noire ou d'Amérique du Sud se heurtent à des difficultés matérielles de célébration (analphabétisme des popu-

1. Cf. S.A. Aldeeb Abu-Salich, "Non musulmans en pays d'Islam (cas de l'Egypte), Fribourg, 1979, préf. A. Overbeck, p. 177.
2. Cf. I. Najjar, "Droit laïc et pesanteurs confessionnelles", R.I.D.C., 1979, p. 285, sv.
3. Cf. A. Abu-Salich, cit., p. 151. 6 . Cf. art. 9 Code algérien.

lations, manque de fonctionnaires compétents, etc...). C'est ainsi qu'au Sénégal (comme au Cameroun ou au Zaire), le mariage devant l'officier d'état civil (qui avait été prévu par une loi du 14 juin 1968) n'a pu s'imposer comme seul mode de célébration. Les époux mariés coutumièrement ont un délai de deux mois pour se présenter à l'officier d'état civil, accompagnés de deux témoins majeurs qui attesteront l'échange des consentements (art. 147 Code de la famille).

153. Le droit français, pour sa part, ne connaît qu'une célébration purement laïque et simplifiée, mais dont plusieurs traits sont empruntés en droit canonique. C'est d'abord, dans le but de prévenir certains empêchements et de rendre possible es oppositions au mariage l'affichage préalable à la porte de la mairie ("la maison commune") pendant dix jours (art. 63 et 64). L'expiration de ce délai ouvre la période possible pour se marier, qui ne peut excéder un an (art. 65) faute de quoi une nouvelle publication serait nécessaire. C'est l'héritage des "bans" ou "bannies" du droit canonique, par lesquels le clergé, lors des services, avertissait les fidèles des projets de mariage et des possibles oppositions. Celles-ci peuvent être définies comme les défenses à l'officier d'état civil compétent, de procéder à la célébration, faute de l'existence des conditions nécessaires. Le souvenir des pressions familiales de l'ancien droit a conduit les rédacteurs du Code à élaborer minutieusement la réglementation des oppositions (art. 172-179). L'article 176 exige notamment (pour prévenir tout abus) que l'opposant fournisse un motif et reproduise le texte à l'origine de l'opposition. Faute de désistement de l'opposant, les futurs époux, même mineurs, peuvent demander "la main-levée" judiciaire, devant le tribunal de grande instance, voire réclamer des dommages intérêts, sauf à l'égard des ascendants[1]. Les règles des articles 172 sv. paraissent de moins en moins appliquées[2]. Elles supposent d'ailleurs une élection de domicile au lieu où le mariage sera célébré[3]. Dans la pratique, les membres de la famille intéressés font parvenir des avis officieux sans forme à l'officier d'état civil. A l'étranger, les Etats qui connaissent des délais préalables plus longs que le droit français sont l'exception[4]. La tendance générale est à l'accourcissement, voire à la suppression de tout délai. (C'est le cas de quelques Etats de la Fédération américaine (Arizona, Caroline du Nord) : les autres se contentant le plus souvent d'un préalable de trois jours[5]. Ce déclin du formalisme a un inconvénient, dans la mesure où existeraient des causes possibles d'annulation, si on se fie aux déclarations personnelles des intéressés, qu'il n'existe pas d'empêchements à leur mariage. Ainsi, en droit anglais, les futurs époux doivent avertir le "Super intendant" de la commune où ils résident depuis sept jours de leur intention de se marier, avec une déclaration solennelle de l'absence d'obstacles du mariage.

Le droit français se révèle plus exigeant : depuis 1927, le Procureur de la République, dans l'arrondissement où sera célébré le mariage pourra dispen-

1. art. 179 - T.G.I. Besançon, 20 juin 1984 G.P., 1984 - 2 - Som. 242.
2. V. toutefois au sujet du mariage d'un transsexuel, n° 135.
3. Cf. T.G.T. Besançon cit.
4. ex. art. 413 C. Civ. Québec qui exige une publication pendant vingt jours.
5. Cf. M. Glendon, "Family in Transition", cit. p. 50.

ser de l'affichage ou du délai préalable, mais seulement dans les "cas graves" selon l'article 169 C. Civ. (dans la pratique pour les mariages "in extremis"). La compétence territoriale est restreinte : l'article 74 C. Civ., impose la célébration de l'union dans la commune du domicile d'un des futurs époux. A défaut, on se contente d'une résidence d'un mois. Le mariage doit être célébré publiquement à la mairie, en présence de deux témoins majeurs choisis par les intéressés, parents ou amis (art. 37 et 75). Là encore, le mariage ne pourrait être célébré au domicile d'une partie que pour "empêchement grave" apprécié par le Procureur de la République (l'art. 75 vise le "péril imminent de mort"). Les parties comparaissent en personne après avoir fourni les pièces exigées : expédition d'acte de naissance de moins de trois mois (art. 70), certificat prénuptial, le cas échéant, attestation du consentement familial, justification de la dissolution du précédent mariage, par production d'un acte de décès ou d'un extrait du jugement de divorce. L'officier d'état civil doit respecter la désignation qui résulte des règles municipales : le maire ou son adjoint, à défaut un conseiller dans l'ordre du tableau. Il fait lecture aux futurs époux des articles 212 à 215 sur leurs "devoirs et leurs droits" (on remarquera que dans un esprit peut-être plus réaliste, il est assez souvent prévu aux Etats-Unis une information sur les possibilités de contrôle des naissances). Après leur avoir demandé, il a été fait un contrat de mariage, l'officier d'état civil, selon la formule de l'article 75 "reçoit la déclaration de chaque partie qu'ils veulent se prendre pour mari et femme". Leur silence n'aurait que la signification d'un refus. L'officier déclare alors qu'au nom de la loi, les parités sont unies par les liens du mariage. Le rôle du célébrant a été discuté[1]. Il semble bien résulter des travaux préparatoires que les rédacteurs du Code aient entendu conférer un rôle actif au fonctionnaire qui officie. A l'inverse on peut remarquer qu'en droit français (comme dans les systèmes anglais et américain) l'officier ne peut que constater la volonté des parties. Comme l'était le prêtre en droit canonique, c'est un "témoin privilégié". Il n'a qu'un contrôle formel sur les pièces remises sans possibilité d'apprécier au fond leur valeur. La situation est différente de celle du droit allemand où l'employé d'état civil (Standesbeamte) pourrait rechercher d'éventuels empêchements, voire comme le propose une partie de la doctrine, s'opposer à un mariage simulé[2].

L'absence de pouvoir propre de l'officier d'état civil sera en partie compensé en droit français par la possibilité donnée au Ministère public de s'opposer préalablement au mariage pour "faits portant atteinte à celui-ci" (art. 423 N.C.P.C.) c'est-à-dire dans des cas de nullité absolue[3].

154. Reste la question de la preuve de l'union. En droit français, comme dans les systèmes étrangers modernes qui ont rompu avec les mariages coutumiers ou du "common law", elle est nécessairement écrite, et résulte de l'acte de mariage authentique dressé par l'officier d'état civil (art. 194). Il y a toutefois quelques exceptions : les unes sont de moindre importance et reposent sur l'idée de force majeure. C'est tout d'abord le cas de l'art. 46 C. Civ., où les registres ont été perdus ou détruits. Il sera possible de recourir à

1. Comparer G. Ripert et J. Boulanger, n° 1247 - J. Carbonnier n° 21.
2. Supra, n° 133.
3. V. T.G.I. La Rochelle, 2 mai 1991, cit.

une preuve par tous moyens ("litres ou témoins"). Il faut ajouter le cas très spécial (et semble-t-il inappliqué) où la tenue des registres aurait été volontairement altérée (art. 198-200). Un jugement rendu à la suite d'une poursuite criminelle, rétablirait l'acte. En second lieu l'acte d'état civil aurait pu faire l'objet d'une irrégularité formelle (feuille volante ou absence de signature par exemple). Le fait de vivre comme mari et femme (la "possession d'état" de l'art. 196) complète la preuve dans les rapports entre époux non vis-à-vis des tiers. Les exceptions à la preuve écrite nous le verrons, intéressent surtout le droit international ; le sens de l'article 196 à l'origine modeste, a été interprété comme couvrant toute nullité de forme relative au mariage lui-même, et non pas seulement à sa preuve[1].

La possession d'état, joue par contre un rôle probatoire beaucoup plus considérable, si elle n'est pas créée par ceux qui se forgeraient une fausse apparence de mariage, mais si elle joue au profit des enfants. L'article 197 C. Civ. suppose qu'ils ont besoin d'établir le caractère légitime de leur filiation mais qu'ils sont dans l'incapacité par suite du décès des parents de produire leur acte de mariage. La possession d'état des parents fait alors preuve complète de l'existence du mariage si elle est jointe à la possession d'état des enfants et si cette possession d'état n'est pas contredite par l'acte de naissance. Dans une hypothèse un peu exceptionnelle d'action déclaratoire de nationalité, la Cour de Paris avait admis que l'article 197 pouvait être invoqué par le Ministère Public, pour des motifs d'ordre public à l'encontre d'un individu excipant la nullité du mariage coutumier de ses parents décédés[2]. La Cour de Cassation a rejeté le pourvoi : l'enfant ne pouvait écarter les règles de preuves simplement parce que ses parents étant d'allégeance britannique, il n'avait pas intérêt à les invoquer. Du moment que les conditions de l'article 197 étaient réunies (indication du caractère légitime de la filiation dans le jugement supplétif d'acte de naissance) elles devaient s'appliquer[3].

On a parfois regretté le domaine d'application trop étroit de l'article 197 : il ne vise que le seul décès, non l'absence ou la folie des parents. Lors de la réforme de la filiation en 1971, on avait même fait valoir qu'il suffirait que l'un des deux parents soit décédé pour que l'enfant ait recours à la seule possession d'état comme moyen de preuve[4]. Mais des précautions s'imposent. On peut se féliciter du rejet de cette proposition. Un enfant aurait pu faire valoir trop facilement l'impossibilité de se procurer une preuve de l'acte de mariage. Par là, on aurait contribué à brouiller la frontière entre mariage et union libre, ce qui est déjà une source de difficultés en droit comparé.

Bibliographie :

M. Glendon, "State, Law and Family — Family Law in Transition", Amsterdam, New-York, 1977, cit.

1. Cf. Cour Paris, 16 décembre 1958 - D. 1959 - 88 et infra.
2. "Issadjee", Cour Paris, 13 avril 1972, Rev. Crit., 1972 - 606 note P. Lagarde.
3. Cass. 1er - 2 janvier 1974, D. 1975, 160 note N. Guimezanes.
4. Cf. C. Labrusse-Riou, "Droit de la famille", p. 58.

P.H. Neuhaus, "Ehe und Kindschaft in rechtvergleichender Sicht", Tubingen, 1979, cit.
K. Rasquin, "Das Vertrauensverbot des § 67 Personenstandsgesetz", thèse Cologne, 1985, cit.
J. Gaudemet, "Le mariage en Occident", Paris, 1987, cit. G. Slama, "Le mariage en Israël", thèse, Nice, 1976.

§ 2. L'INFLUENCE DU CARACTERE RELIGIEUX SUR LA VALIDITE DU MARIAGE

155. L'option ouverte entre la célébration civile ou religieuse du mariage, ne permet pas de conclure que le caractère confessionnel de l'union ne serait qu'une question de pure forme. Comme nous l'avons déjà constaté à propos des concordats passés par le Vatican, il y a un lien entre la forme et le fond. Il est évident et brutal dans des sociétés purement confessionnelles, et se manifeste sous forme d'interdits religieux. Mais même dans des sociétés laïques, qui tolèrent le mariage religieux à titre privé, cette cérémonie n'est pas sans conséquence sur la validité du mariage. Il reste enfin le cas des pays qui ont cru éliminer toute forme confessionnelle de l'union. Ils encourent alors le risque de voir les particuliers, en marge de la loi recourir à une forme religieuse prohibée. Ce sera alors inutilement grossir le nombre des nullités et des ménages considérés comme vivant en "union libre".

A/ L'interdit religieux existe essentiellement dans les Sociétés d'Afrique du Nord ou du Proche-Orient, purement musulmanes ou pluriconfessionnelles qui considèrent toutes les religions comme un élément de l'état des personnes. L'Islam attache une importance fondamentale, au point de rendre l'union inexistante, à la disparité de religion. Le musulman peut épouser indifféremment une musulmane ou ce que la doctrine classique appelle une "scripturaire" (tenante de la religion des "gens du livre", Al El Kitab). Les enfants sont toutefois considérés comme musulmans et pourraient être retirés à leur mère si elle tentait d'influencer leurs convictions religieuses[1]. Par contre, il est exclu qu'une musulmane puisse épouser un non-musulman, sauf à exiger de sa part une conversion à l'Islam et insérer une clause suivant laquelle les enfants seront élevés dans la religion islamique. Il s'agit d'éviter, d'une génération à l'autre tout affaiblissement confessionnel par le jeu des mariages "mixtes". Ces dispositions se trouvent dans presque tous les codes d'inspiration traditionnelle[2]. Le "Code de statut personnel" tunisien ne formulait pas à l'origine pareille exigence, mais elle a repris vigueur après une circulaire de 196[3]. Les Etats dits "pluri-confessionnels" connaissent les mêmes prohibitions religieuses étendues d'ailleurs aux autres communautés : c'est ainsi qu'en Egypte si une musulmane ne peut épouser un non-musulman (art. 12 Code) la communauté copte prohibe elle aussi les mariages "mixtes", entre deux confessions chrétiennes différentes. Le non enregistrement à un groupe

1. Cf. Abu Salieh, cit., 300-301.
2. Art. 48-2-C. syrien - art. 31 - 1 c. algérien.
3. Cf. Dennaoui, p. 85.

confessionnel est donc un véritable obstacle au mariage. La loi égyptienne a tenté de combler ces lacunes par l'organisation d'un mariage civil en présence de témoins. Il ne semble que peu pratiqué.

La pluralité de confessions peut entraîner le passage d'une religion à l'autre, ce qui est susceptible comme nous le verrons de créer un véritable "conflit mobile" (par exemple d'un droit chrétien monogame à un droit musulman polygame). Mais dans le système égyptien qui fait de l'Islam une religion d'Etat (constitution de 197), le changement de communauté ou de confession, selon une loi de 1955 ne peut s'opérer qu'en faveur de la religion musulmane. Le cas inverse est considéré comme une "apostasie" par l'Islam". Il autorise n'importe quel fidèle à invoquer sur ce fondement l'annulation du mariage. C'est ainsi que Monsieur Abu-Salich a cité une décision du Tribunal de Mansourah confirmée en appel, puis Cassation. Un propriétaire d'appartement a obtenu l'annulation du mariage et l'expulsion de sa locataire, musulmane, convertie à la religion copte orthodoxe[1]. Il s'agit, on le voit, d'éviter toute remise en cause du rapport entre les groupes confessionnels.

Le droit hébraïque connaît pareillement la notion d'interdits religieux. L'état d'Israël est certes pluri-confessionnel et connaît au moins pour les conséquences du mariage, une compétence des juridictions civiles, parallèle à celle des tribunaux religieux. Mais chaque membre d'une communauté a la possibilité d'invoquer l'empêchement religieux, le mariage des tenants de la religion juive étant de la compétence des rabbins[2]. Il n'est pas possible à un Juif d'épouser religieusement une non israélite, ni même pour un mariage purement israélite, de méconnaître son appartenance à une famille sacerdotale. Aussi la Cour Suprême a admis exceptionnellement le "mariage privé" en présence de quatre témoins, mais rappelle qu'il est subordonné à la preuve de l'interdit rabbinique[3]. L'empêchement religieux est étendu même aux cas internationaux. C'est ainsi que dans l'espèce "Tepper v/State of Israël", la Cour Suprême a refusé de reconnaître la validité du mariage d'un Israélien juif et d'une Suisse chrétienne. En l'absence d'une célébration religieuse en Israël, les intéressés avaient tente de recourir à la preuve de l'existence du mariage "by cohabitation and reputation". Mais la Cour a déclaré le concept étranger au droit israélien. En définitive, comme dans le cas de l'Egypte (ou du Liban) il n'est pas possible de méconnaître l'importance de la religion dans le droit du mariage. Paradoxalement, comme nous le verrons, le "contre poids" est dans la reconnaissance d'effets légaux attribués à l'union libre.

156 B. Par contraste avec ces situations, les droits "occidentaux" de manière générale ne connaissent plus l'empêchement tenant à la disparité de religion. Les tentatives pour les rétablir seraient condamnées comme contraires aux libertés de mariage ou discriminatoires. Un cas comme celui du code du Québec reste assez exceptionnel dans la mesure où son article 127 réserve les empêchements résultant de la parente affinité ou "autres causes" suivies par les sociétés religieuses ou Eglises. Le droit positif n'est pas toutefois totalement indifférent à l'impact religieux du mariage. Le droit

1. Cf. Abu-Salieh, p. 210.
2. *Supra*, n° 151.
3. Arrêts "Yorfinkl. Haklai" et "Rudnitzky", cit. par M. Slama, p. 227.

français assortit le respect de la priorité de la célébration civile du mariage par des sanctions pénales, les articles 199 et 200 C. Pén. Elles sont considérées comme ayant survécu à la loi de Décembre 1905 sur la séparation de l'Eglise et de l'Etat. Bien que grandement atténuées par rapport au texte primitif, et d'une application assez rare[1], ces dispositions n'ont pas été abrogées, malgré une proposition Madelin[2]. La simple négligence du ministère du culte de s'informer de l'existence d'une union civile antérieure serait punie d'une amende de 2 500 à 5 000 F. et même en cas de récidive d'un emprisonnement d'un minimum de deux ans (art. 200). Cette sévérité, de prime abord surprenante, témoigne de l'attachement à la laïcité. La primauté de l'union civile n'a pas toujours été fidèlement respectée, semble-t-il, de milieux attachés au mariage confessionnel. C'est ainsi que la Cour de Cassation a eu à connaître du cas d'un israélite marocain marié à une Française au Maroc à une époque où la seule nationalité d'une des parties commandait l'application de a loi française. Les intéressés avaient fait dresser une "Ketouba" devant le juge rabbinique avant de recourir à la célébration civile du mariage. Un différend s'étant élevé au décès de la femme entre le mari et les héritiers, la Cour de Cassation a profité de la confusion existante en droit hébraïque entre l'acte de mariage et le contrat de mariage pour cantonner le débat sur la charge de la preuve[3]. Il n'était pourtant pas douteux que les époux avaient voulu donner la primauté à la cérémonie religieuse[4]. D'autre part si les futurs époux doivent se conformer à la loi civile, ils ont pu envisager comme fondamentale une célébration religieuse, ou un comportement conjugal postérieur au mariage conforme aux engagements pris lors du mariage religieux. Un conjoint pourrait invoquer contre son partenaire soit l'erreur sur les qualités essentielles au sens de l'article 180 C. Civ., soit le divorce pour injure grave[5].

La primauté de l'union civile a aussi posé quelques problèmes à l'étranger. Le droit allemand, sous le régime de la loi de 1875 et du B.G.G. de 1900 avait assorti de sanctions pénales le non respect de la forme laïque du mariage, et refusé d'admettre comme cas de nullité ou divorce la non célébration de l'union religieuse. Le §67 avait toutefois dispensé de sanctions l'ecclésiastique qui en cas de "maladie grave" procédait seul à la célébration. La loi actuelle du 18 mai 1957 sur l'état civil ne comporte plus de dispositions répressives garantissant la primauté de l'union civile. L'article 26 du Concordat du 20 juillet 1933 passé avec le Vatican autorise la célébration religieuse en cas de "grave urgence morale". On vise probablement par là la régularisation d'une liaison

1. V. cependant Trib. police Dunkerque, 2 mars 1972, J.C.P. 1972, 17215 note R. de Lestang G.P. 1972 - I - 436, cas où une ecclésiastique, par application de l'art. 1098 C. Canonique avait autorisé un mariage avec témoins dans une chapelle, pour régulariser une liaison antérieure.
2. Cf. T. Revet, "De l'ordre de célébration civile et religieuse du mariage", J.C.P. 1987 3309.
3. Cf. *supra*, n° 151.
4. Cf. Concl. Avocat Général Gulphe sous Cass. 6 mai 1985 "Rosilio", *J.C.P.* 1985, 20485.
5. Cf. Trib. Basse-Terre, 25 octobre 1973, D. 1974, Som. 44 — mariage annulé pour l'ignorance où se trouvait l'époux d'un précédent mariage religieux de sa conjointe — comparer avec Cour Versailles, 26 mars 1987, G.P. 1987 - 2 - Som. 398, divorce demandé à la suite du refus du père de faire baptiser son enfant, contrairement à l'engagement pris lors du mariage religieux.

au cours de la maladie grave[1]. En Autriche, un arrêt de la Cour Suprême Constitutionnelle du 19 décembre 1955, sous l'initiative des provinces du Tyrol et du Voralberg a considéré comme contraire à la Constitution, le caractère obligatoire et préalable du mariage civil. Il s'est appuyé sur les dispositions du Traité de Saint-Germain de 1918 garantissant à tout Autrichien la liberté de croyance ou de religion.

157. Le droit français est allé exceptionnellement plus loin en intégrant au nom de la liberté du mariage, une exigence religieuse dans le droit positif. Elle concerne la remise de la "lettre de répudiation" ou "gueth" au profit de la femme divorcée juive. La délivrance du "gueth" est liée à l'évolution des causes de divorce du droit hébraïque. Celui-ci existant depuis l'Antiquité au profit de l'homme, a nécessité par la suite le consentement de la femme, et lui a été reconnu pour des causes déterminées (débauche, adultère, conversion religieuse). La remise de la "lettre de répudiation" ou "gueth" a été le préalable nécessaire à tout remariage religieux (rappelé par une délibération du "Grand Sanhédrin" de 1807) sans que le tribunal rabbinique puisse le délivrer en lieu et place du mari. Des époux de confession israélite peuvent donc divorcer civilement, mais le mari, en refusant le gueth, met la femme dans l'impossibilité de procéder à un remariage religieux[2]. On aurait pu penser que cette exigence resterait extérieure à des juridictions laïques. Mais un nombre surprenant d'arrêts de Cassation avaient retenu le refus abusif du mari et son intention de nuire, engageant sa responsabilité au sens de l'article 1382 C. Civ.[3]. Les décisions avaient été sensibles à l'atteinte possible à la liberté de conscience et aux pressions parfois exercées pour faire "payer" la remise du gueth d'avantages exorbitants sur le plan "civil". Finalement la Cour de Cassation, par arrêt du 21 novembre 1990, a considéré que la délivrance du "gueth" relevait de la simple liberté de conscience, et que sa délivrance ne pouvait donner lieu à astreinte et dommages-intérêts[4]. Une situation analogue s'est présentée aux Etats-Unis. On estimait en 1982 à 15 000 le nombre d'épouses israélites privées du "gueth" dans l'Etat de New-York[5]. Le second mariage et les enfants qui en étaient issus avaient le caractère d'illégitime au regard de la loi mosaïque. La "Court of appeal" de New-York devait d'abord dans un arrêt "Avilzer" de 1983, obliger un époux qui s'était engagé lors de son mariage et de la rédaction de "Ketubah" à comparaître devant le tribunal rabbinique (Beth Din) en cas de différends avec son épouse, à exécuter sa promesse. L'intéressé avait divorcé civilement sans remettre le "gueth". La Cour affirmait à cette

1. Cf. K. Rasquin pp. 206-207 qui cite un échange de notes entre le gouvernement fédéral allemand et le Vatican en 1956 et estime que l'exception doit être entendue aujourd'hui pour toutes les confessions.
2. Sur la signification historique du "gueth" cf. M. Urbah-Bomstein, cit. n° 265-267.
3. Cf. Cas. 2e 13 décembre 1972 D. 1973 - 493 note C. Larroumet - Cass. 2e 21 avril 1982 D. 1982 - T.R. 345 - Cass. 2e — 5 juin 1985, Bullet. Cass. 2 n° 113, p. 76 — Cass. 2e 15 juin 1988 D. 1988 T.R. 191 J.C.P. 1989, 21, 223 note M.L. Morançais-Demeester — qui retient même la responsabilité "en dehors de touteintention de nuire".
4. Cass. Civ. 2, 21 novembre 1990. D. 1991.434, note E. Agostini.
5. Cf. 5 - S. Shulman "Civil involvement in Jewish divorce Law", *Annual Survey of American Law* 1984, pp. 969 sv.

occasion sa volonté de ne pas se départir de sa neutralité religieuse ; le mari s'en remettait à l'avance à une autorité confessionnelle. Le législateur new-yorkais a fait un pas de plus. La section 253 du "New-York Domestic Relations Act" (en vigueur à partir du 8 août 1983) rend possible le refus des juridictions civiles de prononcer un divorce, si les autorités religieuses attestent l'existence d'un obstacle de leur part. Malgré la portée générale du texte, il vise bien les mariages hébraïques. Il paraît avoir suscité certaines critiques, pour prêter "main forte" à l'application de prescriptions religieuses. Mais, en contrepartie il garantit la liberté de remariage à l'épouse divorcée. Bien que le cas soit un peu particulier, il témoigne, dans une société qui admet la liberté religieuse, de la difficulté de faire abstraction d'exigences confessionnelles.

158 C. Enfin, la volonté manifestée par certains Etats de ne connaître que la seule célébration civile du mariage et de proscrire les unions religieuses traditionnelles n'aboutit trop souvent qu'au développement des situations illégales. La situation de la Turquie paraît assez typique à cet égard. Le Code du 17 février 1926 rompant avec la pratique musulmane et un décret de 1917 sur la possibilité de mariages religieux, a confié la célébration de l'union aux fonctionnaires civils (les autorités municipales). Pourtant, dans les faits une large fraction de population paraît avoir maintenu sa préférence pour le mariage devant l'"iman" musulman. Le mariage civil a été omis, ou parfois doublé du mariage religieux, favorisant la bigamie. Une loi pénale de 1936 a dû renforcer les sanctions à l'encontre des imans qui n'exigeaient pas l'attestation de l'existence de l'union civile, et un autre texte de 1974 a tenté de faire passer les registres d'état civil des autorités municipales au service dépendant du Ministère de l'Intérieur. Ces mesures n'ont pas suffi : des lois de circonstance ont dû régulariser les unions, et par là légitimer les enfants. On estime que de 1933 à 1970, elles ont "intéressé" plus de 2 700 000 mariages et 10 millions d'enfants ![1]. A l'autre extrémité de l'Asie, le Code japonais de 1898 (modifié par la loi du 22 décembre 1947) a entendu faire du mariage un acte laïc, reposant sur le consentement des futurs époux, par déclaration devant l'officier d'état civil (art. 739). Les réformes ont mis fin à l'"union des parentés" décidée par les chefs de famille et au mariage traditionnel coutumier dit "Naien". Dans la pratique, par négligence ou volonté délibérée de se soumettre à la tradition, le mariage "paien" a largement concurrencé l'union civile, et la jurisprudence n'a pu l'ignorer. Elle pose la nécessité de respecter certaines conditions du mariage légal, telles la bigamie et l'inceste et a dû admettre progressivement les droits alimentaires et patrimoniaux du conjoint "naien"[2]. En Amérique du Sud, si certains Etats tels le Brésil admettent le mariage religieux, encore faut-il qu'il soit enregistré (loi du 31 décembre 1973). D'autres Etats ne prévoient que la forme civile. De manière générale la multiplicité des démarches ou des pièces parfois exigées pour un mariage civil découragent les intéressés (ainsi,

1. Sur cette situation, cf. M. Zwahlen, "Le divorce en Turquie : contribution à la réception du code Civil suisse", Genève, 1981, cit, pp. 73-78.
2. Cf. S. Anan, "Mariage "extra legem" et notion de droit au Japon", Mélanges Roubier, Paris, t. 1, 1961, pp. 1-6, D.T.C. - Wang, "Les sources du droit japonais", Genève, 1978. Préface Y. Noda, pp. 188-189 citant en ce sens une décision du Tribunal Supérieur d'Hiroshima du 17 juin 1963.

selon l'art. 180 C. brésilien, un certificat d'âge, une déclaration sur le domicile et les ressources, une attestation de deux témoins qui connaissent les futurs mariés qu'il n'y a pas d'empêchements). On estimait qu'en 1950, 25 % des "unions libres" du Brésil résultaient de mariages religieux irréguliers[1]. Une excessive laïcisation du mariage pose souvent un dilemne analogue à ceux des pays qui ne veulent connaître que l'union confessionnelle. Ou bien voir se multiplier les cas d'annulation du mariage, ou bien admettre que ces "unions de fait" (confondues avec les concubinages, bien qu'il y ait au départ volonté matrimoniale) puissent accéder à la reconnaissance juridique.

Bibliographie :

G. Slama, thèse Nice, 1976, cit.
S.A. Abu-Salich, thèse Fribourg, 1979, cit.
K. Rasquin, thèse, Cologne, 1985 sv.

SECTION III
LES SANCTIONS DE LA NON OBSERVATION DES CONDITIONS DE VALIDITE

159. La manière dont est assuré le respect des conditions de fond et de forme du mariage est révélatrice de l'importance accordée par les droits positifs aux éléments de validité de l'union. Nombre de droits européens ont hérité de la tradition canonique (et répandue dans d'autres pays du monde) l'idée qu'il y a une gradation des sanctions depuis celles qui ne compromettent pas la validité du mariage, jusqu'à celles qui l'anéantissent radicalement, et d'autre part le fait que le mariage ayant eu au moins pendant un certain temps une apparence de régularité, il convient de ne pas tirer des conséquences excessives du prononcé de la nullité ; la bonne foi des époux permettrait ainsi de ne faire régir que pour l'avenir les effets d'un mariage annulé (principe du "mariage putatif"). Il est assez naturel que le régime des sanctions élaboré à une époque où les conditions de validité d'un mariage étaient relativement rigoureuses, ait pâti du déclin de ces mêmes conditions. Il ne nous paraît pourtant pas mériter la sévérité d'appréciation portée sur son compte par le Doyen Cornu[2]. Faute de respect d'un nombre minimum de conditions, le mariage se confond facilement avec une union libre qui — nous y reviendrons — ne peut produire des effets importants dans certains pays sans la réapparition de conditions qu'on croyait éliminées au départ. Le régime des nullités est le plus souvent dérogatoire au droit commun pour "sauver" le mariage ; les effets s'apparentent de plus en plus au divorce. Une certaine jurisprudence américaine a même tenté un parallèle entre les effets d'un mariage nul considéré comme "putatif" et ceux résultant de la cessation de l'union libre. Le plus grave reproche qu'on pourrait

1. Sur ces points, v. M. Ion Hoffmann "Beendigung der ehelichen Gemeinschaft und Kon Kubinat in Brtasilien", thèse Marbourg, 1979, p. 105 et 128-129.
2. Cf. "Droit Civil de la famille", Montchrestien, 1984, n° 184.

adresser à la nullité du mariage est un certain "chevauchement" avec le droit du divorce. Il est regrettable à cet égard, notamment en droit français que les magistrats ne retiennent pas toujours, pour le prononcé du divorce, des faits postérieurs à la célébration du mariage[1].

§ 1. LA GRADATION DES SANCTIONS DES CONDITIONS DU MARIAGE

160. Le droit français est probablement un de ceux qui connaissent l'"échelle" la plus large de sanctions depuis ce qu'on appelle du terme canonique les "empêchements simplement prohibitifs" jusqu'aux nullités absolues.

Il y a en effet une série de conditions nécessaires certes pour la validité du mariage, mais dont l'absence risquerait avec le prononcé de la nullité d'aboutir à un résultat disproportionné à leur importance. C'est le cas notamment des publications préalables destinées à provoquer les oppositions. Leur omission d'après l'article 192 C. Civ. ne donnera lieu qu'à une amende symbolique requise par le Procureur de la République contre l'officier d'état civil (30 F. selon la loi de 1946) éventuellement plus importante contre les parties contractantes. Nous verrons que les mariages des Français à l'étranger exigent normalement une publication préalable selon l'article 170 C. Civ. ; mais la jurisprudence se réserve selon les cas de prononcer ou non la nullité selon qu'apparaît la volonté d'éluder des conditions de fond du mariage.

Dans la même catégorie des empêchements prohibitifs, avec des sanctions identiques (amendes, vire dommages-intérêts) on peut ranger l'omission du certificat prénuptial (art. 63-3, la loi n'en fait pas une condition de fond), la célébration du mariage sans la "main-levée" d'éventuelles oppositions (art. 68), la non observation du délai de viduité. On remarquera que, si le libéralisme se comprend avec le caractère très symbolique des amendes ou sanctions pénales, il a peut-être contribué à précipiter le déclin du formalisme du mariage.

161. Seuls les empêchements dits "dirimants" entraînent la nullité. Mais les rédacteurs du Code, en consacrant un chapitre spécial aux nullités du mariage (art. 180-202) ont entendu marquer leur volonté de déroger au droit commun quand à la classification des nullités, leurs causes et le régime juridique.

a/ La classification des nullités a donné lieu à une controverse célèbre à l'époque de l'exégèse, mais dont on s'accorde aujourd'hui à reconnaître le peu d'intérêt en droit français. A côté de la distinction "binaire" classique des nullités absolues et relatives, il y aurait des mariages dits "inexistants". On entend par là des unions auxquelles il manquerait un élément si essentiel qu'elles n'auraient même pas une apparence de validité. Les auteurs à l'origine de la notion d'"inexistence" tel Zachariac ont conçu cette catégorie pour remédier à la conception suivant laquelle un mariage ne pourrait être annulé sans un texte exprès le prévoyant ("pas de nullité sans texte"). Or, ont-ils fait

1. Cf. nos remarques supra, n° 125, comparer A. Benabent, n° 147.

valoir, des cas comme l'identité de sexes, l'absence de tout officier d'état civil ou même de consentement, bien que non mentionnés expressément, font obstacle à la formation du mariage. Le juge n'aurait pas besoin de constater la nullité. L'inexistence rendrait le défaut de formation imprescriptible, interdirait toute possibilité de maintenir les effets passés de l'union, grâce au principe du "mariage putatif"[1]. Ces arguments sont réfutables. La conception de l'inexistence repose sur l'idée, admise dans certains droits étrangers ("azione di accertamento" italienne) mais non en droit français qu'il pourrait y avoir une déclaration de la nullité sans débats judiciaires. Dans aucun des cas cités à l'appui de la théorie de l'inexistence, on ne peut admettre une constatation "a priori" de l'absence de formation de l'union. On sait que le problème de l'apparente identité de sexe et du transsexualisme a donné lieu à appréciation judiciaire[2]. L'absence totale de consentement, depuis la loi du 19 février 1933, opérant un renvoi de l'article 184 à l'article 146 est un cas de nullité absolue. Le défaut de célébration devant un officier d'état civil compétent ne semble pas davantage pour la jurisprudence, justifier une notion propre d'inexistence. Si elle y a fait fugitivement allusion[3], elle semble avoir condamné l'inexistence avec un arrêt de la Chambre des Requêtes du 14 mars 1933 (D.H. 1933 - 219). A propos d'un mariage contacté à l'époque en Algérie selon le rite hébraïque en l'absence de tout officier d'état civil, la Cour d'appel y avait vu un mariage "sans aucune existence légale" insusceptible de produire des effets civils comme mariage putatif. La cour de Cassation répliquait que la nature et le gravité de l'erreur étaient de "simples éléments de fait" et qu'on ne pouvait s'appuyer sur une notion d'inexistence pour refuser le bénéfice du mariage putatif[4].

b/ La distinction des nullités, telle qu'elle résulte de l'article 184, ne recoure pas entièrement la différence classique faite entre nullités absolues et relatives. S'il y a en effet des cas de nullités absolues qui touchent à des motifs d'"ordre social", impuberté, bigamie et inceste, il faut y joindre l'absence de consentement (distincte des vices du consentement) et surtout deux conditions de forme, relevant habituellement de la nullité relative : la clandestinité et l'incompétence de l'officier d'état civil. On entend par là d'une part le fait que le mariage aurait été célébré secrètement, soit hors de la mairie, soit en l'absence des témoins ou du public. Le cas est fort rare dans des hypothèses de pur droit interne. Il n'y a le plus souvent clandestinité au sens international que pour les mariages célébrés à l'étranger sans publications préalables (art. 170). D'autre part l'incompétence de l'officier d'état civil tiendrait soit à l'absence de qualité de sa personne (ne figurant pas sur le tableau des délégations) soit au lieu où est célébré le mariage (aucun époux n'y a son domicile ou sa résidence). Clandestinité et incompétence peuvent faire soupçonner que derrière des erreurs ou omissions sur la forme du mariage, il y ait la vo-

1. Cf. sur cette conception A. Rouast, "La famille", t. 2, n° 252 sv. - G. Marty - P. Raynaud, n° 111.
2. Cf. *supra* n° 135.
3. Cf. Trib. Civ. Blida, 31 décembre 1931, D. 1932 - 2 -115 note Chaveau à propos de la tutelle d'enfants dont les parents avaient été mariés selon le rite kabyle "toute personne étant fondée à repousser les effets par voie d'exception".
4. Dans le même sens, à propos d'un mariage religieux célébré en Italie en 1904 Civ. 1er - 6 octobre 1976, J.C.P. 1976 - 4.341.

lonté d'éluder des règles de fond. Aussi la jurisprudence use-t-elle d'un critère intentionnel, à partir du texte de l'article 193 sur les contraventions aux publications préalables ("même si elles ne sont pas jugées suffisantes pour faire prononcer la nullité du mariage..."). Elle examine selon les cas, s'il y a lieu ou non de prononcer la nullité absolue[1]. Le problème sera repris en droit international. Les nullités relatives correspondent au contraire à des situations plus classiques, puisqu'il s'agit soit de vices du consentement (erreur ou violence) soit du défaut d'autorisation des personnes aptes à donner leur consentement au mariage (parents, tuteur ou curateur).

161 bis. Le régime des nullités présente lui aussi des particularités. Malgré les termes très généraux de l'article 184 ouvrant "l'action en nullité absolue" à tous ceux qui ont intérêt", les rédacteurs du Code se sont méfiés de certaines interventions intempestives. Deux catégories seulement ont un droit sans limite : les époux (même si c'est en leur personne que réside la cause de nullité) — et les ascendants (sans distinction de hiérarchie). Par contre les collatéraux et les enfants d'un premier lit, selon l'article 187 doivent justifier d'un intérêt pécuniaire "né et actuel", pour remettre en cause le mariage de leur auteur[2]. A défaut de membres de la famille, le Ministère Public pourrait agir selon l'article 190, ou même un autre organisme public[3]. Quand aux créanciers, leur requête sera rejetée s'il y a un lien insuffisant entre leurs intérêts et la dissolution du mariage[4]. S'agissant de l'action en nullité relative pour défaut de consentement au mariage elle sera ouverte aux époux, comme aux parents dont le consentement était nécessaire.

La dérogation la plus apparente au droit commun des nullités réside dans la possibilité de les couvrir et dans les délais de prescription. De droit commun, la nullité absolue n'est pas susceptible de renonciation. La jurisprudence a pourtant voulu éviter la remise en cause d'unions se traduisant par une vie commune, dans des cas où l'annulation ne provoquerait qu'un scandale inutile. C'est ainsi que par une interprétation "large" de l'article 196 C. Civ., elle a attribué à la possession d'état destinée à suppléer à l'écrit comme mode de preuve du mariage dans les rapports entre époux le rôle d'une règle de fond. ("Ils sont non recevables à demander la nullité de cet acte"). Les époux, sauf peut-être fraude manifeste, ne peuvent réclamer la nullité pour clandestinité ou incompétence de l'officier d'état civil s'ils ont vécu par la suite comme mari et femme[5]. S'il y a bigamie, l'action sera considérée comme imprescritible ; la règle de l'article 2262 sur la prescription des actions ne jouera pas en la

1. Cf. Cass. Crim. 18 février 1942 D.A. 1942 - 83 prévenu coupable de bigamie, marié dans une commune où les époux n'avaient ni domicile, ni résidence).
2. Cf. Cour Montpellier, 21 juin 1928 D.H. 1928 - 552, enfants d'un premier mariage attaquant la deuxième union de leur père divorcé et remarié en Angleterre, alors gue celui-ci faisait l'objet de mesures d'intrnement et que la femme avait été nommée administratrice provisoire des biens des enfants.
3. Cf. pour l'action en nullité du mariage d'une veuve de guerre bigame intentée par le Ministère des Anciens combattants, Paris 4 février 1960 D. 1961 Som. 50.
4. Cf. T.G.T. Nanterre 27 juin 1985 G.P. 1986 - 2 - Som. 284.
5. Cf. "Bujoly" Cass. 1er août 1930, D. 1931 - I - 160 note H. Lalou - Cour Paris, 16 décembre 1958 D. 1959 - 38 - contra cour Paris, 2 décembre 1906 - *Rev. Crit.* 1967 531 note Ph. Malaurie.

matière[1]. Par contre, dans l'hypothèse d'impuberté (cas de nullité absolue, mais vice temporaire), le mariage serait inattaquable, si un délai de six mois s'est écoulé depuis l'âge légal requis ou si la femme avant même l'expiration de ce délai, était en état de grossesse (art. 185). Les nullités relatives elles-mêmes échappent au délai de prescription de cinq ans : c'est l'hypothèse du mariage qui serait annulé pour erreur ou violence (art. 181). Une cohabitation de six mois à compter du jour où l'erreur a été découverte ou la violence a pris fin ne permet plus d'agir[2]. De même pour le mariage sans le consentement des parents et, ce qui est beaucoup plus contestable, en l'absence de texte, pour les aliénés mentaux sans le consentement du tuteur ou curateur, le délai d'un an est assimilé à une approbation expresse ou tacite des intéressés (art. 183).

162. Les classifications françaises des nullités ne se retrouvent comme telles que dans certains droits d'Afrique Noire (Sénégal, Togo, Burundi). C'est ainsi que les codes du Sénégal et du Togo énumèrent un certain nombre de cas de nullités absolues : identité de sexe, impuberté, existence d'une précédente union, lien de parenté ou d'alliance, absence totale de consentement (art. 141 loi sénégalaise, 84 togolaise). Par opposition, le mariage encourt la nullité relative pour vices du consentement, pour ce qui est plus original, un éventuel défaut de paiement de dot voire une maladie grave et incurable" dissimulée par un conjoint lors de la célébration, rendent la cohabitation préjudiciable (art. 138-5 C. sénégalaise). Ces cas sont assez largement couverts : pour maladie grave ou impuissance par une cohabitation d'un an, pour vices du consentement, au bout de six mois de vie commune[3]. La plupart des systèmes étrangers ne font qu'une place exceptionnelle à la notion de mariage "inexistant". Il en est ainsi en droit italien (qui exclue dans ce cas le recours au mariage putatif) et en droit brésilien (art. 220 C. Civ. brésilien pour identité de sexe ou inobservation des formes légales). Le droit brésilien qui, à côté de l'inexistence, connaît des cas assez larges de nullité pour erreur notamment l'erreur sur le "bon renom" d'un époux, sur l'existence de maladies contagieuses, comme la syphilis ou la tuberculose, et même sur la virginité de la femme) tempère le jeu des nullités. D'une part, il tient compte de la "bonne foi" dans les vices de célébration (ce qui autorise le mariage putatif art. 221) d'autre part il connaît une prescription relativement courte de la plupart des cas de nullité[4].

La distinction la plus courante en droit anglais et en droit allemand est celle faite entre l'union "nulle de plein droit" (void, Nichehe) et le mariage qui n'est plus "'annulable" (voidable). La nullité de plein droit vicie radicalement le mariage depuis l'origine. Elle pourrait être soulevée à tout moment, y compris après la mort de l'époux, sans qu'il y ait débat judiciaire. Il faut entendre par là des cas comme la bigamie, la prohibition de parenté, l'erreur sur l'identité corporelle ou la nature de la cérémonie pour le droit anglais. Le droit allemand englobe également la "violation grave" des règles de forme ou l'union fictive. Le mariage "annulable" (voidable) recouvre par contre des hypothèses

1. Cour Paris, 17 mai 1988 D. 1988 T.R. 174.
2. Cf. dans un cas contraire Cass. 17 novembre 1958, D. 1959 - 18 note G. Holleaux.
3. Art. 88 - I ordon. togolaise - 242 code gabonais, 140 Code sénégalais sur tous ces points Chr. Youana in *Encyclopédie juridique de l'Afrique*, cit., pp. 181 sv.
4. Deux ans. et dans le cas d'erreur sur la virginité" commise par le mari, délai de 10 jours selon l'art. 178 - I c. civ., cf. M.T. Hoffmann, thèse 1979, cit. p. 60 sv.

assez proches de la nullité relative du droit français (faiblesse mentale, absence d'autorisation au mariage). La prescription est brève (en générale d'un an) et les effets de la nullité n'interviennent que pour l'avenir[1]. Toutefois, on ne retrouve pas l'idée française que la possession d'état couvre l'irrégularité de forme. C'est ainsi que Monsieur Neuhaus a cité deux décisions l'une de l'O.L.G. de Hamm en 1973, déclarant célibataire un défunt marié à l'Eglise, ayant eu pourtant un enfant inscrit comme légitime à l'état civil, l'autre de l'O.L.G. de Karlsruhe en 1975. Cette décision refusait un livret de famille, à une femme allemande mariée en 1945 à un Polonais sans intervention de l'officier d'état civil — alors qu'à cette date l'état civil était déjà rétabli en Pologne, lieu du mariage, et que de cette union fussent nés trois enfants, considérés comme légitimes[2]. La rigueur de la règle est tempérée par la notion de "régularité apparente" de l'autorité qui a procédé à la cérémonie, et de l'erreur engendrée par cette croyance. Ainsi l'O.L.G. de Stuttgart, le 27 septembre 1976 a validé le mariage civil de deux Grecs en Allemagne, avant même la suppression de l'exigence du mariage religieux[3].

Dans d'autres pays où il y aurait eu lieu à une éventuelle nullité du mariage, il sera sauvé par le recours à la vieille notion historique de mariage de "Common Law" par "cohabitation and reputation" (n° 46 et 149 supra). Le fait que les époux aient cohabité et passé aux yeux des liens pour régulièrement mariés "lave" le mariage de la nullité ordinaire. Il en est ainsi en Ecosse où encore sous le régime du "Marriage Scotland Act", les époux peuvent obtenir une confirmation judiciaire de leur union de faits[4]. C'est surtout le cas des Etats-Unis. Si la diversité des "statuts" et de la jurisprudence d'un Etat à l'autre, laissent un certain choix aux intéressés, ils encourrent le risque résultant de la variété des cas de nullité et de la liberté laissée au juge ; le mariage peut être ainsi annulable pour dol, maladie mentale d'un époux (depuis cinq ans dans l'Etat de New-York), manque de compréhension (want of understanding). Le passage, même bref dans un Etat admettant encore le mariage de "Common Law", suffit à prévenir la nullité. Ainsi la Cour Suprême de l'Etat de New-York dans l'affaire "Mc-Cullon v/Mc-Cullon" (1978) a eu à connaître de la validité d'un mariage d'époux qui lors de la célébration et dans les six années suivantes étaient encore bigames par suite de la non-dissolution de liens antérieurs. On était bien, semble-t-il, dans un cas où le mariage était "void". Mais le juge Mattina prit en compte le fait que depuis vingt huit ans (jusqu'à la séparation) le couple avait passé pour valablement marié aux yeux des parents et amis (conducted themselves as husband and wife) et qu'un séjour de deux à quatre semaines en Pennsylvanie (validant à la différence du droit de New-York, le mariage de Common Law) purgeait le vice. Le raisonnement différent, aboutit comme en Europe à limiter la nullité[5].

1. Cf. H. Oberleskamp, thèse Bonn, 1972, cit. pp. 37 sv. - J. Schmidt Dalhoff, thèse Bonn, 1986, cit., pp. 129 sv.
2. Cf. P.H. Neuhaus, cit. p. 108.
3. Cf. Neuhaus, cit.
4. "Decree of declaration" de la Cour of Session d'Ecosse - Cf. P. Striewe, cit., p. 73.
5. bien que l'"American Bar Association" ait préconisé la suppression de l'union de Common Law - Cf. P. Striewe, thèse Osnabruck, 1986, pp. 65-66.

§ 2. LES LIMITES APPORTEES AUX CONSEQUENCES DE L'ANNULATION : LE MARIAGE PUTATIF

163. La logique du jugement d'annulation voudrait que dès lors qu'a été constaté l'absence d'un élément de forme ou de fond nécessaire à la validité de l'union, le prononcé de l'annulation libère chaque époux qui peut valablement se remarier, mais qu'en contre-partie les effets antérieurs du mariage disparaissent. Les enfants devraient donc être considérés comme illégitimes, les avantages consentis ou obtenus par les époux anéantis. C'est pour éviter le très grave inconvénient de la "table rase" après plusieurs années de vie commune que la pratique a imaginé très tôt des palliatifs. Dès l'Empire romain, un rescrit des Empereurs Marcus et Lucius devait valider les effets d'un mariage contracté entre un oncle et sa nièce dans l'ignorance de l'empêchement[1]. Mais il fallut attendre les travaux des canonistes du Moyen-Age en particulier ceux d'Hugues de Saint-Victor (1104-1141) pour dégager la notion de mariage putatif, c'est-à-dire, celle d'un mariage annulé, mais dont les effets en raison de la bonne foi ou "juste cause d'erreur" des époux, ne produiraient d'effet que pour l'avenir. Un cas célèbre fut celui des deux mariages successifs de Philippe Auguste. Le Pape ayant refusé l'annulation de son premier mariage obtenu de l'Archevêque de Reims, la seconde femme, Agnès de Mérane demanda qu'en raison de sa bonne foi lors de son union, ses enfants fussent considérés comme légitimes. Le premier recueil qui devait consacrer la notion de mariage putatif parait être la compilation ibérique des "Siete Partidas" en vigueur sous Alphonse XI au XIVe siècle. La multiplicité des prohibitions résultant de ces textes (parenté spirituelle, interdits religieux, condition servile, etc...) était compensée par le caractère légitime reconnu à la filiation en cas d'annulation du mariage[2]. Jusqu'à la codification du XIXe siècle, la matière devait être en France abandonnée à la jurisprudence des parlements qui devait en préciser les conditions et les effets (affaire "Martin Guerre" du Parlement de Toulouse de 1560).

Le Code Civil ne devait consacrer que deux articles assez sommaires au mariage putatif (art. 201-202) sans même en employer le mot. Mais l'institution a connu depuis une double évolution. Tout d'abord une extension géographique croissante. Elle n'était adoptée au départ que par quelques codifications (en Europe, le "Code des Deux-Siciles" de 1819 en Amérique le Code de la Louisiane). Par la suite, le Code italien de 1865, la plupart des Codifications d'Amérique du Sud devaient l'adopter. En Allemagne le B.G.B. de 1900, suivant une technique précisée dans le § 26 de la loi sur le mariage (Ehegesetz de 1938-1946) a assimilé les suites de la nullité du mariage à celles du divorce. Toutefois la solution est rejetée, si les deux époux étaient de mauvaise foi. Si l'un d'entre eux seul a connu la nullité, il a le choix entre l'acceptation des effets du divorce et son exclusion, par déclaration faite à son conjoint dans un délai de six mois. L'institution du "mariage putatif" était à l'origine inconnue de la "Common Law" anglaise. Elle a fait de notables progrès aux Etats-Unis,

1. Cf. R. Gallardo, "L'institulion du mariage putatif en droit francais : étude historique et critique", thèse, 1938 n° 7.
2. Cf. R. Gallardo. "Le rôle et les effets de la bonne foi dans l'annulation en droit comparé", Paris, 1952, préf. A. Rouast n° 62-64.

notamment dans les Etats d'influence hispanique, Texas et Californie (section 4452 Code californien). L'expression même de "mariage putatif" figure expressément dans le projet uniforme de droit du mariage (U.M.D.A.) de 1979[1].

D'autre part, les conditions du mariage putatif ont évolué. Dans un premier temps l'accent a été mis sur la "bonne foi" de l'un ou des deux époux. Les effets, notamment si un seul des époux avait été de bonne foi, ont pu être assimilés à ceux du divorce reposant sur la faute et obtenus au profit d'un des deux époux. Les transformations — en droit français, mais aussi ailleurs — sont parallèles à celles du divorce minimisant le rôle de la faute. Depuis la loi du 3 janvier 1972, l'article 202 C. Civ. n'exige plus la bonne foi des époux pour que les enfants aient la qualité de légitimes. D'autres conséquences pourraient être déduites, même en l'absence de bonne foi.

A/ Les conditions de la putativité

164. La première condition a trait à l'existence d'un mariage ou tout au moins d'une apparence de mariage. Sur ce point la tradition canonique, remontant au concile du Latran de 1245 et à la lutte contre les mariages clandestins, voire les unions libres, était sévère. Il fallait un mariage célébré selon les "rites d'usage". L'exigence de la célébration "solenelle" et "publique" se retrouve dans un certain nombre de codification d'Amérique du Sud[2]. Ce n'est pas le cas du Code Civil italien : l'article 128-1 du Code de 1942 se contente de parler de mariage nul "contracté" (contratto) de bonne foi. La nullité peut avoir d'ailleurs un sens spécifique en droit italien, s'il y a eu célébration correcte d'une union religieuse, mais qui n'aurait pu faire l'objet d'une transcription régulière par suite de divergences entre le droit canonique et le Code Civil italien[3]. Aux Etats-Unis la Cour Suprême du Texas dans une affaire "Davis" (1975) a reconnu le caractère putatif au mariage d'un Texan avec une chinoise de Singapour célébré dans cette ville selon le rite boudhiste.

La jurisprudence française s'est montrée sur ce point peu exigeante. Il est vrai qu'un arrêt célèbre de la Cour de Cassation "Cousin de Lavallière", rendu entre les deux guerres mondiales, avait refusé le caractère putatif au mariage célébré en Guinée, selon le rite indigène local[4] au moment même où elle l'accordait au mariage hébraïque[5]. Mais on a pu y voir un reflet des conceptions particulières du Rapporteur à l'époque (pour le Conseiller Pilon, "La civilisation israélite était d'un ordre beaucoup plus élevé que celle de coutumes primitives de Guinée"). En réalité le bénéfice de la putativité a été reconnu à tout mariage célébré en une forme quelconque privée ou non. Il en a été ainsi

---

1. V. à ce sujet la thèse comparative de Rudolf Halstrick, "Das nichteheliche Zosammenleben und seine Beendigung", 1983 et J.D. fine, "The rights of putative spouses : choice of Law Issues and Comparative Insights", I.C.L.Q., 1983, pp. 708 sv.
2. art. 208 Code uruguyen de 1 867 modifié -122-2 C. chilien -1 1 8 - 1 Code Equateur
3. Cf. *supra*, n° 150.
4. Cass. Req. 14 mars 1933, D.P. 1933 - I - 29 rapport Pilon.
5. "Benhamoa", 14 mars 1933 - D.H. 1933, 218.

pour les mariages devant les autorités religieuses, hébraïques ou catholiques[1]. Dans des cas internationaux, les décisions ont assimilé aux mariages religieux, ceux célébrés devant les autorités consulaires incompétentes pour le faire[2].

On s'est parfois demandé s'il conviendrait d'aller plus loin et de faire jouer les effets du mariage putatif là où il n'y a eu aucune preuve de l'existence d'une cérémonie. Si indulgente que soit la jurisprudence française, elle a refusé d'aller jusque là[3]. Mais aux Etats-Unis, un arrêt de la Cour de Californie "Cary" a cru devoir faire bénéficier un couple vivant en réalité en union libre, des conséquences tirées du mariage putatif par le § 4452 du Code californien, c'est-à-dire le partage par moitié de la masse commune (notion de "quasi marital property"). La femme alléguait qu'elle croyait s'être mariée selon la formule dite de "Common Law". Cet arrêt a été critiqué, comme aboutissant à faire revivre la formule de l'union "by cohabitation and reputation" abolie en Californie en 1895 (1973). L'argument n'a pas été repris par l'arrêt postérieur de la Cour Suprême de Californie rendu à propos de la liquidation des intérêts du "pseudo-couple" Lee Marvin-Michelle Triola. Le mariage putatif suppose au départ une intention de convoler, inexistante dans l'union libre[4].

165. La seconde condition — au moins concernant les rapports entre époux — touche à la bonne foi. C'est faire appel à une notion psychologique. On peut se demander s'il faut entendre par là l'ignorance de l'obstacle de droit — par exemple le fait qu'un époux se remarie, croyant avoir été régulièrement divorcé à l'étranger — ou si on doit exiger la preuve positive de la conviction où se trouvaient un ou deux époux de la régularité apparente de leur mariage. Le problème est le plus souvent simplifié par la présomption de bonne foi (exemple de l'art. 1147 C. Civ. italien). Mais certains Codes l'excluent s'il y a une erreur "inexcusable" (art. 247, al. 3 Code argentin) ou une "circonstance personnelle aux époux" comme la bigamie (art. 226 3 C. Fédéral mexicain, 216 2 Code du Guatemala). Dans le même esprit, l'article 120, alin. 3 du Code Civil Suisse, tout en présumant la bonne foi, précise que "nul ne peut l'invoquer si elle est incompatible avec l'attention que les circonstances permettaient d'exiger de lui". N'étant pas liée par les textes — l'article 201 parle de "bonne foi" sans autre précision — la jurisprudence française se réfère

---

1. Cf. Cass. Req. 14 mars 1933, "Benhamou", cit. Cour Bordeaux, 16 juin 1937 mariage célébré "in extremis" en Suisse devant un prêtre catholique - D.H. 1937 - 540 - Trib. Civ. Seine 14 décembre 1945, J.C.P. 1946 - 2967 note R. Plaisant — second mariage d'une Russe croyant le précédent dissous par le "Synode épiscopal de l'Eglise orthodoxe russe à l'étranger" — Cass. 29 avril 1966, Bullet. Cass. 1966 - I 165 G.P. 1966 - 2 169 mariages religieux célébrés en Autriche dans un camp de réfugiés.
2. Cf. Trib. Civ. Seine 15 mars 1932, D. 1934 - 2 - 76 mariages de Guatemaltèques — Cour Grenoble, 28 avril 1953 D. 1953 - 490 — mariage d'un Italien naturalisé français T.G.T. Paris, 24 février 1975 D. 1975 - 379 concl. G. Parie, note J. Massip, mari d'un Français et d'une Equatorienne.
3. Cf. Cour Aix, 12 décembre 1933, D. 1936 - 2 58 note M. Nast — à propos de la soi-disant légitimité d'un enfant né au Mexique, "il n'est point permis d'admettre qu'un homme et une femme puissent se croire mariés, en l'absence de tout acte et de la moindre cérémonie, par le seul accord de leur consentement, sous peine de confondre l'union libre avec le mariage".
4. Cf. H. Ilill Kay et Carol Amyx, "Marvin v/Marvin - "Preserving the Options", *California Law Review,* 1977, p. 952 et R. Halstrick, thèse, 1983, cit. p. 125.

le plus souvent à des éléments extérieurs pour la présumer. Ainsi le fait qu'un décret de naturalisation datait du 17 juillet, alors que le 19 avait lieu le mariage devant le Consul d'Italie[1] ou que le mari avait pris la qualité de Tunisien devant un notaire beylical alors que Français, il n'aurait dû se marier que devant un officier d'état civil[2]. A l'inverse, la mauvaise foi ne fera guère de doute, si un époux étranger s'était remarié après avoir saisi artificiellement une juridiction étrangère (celle des Iles Vierges) incompétente[3] ; de même l'époux bigame de nationalité française, mais "imprégné des coutumes et traditions de l'Algérie" et dont le précédent mariage était en marge de son acte de naissance ne permet pas à la femme d'invoquer la bonne foi lors du prononcé de la nullité[4]. La Cour de Cassation s'en remet sur ces points aux appréciations des juges du fond. Il ne fait guère de doute en tout cas qu'il s'agisse de la bonne foi lors de la célébration[5]. Le bénéfice resterait acquis même si les intéressés découvraient par la suite le motif de la nullité. Il n'est pas nécessaire en tout cas que le jugement qui a annulé le mariage, se prononce en même temps sur la putativité. Elle pourrait résulter d'une décision ultérieure à ce sujet[6].

B/ Les effets du mariage putatif

166. Le droit positif a souvent souffert sur ces points de l'imprécision de la tradition historique et des textes en vigueur. Le mariage putatif a pu être qualifié par Monsieur Gallardo de "simple union sexuelle à laquelle le législateur a permis de produire certains effets". A compter du prononcé du jugement, le mariage est dissous, comme en matière de divorce. Pour le passé, il faut au départ uniquement faire intervenir la bonne foi d'un ou des deux époux pour maintenir les effets. Les "Siete Partidas" contenaient des dispositions complexes sur les conséquences personnelles du mariage putatif ; l'époux de bonne foi obtenait la garde de l'enfant (sauf remariage). Néanmoins les enfants de très bas âge (moins de trois ans étaient toujours confiés à la mère, dans leur intérêt, même si celle-ci avait été de mauvaise foi au moment de la célébration. En France, la jurisprudence des Parlements[7] considérait comme légitimes les enfants nés d'un mariage annulé pour bigamie ou impuissance. Toutefois un arrêt du Parlement de Paris du 11 juin 1629 refusait tous droits successoriaux aux enfants d'un religieux et d'une laïque dont le mariage avait été annulé. Le Code Civil s'est refusé à toute distinction entre effets personnels et pécuniaires que commande pourtant l'évolution postérieure.

a) S'agissant des effets personnels et à l'égard des enfants, le prononcé de la nullité fait cesser les devoirs de la fidélité et d'assistance. Le sort des enfants devrait varier du fait que les époux aient été ou non de bonne foi. Mais

---

1. Cour Grenoble 28 avril 1953 D. 1953-490.
2. Cass. 1, 14 juin 1957 D. 1957 - 557.
3. Cass. 2 - 2 octobre 1984, Bullet. Cass. 1984 - 1 n° 242 G.P. 1985 - a Panoram 75 note Grimaldi.
4. Cour Bordeaux 17 mai 1987, J.C.P. 1988 - 4 - 194.
5. ce que précisent les art. 128-1 Code italien et 26-2 "Ehegesetz" allemande.
6. Cass. 1er, 28 mai 1991. D. 1992-121 note J. Massip.
7. Affaire "Martin Guerre" de Toulouse de 1560, du Parlement de Paris de 1665.

le droit comparé montre une évolution tout à fait général pour ne pas faire dépendre de cette notion le caractère légitime ou illégitime de la filliation. Un certain nombre de Codes sud-américains ne remettent pas en cause non seulement le sort du caractère légitime des enfants conçus ou nés pendant le mariage, mais encore des enfants légitimés ou nés moins de 300 jours après le jugement d'annulation[1]. Le droit anglais, qui n'a pas élaboré de notion générale de mariage putatif n'en considère pas moins comme légitimes depuis le "Matrimonial Causes Act" de 1937 les enfants de mariages annulés dans certaines hypothèses (notamment pour aliénation mentale ou maladies vénériennes)[2]. Aux Etats-Unis les magistrats se réservent souvent la possibilité de sauvegarder la légitimité en cas d'aliénation mentale ("idiocy" ou "lunacy") ou vice du consentement. Le droit français a suivi le mouvement avec la réforme de l'article 202 par la loi du 3 janvier 1972. Les enfants légitimes ou légitimés du mariage annulé le demeurent. Le nouveau texte précise que "la garde des enfants se règle comme en cas de divorce" (la jurisprudence antérieure maintenait déjà les droits des grands-parents indépendemment de la bonne ou mauvaise foi des parents). De même, l'article 133 du Code Civil suisse reconnaît dans tous les cas le caractère légitime de la filiation.

Certains effets personnels du mariage continuent de dépendre de l'attitude des époux. Ainsi en droit français, la nationalité. La nullité du mariage rend en principe caduque la déclaration de l'article 37-1 faite en faveur de la nationalité française (art. 42 loi de 1973). Elle est toutefois maintenue si l'époux était de bonne foi ; mais la nullité reste sans conséquence sur la nationalité des enfants[3]. Les droits "hispanisants"[4] tiennent compte encore de la mauvaise foi des parents pour organiser la tutelle des enfants. Sinon ils sont confiés à celui des parents de bonne foi (sauf pour les très jeunes automatiquement attribués à la mère, selon l'ancienne méthode des "Siete Partidas").

167 b) Pour les conséquences patrimoniales du mariage nul mais putatif, des distincteurs s'imposent. C'est seulement au cas de bonne foi "partagée" (good faith believe) qu'on maintiendra les avantages que ce sont consentis les époux, et que les biens acquis pendant l'union seront partagés comme s'il y avait eu union régulière. Il en est ainsi aux Etats-Unis, au Texas et en Californie (notion de "quasi marital property" du § 4452 Code californien). Par contre la bonne foi ne va pas jusqu'à autoriser un des époux à agir en réparation de l'accident mortel survenu à son conjoint avant le prononcé de la nullité, ce qui créerait des droits pour l'avenir[5].

En France, le texte de l'article 201, alin. 2 commandes de scinder la validité des effets antérieurs si un seul des époux a été de bonne foi. C'est lui seul qui sera amené à conserver les avantages reçus. Si la nullité du mariage a été prononcée après son décès, la dévolution successorale qui a pu s'opérer au profit de membres de la famille ascendants ou collatéraux est consolidée[6]. Un problème très particulier nait de l'annulation du mariage pour bigamie. Si elle

1. Art. 225 Code mexicain, 168 Code du Salvador.
2. Cf. R. Gallardo, "L'annulation du mariage en droit comparé, cit. 1952, n° 107.
3. Cf. P. Lagarde, "La nationalité française", Paris, 1975, n° 211.
4. Art. 70-73, C. Civ. espagnol, C. Civ. mexicain.
5. Cf. J.D. Fine. p. 722. 2 .
6. Cf. Cass. Req. 9 juill. 1935 D.H. 1935 - 113.

n'est prononcée qu'après le décès du défunt, et que la bonne foi est reconnue à la seconde épouse d'un bigame, le droit français se trouve confronté à une "polygamie légale" ; deux épouses prétendent à des droits qui ne sont normalement accordés qu'à une seule. Le Conseil d'Etat saisi de réclamations concurrentes de pension de deux veuves de militaires a dû rappeler que le droit pension s'ouvre au décès du titulaire, et n'était pas susceptible de fractionnement (l'hypothèse était différente d'un divorce suivi d'un remariage[1]. Il ne lui a pas paru possible, malgré les textes des articles 201-202 de tirer des effets du mariage de bonne foi [2]. La liquidation du régime matrimonial du bigame présente des difficultés voisines. La Cour de Toulouse a laborieusement effectué la répartition de deux masses communes, constituées en Espagne, puis en France entre les épouses et les enfants des deux mariages[3].

c) L'attention s'est portée plus récemment sur les conséquences à venir du prononcé de l'annulation. Le rapprochement avec le divorce et le fait que de plus en plus l'importance de la faute diminue dans ce cas, amènerait à tirer pour l'avenir des conséquences alimentaires, sans même qu'un époux soit nécessairement de bonne foi. Le droit américain paraît précurseur à cet égard. La Section 209 de l'U.M.D.A. (Uniform Marriage and Divorce Act modèle de 1983) exigeait encore la bonne foi pour ouvrir au conjoint d'un mariage annulé un droit aux aliments. Cette condition ne se retrouve pas dans le droit de New-York. Celui du New-Hampshire accorde des aliments (comme en cas de divorce) jusqu'à un délai de trois ans après la majorité du plus jeune des enfants. En France, la Cour de Cassation a été saisie d'un pourvoi suivant lequel un mariage atteint de nullité absolue ne pouvait entraîner aucune réparation spécifique pour l'avenir. Elle a cependant considéré que la disparition du devoir de secours et le manquement du mari à ses obligations de fidélité justifiaient des versements pour atteinte du dommage matériel ou moral[4].

Par arrêt du 23 octobre 1990, elle a même condamné le mari à verser une rente mensuelle indexée, à titre de prestation compensatoire[5].

Il faut enfin relever dans le même sens, la disposition originale du droit italien depuis les réformes de 1975. Le juge a la possibilité, en cas de nullité de mariage d'imposer à un des époux, voire aux tiers à l'origine de l'action en nullité le versement de "sommes adéquates" au conjoint de bonne foi pour une durée de trois ans, si celui-ci ne dispose pas de revenus personnels et n'est pas remarié[6].

---

1. Cf. supra n° 144.
2. Cf. C.E. 27 mai 1955 D. 1955 - 775 conclusions Guionin.
3. Cf. Cour Toulouse. 22 mars 1982, J.C.P. 1984, 20185 note F. Boulanger.
4. Cf. Cas. 1 - 2 octobre 1984. Bullet. 1984 - 1 n° 242 cit. et obs. Grimaldi G.P., 1985 - Panorama 75, dans le même sens Cour Agen, 5 mai 1987, J.C.P. 1988 - 4 - 195 qui rapproche l'annulation du divorce.
5. Cass. 1er, 28 octobre 1990 D. 1991. 214 note C. Mascala.
6. Art. 129 et 129 bis Codice Civile. Cf. M. Matteucci RDIC Bruxelles, 1977, pp. 7 sv.

Bibliographie :

P. H. Neuhaus, "Ehe und Kindschaft in rechtsvergleichender sicht", cit. Tubingen, 1979.

J. Pousson-Petit, "Le démariage en droit comparé", Bruxelles, 1981.

H.H. Spiess, "Die Ungultige Ehe im Recht der Vereignighten Staaten", thèse, Cologne, 1964.

H. Oberloskamp, thèse cit. Bonn, 1972 et T. Schmidt - Dalhoff, thèse Bonn, 1986.

Sur le mariage putatif :

R. Gallardo, "L'institution du mariage putatif en droit français : étude historique et critique", thèse, Paris, 1938. - "Le rôle et les effets de la bonne foi en droit comparé" (Préface A. Rouast), Paris, 1952.

H. Hill Kay et Carol Amyx, *California Law Review,* 1977, pp. 937 sv. cit.

R. Halstrick, "Das nichtcheliche Zusammenleben und seine Beendigung" (étude comparative germano-américaine), thèse, 1983.

J. David Fine, "The Rights of Putatives spouses", I.C.L.Q., 1983, pp. 708 sv.

CHAPITRE VI

Le droit international privé du mariage

SECTION I

LES CRITERES DE RATTACHEMENT ET LES CHOIX DU DROIT POSITIF

§ 1. LA DETERMINATION DES CRITERES DE RATTACHEMENT

168. Le droit du mariage a fait l'objet dans le passé d'un abondant contentieux international. Il est assez banal de constater que, malgré les progrès de l'union libre, son importance n'a que peu diminué avec la fréquence des relations internationales et des courants migratoires. Il l'est moins de mesurer les difficultés d'un rattachement satisfaisant. Echange de consentements dans le présent, le mariage est en effet aussi un acte tourné vers l'avenir qui suppose la réunion d'autres conditions. L'ancien droit français avait légué des solutions assez fermes aux rédacteurs du code Civil : d'une part en insistant sur la nécessité d'une observation permanente de conditions de fond tenant notamment au respect du consentement parental ou du degré de parenté ou d'alliance ; d'autre part en opposant aux règles de fond, celles tenant à la forme de la célébration, pour laquelle on pouvait suivre la loi de l'acte[1]. L'article 170 C. Civ. consacrait cette distinction. Il reconnaît la validité du mariage des Français à l'étranger en la forme locale, en rappelant la nécessité "de ne pas contrevenir aux dispositions contenues au chapitre précédent", c'est-à-dire aux règles de fond. La jurisprudence ne devait pas tarder à "bilatéraliser" les principes du Code Civil : les conditions de fond du mariage relèvent de la loi nationale, la célébration de la loi du lieu de l'acte. L'école de Mancini devait considérer le droit du mariage comme le domaine d'application par excellence de la loi nationale. Le code italien de 1865, la convention de La Haye de 1902 consacraient la distinction entre fond et forme de l'acte. Elle repose sur l'idée que la loi nationale commune ou chaque loi nationale des futurs époux pose un minimum de conditions qui ne peuvent être éludées par une célébration dans un pays tiers.

---

1. Cf. *supra*, n° 67 69.

Il s'agit, comme l'ont fait valoir M. Battifol et Lagarde, de l'aptitude personnelle à la création d'un lien, qui est appréciée selon la loi nationale des intéressés[1] ; et aussi de lutter contre la fraude à la loi, en évitant de soumettre l'ensemble des règles du droit du mariage à un droit trop libéral au lieu de célébration. Il est significatif que l'article 170 C. Civ. rappelle la nécessité des publications préalables au mariage de l'article 63 C. Civ., même en soumettant le mariage à la forme locale de célébration.

169. La référence à une ou deux lois nationales quant aux conditions de formation de l'union n'est pourtant pas à l'abri de toute critique. Elle exprime certes l'idée d'une permanence nécessaire des règles, mais aussi que le mariage est plus qu'un échange de consentements et doit respecter des exigences "physiologiques" ou familiales. Il faut remarquer que dès l'époque de rédaction du code civil, le droit anglais, par contraste, restait attaché à une conception beaucoup plus "libérale" de formation de l'union, et moins dominée par la crainte de la fraude à la loi (qui n'a toujours joué qu'un faible rôle en droit anglais). Du moment que les futurs époux ont émis un consentement valable, il a paru plus important pour la jurisprudence anglaise qu'une même loi régisse la forme et le fond. C'est ainsi que dans l'affaire "Scrimshire v/Scrimshire (1751) les juridictions anglaises eurent à se prononcer sur la validité d'un mariage clandestin entre des mineurs domiciliés en Angleterre mais célébré en France pour échapper aux exigences du consentement parental. Elles s'en remirent au droit français du lieu de célébration. Il fallut attendre l'influence de l'école hollandaise d'Huber et l'arrêt "Brook v/Brook" (1861) pour que le Lord Chancelier Campbell esquisse la distinction entre "fond" et forme ("capacity" et "formality"). Aux reproches du caractère arbitraire et fortuit de la référence au lieu de célébration, la jurisprudence anglaise devait répondre (non sans quelques échos aux Etats-Unis) qu'était par là supprimée toute difficulté de qualification entre forme et fond (notamment pour la célébration civile ou religieuse) et qu'il fallait s'attacher à la manifestation extérieure de la volonté des époux opposable en tous lieux. Selon la formule de "Berthiaume v/Dassous" (1930) "if a marriage is good by the law of the country where it is effected, it is good all the world over"[2].

Le point de départ des solutions "françaises" ou "continentales" est plus complexe que celui du droit anglais. Il y aura deux, voire trois lois à appliquer à une même institution, si les deux époux sont de nationalité différente et qu'ils se marient dans un pays tiers donc aucun n'a la nationalité. Le respect des conditions de fond au lieu de célébration évitera le risque du "mariage boiteux" ("limping marriage") dont la validité serait niée par les Etats d'origine des futurs époux. Toutefois il pose de délicats problèmes de preuve, résolus dans nombre de pays par la production d'un "certificat de capacité matrimoniale" dont la généralisation a été envisagée par la Convention de Munich du 5 septembre 1980. Les intéressés attestent qu'ils satisfont au droit de leur

1. Cf. "Droit international privé", t. 2 n° 388.
2. Sur cette évolution du droit anglais, Z. Dinstein, "La fraude et les conflits de lois en matière de mariage et de divorce en droit anglais et américain "Genève et Tel Aviv, 1954, p. 16. — P.M. North, "Development of rules of private international Law in the Field of Family Law", Cours Académie La Haye, 1980, t. 1, p. 23.

pays d'origine. Dans certains cas tel en Italie, l'officier d'état civil croit devoir refuser la célébration en cas de démonstration insuffisante de l'absence d'obstacles provenant du pays d'origine[1]. En France (comme d'ailleurs, semble-t-il dans la nouvelle loi allemande de 1986) les étrangers qui se marient remettent à l'Officier d'état civil, aux termes d'une "Instruction" du 21 septembre 1955 un "certificat de coutume" ou de "capacité matrimoniale". L'absence de référence à la loi étrangère, ou de l'éventuelle exequatur d'un jugement antérieur de divorce, n'empêche pas le fonctionnaire français de célébrer le mariage selon le droit français. Mais il est tenu d'"avertir" les intéressés du risque éventuel du défaut de reconnaissance à l'étranger et même devant les tribunaux français[2]. La doctrine, certes, juge sévèrement ce rôle de l'officier d'état civil[3]. Il n'y en a pas moins une première exception à l'application de la loi nationale, rappelée à la France lors de l'élaboration d'une nouvelle Convention de La Haye destinée à remplacer celle du 30 juin 1902.

170. La mise en œuvre de la loi nationale va par ailleurs se heurter à des difficultés qui ne tiennent pas seulement à la preuve. Tout d'abord la loi nationale (ou celle du domicile d'origine) prétendra commander l'aptitude d'un individu à contracter mariage. A notre époque de déplacements mondiaux et de plus grandes fréquences de seconds mariages, (on a cité le cas de militaires américains, divorcés au Mexique ou dans d'autres pays d'Amérique Centrale, puis remariés en Europe), il y a une éventuelle contradiction entre la validité du divorce prononcé selon la loi du for (ou celle d'un pays tiers) suivi d'un remariage toujours valable pour le for, et le refus de ou des Etats d'origine des futurs époux d'admettre le remariage. Il tient le plus souvent au défaut de reconnaissance préalable du jugement étranger de divorce ou de nullité. La question a été perçue en France par Monsieur Francescakis dans son ouvrage consacré aux "conflits de systèmes" (1958). Elle a donné lieu à un contentieux important en Grande-Bretagne (avec plusieurs arrêts de la "Queen"s Bench" et de la "Family division") et en Suisse.

En Angleterre, dans l'affaire "Brentwood Super intendant" un mari italien, domicilié en Suisse, avait divorcé dans ce pays. Par la suite, l'intéressé voulant se remarier en Angleterre le divorce suisse avait été reconnu, comme étant pour le droit anglais celui de son domicile. Mais selon la règle internationale suisse d'alors (art. 7 C. loi de 1891), c'était à l'Etat italien d'origine de se prononcer sur la validité du remariage. Or celui-ci le prohibant, la juridiction anglaise se prononçait dans le même sens que la législation d'origine, c'est-à-dire un refus de validité de la nouvelle union[4]. Postérieurement l'affaire "Lawrence" soulevait encore le problème de la validité d'une seconde union. Deux époux brésiliens, à l'époque domiciliés au Brésil, n'avaient pu obtenir le divorce, et la femme y était parvenue par un jugement d'un Tribunal du

1. Cf. T. Scavazzi, "Il matrimonio del cittadino straniero in Italia", *Rivisto di diritto internazionale* 1984 (3), pp. 433 sv.
2. Cf. J. Mestre, "Mariage", Jurisclasseur intrnational, Fasc. 546 a n° 57 et pour une application de cette circulaire, Cour, Paris, 27 novembre 1981, D. 1983 - 143, note G. Paire.
3. Cf. Il. Battifol, P. Lagarde, n° 413.
4. Cf. Queen's Bench Div. 20 juin, 1968 Clun. 1973 — 412 Com. K. Lipstein et P.M. North cit., p. 52.

Nevada. Remariée, puis vivant par la suite en Angleterre, elle alléguait l'absence de validité de son second mariage. Si, en effet, pour le droit anglais, elle avait pu paraître valablement divorcée au Nevada, il n'en allait pas de même pour son pays d'origine, le Brésil où son nouveau mariage n'apparaissait que comme un cas de bigamie. Le problème était de nouveau posé de l'éventuel lien nécessaire entre le prononcé ou la reconnaissance du jugement de divorce ou de nullité d'une part, le remariage de l'autre et du rôle de la loi d'origine des époux d'y faire obstacle[1]. On a fait valoir que l'harmonie interne des solutions commande à partir de la validité de la question préalable (prononcé ou reconnaissance d'un jugement de divorce ou de nullité) d'en tirer les conséquences quant à la validité du remariage, sans s'attacher à la prohibition d'origine. La Convention de La Haye du 1er juin 1970 sur la reconnaissance des divorces ou séparation de corps (non signée par la France) dispose (art. 11) qu'un Etat, tenu de reconnaître un divorce par application de la présente Convention, ne peut pas interdire le remariage à l'un et l'autre époux au motif que la loi d'un autre Etat ne reconnaît pas le divorce[2]. La Grande-Bretagne, après avoir ratifié la Convention de 1970, en a repris l'essentiel dans une disposition nationale, la Section "7" d'un Act de 1971. "Lorsque la validité d'un divorce, dans quelque pays que ce soit, a été reconnue en Angleterre, le remariage ne peut être interdit à aucun des deux époux au motif que le divorce ne serait pas reconnu dans un autre pays". C'est ce qui amené le juge Lincoln, dans l'affaire "Lawrence" à écarter la loi brésilienne d'origine. La liberté du mariage, principe de droit interne s'oppose au maintien d'une prohibition nationale. L'affirmation a été d'autant plus nette que le nouveau couple avait installé son domicile post-matrimonial en Grande-Bretagne (la solution aurait été moins sûre si le couple, marié en Angleterre, était retourné vivre au Brésil).

Quant à la Suisse, elle aussi a ratifié la Convention de 1970. Elle a été confrontée avec des difficultés du même ordre avec l'affaire "Paiano"[3]. Un couple italien ayant divorcé à Neuchatel, la volonté de remariage de la femme en suisse se heurtait à l'exigence d'un "certificat matrimonial" selon un accord italo-suisse de 1966, subordonnant le mariage à l'exigence de reconnaissance ou de transcription du divorce en Italie. Le Tribunal Fédéral au nom de l'harmonie interne, a minimisé la portée de l'accord à une simple mesure technique. Il n'a pas fait obstacle au remariage, le jugement de divorce ayant "autorité de chose jugée". La réforme du droit international privé suisse par la loi du 18 décembre 1987 a confirmé l'arrêt "Paiano". L'article 43-3 précise que l'autorisation de mariage accordé à des fiancés étrangers ne peut être refusée "pour le seul motif qu'un divorce prononcé ou reconnu en suisse n'est pas reconnu à l'étranger".

---

1. Cf. sur l'arrêt "Lawrence", Family Division, 12 juillet 1984 et Court of Appeal, 12 mars 1985 comment. Lipsteun Clun. 1988 - 809 et 813 — S.M. Nott, "Capacity to Marry Following Foreign Divorce or Nullity Decrees", *Family Law*, 1985, pp. 199 sv.
2. Cf. A. Von Overbeck, "Le remariage du conjoint divorcé selon le projet de Convention de La Haye", *Rev. Crit.*, 1970, pp. 46 sv.
3. Trib. Fédéral, 5 février 1976, *Rev. Crit.*, 1976 - 519 note Fr. Knoepfler - Clun. 1987 - 688 Observ. P. Lalive.

Ce sont au total, des considérations de droit interne qui prévalent sur la crainte des "mariages boiteux" : celles qui ont trait à la liberté nuptiale et à l'indivisiblité des effets du divorce, tendant à éviter qu'en cas de nationalité différente l'un des conjoints faute de reconnaissance du divorce ou de la nullité dans son pays d'origine soit toujours "enchaîné" par le lien du mariage. Ces exceptions n'en traduisent pas moins une préférence pour le pays de célébration ou de domicile après le mariage.

171. Il est remarquable que des Etats traditionnellement attachés à la loi nationale, mais non signataires de la Convention de La Haye aient suivi cette voie. C'est tout d'abord le cas de l'Autriche, lors de la réforme de son droit international privé pour la loi du 15 juin 1978. Le § 17-2 déclare que si par une décision "efficace dans la sphère juridique autrichienne" un mariage a été annulé, dissous ou déclaré inexistant, le fait que cette décision ne soit pas reconnue par le statut personnel de l'un ou des deux futurs époux ne suffit pas pour interdire de célébrer un nouveau mariage[1]. Le droit allemand avait été, quant à lui, confronté au problème voisin du célèbre empêchement de l'article 42 du code Civil espagnol interdisant à ses ressortissants catholiques d'épouser une étrangère divorcée, en l'occurence une Allemande, dont le précédent mariage avait été dissous par un tribunal allemand. La Cour Suprême Fédérale (Bundesverfassungsgericht) se fondait à la fois sur la Convention des Nations Unies de 1962 sur la liberté du mariage et sur l'article 6 de la Constitution pour repousser l'application de la loi espagnole[2]. Le nouvel article 13-3 de la "loi d'introduction" du 25 juillet 1986 dispose qu'il serait "incompatible avec la liberté du mariage" qu'un fiancé se voit refuser la célébration, dès lors qu'une précédente union a été dissoute par une décision rendue ou reconnue en Allemagne. Il faut toutefois un critère cumulatif résultant du renvoi de l'alinéa 3 au ler de l'article 13 : le fiancé doit avoir un "lien suffisant" avec l'Allemagne résultant soit de sa nationalité, soit de sa résidence habituelle. (Ces exigences correspondent d'ailleurs aux nouvelles conditions de reconnaissance des jugements étrangers de divorce selon l'article 606 a Z.P.O. : il suffit de la nationalité allemande d'un seul des époux ou de la résidence commune, voire même de la résidence d'un seul époux)[3].

S'agissant du droit français, bien qu'il n'y ait pas de textes, et que la jurisprudence soit relativement ancienne,l'indivisibilité des effets du divorce a justifié le remariage. C'est ainsi que le Tribunal de la Seine[4] a refusé de prendre en compte la prohibition du remariage du droit italien dans le cas d'un Italien régulièrement divorcé d'une Française[5].

172. Outre l'aptitude à contracter mariage, la mise en œuvre de la loi nationale (ou celle du domicile d'origine) pose d'autres problèmes. S'agissant de la formation du lien matrimonial, les solutions classiques commandent en

1. Cf. Rev. Crit. 1979 - 176 et comm. G. Beitzke Rabels Z. 1979, p. 245 sv.
2. Cf. B.V.G.H., 4 mai 1971, *Rev. Crit.*, 1974 - 57 note C. Labrusse et Clun. 1975 - 559 Comment. Wohlgemuth-Nautré.
3. Cf. J. Basedow, Rev. Crit., 1987, p. 87.
4. 17 mars 1948, *Rev. Crit.*, 1948 - 112 note Niboyet.
5. Cf. H. Batiffol, P. Lagarde, t. 2, n° 453 et J. Mestre, *JurisclasseurInternational,* Fasc. 546 a, n° 84-87.

cas de divergence de nationalités des fiancés, qu'on ait recours au système "distributif". C'est dire que les conditions relatives à la qualité du consentement, l'âge ou la parenté sont appréciées en la personne de chacun des futurs époux. La doctrine allemande (et aussi française) concède cependant que des exceptions doivent être apportées au principe, sous le nom d'"empêchements bilatéraux" (zweiseitig) : elle cite les cas tenant à la différence de religions ou à la santé physique du conjoint, comme le difficile problème de la polygamie. La prohibition d'une des lois en présence empêcherait toute formation du lien matrimonial, même cas de "permissivité" de l'autre loi. On en reviendrait ainsi à une exigence "cumulative" des deux droits en présence pour que l'union soit validée. La frontière entre condition dite "unilatérale" et "bilatérale" se révèle toutefois difficile à tracer. C'est ainsi que des prohibitions de mariage tenant à la parenté (par exemple entre un oncle français et sa nièce allemande) n'intéressent "pas seulement une des lois en présence, mais touchent au couple. Si un époux invoque selon son propre droit l'"erreur sur les qualités essentielles" du conjoint, il vise en réalité un cause de nullité portant sur des éléments découverts postérieurement à la formation de l'union.k De manière significative, la Cour de Bruxelles, juridiction d'un pays attaché au système "distributif" a eu à connaître d'une demande en nullité de mariage d'une femme belge contre son mari italien pour état de démence et "déséquilibre mental". Le droit belge est resté attaché à la conception primitive étroite du Code Napoléon en matière d'erreur sur la personne (sur l'identité physique ou la personnalité civile du conjoint). par contre le droit italien a une conception extensive de l'erreur[1]. La Cour de Bruxelles a fait valoir que l'erreur commise par l'époux belge avait nécessairement sa répercussion sur la personne du conjoint et l'impossibilité de former un véritable couple. Elle a appliqué non le droit belge, mais le droit italien[2]. S'agissant pareillement du mariage simulé, il s'agit comme l'a montré Monsieur Fadlallah dans sa thèse sur "la famille légitime en droit international privé"[3], moins d'examiner la valeur du consentement contemporain de la célébration que de le confronter aux suites que les époux ont entendu donner au mariage. Un arrêt de la Cour de Bruxelles (28 janvier 1986) a ainsi appliqué la loi belge du domicile du ménage belgo-turc, le droit turc ne sanctionnant d'ailleurs pas la simulation[4].

173. L'application de la loi nationale aux conditions de fond du mariage apparaît donc comme un critère moins sûr qu'il ne le paraissait au premier abord. On pourrait alors songer à d'autres rattachements : celui du lieu de célébration a l'avantage de la simplicité, puisqu'il sera commun à la forme et au fond. Mais à lui seul, il encourt le risque d'arbitraire, sauf sans doute dans certaines sociétés pluriconfessionnelles du Proche-Orient où il n'est guère concevable que le membre d'une communauté se marie devant une autorité autre que celle dont il relève (ce qui entraîne des conséquences sur le fond). La

1. Art. 122 Codice Civile "erreur essentielle sur les qualités personnelles de l'autre conjoint".
2. Cf. Cour Bruxelles, 31 mars 1987, *Journ. Tribunaux* ,1988 -194.
3. 1977, (Préface H. Batiffol), n° 16-17.
4. Cf. M. Fallon, RTDF, 1988, p. 206, n° 21.

loi de célébration est plus significative si elle est associée à d'autres critères, celui de la nationalité d'un seul des époux ou du domicile conjugal après le mariage (encore que la doctrine anglaise ait reproché sa variabilité et le manque de certitude du domicile post-conjugal. Comme nous allons le constater, les systèmes positifs s'orientent vers ces nouveaux critères. La soumission des conditions de fond du mariage à la loi nationale a peu près générale lors de la signature de la Convention de La Haye du 15 juin 1902 dénoncée par la France dès 1913) est aujourd'hui beaucoup moins répandue[1].

§ 2. LES SOLUTIONS DU DROIT POSITIF ET LA CONVENTION DE LA HAYE DU 14 MARS 1978

174. L'examen des droits positifs amène à distinguer plusieurs groupes d'Etats selon les rattachements adoptés :

1. Les premiers restent fidèles aux solutions de la Convention de La Haye de 1902 et à la tradition de Mancini, c'est-à-dire l'application de la loi nationale commune aux conditions de fond ou à défaut de la loi nationale de chacun des fiancés. Tout au plus le jeu de la loi nationale pourrait être corrigé par l'appel à l'ordre public, voir au renvoi. Les législations attachées à ce système sont surtout celles de pays extra-européens. En Asie, la loi japonaise du 21 juin 1898, et plus récemment la loi de la Corée du sud du 15 janvier 1962 (art. 15). Au Proche-Orient, l'art. 13 du Code civil jordanien du ler août 1976[2] ainsi que la loi turque du 20 mai 1982 art. 12. L'application de la loi nationale est également largement répandue dans les droits africains : art. 843 de la loi sénégalaise du 12 juin 1972, art. 34-1 de la loi gabonaise du 29 juillet 1972, (assorti toutefois d'une règle spéciale de conflit mobile concernant, comme nous le verrons, la polygamie et de la réserve de l'ordre public à l'art. 35), art. 95 du code du Burundi du 13 janvier 1980. Les codifications européennes qui restent dans la tradition de l'application intégrale de la loi nationale se font plus rares : il faut citer en premier lieu l'article 14 de la loi polonaise du 12 novembre 1965. La convention franco-polonaise du 5 avril 1967 s'inspire de ce droit commun (art. 4-2 et 3), par contre la convention avec l'U.R.S.S. du 28 décembre 1957, de façon plus énigmatique, ne soumet à la loi nationale que "la faculté de conclure le mariage" les autres conditions relevant de la loi de la célébration[3]. En dehors de la Belgique et de la France (qui a précisé le système "distributif" dans l'article 5 de la Convention franco-marocaine du 13 mai 1983) on peut ajouter le Portugal (art. 49 du code du 25 mai 1966, ,l'Espagne (art. 9 des dispositions préliminaires du 31 mai 1974), la République Démocratique allemande (art. 18-1 du Code de la R.D.A. de 1975) enfin l'Autriche (art. 17-1 de la loi du 15 juin 1978 — il faut toutefois se rap-

1. Pour une critique générale de la loi personelle en faveur de celle du domicile matrimonial, cf. B. Audit, "La fraude à la loi", Paris, 1974, n° 405-407.
2. En vigueur depuis 1977, *Rev. Crit.* 1987 - 643.
3. Cf. Sosniak, "Précis de droit international privé polonais", 1976, p. 171.

peler que la loi personnelle en cas de divorce ou nullité prononcée en Autriche ne peut, selon l'article 17-2 faire obstacle au remariage).

175 - 2. Par contraste avec le premier groupe appliquant la loi nationale aux conditions de fond à la différence de la célébration soumise en général à la loi de l'acte, une tendance déjà ancienne s'est manifestée en Amérique du sud pour faire relever forme et fond de la seule loi de célébration. Le Traité de Montevidéo de 1889 (révisé en 1940 et liant l'Argentine, l'Uruguay, le Paraguay, par la suite la Colombie et la Bolivie) soumet au lieu de célébration "la capacité pour contracter mariage, les formalités de l'acte, l'existence ou la validité du mariage" (art. 14 du Code de 1940). Par la suite, le "Code Bustamante" d'inspiration pourtant "personnaliste" et signé par quinze Etats d'Amérique Latine, a fait relever les vices du consentement en matière de mariage (violence, erreur, rapt) de la loi de célébration (art. 48). Ces textes témoignent en réalité, dans les rapports entre Etats signataires de tendances territorialistes, voire nationalistes : celles de soumettre à leur seule loi les mariages célébrés sur leur territoire[1]. Il a fallu pourtant, dans le texte du Traité de Montevidéo admettre des exceptions à la compétence de la loi de célébration, qui témoignent des difficultés d'éliminer la permanence de certaines règles : l'article 13 précise que les Etats signataires ne sont pas obligés de reconnaître le mariage célébré sur le territoire de l'un d'entre eux pour :

1/ défaut d'âge minimum,
2/ parenté en ligne directe ou consanguine ou alliance,
3/ mariage antérieur non dissous,
4/ fait d'avoir causé la mort du conjoint comme auteur ou complice pour épouser le survivant.

Ces réserves ont été utilisées à plusieurs reprises par l'Argentine pour récuser la validité de mariages célébrés à l'étranger, alors qu'ils n'étaient pas valablement dissous au regard du droit argentin[2]. La loi argentine du 12 juin 1987 (art. 159) soumet les conditions de fond et de forme à la loi du lieu de célébration, “lors même que les contractants auraient quitté leur domicile pour ne pas se soumettre aux règles en vigueur” ; mais la même loi dans son art. 160 réserve l'application internationale d'une série de règles prohibitives (consanguinité, parenté en ligne directe, mariage antérieur non dissous, lien tenant à l'adoption plénière)[3]. Le Code Bustamante paraît plutôt s'attacher à la loi personnelle quant aux conditions de fond en laissant à chaque Etat le choix entre nationalité et domicile (art. 7). Le Brésil après avoir été soumis à la loi nationale relève du domicile depuis un décret du 4 septembre 1942. De même

1. Cf. R. Gallardo, "L'évolution de conflit de loi dans les pays d'Amérique latine" (divorce, séparation de corps et nullité de mariage) - Préf. J. Maury, 1956 — J. Samtleben, "Die anwendung du Codigo Bustamante in Venézuéla", cit. Rabels Z. 1975, pp. 478 sv.
2. Cf. Cour Suprême, 12 mai 1969, Clun. 1972-626, Comment. J. Lisbonne - mariage célébré au Mexique — Ch. Civile Cour Buenos-Aires, 14 avril 1983 Clun. 1984 - 614 com. J. Lisbonne — mariage célébré au Paraguay dont la loi de 1898 reprend à peu près le texte du Traité de Montevidéo.
3 . V. texte de la loi de 1987 dans Rev. Crit. 1989. 425.

le nouveau code Civil péruvien du 24 juillet 1984 suit, lui aussi, la loi du domicile pour "la capacité de contracter et les conditions essentielles" du mariage[1]. Mais le code Bustamante a réservé l'"application de la loi locale" (art. 38) et il semble que les dérogations ou jeu de la loi personnelle soient assez importantes : c'est ainsi qu'au Vénézuéla, l'article 104 du code vénézuélien de 1862 soumet les empêchements au mariage d'étrangers au Vénézuéla à la loi vénézuélienne[2].

En Europe, la convention sur le mariage passée en 1931 entre les Etats scandinaves ne répondait au départ qu'à un souci pratique : faciliter les recherches résultant de l'éventuelle application d'une loi étrangère aux conditions du mariage. L'enquête faite sur les empêchements au mariage dans l'un des Etats signataires permettait la célébration dans un autre Etat sans entreprendre de nouveau les vérifications. Mais la forme a "débordé" sur le fond. Depuis un amendement de 1969, chaque Etat a la possibilité d'appliquer sa propre loi aux conditions du mariage, pourvu que l'étranger y ait sa résidence habituelle[3]. Au Danemark, la loi du 4 juin 1969 a été marquée par la "favor matrimonii". Les autorisations de mariage sont devenues inutiles, même si elles étaient exigées par une éventuelle loi étrangère du domicile[4].

3. Une tendance voisine à l'application de leur propre droit se retrouve dans les codifications récentes des pays de l'Est européen socialiste. C'est ainsi qu'en U.R.S.S. Les "fondements du droit civil" du 17 juin 1968 complétés par un décret du Prasidium du soviet Suprême d'octobre 1979 ont édicté que les mariages entre Soviétiques et étrangers, comme entre étrangers seraient soumis au droit soviétique (art. 31-1). Il faut remarquer que l'application du droit russe s'impose, aussi bien pour les mariages en U.R.S.S., que pour les unions "mixtes" célébrées à l'étranger[5]. En Hongrie, le décret-loi n° 13 entré en vigueur au ler juillet 1979 prévoit bien qu'en principe les conditions de fond du mariage sont soumises à la loi personnelle des futurs époux (§ 37-1). Mais d'une part le Ministère de la Justice pourrait dispenser un étranger d'apporter la preuve d'empêchements qui existeraient selon sa loi nationale (§ 38-1) à l'inverse un empêchement "insurmontable d'après le droit hongrois" serait un obstacle à la célébration du mariage[6]. La Roumanie, malgré un attachement de départ à la loi nationale (Code du 1er janvier 1954) a admis dans le traité consulaire passé avec la Yougoslavie que les nullités de mariage prononcées par les tribunaux des deux pays doivent reposer sur des motifs admis par les lois de chaque tribunal[7]. La loi yougoslave du 15 juillet 1982 sur les rapports internationaux, après avoir énoncé le principe de la loi nationale dans l'article 32-1 a apporté une série de limitations correspondant aux exigences de la loi

1. Art. 2075, cf. *Rev. Crit.*, 1986 - 192 com. J. Lisbonne.
2. Cf. Samtleben, p. 490.
3. Cf. L. Palsson, "Marriage and Divorce in comparative Conflict of Law", 1974, pp. 181-182.
4. Art. 4. Cf. Jaymé-Krause IPR-Praxis, 1983, p. 307.
5. Cf. P. Wachler, "Neues Intemationales Familienrecht der U.D.S.S.R.", Fam. RZ, 1980, p. 424.
6. Cf. *Rev. Crit.*, 1981, 168 - Ost Europa Recht, 1980, n° 39 sv. Comment. M. Benko et W. Peuster.
7. Cf. T. Lipovanu, *Rev. Rownanie Sciences Jurid.* 1972, pp. 277 sv.

yougoslave pour les mariages célébrés en Yougoslavie. Il s'agit de l'existence d'une précédente union (impossibilité de mariage polygamique), du lien de parenté (qui s'étend aux beaux-parents, sauf en Slovénie) et de l'"inaptitude à donner un consentement valable"[1]. Il faut relever à ce sujet que la Convention franco-yougoslave du 18 mai 1971 prévoyait déjà que "les conditions relatives à la parenté et l'alliance sont régies par la loi de la partie contractante dont les autorités célèbrent le mariage"[2]. On peut rattacher à ce groupe le nouveau droit international privé de Chine (loi sur le mariage du 10 septembre 1980). Pour les mariages en Chine, on applique la loi chinoise aux conditions de fond du mariage dès lors qu'un époux est chinois. Par contre, les mariages à l'étranger paraissent relever de la loi du lieu de conclusion pour le fond comme pour la forme[3].

176 - 4. Outre l'Amérique du sud et l'Europe de l'Est, un certain nombre de pays a priori favorable à l'application d'une loi étrangère aux conditions de célébration du mariage, y apportent une entorse dans l'intérêt de leurs nationaux. C'était déjà le cas du code Civil égyptien du 11 juillet 1948. Si l'article 12 s'en tient au système distributif, l'article 14 précise que pour un conjoint égyptien, la "capacité matrimoniale" relève de la loi égyptienne (ce qui vise sans doute l'interdiction pour une musulmane d'épouser un non musulman)[4]. En Algérie, l'article 13 du code Civil du 26 septembre 1975 réserve la loi algérienne si un conjoint est algérien sauf par contre la capacité de se marier qui est du domaine de la loi nationale[5]. La République populaire du Yémen du sud contrairement d'ailleurs au code des Emirats Arabes Unis de 1985, comme la République yéménite du Nord, soumet les conditions de fond du mariage à la loi yéménite, si une des parties a cette nationalité ou que les deux étrangers soient de nationalité différente[6]. Plusieurs droits importants d'Europe Occidentale témoignent du même esprit : c'est ainsi qu'en Italie si par une combinaison des articles 17 et 115 du "Codice Civile" de 1942, le mariage d'un citoyen italien à l'étranger doit satisfaire aux conditions de fond de la loi italienne, l'article 116 du code Civil et une véritable règle de "droit matériel international", indépendamment du contenu de la loi étrangère. Il oblige les étrangers qui se marient en Italie de satisfaire aux exigences des articles 85-27 du code italien sur le célibat, l'état mental, le lien de parenté[7]. Le nouveau droit international privé de l'Allemagne Fédérale (loi du 25 juillet 1986) a maintenu en principe le système distributif (art. 131) mais il y apporte plusieurs exceptions. Outre celle déjà citées sur la liberté de se marier dès lors qu'une précédente union a été dissoute ou a vu sa dissolution reconnue en Allemagne (art. 133), le droit allemand est applicable en raison de la nationa-

1. Cf. *Rev. Crit.* 1983 - 353 et M. Gvec-Korosèc - G. Hayor, Rabels Z. 1985, pp. 467 sv.
2. Art. 3-2, *Rev. Crit.* 1973 - 570.
3. § 147. Cf. Fr. Münzel, "Das IPR und TZPR der Volksrepublik China", IPR-Praxis, 1988, pp. 46 sv.
4. Cf. A.W. El-Mikayis Robels Z. 1969, p. 517 sv.
5. Cf. M. Tssad, "Droit international privé", t. 1, Alger, 1986, pp. 248 sv.
6. Cf. *Rev Crit.* 1987 - 657, art. 29-1.
7. Cf. T. Scovazzi, "Il matrimonio del cittadino stmiero in italia", *Rivisto di diritto internationale* 1984 (3), p. 433 sv.

lité ou de la résidence habituelle d'un des fiancés en Allemagne, le mariage étant célébré en Allemagne (art. 132). La doctrine s'interroge d'ailleurs sur une éventuelle "bilatéralisation" de la règle dans le cas d'un mariage l'étranger[1]. De plus, par une disposition critiquée pour son imprécision, la loi allemande est applicable si les fiancés ont "entrepris les démarches raisonnables pour satisfaire les conditions" de leur droit d'origine (art. 123-2-2). On suppose probablement que les étrangers seraient dans l'impossibilité de prouver qu'ils remplissent les conditions de leur loi nationale. Enfin le nouvel article 4 permet le renvoi au premier ou au second degré, par exemple à la loi du domicile ou de célébration (mariages d'Allemands à leur domicile danois). Quant à la loi fédérale suisse du 18 décembre 1987 qui remplace les anciennes dispositions de 1891 (favorables à la loi nationale), elle privilégie la compétence des autorités et l'application de la loi du domicile suisse. Les conditions de fond sont celles de la loi suisse, du moment que l'un seulement des fiancés y est ou a la nationalité suisse (art. 44-1). En l'absence des conditions d'application de la loi suisse, il suffit que le mariage puisse satisfaire à la loi nationale d'un des fiancés (art. 44-2). Cette faveur pour le mariage s'accompagne toutefois du désir d'éviter un "mariage boiteux" puisqu'à défaut de domiciliation en Suisse, le mariage des deux étrangers serait valable à condition de bénéficier de la reconnaissance de l'Etat de leur domicile ou leur Etat national (art. 43-2 tempéré par l'art. 43-3 pour le divorce prononcé ou reconnu en Suisse qui entraîne automatiquement la possibilité de remariage). Il s'agit d'un futur couple dont un des partenaires serait suisse ou domicilié en Suisse, et qui se marierait à l'étranger, le mariage célébré à l'étranger serait valable, sans que l'article 45 précise la loi applicable. La seule exigence a trait à l'absence d'"intention manifeste d'éluder les causes de nullité prévues par le droit suisse", autrement dit la volonté de frauder par l'application artificielle d'un droit étranger (art. 45-2).

177 - 5. Restent les cas, plus complexes des droits non codifiés de Grande-Bretagne et des Etats-Unis. Le droit anglais a subi l'influence doctrinale de Dicey et Cheshire en faveur de la "dual domicile theory", c'est-à-dire le principe que les conditions de fond du mariage relèveraient du droit du domicile de chacun des futurs époux, posé notamment dans l'arrêt "Brook v/Brook (1861) annulant le mariage célébré au Danemark, en prohibition de la loi anglaise du domicile entre un homme et sa belle sœur[2]. Mais comme l'a fait remarquer Monsieur Audit[3], il n'y a guère eu d'exemples en droit anglais de mariage célébré en Angleterre et annulé pour avoir contrevenu à une prohibition étrangère (n° 409). La loi anglaise de célébration, si elle coincide avec le domicile d'une des parties, a permis de sauver de la nullité une union contraire

1. Cf. D. Henrich ZfR 1986 sv., "Das intemationale Eherecht nach der Refomm" et E. Stumm, *Rev. Crit,* 1987, p. 46. — Von Bar, Intemationales Privatrecht, 2e partie, t. 2, Münich 1991 qui voit dans la règle à la fois une défense de l'ordre juridique allemand et de la liberté du mariage (explicitée au § 3) à la lumière de la condamnation par la Cour constitutionnelle de l'application de la loi espagnole prohibant le remariage au divorce, § 85.
2. Cf. H.H. Morris, "The Conflict of Laws", Londres, 1971, pp. 87 sv. Clun. 1973, pp. 165 sv.
3. Cf. "La fraude à la loi", Paris, 1974, préf. Y. Loussouarn.

à une règle de fond étrangère (ainsi dans l'affaire de la "Court of appeal" de 1877 "Sottomayor v/de Barros ou deux cousins, d'origine portugaise s'étaient mariés en Angleterre, sans avoir obtenu à l'époque la dispense pontificale. Le domicile anglais de l'une des parties a paru décisif). Il est vrai que certains textes particuliers ont paru consacrer une application générale de la loi du domicile avant le mariage. Ainsi le "Marriage (Enabling) Act" de 1960 qui a mis fin aux prohibitions de mariage entre un homme et sa belle-sœur ou sa nièce (ou vice-versa) a réservé le cas où une des parties serait domicilié dans un pays qui n'admettrait pas la validité d'une telle union. Le mariage ne pourrait être valable (cf. Morris cit.). En sens inverse, une assez forte tendance contemporaine tend à privilégier non le domicile de chacun des époux avant le mariage, mais le domicile post-matrimonial. Elle est apparue notamment, comme nous le verrons en matière de polygamie, dans l'affaire "Radwan" (1973). Dans l'hypothèse d'un mariage qui ne pouvait être valable en raison de la domiciliation de la femme en Angleterre au moment du mariage, le juge Comming Bruce a écarté le système "distributif" pour s'en tenir à la volonté des futurs époux de se fixer dans un pays admettant la polygamie. Nous avons constaté de même que la validité d'un remariage après un divorce reconnu en Angleterre (affaire "Lawrence" n° 170), mais nonobstant la prohibition de la loi d'origine, s'expliquait en partie par la domiciliation anglaise après le mariage. En définitive, le droit anglais semble écarter toute systématisation (au risque d'une grande incertitude) et privilégie les éléments favorables à la validation du mariage[1].

Les Etats-Unis ont quant à eux, dans un pays de déplacement fréquents de population et des hypothèses de conflits inter-locaux, privilégié la loi du lieu de célébration. Elle était préconisée par Story dès 1834 et reprise dans le Premier "Restatement" de 1934. Il suffisait que le mariage soit conforme à la loi de célébration en la forme comme au fond, même s'il était contraire à la loi du domicile d'une des parties pour qu'il soit valable. Le principe a été notamment posé dans une affaire "May's Estate" de la Court of appeals de New-York (1953). Un oncle et une nièce, parents consanguins, domiciliés dans l'Etat de New-York où le mariage leur était interdit, s'étaient mariés au cours d'un voyage rapide dans le Rhode-Island, Etat où pareille prohibition était inconnue. La validité du mariage ne devait pas être remise en cause du vivant des époux, ceux-ci étant mariés pendant trente deux ans, et ayant eu six enfants. C'est au décès de la femme et à des fins successorales que fut constatée la validité du mariage. La Court of appeals, à la majorité tint le mariage pour régulier[2]. C'est reconnaître le faible rôle de l'idée de permanence de la règle. L'"Uniform Marriage Evasion Act", voté en 1912 pour dissuader les futurs époux d'éluder la loi de leur domicile au profit d'une législation plus laxiste au lieu de célébration a été abrogé en 1943. Le texte n'a été repris que sur quelques Etats (notamment la Louisiane, l'Illinois, le Wisconsin). Toutefois la méconnaissance de la loi originaire du domicile n'est pas générale : dans

1. Cf. A.F.E. Jaffey. "The essential validity of marriage in the english Conflict of Laws", *Modern Law Review*, 1978, p. 38 sv. — R. Fentiman, "The validity of marriage and the proper Law", *Cambridge Law Journal*, 1985, pp. 256 sv.
2. Cf. P.M. North court, La Haye, 1980, p. 21, cit. - W.L.M. Reese, "Marriage in American Conflict of Laws", I.C.L.Q., 1977, p. 952 sv.

l'affaire "Wilkins v/Zelichowski (1958), le mari et la femme âgée de 16 ans à l'époque du mariage étaient domiciliés dans le New-Jersey. Mais le mariage avait été célébré dans l'Indiana, la femme ne pouvant selon la législation du New-Jersey se marier avant 18 ans. Par la suite, le mari s'était rendu coupable de plusieurs délits, et la femme avait réclamé l'annulation du mariage devant les juridicteurs du New-Jersey. Les Cours inférieures déclarèrent l'union valable selon la loi de l'Indiana, lieu de célébration, mais la Cour Suprême du New-Jersey releva que la cérémonie n'avait eu d'autre but que d'échapper aux règles du New-Jersey. Le mariage fut donc annulé. Le "Second Restatement" tout en maintenant le principe de reconnaissance de validité d'un mariage s'il est conforme aux lois d'Etat où il a été célébré réserve la violation du "strict ordre public d'un autre Etat avec lequel les parties ont la relation la plus significative au moment du mariage"[1].

178. En définitive, on ne peut que constater un recul significatif de l'application "distributive" des lois nationales. soit au profit du lieu de célébration du mariage, soit parce que de manière unilatérale un Etat entend faire jouer sa propre législation du mariage du moment qu'un des futurs époux en est le national ou s'y trouve domicilié. Ces dérogations ne sont pas toujours avouées, mais n'en expliquent pas moins le désir des Etats, lors de la 13e Session de la Conférence de La Haye, de revenir sur le principe de l'application de la loi nationale selon la Convention de juin 1902... Elaborée dès l'Automne 1976 avec la participation de 28 Etats, la Convention a été signée le 14 mars 1978. De manière assez ambitieuse, elle renferme deux chapitres, l'un sur les conditions de célébration des mariages, réservé en principe aux seuls Etats contractants, l'autre sur la reconnaissance par un Etat contractant de la validité d'un mariage qui n'émanerait pas nécessairement d'un autre Etat contractant. Le premier chapitre, s'efforce d'éviter la dissociation classique entre forme et fond. Le mariage serait valable s'il répondait à l'ensemble des conditions du lieu de célébration (Art. 2 et 3). Toutefois, il faudrait supposer, quant au fond, que l'un des futurs époux ait la nationalité de l'Etat de célébration ou y réside habituellement (art. 3). On reconnaît là la règle de l'article 13-2 de la nouvelle loi allemande de 1986 et le principe exprimé dans l'arrêt anglais "Sottomayor/de Barros"'. L'article 6 permettrait à un Etat contractant d'écarter l'application de sa loi interne si aucun des futurs époux n'avait ni sa nationalité, ni sa résidence habituelle. On en reviendrait donc au système "distributif" comme dans le cas (art. 3-2) de l'application de la loi interne désignée par la règle de conflit de l'Etat de célébration. Les partisans de la loi nationale sont donc ménagés. S'agissant de la reconnaissance par un Etat adhérent d'un mariage célébré dans un autre Etat même non-adhérent, problème plus large, l'article 9 s'en tient de manière générale à la validité existant dans l'Etat de célébration (même si elle était postérieure à la formation de l'union). La Convention n'a pas pu toutefois aller jusqu'au bout de cette logique. Sans parler de la réserve de l'ordre public (art. 14), l'article 11 vise une série d'exceptions au principe de la compétence de la loi de célébration. Elles témoignent, une fois de plus, de la difficulté d'éliminer la permanence de la loi personnelle : ces du mariage existant non dissous du lien de parenté direct, du défaut

1. § 283 cf. Recse, cit., p. 969.

d'âge minimum sans dispenses, du défaut de consentement au mariage (notamment pour incapacité mentale).K La reconnaissance supposerait donc, comme l'a fait remarquer le Doyen Batiffol une double vérification, l'une tenant à la validité au lieu de célébration (étant entendu que certains cas particuliers ont été éliminés de la Convention, mariages dits du "Common Law" mariages posthumes ou par procuration), l'autre à l'absence des obstacles de l'article 11. La formule rappelle celle de la Convention de Montévidéo. L'article 10 pose à ce sujet une présomption de validité de mariage quand un "certificat de mariage" a été délivré par l'autorité compétente. Ces dispositions sont complétées par deux précisions, l'une à l'article 11-2, l'autre à l'article 12. La première prend position sur la question controversée du remariage après divorce en déclarant que la reconnaissance ne peut être refusée si le précédent mariage a été valablement dissous ou annulé (n° 170) ; pour la seconde, la reconnaissance joue, même si le problème de la validité du mariage n'était posé qu'à titre incident, à propos d'une autre question. Enfin l'article 13 n'exclut pas des règles plus favorables de reconnaissance.

179. La Convention de 1978 n'a pourtant jusqu'à présent recueilli qu'un petit nombre de signatures et guère d'adhésions. Les partisans de la loi nationale (enclins probablement à "majorer" son application) ont estimé exagérée la place faite à la loi interne, voire à la règle de conflit de l'état de célébration. "Ce dont j'ai peur" a déclaré le Président Bellet[1], "c'est du mariage shopping". A l'inverse, Monsieur Lalive[2] a estimé "excessives" les critiques françaises, tout en reconnaissant le risque de "mariage boiteux". Pour autant, la Convention ne semble pas avoir recueilli les suffrages de pays enclins à faire jouer la loi de célébration. Les exceptions "personnalistes" de l'article 11 leur ont sans doute paru trop nombreuses. Peut-être a-t-il été prématuré, dans l'évolution actuelle des droits, de vouloir dès à présent réaliser une unification internationale. Il est en tout cas significatif que les réformes les plus récentes des droits allemand et suisse se soient inspirées des règles de La Haye.

Bibliographie :

L. Palsson, "Marriage and Divorce in Comparative Conflict of Laws", Leyde, 1974.

Z. Dinstein, "La fraude et les conflits de lois en matière de mariage et de divorce en droit anglais et américain", Genève, Tel Aviv, 1954, cit.

B. Audit, "La fraude à la loi", Paris, 1974, Paris, 1974, cit.

P.M. North, Cours Académie la Haye, 1980, t. 1, pp. 17 sv., "Development of rules of private international law", cit.

Reese, I.C.L.Q., 1977 cit.

1. Séance du Comité français de Droit international privé, 25 novembre 1977, Travaux 1977-1979, p. 21.
2. Annuaire suisse du droit international, 1978, pp. 39-40.

Sur la Convention de La Haye de 1978 :

H. Batiffol, *Rev. Crit.* 1977 (travaux 1977-1979, pp. 3 sv.)
P. Lalive, Annuaire suisse du droit international, 1978, pp. 31 sv.
B. Dutoit, *Rivista di diritto internazionale*, 1978, pp. 449 sv.

Sur les solutions allemandes et suisses :

F. Sturm, *Rev. Crit.*, 1987, pp. 44 sv.
D. Henrich, Z.f.R.V., 1986, pp. 841 sv.
M. Férid, C. Bohmer, "Internationales Privatrecht", 3e édit., 1986.
F. Knoepfler et P. Schweizer, *Rev. Crit.*, 1979, pp. 31 SV., 1988, pp. 237 sv.
Christian von Bar, "Internationales Privatrecht", partie spéciale t. 2, Münich, 1991, sous par. 180.

SECTION II

LE DOMAINE DE LA LOI APPLICABLE AUX CONDITIONS DE FOND

Que la solution adoptée soit traditionnellement la loi nationale comme en France ou en Belgique, on se réfère aux nouveaux critères, il ne suffit pas de déterminer la loi applicable. Il est nécessaire de préciser quel domaine elle recouvre, ce qui est parfois délicat dans le silence des textes. Il faudra, en effet, tantôt tracer la frontière entre fond et forme, tantôt préciser le rôle éventuel de l'ordre public à l'encontre des exigences d'une loi étrangère. Nous distinguerons les conditions générales de validité (consentement, exigences d'ordre physique ou "physiologique") du problème particulier de la polygamie, source de difficultés fréquentes dans l'ordre international.

§ 1. LES CONDITIONS GENERALES DE VALIDITE DE L'UNION

A. 180. Au premier rang du respect des conditions de fond tel que le prévoit l'article 170 C. Civ., figure l'exigence d'un consentement valable. Le consentement doit normalement s'exprimer lors de la célébration, mais le problème de la loi applicable peut se poser dans les systèmes qui tirent des conséquences juridiques des promesses de mariage ou fiançailles. On connaît la diversité des droits positifs à ce sujet. Ils vont de la négation) peu près complète de la valeur juridique des fiançailles (Etats scandinaves et Europe de l'Est) à une réglementation assez complète au moins des effets (Afrique Noire) en passant par des pays comme la France, qui, sans textes, tire les conséquences de la rupture[1]. Ces contrastes se retrouvent en droit international. Le droit français, attaché au respect de la liberté matrimoniale jusqu'au jour de la célébration, ne peut soumettre les fiançailles à la loi du contrat, ni à celle qui régira le mariage proprement dit. Il s'agit avant tout d'un fait juridique, dont les

1. Supra, n° 110-111.

conséquences en cas de rupture relèveront du lieu du dommage, c'est-à-dire du pays où la rupture est intervenue. C'est en ce sens, que malgré certaines critiques, s'est prononcé en Belgique, le tribunal civil de Gand. Il a appliqué la loi belge aux conséquences juridiques d'une rupture survenue en Belgique entre Turcs[1]. Toutefois un auteur comme le Doyen Weill[2] a fait valoir le caractère purement fortuit que peut revêtir parfois le lieu de la rupture, comme celle qui intervient entre deux fiancés en voyage. La loi du pays où se produisent les conséquences dommageables est plus appropriée. Ce sera souvent celle du domicile de la victime de la rupture. La jurisprudence proprement française est incertaine et pauvre[3]. Cependant, dans un arrêt récent de Cassation où aucun problème international ne se posait (puisqu'il s'agissait de Français d'origine musulmane), il semble bien qu'il y ait eu une référence implicite à un procédé coutumier commun aux deux intéressés ; la restitution d'une avance de dot par un fiancé à son beau-père pour non réalisation de la promesse de fiançailles n'a pas été jugée contraire à l'ordre public. L'arrêt laisse entendre qu'il pourrait y avoir un rattachement possible à la loi nationale commune[4].

181. A l'étranger, la divergence des solutions prouve la difficulté de qualification. Contrairement au droit belge cité, le droit anglais (au moins jusqu'à une loi de 1970 qui ne retient plus que la restitution des cadeaux) a vu dans la rupture une action quasi contractuelle, soumise à la "proper law of contract". Le futur domicile matrimonial a paru un facteur déterminant de l'intention des intéressés. C'est ainsi que dans l'affaire "Kremezy v/Ridgway" soumise au King's Bench en 1949 la loi anglaise fut appliquée aux conséquences de la rupture entre une finance grecque et un officier anglais. Bien que les fiançailles avaient été célébrées en Grèce, c'est en Grande-Bretagne que les fiancés avaient l'intention de fixer leur domicile après le mariage. Pareil rattachement a évidemment l'inconvénient de se référer à un événement qui ne s'est pas produit[5].

Pareil reproche peut être adressé aux solutions proposées par la doctrine sur le continent, qui ne sépare pas mariage et fiançailles pour les soumettre à la loi nationale. Le seul texte récent, semble-t-il, à traiter des fiançailles, la loi turque du 20 mai 1982 (art. 11) distingue "capacité et conditions" et effets. Dans le premier cas, c'est l'application distributive de la loi nationale des fiancés (sans doute par des questions comme l'âge ou l'existence de certains empêchements). Dans le deuxième (celui des effets) on fait jouer la loi nationale commune à défaut la loi turque. En Allemagne, la doctrine a préconisé selon une formule proche de celle d'Alex Weill, la loi "la plus en rapport" avec les intérêts de la partie innocente[6]. Le problème n'a pas été abordé par la codification récente. Si une rupture de fiançailles survenait en Allemagne entre un Allemand et une Italienne domiciliée en Italie, on a pu préconiser l'application

1. Cf. Trib. Civ. Gand, 15 février 1982, cit. RTDF. 1988, p. 210, n° 25.
2. Cf. Répertoire Dalloz, Droit international, t. 1 1969 "mot Fiançailles" n° 10.
3. V. cependant, Trib. Pontoise, 23 avril 1969, Clun. 1969 - 928 obs. Dayant.
4. Benziani Cass. 1-4 avril 1978 Clun. 1979 - 353 note Y. Lequette.
5. Cf. L. Palsson, cit. p. 125 — Fr. Gamillscheg, "Das Verlobnis in deutschen internationalen Privatrecht" avec étude comparative, Rabels Z. 1968-475.
6. Cf. Férid-Bohmer, 3e édit. 1986 n° 8-29.

de la loi italienne. Mais comme l'article 81 C. Civil italien pose des exigences de forme (acte public ou privé) aucune réparation faute de ces conditions ne pourrait s'ensuivre. Dans la pratique, la jurisprudence allemande paraît préférer, au moins en l'absence de nationalité commune, la loi du for. C'est ainsi que le B.G.H. à propos de l'action d'une fiancée allemande contre son examant autrichien, lui a accordé l'indemnité pour cohabitation du §1300[1] plus récemment, I'O.L.G. de Zweibrucken (Deux-Ponts) a refusé d'accorder une indemnité à une journaliste polonaise, qui après avoir correspondu avec un Allemand, avait obtenu un visa de sortie de Pologne et cohabité quelques temps chez l'Allemand. Elle alléguait en vain que la non réalisation du mariage à l'expiration de son visa, entraînait la perte de son emploi de journaliste. L'O.L.G. estima qu'ayant pris l'initiative de la séparation, la fiancée ne pouvait obtenir réparation du dommage aux termes du droit allemand[2].

La question de la rupture des fiançailles est souvent liée à la qualification du mariage. C'est ainsi qu'en Côte d'Ivoire la Cour d'Abidjan a considéré qu'il y avait rupture abusive entre deux sénégalais qui n'étaient mariés que religieusement au Sénégal, l'art. 19 de la loi du 19 octobre 1964 ne s'attachait qu'à la seule union civile (Cour Abidjan, 25 janvier 1974, Clun. 1991, p. 1011 note Idot).

B. 182. La valeur que le droit français accorde à la liberté de consentement dans le mariage et à son caractère personnel fait que les lois étrangère qui lui seraient contraires ne seraient pas appliquées au nom de l'ordre public. Il en va tout d'abord ainsi de droits qui interdiraient les mariages interraciaux ou prohiberaient les mariages "mixtes" entre nationaux et étrangers (cas de l'Arabie Saoudite selon décision ministérielle du 13 août 1973 et de l'Irak selon une décision du 27 mai 1978). De même seraient écartées les lois des pays socialistes, qui subordonnent le mariage de leurs nationaux à l'étranger à "autorisation" gouvernementale ou ministérielle et y voient une règle de fond. L'exigence a disparu en Tchécoslovaquie et U.R.S.S. mais subsistait en droit roumain (décret 31 mars 1950 art. 134 Code) en R.D.A. et en Albanie (décret 4 décembre 1966). Pareillement, le droit français ne saurait admettre des empêchements à mariage d'ordre religieux comme celui qui existe entre une musulmane et un non mu- sulman, ou dans la religion hébraique entre un tenant de la confession israélite et une non israélite[3]. Le maintien des prohibitions d'ordre confessionnel a d'ailleurs été une source de graves difficultés en Israël même et a poussé les in- téressés à multiplier les cas de mariages internationaux, à Chypre jusqu'en 1964, puis au Mexique à partir de cette date (en ayant recours aux mariages par procuration). La validité du "mariage chypriote" avait notamment été soulevée dans un arrêt "Funk-Schlesinger" de 1962 de la Cour Suprême de Tel-Aviv à la suite du mariage à Chypre d'un Israélien juif et d'une Belge catholique et du refus des bureaux d'état civil d'accorder à la Belge la qualité de femme mariée résultant de son passeport[4]. En Egypte, les tribunaux ont été amenés, pareil- lement à

1. Cf. Rev. Crit. 1959 - 680 note Mzzger.
2. Cf. O.L.G. Zweibrucken, 18 juillet 1985 Fam. RZ. 1986-354.
3. Sur les empêchements religieux, supra n° 155.
4. Cf. G. Slama, thèse, cit., p. 205.

considérer les empêchements religieux comme des règles de fond, re- levant de la loi nationale selon l'article 12 du code Civil égyptien. Monsieur Elgeddawy a pu ainsi citer une décision du Tribunal du Caire annulant le ma- riage célébré au consulat britannique du Caire en 1947 entre un chrétien an- glais et une Turque musulmane. C'est transposer à l'ordre intemational les prohibitions "internes", puisque le droit turc est normalement "laïcisé" (arrêt 8 octobre 1953)[1]. Hors du Proche-Orient, certains pays ont été amenés à annuler des mariages célébrés à l'étranger pour "disparité religieuse". Ainsi le Canada, sous l'empire du code de 1866 obligeait les ministres du culte à tenir compte des empêchements religieux. Le tribunal supérieur du Québec avait internatio- nalisé" des déclarations des Papes Benoit XIV et Clément XII et annulé[2] le mariage célébré en Angleterre entre catholique et membre d'une secte non baptisée des "Chrétiens scientistes"[3]. La portée en est restée controversée, surtout depuis l'introduction du mariage civil au Québec[4]. Nous verrons qu'en France depuis la qualification de "forme" donnée dans l'arrêt "Caraslanis" aux mariages religieux, et la disparition des "interdits religieux" des droits es- pagnol et grec, la question n'a guère été directement soulevée[5]. La Cour de Paris, par arrêt du 7 février 1990 (Clun. 1990. 977 noté F. Monéger) a considéré comme valable, en l'absence de contestation, le mariage d'un Français et d'une Marocaine, bien que l'art. 295 du code de statut personnel marocain interdise le mariage d'une musulmane avec un non musulman. Quant aux autorisations administratives auxquelles étaient soumis les mariages des étrangers en France selon l'ordonnance du 2 novembre 1945, elles ont été abolies avec la loi du 29 octobre 1981[6].

C. **183.** Il est plus délicat à propos de l'expression personnelle du consentement, de savoir si on est en présence d'une règle de fond ou d'une mo- dalité de la célébration touchant à la loi locale. On sait, en effet, que contrai- rement à d'assez nombreux systèmes étrangers, le droit français exclut le prin- cipe de la procuration. Il ne tolère pas non plus la présence d'intermédiaires ou "tuteurs légaux" de la femme, tel le "wali" musulman, symbolisant l'inégalité entre futurs époux. Un tel mariage célébré en France serait nul. Il en irait de même, semble-t-il, pour toute forme de procuration. Le caractère personnel du consentement est une exigence de fond qui jouerait même pour un mariage de Français à l'étranger. S'agissant du reste d'un mariage en France, les règles françaises de célébration ne prévoient que la présence des époux et de leurs té- moins. La même qualification de fond a prévalu au Brésil. Une décision de la Cour de Justice de l'Etat de Sao-Paulo a annulé le mariage par procuration de deux Allemands, en application de leur loi nationale commune, bien qu'il fut

1. Cf. A.K. Elgeddawy, cit., p. 155 n° 203 et Aldeeb Abu-Salieh, pp. 187 cit.
2. Sturton v/Davies, 1952.
3. Cf. E. Croteau, "Du mariage dans le droit intemational privé de la province de Québec", thèse dactyl. Toulouse, 1964, p. 32.
4. Malgré le maintien des prohibitions — v. *supra*, n° 149.
5. Cf. H. Batiffol, P. Lagarde, t. 2, cit. n° 416, note 3.
6. Art. 9 Rev. Crit., 1986 - 178 mais la loi de 1981 semble mal appliquée. Cf. question écrite A.N. n° 44828, J.C.P. 1991.IV.413. Il faudrait réserver l'hypothèse du mariage aux seules fins d'acquisition de nationalité pour lesquels le ministère public invoquait l'atteinte à l'ordre public (art. 423 N.C.P.I.).

toléré par la loi locale[1]. Plusieurs droits étrangers, par contre, n'ont vu dans le mariage par procuration qu'une question de forme relevant de la loi du lieu de célébration. Ainsi en Belgique, une décision du Tribunal de Liège du 3 février 1966 a affirmé que c'était à la loi mexicaine de se prononcer sur la validité d'un mariage par procuration entre une femme belge et un apatride à Morelos (Mexique)[2]. Pareillement, la Cour d'appel de Rome s'est référée à la loi mexicaine dans le cas d'une femme italienne séparée de son mari et invoquant la nullité de son mariage célébré par procuration à Tlaxcala en 1968. Pour la Cour de Rome, selon les articles 17 et 26 des dispositions préliminaires du Code Civil italien, le mariage aurait dû satisfaire aux conditions locales. Or, il était nul, faute de présence de deux témoins exigée par l'article 102 Code Civil mexicain[3]. En Argentine, pays ayant adhéré à la Convention de New-York du 7 octobre 1962 qui admet le mariage par procuration devant l'autorité compétente "dans des circonstances exceptionnelles", la Direction de l'Etat Civil de Buenos-Aires a considéré comme légitime un enfant né d'un mariage par procuration au Paraguay, bien que les parents fussent tous deux domiciliés en Argentine[4]. La validité du mariage par procuration a enfin donné lieu à plusieurs arrêts contradictoires de la Cour Suprême de Pologne. Suivant en effet le "Code de la famille" polonais, la possibilité de célébrer un mariage par procuration est laissée à l'appréciation des tribunaux pour "causes graves". La Cour Suprême, après avoir autorisé un tel mariage pour motifs d'opportunité (cas d'un Américain domicilié aux Etats-Unis désirant épouser une Polonaise) a fini par rappeler (dans le cas d'un Allemand domicilié en RFA) qu'elle devait vérifier si l'intéressé satisfaisait aux conditions de fond du mariage, en l'occurrence l'absence d'empêchements, et la possibilité donnée par la loi nationale de conclure un tel mariage[5].

184. On peut rapprocher du mariage par procuration les cas plus exceptionnels du mariage par correspondance (connu de certains Etats de la fédération américaine) et du mariage posthume. Toutes ces hypothèses ont en commun d'exclure la célébration entre deux époux présents. Les juridictions américaines qui ont eu à connaître des cas où un engagement signé vaut mariage, ont eu tendance à s'en remettre au lieu d'acceptation s'il valide le mariage. Ainsi la cour du Minnesota[6] a eu à connaître de la valeur juridique d'un écrit envoyé par un résident du Minnesota à une femme résidant au Missouri. Elle devait signer cet écrit comportant l'engagement de se prendre pour mari et femme. La Cour du Minnesota l'a validé par application de la loi du Missouri, Etat de réception de l'engagement. En Europe, une décision relativement ancienne du LG. de Hambourg (6 juillet 1934) a eu à connaître de la validité du mariage par correspondance entre un Anglais résidant en Pennsylvanie et une Allemande domiciliée en Allemagne. Elle a fait application de la loi améri-

1. Cf. arrêt du 18 décembre 1974 cité par L. Palsson, p. 223, n° 186.
2. Cité par M. Verwilghen, *Rev. Crit.* 1973 - 322.
3. Corte di appello, 22 avril 1985, *Rivista di diritto familiare*, 1986 - 876.
4. Cf. Direction du registre de l'état civil, Municipalité Buenos-Aires. 2 novembre 1971. Clun. 1974 - 160 comment. J. Lisbonne.
5. Cour Suprême, 3 janvier 1969 et 16 novembre 1971, Clun. 1977 - 133 comment. Jodlow ski.
6. Great Northem Ry Co. v/Johnson 1918.

caine du lieu de réception[1]. On retrouve ainsi, à propos du mariage, les difficultés suscitées par la loi applicable dans les contrats internationaux par correspondance. Quant au mariage posthume du droit français, sa validité a été reconnue en Belgique comme une condition de fond dépendant de l'application "distributive" de la loi française. S'agissant de la possibilité qu'avait eu en France une jeune fille belge de s'unir par un mariage posthume à un Français, les juridictions belges (successivement la Cour de Liège, puis la Cour de Cassation) ont écarté l'argument que le mariage posthume était ignoré du droit belge, et que sa reconnaissance serait contraire à l'ordre public[2]. A supposer par contre que ce soit une Française qui désire s'unir à l'étranger par mariage posthume avec un ressortissant du pays, la validité paraît douteuse. Il ne suffit pas, en effet, que sa loi personnelle confère pareille possibilité. La décision appartient au Chef de l'Etat et l'article 171 est difficilement transposable.

D. 185. La volonté d'un mineur de contracter mariage suppose une condition supplémentaire,l 'autorisation parentale. On sait que l'importance de cette règle a notablement diminué en droit contemporain, et rend moins aigüe les conflits de qualification. Pour le droit anglais, peu sensible traditionnellement du danger d'éluder les règles du statut personnel, le consentement familial au mariage a été qualifié de règle de forme. Il a fait application de ce principe, malgré des critiques doctrinales, aux mariages en Ecosse (en dépit des exigences du "Marriage act" de 1753) puis aux "mariages français" célébrés en Angleterre (à l'encontre parfois du jugement français de nullité[3]). Il semblerait toutefois que se dessine une tendance à revenir à la loi personnelle du domicile, devant les inconvénients du "mariage boiteux" (arrêt Salvisen de la Chambre des Lords rapporté par M. Dinstein). Au contraire, les droits continentaux "personnalistes" comme ceux de la France ou de la Belgique considèrent que cette exigence relève de la loi nationale[4]. Même si les délais étaient écoulés et le mariage consolidé par la possession d'état, la fraude pourrait être un motif autonome pour "faire tomber" l'union[5]. Le droit français n'a plus aujourd'hui que des exigences minima pour le mariage des mineurs : le consentement parental, depuis 1974 n'existe plus que pour les filles de 16 à 18 ans. L'impuberté elle-même n'est pas davantage une cause de nullité s'il y a dispense du Procureur pour "motifs graves"[6]. Il est difficile d'imaginer

1. Cf. L.L. Palsson, p. 209-210.
2. Cf. J.T. 1980 - 492 et Cass. 2 avril 1981 Pasier. 1981 - 1 - 835 cit. supra, n° 119. Pour une critique de cette solution et en faveur de la loi la plus sévère, cf. N. Watte, "Les droits et devoirs respectifs des époux en droit international privé", Bruxelles, 1987, n° 112.
3. Arrêts "Simonin v/Mallac, 1856 et Ogden v/Ogden, 1908 rapportés par Z. Dinstein, pp. 18-21 — B. Audit, n° 399.
4. Cf. pour la France, T.G.T. Metz, 22 décembre 1961, D. 1962, Som. 49, mariage célébré en Ecosse malgré opposition d'un grand-parent et Cour, Paris, 2 décembre 1966, *Rev. Crit.* 1967, 531 note Ph. Malaurie, T.G.T. Paris, 19 mars 1972, *Rev. Crit.* 1973, 510, note D. Alexandre — Pour la Belgique, Cours Mons, 20 décembre 1978 Pasicr. 1979 - 2 - 24 note A. Broder et Clun. 1984 - 362. Trib. Malines, 19 juin 1984 (Clun. 1989.734. Belges mariés à Folkestone (Grande-Bretagne) nonobstant l'opposition parentale).
5. Cf. T.G.T. Troyes, 9 novembre 1966 et Cour Paris, 2 décembre 1966, cas où l'impuberté s'ajoutait au défaut d'autorisation.
6. Cf. supra n° 137.

l'application en France de lois étrangères plus libérales, sauf peut-être celles de certains codes musulmans comme celui de la Syrie (avec une possibilité de mariage à 15 et à 13 ans). L'ordre public ne jouerait qu'à l'encontre d'unions trop précoces et dépourvues d'autorisation parentale[1]. L'application de droits plus exigeants pourrait d'ailleurs être délicate. On sait, par exemple que le droit belge avait maintenu la majorité à 21 ans mais organisait un recours judiciaire en cas de "refus abusif"[2]. Si un mineur allemand ou belge entendait se marier en France nonobstant l'opposition parentale, on peut se demander si les tribunaux français accepteraient ce qu'ils refusent de faire pour des mineurs français. Un problème voisin se pose pour les impubères et la question de savoir si un Procureur de la République français accorderait les dispenses prévues par l'autorité nationale. Les tribunal de Bruxelles a eu ainsi à connaître de la requête adressée par une ressortissante du Monténégro, âgée de 17 ans et désirant se marier. D'après la loi du mariage de Monténégro (Fédération yougoslave) du 19 juillet 1973, le mariage n'est possible qu'après 18 ans révolus. Mais le tribunal peut autoriser exceptionnellement le mariage de mineurs entre 16 et 18 ans, après avoir entendu l'intéressé et ses parents et "vérifié les circonstances" (c'est-à-dire l'état de maturité du mineur comme en droit allemand). En l'occurence, les parents résidant au Monténégro avaient donné leur consentement écrit au mariage. Le tribunal de Bruxelles admit qu'une circonstance de fait, la naissance d'un enfant, constituait le "motif grave" valant dispense au regard du droit yougoslave et que l'"avis conformé" du Procureur du Roi se substituait valablement à l'appréciation des tribunaux nationaux[3]. L'intervention du Roi compétent en Belgique en matière de dispense d'âge a été écartée. La jurisprudence américaine, quant à elle, paraît hésiter entre la conception anglaise s'en tenant au lieu de célébration, et celle, plus proche des autres droits européens, en faveur de la loi personnelle du domicile. Ainsi dans une décision "Cruikshand v/Cruikshand (1948) un tribunal de New-York a condamné le mariage d'un jeune homme de 19 ans, domicilié dans le même Etat de New-York (où il était dispensé du consentement parental à 18 ans), mais qui avait épousé une jeune femme en Californie, alors qu'il était mineur d'après la loi de cet Etat[4]. Par contre, dans une décision plus récente, Zélichowski (1958), la Cour Suprême de New-Jersey s'en tenait à la volonté de l'époux, âgé de 16 ans à l'époque du mariage, d'avoir voulu se rendre dans l'Indiana, pour échapper aux règles du droit de son domicile. Le mariage a été annulé, pour atteinte à l'ordre public du New-Jersey (cf. n° 177). Quel que soit le droit applicable, la sévérité à l'égard du mariage des mineurs dépourvus d'autorisation paraît avoir prévalu.

E. 186. A l'exigence d'un consentement valable se rattachent les règles sur les personnes atteintes de faiblesses mentales et celles sur les vices du consentement. Le droit français connaît, certes, des règles particulières résultant des régimes de protection (tutelle, curatelle) et elles devraient pouvoir s'appliquer pour les mariages de Français à l'étranger célébrés sans

1. Cf. H. Batiffol, P. Lagarde, t. 2, n° 415.
2. Comme les droits allemand et canadien, cf. *supra*, n° 11 !
3. Cf. Trib. Civ. Bruxelles, 4 septembre 1981, J.T. 1982 - 361.
4. Cf. Z. Dinstein, p. 26.

autorisation[1]. Mais il n'en fait pas moins preuve d'un très grand libéralisme, et refuse de voir dans l'état mental, comme de nombreuses législations américaines un obstacle ou un retard opposé au mariage (cf. n° *123)*. Dès lors, sauf un éventuel renvoi à la loi française du domicile, l'ordre public jouerait contre des droits prohibitifs. Par contre, le juge français se montrerait accueillant à une conception étrangère large des vices du consentement. Bien que, comme on le sait, la question a parfois été rattachée comme dans le Code Bustamante à la loi du lieu de célébration (cf. n° 175) les vices du consentement sont rangés dans le domaine des questions de fond du mariage[2]. Depuis l'élargissement de la notion d'"erreur sur les qualités essentielles" et la réforme de l'article 180 C. Civ. par la loi de 1975, il est même probable que ce seraient des droits étrangers d'une conception trop étroite (tel le droit belge) qui seraient écartés au nom de l'ordre public. Les vices du consentement sont du reste malaisément soumis à l'application du système "distributif". Ils concernent en effet moins le moment même de la formation de l'union que la vie du couple, le mariage ayant été célébré avant que ne puisse se mesurer l'écart entre la représentation qui se faisait un conjoint de l'autre et la vie du ménage. Il paraîtrait dès lors à défaut de nationalité commune que la loi du domicile conjugal serait la mieux à même les causes et le régime de la nullité. La même solution pourrait jouer pour la validité du mariage simulé[3].

F. 187. Outre les règles ayant trait au rôle de la volonté des futurs époux, il faut, dans d'assez nombreux droits, prendre en compte des exigences d'ordre physique ou physiologique (notamment de parenté ou d'alliance). Là encore, le droit français se caractérise par son grand libéralisme. Le "certificat prénuptial" n'appartient qu'aux conditions de forme qu'entraîne la célébration d'un mariage sur le territoire français. L'ordre public serait très certainement opposé à l'existence d'empêchements reposant sur l'existence de maladies vénériennes ou contagieuses ou de nullités pour ce seul motif (comme en droit yougoslave ou turc)[3]. Il n'en serait pas de même de défaillances physiques qui seraient la conséquence d'un état antérieur au mariage (admises par la jurisprudence française au titre d'"erreur sur les qualités essentielles"). Ainsi la Cour de Grenoble a annulé un mariage par application de la loi italienne visant l'impuissance naturelle ou accidentelle et refusé d'opposer l'ordre public[4]. Aux Etats-Unis, la Cour Suprême de l'Illinois dans un arrêt "Goysen v./Boysen" (1939) a eu à se prononcer sur la validité d'un mariage de ressortissants de l'Illinois célébré dans l'Indiana. Le mariage de l'Indiana n'avait pas été précédé de l'examen médical propre à déceler les maladies vénériennes, prévu par le droit de l'Illinois. Le mariage n'en fut pas moins considéré comme valable, l'absence du certificat n'étant pas sanctionnée en Illinois par une nullité de plein droit[5].

---

1. Cf. Cass. 1er, 17 mai 1988, J.C.P. 1989, 21197.
2. Cf. en ce sens Trib. Civ. Seine, 6 décembre 1949, D. 1950 - 103 droit autrichien — Cour Bruxelles 31 mars 1987 J.T. 1988 — 194 droit italien.
3. Sur la solution de la Cour de Bruxelles, cf. n° 172.
3. Cf. *supra*, n° 138-139.
4. Cour Grenoble, 19 juin 1963, D. 1964 Som. 43.
5. Cf. 2 - Dinstein, p. 46.

De son côté, la parenté et l'alliance a alimenté pendant longtemps un assez abondant contentieux intemational ou interlocal, surtout en Angleterre et aux Etats-Unis. Il était dû à l'étendue des prohibitions matrimoniales relatives aux cousins ou alliés. Ce n'est notamment qu'à une époque récente qu'ont été abolies les prohibitions de mariage entre beaux-frères et belles-sœurs après divorce ou décès, en Angleterre en 1960, en France en 1975. Le droit français a réduit les prohibitions au minimum : il paraît difficile d'aller plus loin, sous peine de consacrer l'inceste. L'ordre public serait donc opposé aux droits suédois et allemand qui tolèrent le mariage entre oncle et nièce (sauf peut-être le jeu des dispenses) et aucune dispense ne serait accordée comme en droit suédois aux demi-frères et demi-sœurs (cf. n° 143). A l'inverse, le juge français écartera une règle comme celle du droit musulman qui étend les interdictions de mariage à la famille nourricière. La matière demeure en droit comparé un terrain de lutte entre la loi personnelle (loi nationale ou loi du domicile) et la loi du lieu de célébration. Des arrêts déjà anciens ont condamné en Angleterre et aux Etats-Unis des mariages contraires aux interdictions de la loi du domicile. Ainsi, en Angleterre l'arrêt Brook (1861) a annulé le "mariage danois" d'un homme et de sa belle-sœur contrairement à la règle anglaise, et aux Etats-Unis, le "District Court" de Pennsylvanie, une union contractée en Russie entre un oncle et sa nièce, valable à l'époque selon le droit russe, mais nulle selon le droit de Pennsylvanie (Devine v/Rodgers, 1901). En sens inverse toutefois, l'affaire "May's Estate" soumise à la Cour de New-York posait le problème de la validité du mariage en Rhode-Island entre un oncle et une nièce comme préalable à un règlement successoral. La Cour devait valider le mariage selon la loi de célébration et a été sensible en l'espèce, semble-t-il, à "la possession d'état" qui s'était créée après le mariage (d'une durée de trente deux ans) (cf. n° 177). Plusieurs codifications modernes (Hongrie, Yougoslavie) et la convention franco-Yougoslavie de 1971 (art. 3-2) considèrent que la matière relève du législateur national en raison de la seule nationalité d'un des futurs époux (si elle coïncide avec le lieu de célébration selon la Convention francoyougoslave).

188. Aux "interdits familiaux" reposant sur la parenté, on peut assimiler ceux qui dans un souci de "moraliser" la vie familiale, s'attachent au droit qu'ont certains divorcés de se remanier. On vise par là les "empêchements d'anathème" du deuil mulsulman (n° 143), des dispositions comme celles de certaines législations des Etats-Unis et du fameux article 150 du code Civil suisse donnant latitude au juge d'interdire tout remariage dans un délai de un à trois ans. La nature juridique de ces règles a été discutée. On y a vu une mesure d'intérêt social ou une "peine disciplinaire"[1], dont on a pu douter du caractère extra-territorial. Il apparaît en tout cas que ces empêchements, concevables à une époque de divorce rare fondé sur la conduite coupable d'un époux se voient de plus en plus opposer l'ordre public. En France, la Cour de Cassation avait refusé entre les deux-guerres de considérer que l'article 150 du Code civil suisse, dans un cas comportant une interdiction de remariage pendant un an était contraire à l'ordre public[2]. Cependant, à l'encontre même de

1. J. Carbonnier note sous Cass. reg. 19 novembre 1934, D. 1935 - 1 - 93.
2. Req. 19 novembre 1934 préc.

décisions suisses du Tribunal de Lausanne, et de la "Chambre des Recours" du Tribunal Cantonal Vaudois, la Cour européenne des droits de l'homme a été saisie d'une plainte sur le fondement de l'article 12 de la Convention et de l'article 54 de Constitution suisse, interdisant toute empêchement fondé sur la conduite d'un époux. Le mari suisse, trois fois divorcé, en raison d'une attitude jugée particulièrement répréhensible et injurieuse pour ses précédentes épouses avait été condamné à une "période de pénitence" de trois ans. La Cour européenne a fait droit à sa requête, suivant laquelle il y avait un obstacle à la création d'une vie familiale[1]. Dans un cas à peu près analogue celui d'un ménage franco-suisse, marié en France, mais divorcé en Suisse, le Tribunal de Paris a refusé d'accorder l'exequatur à une partie du jugement interdisant à l'ex-mari tout remariage pendant deux ans[2]. Aux Etats-Unis, de pareilles dispositions se sont vues dénier tout effet extra-territorial. Ainsi dans une affaire "Re Estate of Lenherr" (1974) la Cour de Pennsylvanie, à propos d'un impôt successoral dû par celui des époux qui se qualifiait de conjoint survivant, a eu à connaître de la validité d'un mariage célébré en Virginie Occidentale par des ressortissants de Pennsylvanie. Domiciliés dans cet Etat, et ayant l'un et l'autre divorcés pour adultère, ils étaient frappés d'une interdiction de remariage. La cérémonie en Virginie (qui ignorait ces dispositions) n'avait eu d'autre but que d'échapper à cette règle. La Cour Suprême de Pennsylvanie n'en valida pas moins le "mariage virginien" couvert par une possession d'état époux[3].

189. On ne saurait confondre ce but de "moralisation de l'union" avec les "délais de viduité" ou ("retraite de continence" du droit musulman) imposés à une femme précédemment mariée, pour éviter toute "confusion de part" en matière de filiation. On sait que la tendance moderne est au raccourcissement et même à la suppression des délais si des présomptions sont édictées en matière de filiation (cf. n° 144 bis). On peut hésiter entre l'application de la loi du mariage (avec la possibilité pour le juge d'accorder éventuellement des dispenses comme le ferrait la juridiction étrangère) et la loi de la filiation. S'agissant du conjoint étranger d'un absent désirant se remarier en France, les cas et délais pour déclarer le précédent mariage dissous ressortiraient sans doute de la loi nationale étrangère. Mais il ne paraîtrait guère pensable que l'étranger puisse se remarier sans un jugement déclaratif français.

§ 2. LES PROBLEMES INTERNATIONAUX DE LA POLYGAMIE

A. 190. Au nombre des conditions de validité d'un mariage, se détache la question de savoir si un individu ne peut être engagé que dans un lien unique, ou simultanément dans une pluralité d'unions. C'est le problème de la monogamie et de son contraire, la polygamie. La question revêt une importance particulière par les confrontations d'esprits et de systèmes juridiques. D'un côté, les droits des pays européens et des Etats-Unis, de tradition "romano-chrétienne", héritiers d'une tradition de mariage unique ; de l'autre

1. Cour européenne, 18 décembre 1987, G.P. 1988 - 1 - 437.
2. Cf. T.G.I. Paris, 4 mars 1988, *Rev. Crit.* 1988-588, note P.Y. Gauthier.
3. Cf. W.L. Reese, I.C.L.Q. 1977-969.

d'assez nombreux pays aux droits d'inspiration musulmane ou extrême-orientale, attachés au principe de la polygamie[1].

Il faut partir de constatation de droit interne. L'opposition initiale, jadis assez forte entre le "Christian marriage" et la polygamie n'a plus qu'une valeur relative, ce qui minimise le rôle de l'ordre public en droit international privé. Des tempéraments et exceptions font que dans les Etats "permissifs" de polygamie, les ressortissants "potentiellement polygames" selon l'expression anglaise, sont monogames de fait (cf. *supra* n° 146). De l'autre, les situations de "réclamations concurrentes polygames" ont notablement augmenté dans des pays autrefois très attachés à la monogamie. On peut citer les règlements afférant à la liquidation d'un second mariage nul pour bigamie, mais dont le second époux, en raison de sa bonne foi bénéficie de la putativité, la créance alimentaire d'époux divorcés envers leurs conjoints successifs, voire comme nous le verrons,la requête de réparation du dommage causé par la mort accidentelle d'un époux, émanant à la fois du conjoint survivant et de sa "compagne"[2]. Dès lors, on pourrait admettre un recul de l'ordre public : deux ressortissants d'un Etat polygame pourraient contracter un second mariage par application de leur loi nationale commune, même dans un pays où les nationaux sont soumis au principe de la monogamie[3]. Ce ne serait que dans l'hypothèse d'une union "mixte" entre un polygame et la ressortissante d'un Etat monogamique que celle-ci pourrait faire valoir que sa loi personnelle au titre des "empêchements bilatéraux" lui interdit pareille union.

Tel n'est pourtant pas la solution du droit positif. Les Etats héritiers du principe chrétien de la monogamie (qui à vrai dire n'avaient pas envisagé initialement la confrontation internationale avec les systèmes polygamiques) font du mariage unique célébré sur leur sol une véritable "loi d'application immédiate, sanctionnée civilement et pénalement[4]. Un Algérien ou un Marocain, déjà marié dans son pays d'origine avec une Française ou compatriote ne pourra contracter une seconde union en France. Par contre, cette possibilité lui sera offerte s'il retourne dans l'Etat de sa nationalité[5]. La validité de l'union dépendra donc d'un critère fortuit, le lieu de célébration. On a pu alors proposer de soumettre le problème de la validité de la seconde union à la loi des effets, du lien déjà formé, du domicile matrimonial après le mariage. C'est notamment en Angleterre que l'idée a été appliquée. Elle évite toute dissociation entre la formation du lien et ses conséquences, et paraît correspondre à une

1. Cf. *supra,* n° 145.
2. Sur les problèmes de la bigamie en droit interne, supra, n° 167 et sur le rapprochement des concepts, note M. Poisson-Drocoon sous Cass. 3 janvier 1980, D. 1980 - 549.
3. En faveur de cette solution, malgré quelques hésitations Y. Loussoum et P. Bourel, précis, Dalloz, D.T.P., 3e édit. n° 305, J.M. Bischoff, "Le mariage polygamique en droit international privé" Séance 20 mai 1981, Comité Français D.T.P. - Travaux 1980-81, p. 107 — En Belgique, pour la validité d'un mariage polygamique devant les autorités consulaires, N. Watte, "Les droits et devoirs respectifs des époux en droit international privé", Bruxelles, 1987 n° 319.
4. Cf. pour la France an. 147 C. civ. et 340 C. Pén. — Pour la Belgique, an. 391 C. Civ. — pour l'Allemagne § 5 Ehegetz et 17 C. Pén. — Pour la Yougoslavie, an. 32, loi du 15 juillet 1982.
5. Cf. en faveur de la validité du second mariage d'un Algérien d'abord uni avec une Française en France, puis avec une Algérienne en Algérie, Cass. 1 - 17 février 1982, "Baaziz", *Rev. Crit.*, 1983 - 275 note Y. Lequette.

présomption raisonnable : à savoir que ce qui importe véritablement, c'est la volonté d'un ménage d'immigrés soit de se fixer dans un pays de tradition monogame (et d'en accepter les conséquences), soit au contraire de retourner dans le pays d'origine polygamique[1]. Un tel système acceptable pour les "ménages" purement étrangers l'est beaucoup plus difficilement pour les unions "mixtes". La femme française ou allemande d'un polygame perdrait tout droit d'invoquer sa loi personnelle ; alors précisément que certaines décisions ont pu considérer comme une cause de divorce pour comportement injurieux du mari le fait d'avoir voulu imposer à la femme un "environnement" polygame[2]. Les hésitations du droit positif reflètent la difficulté de parvenir à une solution satisfaisante[3].

B. 191 a). De son passé colonial, l'Angleterre a hérité de l'expérience plus ancienne et la plus complète des cas de polygamie. Ce qui ne veut pas dire que les solutions soient toujours les plus sûres. Les juges anglais ont d'abord refusé de connaître du contentieux afférant au mariage polygamique (Hyde v/Hyde), et de manière contestable, sur l'initiative de Lord Penzance, assimilé au mariage polygame de fait, celui "potentiellement polygame". On entend par là le mariage monogame de fait, mais contracté par un individu dont la capacité matrimoniale lui permettrait d'être simultanément engagé dans plusieurs liens. L'affaire "Hyde" (1866) mettait en cause un Anglais, devenu membre d'une communauté mormone aux Etats-Unis et marié dans l'Utah. Plusieurs années après, il abjurait sa fois mormone et retournait en Angleterre pour réclamer le divorce. Sa femme de son côté, avait contracté une seconde union. Pour Lord Pezance à la Chambre des Lords, Hyde avait contracté une union "potentiellement polygame" qui le condamnait à ne pouvoir demander le divorce et à en tirer des conséquences juridiques[4]. La célébration en Utah paraîssait un facteur déterminant ; la polygamie, "falsely called marriage" était la négation du "Christian marriage". L'attitude de la jurisprudence, avec la transformation moderne de la famille, le développement de l'union libre devait changer, au point de reconnaître dans un arrêt de 1965 ("Shanaz v/Rizwan) que la polygamie ne contient aucun élément, "offensive to the Standards of Decency accepted by English Law". Mais elle est restée imprécise sur la loi applicable.

Il a semblé que certaines décisions voyaient dans la possibilité de contracter une union polygame une question dépendant de la loi du domicile des futurs époux lors de la célébration du mariage. Mais le changement de domicile, après le mariage si les époux se fixaient en Angleterre devait suffire à transformer une union "polygame" ou "potentiellement polygame" en monogame. Avec l'arrêt "Radwan", la "Family Division" a paru, en matière de validité du mariage, privilégier le "futur domicile matrimonial" après l'union. Un Egyptien, déjà engagé dans les liens d'une première union en Egypte épousa

1. Cf. en faveur de la loi du domicile P. Mayer, "Droit intrnational privé, n° 545.
2. Cf. en ce sens cour de Rouen, 25 mai 1971, D. 1971, San. 172 ménage fixé en Syrie.
3. Par une étude d'ensemble cf. P. Cullmann, "Die Behandlung Polygamer Ehen im internationalen Privatrecht von England, Frankreich, und Deutschland", thèse Bonn, 1976, (étude comparative du mariage polygamique intrnational en Angleterre, en France et en Allemagne).
4. Cf. P. Cullmann cit. p. 18 et Morris.

une Anglaise (de domicile anglais) au consulat d'Egypte à Paris. Puis les époux retournèrent vivre vingt ans en Egypte, avant un rapatriement en Europe pour motifs politiques. La femme anglaise ayant requis le divorce devant les juridictions de son pays, la validité initiale de l'union fut discutée. Le juge Cumming-Bruce admit que le domicile égyptien après le mariage avait suffi à valider un mariage polygamique nul à la fois selon le lieu de célébration et le domicile anglais de la femme[1]. La solution a paru présenter l'avantage de ne plus séparer le problème de la validité initiale de l'union et de ses effets. Mais depuis le "Matrimonial Causes Act" de 1973 (M.C.A. Section II) il n'est plus possible d'éluder le facteur du domicile anglais. Ce texte précise qu'un mariage polygamique célébré hors d'Angleterre sera nul, si un des futurs époux est domicilié sur le territoire anglais. Dans le cas "Hussain v/Hussain (1982) un Pakistanais d'origine, domicilié en Angleterre était retourné au Pakistan, Etat polygame, pour contracter un mariage en la forme islamique, avec une femme, de domicile pakistanais. Le couple revenait par la suite en Grande-Bretagne. La "Court of appeal" se réglait sur le domicile anglais du mari (avant et après le mariage) pour déclarer le mariage valable mais monogame[2]. Il semble bien qu'il faille prendre en compte à la fois le domicile des futurs époux avant le mariage, quant à la capacité d'une union polygamique et celui du pays dans lequel ils s'établissent après leur union. Cette jurisprudence a été critiquée comme "condamnant" à la monogamie des immigrants fixés en Grande-Bretagne, mais dont le statut d'origine est polygame[3].

192. b) Le droit français, pour sa part, fait découler l'interdiction de la polygamie à la fois de la célébration du mariage sur le sol français, et dans le cas d'un ménage "mixte" de l'application de la loi personnelle française de l'un des époux, interdisant la bigamie.

S'agissant du mariage de deux étrangers en France, si ils sont déjà engagés dans les liens d'une précédente union, ils ne sauraient échapper à la nullité pour bigamie de l'article 147 C. Civil, voire aux sanctions pénales de l'article 340 C. Pén. (Cf. supra n° 144). L'ordre public s'opposera à ce qu'un second mariage soit célébré en France avant la dissolution du premier, même en conformié du statut personnel autorisant la polygamie[4]. L'annulation pour des étrangers de "statut monogamique" résultera le plus souvent de ce que le deuxième mariage a été célébré en France, sans qu'ait été reconnue comme valable la dissolution de leur premier mariage à l'étranger[5]. Il est exceptionnel

---

1. Cf. Family Divison, 17 juillet 1972, Clun. 1980 - 120 comment. K. Lipstein — A.J.E. Jaffey, *Modern Law Review*, 1978, pp. 38 sv. — R.D. James "Polygamy and Capacity to marry", M.L. Rev. 1979, pp. 533 sv.
2. Court of appeal 24 juin 1982 Clun. 1988 - 808 Comment. Lipstein — A. Briggs, "Polygamous Marriages and English Domiciliaries", J.C.L.Q. 1983 - 737 P.A. Stone, Family Law, 1983, pp. 76 sv.
3. Cf. S. Pouller, "Polygamy : New Law Commission Proposals", Family Law, 1983, pp. 72 sv.
4. En ce sens pour des époux algériens, considérés comme bigames, Cour Paris, 21 juin 1991, D. 1991, Som. 218.
5. Cf. Cass. 15 janvier 1980, Bullet. Cass. 1980 - 1, p. 21, n° 26, re mariage en France alors que le jugement de divorce américain était encore frappé d'appel — Cass. 1er - 2 octobre 1984, Bullet. Cass. 1984 - 1 n° 242, Clun. 1985 - 499, divorce obtenu frauduleusement aux Iles Vierges.

qu'un étranger, déjà valablement marié en France, contracte une seconde union dans le pays[1]. Un individu de nationalité française ne pourrait être "légalement" polygame que par le jeu du conflit mobile. Une jurisprudence confortée par la Cour de Cassation, a en effet admis que le passage du statut personnel antérieur polygamique au statut monogame ne remettait pas en cause la validité des unions antérieures, même si désormais elles ne pouvaient être dissoutes que par application du droit français[2].

Pour un ménage "mixte" dont l'époux serait de statut personnel polygame, la femme française pourrait faire valoir la notion d'"empêchement bilatéral". L'existence d'une première union l'autoriserait à demander la nullité du second mariage, la loi française proscrivant la polygamie[3]. Toutefois, d'après Monsieur Decroux dans le cas particulier de la Convention franco-marocaine du 10 août 1981 (entrée en vigueur le 13 mai 1983) l'application de l'article 5, qui prévoit que les conditions de fond du mariage sont soumises à la loi nationale de chacun des futurs époux ne ferait pas obstacle à ce qu'une Française épouse un Marocain déjà dans les liens d'un précédent mariage. Il ne faudrait pas toutefois que la célébration ait eu lieu en France[4]. Les tribunaux français puiseraient toujours dans l'article 4 de la Convention la possibilité d'opposer l'ordre public[5]. D'autre part, l'hypothèse inverse de la Française valablement mariée à un ressortissant de statut polygamique, alors qu'à l'époque le mariage ne se présentait que comme monogame, n'invaliderait pas, semble-t-il, le second mariage de ce ressortissant. Il suffirait qu'il soit célébré dans le pays d'origine avec une nationale elle-même de statut polygamique[6]. Le problème de la reconnaissance des effets du mariage polygamique (aujourd'hui admis assez largement, comme nous le verrons) n'a pas fait disparaître toute difficultésur la loi applicable[7].

193. c) Le droit allemand n'a eu jusqu'à présent qu'à s'interroger de façon beaucoup plus restreinte sur la loi applicable au mariage polygame. On sait que par application du nouvel article 13-2 la loi allemande est applicable au mariage célébré en Allemagne si elle coincide avec la nationalité ou la résidence allemande d'un des époux. Une union polygamique serait donc impossible (n° 176). S'agissant par contre d'un mariage célébré à l'étranger, le droit allemand (comme le droit français) ignore la notion de "mariage potentiellement polygame". Un arrêt de l'O.L.G. de Celle du 27 septembre 1957 a validé le mariage en Egypte entre un Egyptien et une allemande célébré en la forme musulmane polygamique. L'arrêt n'a pas appliqué la notion d'empêchement bilatéral[8].

---

1. Cf. pour l'annulation d'un 2e mariage célébré au Consulat d'Algérie Trib. Correct., Paris, 8 avril 1987, *Rev. Crit.*, 1988 - 73, note Y.L. cit. n° 144.
2. Cf. Trib. Lyon, 28 novembre 1975, Clun. 1976 - 67s note D. Mayer Cass. 1 er- 22 avril 1986, "Veuve Boulkheir" Clun. 1987 - 629 note P. Kahn.
3. En ce sens Cour Lyon, 21 mai 1974 D. 1975 - note P. Guiho.
4. Cf. P. Decroux, "La convention franco-marocaine du 10 août 1981 relative au statut des personnes et de la famille", Clun. 1985 - 66 contra F. Monéger, *Rev. Crit.* 1984 - 56.
5. Cf. T.G.T. Orléans, 17 mai 1984, G.P. 1984 - 2 - Som. 355.
6. En ce sens Cass. 17 février 1982, cit. n° 190.
7. Pour une critique de ces solutions Y. Lequette, *Rev. Crit.*, 1989 - 78.
8. Cf. P. Cullmann, cit., p. 24.

Bibliographie

Sur le domaine de la loi compétente :

Z. Dinstein, "La fraude et les conflits de lois en droit anglais et américain", thèse cit., 1954.
L. Palsson, "Marriage and Divorce in comparative Conflict of Laws", Leyde, 1974, cit.
B. Audit, thèse cit.
R. Fentiman, "The validity of marriage and the proper Law", Cambridge Law Journal, 1985, pp. 256 sv.
W.L.M. Reese, "Marriage in American Conflict of Law", I.C.L.Q., 1977, pp. 952 sv.
M. Férid - C. Bohmer, "Internationales privatrecht", 3e édit. 1986.

Sur la polygamie :

J.M. Bischoff, "Le mariage polygamique en droit international privé", art. cit.
P. Cullmann, thèse Bonn, 1976 cit.

SECTION III

LA VALIDITE INTERNATIONALE DES FORMES DE CELEPRATION DU MARIAGE ET SA PREUVE

194. On sait que le mariage n'est pas seulement un acte juridique répondant à des conditions de fond, mais doit satisfaire à des exigences de forme le différenciant de l'union libre. La loi du lieu de célébration exercera souvent une puissante attraction, même sur les conditions de fond, comme le témoignent les droits étrangers ou la nouvelle Convention de La Haye (cf. n° 176-178). Il ne suffit pas toutefois d'énoncer le principe de la soumission en la forme à la loi du lieu de célébration. La variabilité des règles dans l'espace et le temps, les liens existant entre forme et fond font que les annulations de mariage pour vices de forme sont bien plus fréquentes dans le domaine international qu'en droit interne. Il est parfois difficile d'éviter le mariage "boiteux" valable au lieu de célébration, nul dans le pays d'origine des intéressés.

1/ La première question que suscite la loi du lieu de célébration est son caractère obligatoire ou facultatif. On sait que s'agissant de la célébration du mariage du Français à l'étranger, l'Ancien Droit avait légué des solutions plutôt libérales, admettant le mariage en la forme locale, pourvu que ce fût sans fraude, ou la forme religieuse nationale (cf. supra n° 69). La Révolution faisait disparaître cette dernière possibilité. Mais les rédacteurs du Code Civil reconnurent soit la validité du mariage selon la loi étrangère du lieu de célébration (art. 170) sous réserve des publications préalables de l'article 63, soit selon la forme consulaire de l'article 48 (avec probablement une réminiscence du rôle des consuls dans les "capitulations" signées avec la Turquie). Les textes, à vrai dire, étaient muets sur la forme du mariage des étrangers en France. Dans un premier temps, on hésita à reconnaître le caractère obligatoire de la loi française. Une lettre du "Grand Juge" (Ministre de la Justice) admit que les étrangers pouvaient se marier selon leur forme religieuse nationale. Mais la Cour de Paris eût à connaître en 1837 d'une action en contestation de légitimité d'une fille née du mariage célébré à Paris entre un Hessois et une Française devant un ministre protestant de Hesse. Elle prononça la nullité du mariage pour incompétence du ministre du culte[1]. Cet arrêt de 1837 devait être le point de départ d'une jurisprudence ininterrompue sur le caractère laïc de la célébration du mariage en France, soit qu'elle ait opposé l'ordre public à l'application de droits étrangers faisant de la célébration religieuse du mariage une condition de fond[2], soit que depuis l'arrêt "Caraslanis"[3], le caractère religieux ou laïc ne soit qu'une question de forme. La jurisprudence belge devait s'engager dans la même voie, en annulant par arrêt de Cassation du 19 janvier 1852 (Pasier 1852 -1- 85) le mariage d'un Bavarois et d'une Italienne célébré en Belgique en la forme religieuse[4].

195. Il n'en existe pas moins comme on l'a souvent relevé en doctrine, une singulière dissymétrie entre la célébration des mariages "mixtes" ou étrangers en France, et celle à l'étranger. Dans le premier cas — si on excepte la forme consulaire admise à certaines conditions — il n'y a qu'un mode uniforme et obligatoire de validité du mariage : c'est le recours à l'officier d'état civil. Il tranche avec le libéralisme par lequel sont reconnues les formes locales étrangères de célébration, y compris la forme religieuse (au besoin par le biais de l'interprétation souveraine de la loi étrangère et de l'utilisation du renvoi au second degré[5]). L'argument classique contre le mariage confessionnel en France est la défense du principe de laïcité. On sait toutefois qu'il n'a plus aujourd'hui la force qu'il avait au lendemain du code Civil[6]. L'intervention de l'officier d'état civil paraît bien plus liée à une exigence d'authenticité des actes et comme l'a fait remarquer Madame Génin-Méric[7] à un souci de ne pas

1. Cf. Répert. Dalloz, XIXe Siècle mot "mariage" n° 195 et F. Laurent, "Droit civil international", t. 4, p. 448 n° 234.
2. Cf. "Abramovitch", Trib. Seine, 7 juin 1922 et Cour Paris, 17 novembre 1922 S. 1924 - 2 - 65 note Audinct - mariage d'un Serbe et d'une Française devant l'officier d'état civil français, alors que la femme alléguait que le mariage aurait dû être célébré devant un prêtre orthodoxe.
3. Cass. 22 juin 1955, *Rev. Crit.* 1955 - 723 note 11. Batiffol, D. 1956 - 73, note Chavrier - B. Ancel et Y. Lequette "Grands arrêts" n° 26.
4. Sur les problèmes posés par le mariage religieux cf. J. Mestre, "Le mariage en France d'étrangers de statut confessionnel", *Rev. Crit.* 1977 - 659 sv.
5. Cf. "Moatti", Cass. 1er - 15 juin 1982, *Rev. Crit.* 1983 - 303 note Bischoff, Clun. 1983 - 598 note Lehmann D. 1983 - 432 comment E. Agostini et B. Audit D. 1983 T.R. 151.
6. Cf. toutefois pour son rappel dans un cas curieux de mariage franco-marocain célébré à Paris, dont la femme avait obtenu l'annulation au Maroc et réclamait l'exequatur de ce jugement, avant la convention franco-marocaine, T.G.T. Paris, 7 avril 1981, *Rev. Crit.* 1981 - 511 note D. Lefort - Clun. 1982 - 703 note M.L. Niboyet.
7. Cf. La maxime "locus regit actum, nature et fondement" (préf. J. Vincent, Paris, 1976, p. 231.

"cultiver les particularismes nationaux". Dans une société à la recherche d'intégration, il est peu souhaitable de voir se multiplier les célébrations étrangères. Le juge français serait mal armé pour arbitrer des querelles sur la compétence des autorités de célébration et le rôle des interdits religieux.

196. L'attitude française, comme l'ont montré dans le passé les exemples espagnols et grecs, n'est pas exempte de tout risque. Malgré l'avertissement donné par l'officier d'état civil lors de la célébration selon l'instruction du 21 septembre 1955 sur les risques de ne pas voir l'union reconnue à l'étranger (n° 169) les dangers de "mariage boiteux" subsistent. Une certaine souplesse est parfois nécessaire, comme l'a témoigné la signature de la Convention franco-marocaine de 1981. L'article 6 de ce texte pose bien le principe de l'application de la loi de l'autorité qui célèbre le mariage. Mais pour que le mariage conclu en France soit valable dans les deux pays, l'alinéa 3 exige une double cérémonie. Le mariage devra successivement être célébré par l'officier d'état civil, puis "enregistré" au Consulat du Maroc. Pour Madame Monéger[1] il n'y a rien de plus que le respect des exigences de droit commun, les étrangers en France ayant toujours la faculté de "doubler" l'union civile, seule valable en droit par le recours à une forme étrangère. Mais un autre commentateur de la Convention, Monsieur Decroux (Clun. 1985, p. 68) a vu dans le mariage "consulaire" bien plus qu'un simple "entérinement" du mariage civil. Il s'agit, selon lui, de la seule union islamique reconnue valable au Maroc, en présence des témoins instrumentaires ou "adouls", le consul jouant le rôle de magistrat certificateur. La double cérémonie risque de rendre à peu près impossible, même en France le mariage d'une marocaine et d'un Français. Sauf conversion de l'intéressé à l'Islam, le consul se refuserait sans doute à célébrer une union contraire à la prohibition du mariage entre musulmane et non musulman. Cependant, la Cour de Paris, par arrêt du 7 février 1990, a considéré comme valable, en l'absence de contestation, le mariage d'un Français malgré l'art. 29 5° C.S.P. (Clun. 1990, 977, note F. Monéger).

197. Un certain nombre de droits étrangers calquent leur attitude sur celle du droit français. C'est ainsi que la Belgique qui a fait, on le sait, du mariage civil un principe constitutionnel exige la seule célébration civile sur son sol. La sanction d'un mariage religieux, même entre deux étrangers serait la nullité absolue, sans parler des dispositions du Code Pénal[2]. Sans distinguer entre mariages d'étrangers dans leur pays et de nationaux à l'étranger, des textes modernes s'en tiennent à l'option classique : forme locale ou consulaire : ainsi l'article 4 de la Convention franco-yougoslave de 1971, le § 37 du décret hongrois de 1979, l'article 12-2 de la loi turque de 1982. Il en va de même dans certains Etats d'Afrique Noire, comme le Sénégal (art. 843-2 Code sénégalais) et la Côte d'Ivoire (art. 18 et 45 de la loi sur le mariage de 1964). Le recours à l'état civil condamne les célébrations coutumières traditionnelles de ressortis-

1. Cf. *Rev. Crit.* 1984, p. 59.
2. Cf. Cour Bruxelles, 29 octobre 1982 RTDF. 1985 - 29, nullité du mariage de deux Grecs célébré devant un prêtre orthodoxe et enregistré par le Consulat de Grèce à Charleroi.

sants d'autres Etats africains[1]. Quelques droits socialistes sont encore plus restrictifs, ils imposent la célébration devant un fonctionnaire civil, même pour le mariage de leurs ressortissants à l'étranger. La règle de forme s'est transformée ainsi en condition de fond pour les droits tchèque (art. 20 II, loi 4 décembre 1963) et albanais (art. 6 III, loi 24 novembre 1964[2]).

198. A l'opposé on peut faire état d'un mouvement moderne d'une ampleur croissante, qui rappelle celui qui prévaut en matière testamentaire. La "favor matrimoni" commande de multiplier les options pour éviter les risques de "mariages boiteux". Certains systèmes ne s'écartant qu'avec prudence de la loi locale. C'est le cas du droit anglais. Il s'est départi de sa rigueur primitive pour sauver des mariages nuls au regard de la "lex loci". Tantôt il a mis en avant la volonté des intéressés de conclure un mariage valable selon les règles antérieures au Concile de Trente et au "Hardwick Act' de 1753 (cf. supra n° 46). Il perpétue la validité des "mariages de Common Law" devant un ecclésiastique ou homme de loi quelconque, soit même par simple preuve de l'échange de consentements[3]. Tantôt au contraire, il arguera de l'absence de soumission volontaire à la loi locale comme dans le "leading case" "Taczanowska v/Taczanowski" (1957). Le mariage de deux Polonais célébré en Italie en 1946 par un chapelain des Forces Armées Polonaises, était contraire aux exigences de la loi locale, mais fut validé, le mari ne se trouvant en Italie que par ordre des autorités supérieures. S'agissant de nationaux anglais, le "Foreign Marriage Act" de 1892 (revu en 1947) tolère dans un certain nombre de cas le mariage de Britanniques à l'étranger, quelle que soit la loi locale comme par exemple devant des aumôniers militaires ou dans des locaux diplomatiques. Les législations de la Pologne et de la République Fédérale allemande admettent la non application de la loi locale en faveur de la loi nationale. Certes, la convention franco-polonaise s'est montrée très restrictive dans les rapports bilatéraux, puisque l'article 46-1 s'en tient au seul droit du lieu de célébration[4]. Mais la tradition polonaise est plus large. Le nouvel article 15 ($ 1 et 2) de la loi du 12 décembre 1965, reprend une disposition du texte antérieur de 1926 sur la possibilité de se marier en recourant à la forme nationale commune des intéressés. Un décret de 1947 avait déjà validé les mariages confessionnels célébrés en Allemagne pendant la guerre. L'article 28 de la Convention Pologne, U.R.S.S. prévoit dans le même esprit la reconnaissance des mariages, célébrés en la forme commune des droits des deux époux[5]. En Allemagne Fédérale, la forme locale était à l'origine obligatoire. Après la seconde guerre mondiale, la Commission de contrôle interalliée avait introduit la possibilité pour de futurs époux, dont aucun

1. Cf. pour la nullité en Cote d'Ivoire d'un mariage coutumier traditionnel entre deux nationaux du Burkina-Faso, Cour Abidjan, 19 décembre 1969, *Revue ivoirienne du droil*, 1970 (4) 25.
2. Cf. Fr. Korkisch "Fragen des ostmitteleuropaischen Rechts", Institut fur ostrecht, Munich, 1979, p. 369.
3. Cf. J.H.C. Morris, "The conflict of laws", 1971, p. 92.
4. En écartant même la forme consulaire non prévue dans le vieil accord de décembre 1925 cv. R. de Bottini, *Rev. Crit.* 1970 - 7.
5. Cf. M. Sosniak, "Précis de droit international privé polonais", Gdansk 1976, pp. 173-175.

n'était allemand (cas des Forces armées étrangères d'occupation) de se marier dans la forme reconnue par leur loi nationale (loi du 27 avril 1947). La règle, prévue pour les mariages militaires, avait été étendue aux mariages confessionnels. Les gouvernements grec et espagnol avaient notamment transmis à l'Allemagne en 1964 des listes d'ecclésiastiques habilités à célébrer des mariages[1]. Les tribunaux allemands devaient être saisis à plusieurs reprises à titre préalable, de la validité d'unions dont dépendait la légitimité des enfants ou le droit à pension de la veuve[2]. Le défaut d'habilitation ou de nationalité commune des parties devait rendre ces unions inexistantes. Un arrêt remarqué de la Cour Constitutionnelle fédérale a pourtant déclaré contraire à la constitution le refus de tirer les conséquences d'une union que les intéressés avaient pu croire valable à l'origine[3]. Le projet de réforme du droit international privé allemand avait proposé de s'en tenir, pour les mariages en Allemagne à la forme nationale d'un des futurs époux. Finalement le nouvel article 13-3 reprend l'exigence de la forme locale. Mais il la tempère par la possibilité pour deux étrangers qui se marient en Allemagne de recourir à la célébration "devant une personne dûment habilitée" par le gouvernement étranger. La formule va du mariage consulaire au mariage religieux. Il suffit que l'habilitation existe en la personne d'un seul des futurs époux[4]. L'autorité étrangère habilitée devra fournir une copie de l'acte obligatoirement transcrit sur les registres d'état civil.

199. Les options les plus larges existent dans les droits latins. Ainsi en Italie, où malgré le silence du Code de 1942 et certaines critiques de la doctrine, la Cour de Cassation a admis la validité extra-territoriale des "mariages concordataires". Deux époux italiens à l'étranger ou même un seul dans les couples "mixtes" peuvent se marier devant un prêtre catholique. Il suffit qu'il y ait une transcription postérieure sur les registres d'état civil en Italie. Réciproquement des étrangers pourraient se marier en Italie, même devant un ecclésiastique non catholique[5]. Le Code Civil portugais de 1966 (art. 50 et 51) prévoit parallèllement des options entre la forme locale, le mariage devant un consul ou un prêtre avec inscription sur le registre paroissial au Portugal. De même, en Espagne, depuis la réforme du droit du mariage de juillet 1981[6] les étrangers peuvent se marier selon la forme prévue par le statut personnel de l'un d'entre eux. Pour les Espagnols à l'étranger, le nouveau texte admet outre le recours à la loi locale, le "procédé national de célébration" c'est-à-dire, soit devant un prêtre, soit devant un juge ou fonctionnaire qualifié[7]. La Grèce avec la loi du 5 avril 1982 se contente en la forme comme au fond de la loi natio-

---

1. Cf. L. Palsson, cit, pp. 249-251 - M. Ferid et C. Böhmer, 3e édit. 1986, cit., n° 839.
2. Cf. Bundesverfassungsgericht 30 novembre 1982 Clun. 1984 - 643 Comm. Jayme et P. Lagarde, *Rev. Crit.* 1985 - 429 mariage célébré par un prêtre militaire dans une caserne d'occupation entre un soldat britannique et une femme allemande - O.L.G. Hamm, 14 novembre 1985 Comment G. Beitzke IPR-Praxis 1987 - 17, mariage d'un Belge et d'une Allemande devant un membre de l'état civil des armées.
3. Cf. BVG 30 novembre 1982, cit.
4. Cf. M. Férid, C. Böhmer, n° 8-37.
5. Cf. L. Palsson, pp. 243-244.
6. Rev. Crit. 1983 - 140.
7. Art. 49 et 50 cf. Carrillo Salcedo, *Rev. Crit.* 1983 - 16.

nale de l'un des futurs époux[1]. Il en est de même dans la loi fédérale autrichienne (§ 16, 2e loi du 15 juin 1978). Dans les pays musulmans du Proche-orient et d'Afrique du Nord, il semble que la plupart des droits tolèrent une option entre la forme locale et la forme nationale : il en est ainsi du code égyptien (art. 20) qui prévoit la compétence nationale : il en est ainsi du code égyptien (art. 20) qui prévoit la compétence de "la loi qui gouverne le fond", c'est-à-dire la loi religieuse[2]. Le Code Civil jordanien de 1976 vise de même (art. 13-2) la validité du mariage selon la loi du lieu de conclusion ou selon celle prévue par la loi de chacun des deux conjoints[3]. L'article 19 du code civil algérien connaît le choix très général pour la forme des actes entre la loi locale et la loi nationale commune. Néanmoins, pour Monsieur Issad, la référence à la loi nationale ne permet que la reconnaissance des mariages dans des pays tiers, la célébration en Algérie, relevant nécessairement d'autorités laïques, cadi ou officier d'état civil. La transcription doit être opérée sur les registres d'état civil (P. 253254). Il faut relever la particularité du droit libanais qui depuis un arrêté du 18 novembre 1938 (art. 25) a reconnu la validité en la forme locale laïque d'un mariage célébré à l'étranger entre Libanais ou Libanais et étranger. Le but de ce texte a été de faire échapper les Libanais non musulmans aux "pesanteurs" des divers statuts personnels religieux. La Cour d'appel de Beyrouth a admis les effets au Liban d'une union civile contractée à l'étranger[4]. On peut constater au total un accroissement général de la liberté de choix, plus surprenante en matière d'état des personnes que des contrats. Par là, les risques d'une nullité a posteriori pour vice de forme sont diminués.

200. Les systèmes plus rigides de soumission à la seule loi locale comme les droits belge et français présentent en effet des difficultés d'application. Certes pour les étrangers en France, la célébration du mariage ne présente plus aucune particularité notable, depuis la suppression par la loi du 29 octobre 1981 de l'autorisation préfectorale requise par l'ordonnance du 2 novembre 1945. La seule exigence commune aux étrangers comme aux Français concerne la domiciliation ou tout au moins la résidence d'un mois prévue par l'article 74 C. Civ. au lieu de célébration du mariage[5]. Si le droit étranger prévoit une publication préalable dans le pays d'origine, il n'appartient pas à l'officier d'état civil français de vérifier le respect de cette prescription[6]. A l'inverse, l'application de la loi locale étrangère aux mariages de Français ou d'étrangers amènera le juge français à reconnaître la validité de modes de célébration ignorés du droit français, comme le mariage religieux devant des prêtres catholiques ou orthodoxes[7]. Encore, faut-il que les intéressés n'aient commis, volontairement ou non, aucune erreur sur l'autorité compétente pour

1. Art. 131 à 3, *Rev. Crit.*, 1982-791.
2. Cf. M. Tssad, "Droit internationalprivée, cit., t. 1, p. 253.
3. Cf. *Rev. Crit.* 1987 - 643.
4. Cf. Cour Beyrouth, 12 avril 1972 comment. P. Gannage, Clun. 1979-401.
5. Cf. Réponse ministérielle déb. Sénat, 26 décembre 1985, *Rev. Crit.* 1986 -178.
6. Cf. Instruction Générale d'état civil n° 48, cit. J. Mestre, *Jurisclasseur internacional,* fasc. 546a n° 90.
7. Cf. Cass. Req. 7 janvier 1929 D.H. 1929 - 50 - mariage catholique à New-York - Cass. le 12 février 1963 D. 1963-325, nole G. Holleaux - mariage à l'Eglise orthodoxe d'Istanbul, voir le mariage de "common Law" par "cohabitation and reputation", cour Paris, 20 novembre 1928 D.H., 1929 - 24.

procéder à la célébration : ce serait le cas s'ils avaient eu recours à la célébration religieuse, là où la cérémonie ne supposait pas l'intervention ecclésiastique[1]. Ils ne sauraient de même éluder les exigences locales sur la compétence de l'officier en raison de la domiciliation des parties[2]. S'agissant du seul mariage du Français à l'étranger, l'article 170, C. Civ. impose le respect des publications préalables en France exigées par l'article 63 C. Civ. Mais la jurisprudence a refusé de faire peser une présomption de fraude du seul fait de la non-observation des publications. Les intéressés ont pu en ignorer l'obligation ou avoir des raisons personnelles valables de ne pas y procéder. La nullité ne découlerait que de l'intention délibérée d'éluder des exigences de fond[3]. La Cour de Cassation a élargi la portée de la règle en l'étendant au mariage d'étrangers dans un pays tiers. A propos de la validité du mariage du prince Carol de Roumanie célébré en russie sans les publications préalables, elle n'a vu "aucune contradiction" entre le fait d'avoir éludé les règles de publicité et la croyance en la régularité de l'union[4].

2/ 201. L'appréciation de la régularité de l'union apparaît difficilement séparable de la question de la preuve. On peut estimer que c'est au juge du for saisi de confronter les exigences de la loi étrangère avec les siennes propres et de déterminer leur force probante. Si celles-ci paraissaient incertaines ou trop légères, il refuserait d'admettre la validité de mariage. A l'inverse, il pourrait laisser aux seules autorités étrangères de célébration laïques ou confessionnelles le soin de définir et de délivrer les preuves de l'union. Dans la pratique, toutefois la preuve étrangère d'un mariage peut se révéler trop complexe ou douteuse. La jurisprudence française a adopté une formule "mixte" qui laisse au juge la possibilité d'apprécier la valeur des éléments de preuve, tout en ne déniant pas aux autorités locales qui ont procédé à l'union la latitude de fournir la preuve de célébration. Cette "combinaison" du droit du for et du droit étranger résulte notamment d'un arrêt "Isaac"[5]. La Cour de Cassation a utilisé un texte d'une faible importance en droit interne, l'article 46 du code Civil qui permet de suppléer à l'absence ou la perte des registres d'état civil par "titres" ou témoins, pour lui donner une portée internationale. Au reproche qui a été formulé dans un moyen du pourvoi contre la Cour d'appel d'avoir retenu un simple certificat rabbinique comme preuve d'un mariage célébré à Smyrne (Turquie) entre deux israélites, la Cour de Cassation répondait que "s'il appartient aux juges français d'accueillir les modes de preuve de la loi du for, c'est néanmoins sans préjudice pour les parties de se prévaloir également des règles

1. Cf. la célèbre affaire "Bouly de Lesdain", cour Paris, 24 avril 1926 D. 1927 - 2-9 note Escarra, celle relative au mariage catholique in extremis, célébré en suisse D.H. 1937 - 539 - cass. 29 avril 1966 G.P. 1966 - 2 - 269, mariage catholique dans un camp de réfugiés en Autriche, contraire à la loi autrichienne.
2. Cf. sur la nullité de mariages chiliens ou l'exigence de résidence de trois mois au lieu de célébration n'était pas considérée comme contraire à l'ordre public cour Agen, 29 juillet 1936, D. 1936 - 545 - T.G.T. Paris 80 juin 1977, Rev. crit. 1978 - 523 note Lequette Clun. 1978 - 612 note D. Mayer.
3. Cf. cour Montpellier 21 juin 1928 D.H. 1928 - 553 - cass. 1e - 9 décembre 1953, D. 1954 -168 cass. 1e - 13 février 1961 D. 1961 - 349 note G. Holleaux.
4. "Lambrino" Cass. 1e - 8 janvier 1963 D. 1963 - 341 note Ph. Malaurie.
5. Cass. 1e - 24 février 1959 D. 1959 - 485 note Ph. Malaurie.

de preuve du lieu étranger de l'acte" (en l'occurrence une possession d'état prolongée et un certificat de notoriété d'un juge de paix parisien avaient complété le certificat rabbinique). La formule a été reprise dans des arrêts postérieurs[1]. La jurisprudence la plus récente, en cas d'insuffisance de preuve, paraît s'en remettre en priorité à la loi locale, quitte à la compléter par les "documents" visés à l'article 46 C. Civ.[2].

La liberté conférée d'utiliser à la fois les modes de preuve du lieu de célébration et ceux du for va au-delà de la simple vérification de la régularité formelle du mariage. Elle touche à la qualification. C'est ainsi que la jurisprudence a refusé d'assimiler à une union légitime le simple "mariage par cohabitation" du droit américain faute d'éléments suffisants pour déduire la qualité d'époux (Cour, Paris, 20 novembre 1928 D. 19129 - 24). Elle a de même dénié d'accorder force légale à un "mariage du second rang" vietnamien, la déclaration devant "un chef de quartier" ne pouvant remplacer celle devant l'officier d'état civil en présence des parents et de deux témoins[3]. A l'inverse, dans une espèce où l'existence d'un mariage dans un camp de réfugiés était douteuse, en l'absence de toute précision sur la date, le Tribunal de Châteauroux s'en est remis à un simple certificat de l'O.F.R.A., l'Office Français des Réfugiés et Apatrides[4]. On voit par là la relativité de la distinction entre la forme et la preuve du mariage d'un côté, son existence quant au fond de l'autre.

3/ 202. Un certain nombre de pays, qu'ils n'admettent la validité que selon la seule loi du lieu de célébration, ou qu'ils reconnaissent un plus large éventail de rattachements, font place au mariage diplomatique ou consulaire. On sait que cette possibilité devait être admise en France dès 1804 dans l'article 48 C. Civ. Cette disposition relative aux actes des Français à l'étranger avait un caractère exceptionnel. Le mariage diplomatique devait être une faveur réservée aux seuls Français les dispensant de la forme locale étrangère, et assimilé par une fiction au mariage devant l'officier d'état civil français. Une lettre du Garde des Sceaux de 1878 devait rappeler l'exigence impérative de la nationalité française des deux époux pour recourir à cette forme[5]. Depuis, l'utilisation de la forme consulaire s'est bilatéralisée et largement répandue. Il ne s'agit plus d'un procédé dérogatoire, mais de l'un des aspects des activités diplomatiques et d'un mode de célébration ouvert à ceux qui, à l'exception des réfugiés ou apatrides peuvent se réclamer de la protection d'un Etat. La convention de Vienne du 24 avril 1963 sur les relations consulaires le reconnaît (art. 5 f.). De même la Convention de La Haye de 1978, sous réserve du

---

1. Cf. Cass. 1e - 12 février 1963 D. 1963 - 325 note G. Holleaux, certificat de l'Eglise de Calcédoine pour des ressortissants turcs orthodoxes - Civ. 1er -13 novembre 1980 D. 1982 T.R. 74 observ. B. Audit - certificat de la "prélature arménienne du Liban".
2. Cf. pour des mariages religieux algériens antérieurs à la réforme de l'état civil qui n'auraient pas été validés par jugement "Rezki", Cass. 1e - 25 novembre 1981, *Rev. Crit.* -. 1982 - 702 note B. Ancel, cour Paris, 7 mai 1985, Répert. Not. 1986 - 33677 note M. Revillard.
3. Cf. T.G.T. Seine 16 octobre 1967 G.P. 5 janvier 1968.
4. T.G.T. Châteauroux, 8 août 1984, G.P. 1984 - 2 - 630.
5. Cf. M. Simon-Depitre mot "consul, Attribution", Répert. Dalloz Droit international, t. I -1968 n° 184.

refus de l'Etat de célébration de reconnaître cette forme[1]. Toutefois, le mariage consulaire se ressent encore de l'idée que mettant en jeu des prérogatives de souveraineté d'un Etat, il peut porter atteinte aux compétences de l'Etat où il est célébré. Il n'est pas d'application universelle, et reste soumis à certaines conditions.

A) La forme consulaire n'est pas, géographiquement partout admise. Elle a été introduite en Grande-Bretagne en 1892 (Act revu par le "Foreign marriage order" de 1970) et en Australie en 1961, mais ne répond pas à la tradition des Etats-Unis pour des raisons constitutionnelles. La matière du mariage n'est pas en effet du ressort du droit fédéral, et une vieille loi du 22 juin 1860 n'a prévu l'intervention d'un officier consulaire que pour attester la régularité de célébration selon le droit local[2]. Les Etats d'Amérique du sud paraissent très partagés, s'y refusant par strict attachement à la seule loi de célébration (Chili, Uruguay, Equateur). Les droits extra-européens sénégalais (art. 842-2 code de 1972) turc (§ 12-2 loi de 1982) et algérien (art. 97,2 ordonnance sur l'état civil du 19 février 1970) en font mention. En Europe même plusieurs codifications récentes règlementent le mariage consulaire : au Portugal, le code de 1966 distingue le mariage d'étrangers au Portugal et de Portugais à l'étranger (art. 51a - 1 et 2). Dans le second cas (Portugais à l'étranger) le mariage consulaire est toujours valable, quitte aux autorités compétentes à procéder à la transcription au Portugal. Dans le premier cas, il l'est sous réserve de réciprocité diplomatique. Les "principes généraux" du droit de l'U.R.S.S. de 1968, la loi hongroise de 1979 connaissent la forme consulaire (en respectant les conditions de fond et en ayant l'habilitation préalable du conseil des Ministres pour le droit hongrois - § 37-3). En Allemagne Fédérale, une loi consulaire du 9 septembre 1974 (§ 8) subordonne le mariage à l'étranger a une habilitation spéciale et l'absence de refus du pays d'accueil. Elle existe dans vingt Etats (dont la Turquie et l'U.R.S.S.) mais non en Italie ou en Afrique Noire[3]. La France a consacré l'utilisation bilatérale de la forme consulaire dans plusieurs conventions (franco-mexicaine de 1908, franco-sénégalaise du 12 février 1963, franco-algérienne du 24 mai 1974. Un décret du 3 août 1962 a organisé une transcription sur les réguliers consulaires, des actes dressés à l'étranger[4].

203. B) L'utilisation de la forme consulaire suppose que plusieurs conditions sont réunies : il doit d'abord être autorisé par l'Etat des nationaux d'origine dit "Etat d'envoi" et ne pas se heurter au refus du "pays d'accueil"[5]. Le refus d'un pays peut tenir, comme le Portugal, à l'absence de réciprocité, mais, le plus souvent au fait que l'un des futurs époux a la nationalité de l'Etat

1. Art. 92 — Pour une reconnaissance générale du mariage consulaire, cf. H. Batiffol, P. Lagarde, t. 2, n° 424.
2. Cf. L. Palsson, cit. p. 259.
3. Cf. Férid, Böhmer, 3e édit. 1986, n° 8-54.
4. Sans que cette exigence soit assortie de délais, cf. T.G.T. Paris, 11 mai 1980, *J.C.P.* 1980 - 189412 note G. Paire.
5. Cf. pour la nullité d'un mariage célébré en France par le Consul du Guatemala entre deux Gualémaltèques, le code de 1879 ne l'autorisant qu'à transcrire un mariage célébré en la forme locale - cf. Trib. Seine, 15 mars 1932, D. 1934 - 2 - 76.

où le Consul veut officier. L'exigence d'identité d'appartenance des époux à l'Etat qui a désigné le Consul, est expressément mentionnée par la Convention de la CIEC tendant à faciliter la célébration des mariages à l'étranger (art. 5, Convention de Paris 10 septembre 1964) et pour la jurisprudence française qui a "bilatéralisé" l'article 48[1]. L'utilisation de la forme consulaire est donc interdite à un binational dont l'une des nationalités serait celle du pays d'accueil[2].

Dans l'hypothèse du mariage des nationaux à l'étranger, on retrouve en général la même exigence d'identité de nationalité. Toutefois, certains pays, comme la Colombie ou a Grèce, qui admettent l'intervention des consuls sur leur territoire, ne la prévoient pas pour leurs nationaux à l'étranger. A l'opposé, plusieurs droits se contentent de la seule nationalité d'un des futurs époux pour rendre leur Consul compétent. C'est le cas de la Grande-Bretagne (mais d'après le "Foreign Marriage Order" de 1970, il faut apporter la preuve de "facilités insuffisantes" de célébration selon la loi locale, du Portugal (art. 51) et de l'Algérie (art. 97-2). Dans quelques cas de mariage dans des pays de tradition islamique (Libye, Pakistan, Arabie-Saoudite, Emirats Arabes) où la célébration poserait des problèmes de forme et de preuve, le droit allemand retient la seule nationalité allemande d'un des époux pour autoriser le mariage diplomatique[3]. La jurisprudence française avait quant à elle dans un premier temps rigoureusement interprété l'article 48 ne visant que les actes des Français et condamné l'intervention du consul dans la formation d'unions "mixtes". L'arrêt "Sumaripa" de 1819 annulait le mariage d'un Français et d'une Turque devant le Consul de France à Istambul[4]. La règle a été entendue par la suite aux mariages célébrés dans un pays tiers dont aucun des époux n'a la nationalité[5]. Toutefois là encore la difficulté de recourir à la seule loi locale a amené le législateur à remanier l'article 170. D'après-la loi du 29 novembre 1901, le mariage diplomatique d'un Français et d'une étrangère est possible dans des pays désignés par décret. La liste, quelque peu arbitraire et revue par plusieurs décrets vise (comme en Allemagne) des pays du Proche ou d'Extrême-Orient (Chine, Arabie, Iran, Yémen, Thaïlande et Japon) sans que les raisons actuelles ressortent nettement). Elle souligne l'inégalité des sexes, puisque le texte ne vise pas la Française qui épouserait un étranger devant le consul du pays de son mari. La doctrine souhaiterait une utilisation plus large de la forme consulaire[6]. Mais le droit français reste encore méfiant à l'égard des options qu'exerceraient les futurs époux.

---

1. Cf. à propos d'un mariage célébré entre une Française et un Equatorien devant le Consul d'Equateur atteint de nullité T.G.T. Paris 24 février 1975 D. 1975 - 379 Concl. G. Paire note ; Massip et pour union devant le Consul Général du Sénégal, la nationalité sénégalaise ou malienne de la femme étant en jeu, Cour Reims, 19 janvier 1976 Clun. 1976 - 917 note I. Fadlallah.
2. Pour le cas d'une Algérienne n'ayant pu valablement se marier avec un binational français et algérien devant le Consul d'Algérie, T.G.T. Paris 22 décembre 1981, J.C.P. 1982 IV - 210 Clun. 1983 - 607 ob. P. Kahn.
3. Cf. Férid et Böhmer, cit.
4. Cass. Civ. 10 août 1819 S. 1819 - 1 - 402.
5. Cf. Cour Paris, 13 mars 1954 D. 1954 Som. 51, nullité du mariage d'une Française et d'un Britannique devant le Consul de Grande-Bretagne à Madrid.
6. Cf. H. Battifol, P. Lagarde, n° 423 t. 2, cit.

SECTION IV
LES NULLITES ET LE MARIAGE PUTATIF EN DROIT INTERNATONAL

204. La diversité et la multiplicité des rattachements aboutissent, trop souvent à des "mariages boiteux" et des risques d'annulation. On sait que c'est une des raisons pour lesquelles on avait préconisé une loi unique à l'ensemble des conditions de mariage, celle du lieu de célébration. Si un juge vient à constater le défaut d'un des éléments de validité du mariage, on pourrait penser que le prononcé de la nullité est lié à son activité juridictionnelle. Le droit anglais considère ainsi que la compétence du juge saisi, voire la reconnaissance du jugement étranger d'annulation absorbent la question de la loi applicable. Mais le droit français, et avec lui la plupart des systèmes "continentaux" ne séparent guère le prononcé et le caractère de la nullité, voire ses atténuations, de la condition méconnue — C'est l'absence ou l'importance de la sanction qui permet de mesurer la place accordée aux différentes conditions du mariage. On ne peut guère envisager de rattachement autonome que pour les effets de la nullité dont la cause ne serait que le "déclenchement" selon le mot de Monsieur Fadlallah.

1/ Un contentieux assez abondant caractérise le droit anglais des nullités de mariage. Les précédents des juridictions ecclésiastiques reposant jusqu'à la réforme du M.C.A. de 1857 sur le tribunal de la résidence du défendeur, comme critère de compétence interne, étaient de peu de secours. Dans l'affaire "Simonin/v./Mallac (1860) où des Français s'étaient mariés en Angleterre sans consentement parental (supra, n° 185), les tribunaux anglais avaient fondé leur compétence sur la célébration du mariage en Grande-Bretagne. Les époux auraient implicitement accepté de soumettre leurs différends aux tribunaux anglais[1]. Par la suite, le critère a décliné. Les juridictions ont refusé de considérer que la célébration à l'étranger ou en Angleterre puisse à elle seule être une cause de compétence. C'est ce qui résulte notamment des arrêts "de Reneville" (1948) et "Ross Smith" (1963) de la Chambre des Lords. Dans l'affaire "de Reneville" une Anglaise mariée en France avec un Français était revenue en Angleterre demander la nullité, pour défaut de consommation du mariage. Il a été admis que le prononcé d'un jugement ne pourrait avoir lieu que pour défaut d'une condition essentielle rendant le mariage "void" (bigamie, impuberté, absence de cérémonial). Dans les autres cas où le mariage ne serait qu'annulable (voidable) le domicile matrimonial étranger fonderait la compétence. Les Cours anglaises se refuseraient ainsi de se prononcer sur l'annulation du mariage d'une Française mineure, dont l'union aurait été célébrée en Grande-Bretagne sans consentement parental. Pareil cas rentrerait dans la catégorie des mariages "voidable". Les difficultés du prononcé des nullités tiennent à ce que

1. Cf. J.H. C. Morris, p. 161.

les distinctions anglaises de mariage "nul de plein droit" (void) et "annulable" (voidable) recouvrent mal celles "romanistes" des nullités absolues et relatives.

Quant à la reconnaissance des jugements étrangers d'annulation de mariage, le précédent classique "Von Lorang v/Administrator of Austrian Property" (ou Slavesen, 1927) s'est fondé sur le domicile commun étranger des parties lors du jugement. Une Ecossaise d'origine avait épousé au début du siècle à Paris, un Autrichien et les époux s'étaient par la suite fixés en Allemagne. En 1924, une cour de Wiesbaden avait prononcé la nullité du mariage à la demande de la femme. La Chambre des Lords a reconnu la compétence allemande (cf. Morris, p. 168). A défaut de domicile commun et dans une matière qui n'a pas été soumise à la Convention de La Haye sur la reconnaissance des divorces, une décision assez récente a appliqué le critère dégagé par la Chambre des Lords dans l'arrêt "Indyka" : à savoir le lien "réel et substantiel" avec le pays où la nullité a été prononcée[1]. Les motifs pour lesquels un jugement étranger de nullité pourrait ne pas être reconnu en Grande-Bretagne tiennent assez rarement à des objections de droit substantiel, sauf s'ils offensent la "natural justice". C'est ainsi que Lord Denning dans l'affaire "Gray v/Formosa" (1963) a refusé de reconnaître un jugement maltais d'annulation de mariage : celui-ci s'était fondé sur l'absence d'un prêtre catholique lors de la cérémonie de mariage. Pareille décision a paru contraire au principe anglais de liberté de conscience et de libre choix du cérémonial.

2/ 205. Les droits "continentaux" ont eu à s'interroger beaucoup plus rarement que le droit anglais, semble-t-il, sur les critères de compétence directe en matière d'annulation. Ils n'ont eu, le plus souvent en tout cas en droit français, qu'à se prononcer sur la reconnaissance de jugements étrangers de nullité. Les principes dégagés par la jurisprudence "De Wrède"[2] se sont révélés analogues à ceux du droit anglais qui renonce à exercer un contrôle de la loi applicable. La cour de Cassation s'est contentée de vérifier si la décision étrangère répondait aux critères français de compétence (mariage annulé pour les plus hautes autorités russes entre deux sujets russes à) et avait acquis autorité de chose jugée. A la différence, toutefois des juridictions britanniques, l'attention du juge saisi, en droit français, s'est portée sur la loi applicable aux nullités. Comme dans les quelques droits étrangers qui ont réglé ce problème par des textes (art. 16 code polonais de 1965 - 34, loi yougoslave de 1982) il n'a pas voulu séparer le prononcé de la nullité de la condition méconnue. La qualification "procédurale" a donc été écartée. Selon les cas, la nullité sera soumise tantôt à la loi applicable aux conditions de fond[3], tantôt à celle relative aux conditions de forme[4]. Une difficulté particulière est née de la confirmation possible en droit français des nullités absolues de clandestinité ou incompé-

1. Cf. Faily Division - 24 mars 1975 Clun. 1980 - 124 comment. Lipstein.
2. Cass. Civ. 9 mai 1900 S. 1090 - I - 185 Grands Arrêts Jurisprudence internationale n° 8.
3. "Bazbaz", Cass. 16 mars 1956, D. 1958 - 709 note H. Batiffol.
4. "Eltouhami", Cass. 1er - 4 juin 1957 D. 1957 - 557 - loi tunisienne. TGT Paris, 30 juin 1977, *Rev. Crit.* 1978 - 523 note Lequette - loi chilienne. Cour Nancy 23 octobre 1989 Clun. 1991. 390, tuteur ayant qualité par intenter la nullité de mariage dans le droit marocain.

tence par l'article 196 C. Civ. On sait que cette disposition a trait au rôle de la possession d'état. Elle aurait dû logiquement être sans application aux vices de forme affectant les mariages des Français à l'étranger et à l'inverse s'appliquer aux célébrations en France de mariages d'étrangers. La jurisprudence a pourtant donné à l'article 196 la valeur d'une véritable règle de fond liée à la conception française restrictive des nullités[1]. Aux risques de créer des cas d'"unions boiteuses" dont la validité serait déniée à l'étranger, elle a fait jouer l'article 196 pour les seuls mariages de Français à l'étranger[2]. Il n'en serait autrement que si les intéressés, en méconnaissant les conditions de forme avaient entendu éluder les règles de fond françaises sur le mariage[3]. A l'inverse, le mariage des étrangers en France, nul pour défaut de forme n'a pu bénéficier de l'article 196[4].

3/ 206. Le caractère unilatéral et équivoque d'application de l'article 196 n'a pas permis de remédier largement aux risques possibles de nullité. La tendance générale à la "faveur du mariage" a poussé le droit français comme les droits étrangers à recourir à des procédés "préventifs" généraux : d'une part l'utilisation du renvoi, de l'autre celle des règles des conflits mobiles".

a) Bien qu'on ait préconisé en France une utilisation du mécanisme du renvoi dans un sens qui ne soit pas contraire aux règles de rattachement ou à la validité de l'actue[5], la doctrine s'y montrait jusque là plutôt hostile, pour autant qu'il ne s'agissait pas d'un renvoi au premier degré (par exemple de la loi nationale à la loi du domicile). En particulier, il paraissait exclu sinon pour les conditions de fond, du moins pour celles relatives à la célébration de l'union. L'objectif recherché, à savoir la facilité de se référer à la loi sous l'empire de laquelle l'union avait été rendue, paraissait déjouée par le renvoi au second degré à une loi tierce. On raisonnait à vrai dire dans le cas où la loi désignée validait l'acte[6]. Or, l'arrêt "Moatti" rendu par la Cour de Cassation à la suite d'un pourvoi contre une décision de la Cour d'appel d'Aix-en-Provence, a très certainement sauvé de la nullité le mariage célébré en la forme mosaique entre deux époux syriens d'origine israélite alors que le droit italien du lieu de célébration ne connaissait que la forme civile de l'union. La Cour de Cassation s'est retranchée derrière l'"interprétation souveraine de la loi italienne", pour admettre qu'elle avait pu conduire à l'application d'une loi tierce et valider le mariage. Elle a écarté le moyen qui soulignait que le juge doit s'en tenir à sa propre règle de conflit. L'utilisation n'en n'est pas moins remarquable s'il est vrai qu'à l'époque du mariage, ce n'étaient pas des intérêts français qui étaient

1 . Contra de la Pradelle n° 361 pour lequel la règle est liée aux effets du mariage.

2. Cf. Cass. Req. 7 janvier 1929 D.H. 1929 - 50 - Cour Paris 16 décembre 1958 D. 1959 - 38, mariage en Espagne sans publication préalable.

3. Cf. Cours Paris - 2 décembre 1966 et TGT Troyes, 9 novembre 1966, *Rev. crit.* 1967 531 note Ph. Malaurie D. 1967 Som. 38.

4. Cf. Cour Paris 15 mai 1931 D.H. 1931 - 402 - Trib. Seine 15 mars 1932 D. 1934 - 276 (espèces, il est vrai, où aucun "'acte d'état civil" français ne pouvait être produit, s'agissant d'unions purement consulaires).

5. Cf. art. 4 de la nouvelle loi allemande.

6. Comp. H. Batiffol, P. Lagarde, t. 1, n° 311 et le cas assez exceptionnel de la Cour de Nancy, 10 décembre 1930 D. 1932 - 2 -13, où le renvoi opéré par le droit italien à la législation marocaine aboutissait à annuler un mariage religieux.

en jeu[1]. La loi commune confessionnelle a été préférée à une règle italienne identique à la française.

207. b) Pas plus que le renvoi, le jeu du "conflit mobile" ne sera neutre. En matière de mariage, le changement d'un facteur de rattachement comme la nationalité ou le domicile, ou de la législation interne désignée par la règle de conflit peut provoquer de nombreuses difficultés. L'annulation d'un mariage selon la loi en vigueur au jour de la célébration paraît bien sans remède si le législateur s'en tient à un facteur permanent de rattachement. Ainsi le §18-2 de la loi de la R.D.A. du S décembre 1975 soumet la forme du mariage "au droit en vigueur au jour de la conclusion". Mais en l'absence de textes, on a pu envisager l'hypothèse d'un droit postérieur à la célébration qui validerait l'union. La question s'est surtout posée pour les conditions de forme, encore que, comme nous l'avons vu, certains systèmes comme le droit anglais aient fait jouer le conflit mobile pour transformer une union "potentiellement polygame" en union monogame (cf. supra n° 191). La fréquence des déplacements contemporains a accru ce problème, pourtant trop souvent négligé par les codifications. C'est ainsi que si des immigrés grecs ont célébré en Allemagne un mariage devant un ecclésiastique non habilité, l'union est certainement nulle au regard du droit allemand. Mais si par la suite, ils regagnent la Grèce où d'après la nouvelle loi de 1982, la forme est libre, la validation de l'union selon la loi de leur nouveau domicile éviterait de se retrouver en face d'un "mariage boiteux" et de cas d'enfants nés en Allemagne éventuellement illégitimés[2].

A l'étranger, le problème s'est posé principalement en Israël et aux Etats-Unis. La jurisprudence israélienne a fait preuve d'une particulière bienveillance pour valider des mariages d'immigrés, célébrés à l'étranger, en la forme mosaique, le plus souvent contraires à l'exigence locale d'une célébration civile. La domiciliation postérieure en Israël a conféré à un mariage nul à l'origine, une validité rétroactive. Le procédé connaît toutefois certaines limites si un époux entend profiter frauduleusement de la modification d'un facteur de rattachement pour faire annuler une union originairement valable. Ainsi dans un arrêt "Streit" de la Cour Suprême d'Israël (1964), le mari s'était marié civilement dans son pays d'origine avec une femme dont le statut religieux était indéterminé. Les époux ayant émigré par la suite en Israël, le mari abandonnait sa femme ; il obtenait d'une juridiction rabbinique la nullité de l'union pour "disparité de religion" et se remariait. La Cour Suprême se référait néanmoins à la loi en vigueur au jour de l'union (qui ne contenait aucune prohibition religieuse) pour déclarer sans valeur le jugement rabbinique[3]. Aux Etats-Unis, qui ont eu à connaître des conflits internes, le changement de domicile a permis souvent de valider un mariage nul à l'origine. Paradoxalement, c'est l'utilisation de la notion de mariage de "Common Law" (donc informel et analogue à la possession d'état française) qui a permis ce résultat. Ainsi dans

1. Civ. 1-15 juin 1982, *Rev. Crit.* 1983 - 303 note J. M. Bischoff, sur pourvoi d'Aix, 21 janvier 1981, *Rev. crit.* 1981 - 298 note G. Légier et J. Mestre, Clun. 1983 - 598 note Lehmann D. 1983 - 432 note E. Agostini.
2. Cf. C. Bohmer, "Heilung formfehlerhaher Ehen durch Statutenwechsel", *Mélanges Firsching*, 1985, pp. 41 sv. 2 . Cf. sur tous ces points G. Slama, pp. 156 et 160.
3. Cf. sur tous ces ponts G. Slama, pp. 156 et 160.

'arrêt de la cour Suprême "Travers v/Rheinard" (1906), un mariage nul originairement selon la loi de célébration de la Virginie pour vice de forme a été "consolidé" par le domicile des époux au cours du mariage dans le New-Jersey, Etat se contentant de la simple vie en commun par la volonté des époux. Dans une espèce plus récente de la cour suprême d'Orégon (Boykin, 1960), où les parties avaient vécu comme mai et femme pendant plus de dix ans dans sept Etats, un seul l'ldaho, où elles n'étaient restées que quatre ou cinq mois, validait le mariage de "Common Law". Cette particularité a permis à la Cour de l'Orégon de tenir le mariage pour valable. Toutefois, comme dans le cas israélien, l'utilisation du conflit mobile ne peut conduire à n'importe quel résultat, et en particulier à faire passer pour régulièrement marié un couple qui ne l'a jamais été. Dans l'affaire "Kennedy v/Damron" de la Cour du Kentucky (1954) deux personnes domiciliées dans le Kentucky avaient vécu pendant onze ans comme mari et femme sans la moindre cérémonie de mariage. Dans les deux dernières années des membres de leur famille avaient fait l'acquisition d'une ferme dans l'Ohio, Etat tenant pour régulier le mariage de "Common Law", et ils leur rendaient visite. La Cour du Kentucky a estimé ce facteur insuffisant pour valider leur union[1].

207 bis. La jurisprudence française a eu pour sa part à se prononcer assez fréquemment sur la validité de mariages conclus en Espagne ou en Tunisie, pays où les textes, souvent contradictoires, se sont succédés à allure rapide. En particulier, le sort des mariages célébrés en la forme civile dans l'Espagne républicaine entre 1931 et 1939 a fait l'objet de textes successifs rétroactifs et contradictoires. De même, en Tunisie, un décret beylical de juillet 1941 avait validé des mariages antérieurs religieux, nuls à l'époque de leur célébration. La jurisprudence a hésité entre la transposition aux conflits mobiles, des solutions internes de conflits de lois dans le temps, c'est-à-dire l'application d'une loi étrangère nouvelle postérieure à la célébration, même si elle avait pour conséquence de l'invalider, et la "pétrification" de la situation juridique au jour de la célébration, suivant l'expression de Monsieur Giardina[2]. Si une ligne générale peut se dégager de la jurisprudence, c'est la volonté de faire jouer les règles transitoires étrangères pour autant qu'elles conduisent à la validation du mariage. Ainsi à propos des mariages tunisiens, la Cour de Cassation a admis la valeur rétroactive a posteriori de mariages religieux de non-tunisiens qui semblaient pourtant nuls à l'époque de la célébration. Elle a utilisé (comme il y en a des exemples en droit interne) le critère de la loi "interprétative" pour justifier la rétroactivité[3]. A l'inverse, les arrêts se sont refusés à remettre en cause des mariages que les intéressés avaient pu croire va-

1. Cf. L. Palsson, cit. pp. 214-216.
2. Cf. A. Giardina, "Les lois étrangères rétroactives en matière de mariage et de régimes matrimoniaux", *Rev. crit.* 1972,pp. 401 sv. - idde : C. Gavalda, "Les conflits dans le temps en droit intmational privé", thèse, 1955, n° 251-252 — P. Courbe, "Les objectifs temporels des règles de droit intmational privé", thèse 1981, préf. J. Foyer, n° 257 sv.
3. Cf. "Magro" Cass. 1er _ 10 juillet 1973, *Rev. Crit.* 1974 - 640 note M. Nisard - Clun. 1974 - 341 note B. Audit, *J.C.P.* 1973 IV-328 Maninelli cour Paris, 17 mars 1970, *Rev. Crit.* 1970 - 286 note L. Granjon et Cass. 1er - 15 mai 1974, *Rev. Crit.* 1975 261 note M. Nisard.

lables à l'époque de leur célébration. Ils les ont considérés comme soustraits au droit transitoire étranger si celui-ci venait par la suite à les annuler. Telle avait été le cas notamment de l'ordonnance de l'Espagne franquiste du 8 mars 1939 (revue par la suite) et déclarant sans valeur les mariages civils de l'Espagne républicaine. L'ordre public a joué cette fois à l'encontre de la rétroactivité[1]. L'utilisation du conflit mobile joue en définitive en matière internationale, le même rôle que le renvoi : c'est-à-dire permettre la validité de mariages que les intéressés avaient pu croire valables au moment de la célébration surtout s'ils sont couverts par une possession d'état postérieure[2].

208. 4/ Dans tous les cas où le mariage international ne peut échapper à la nullité, il reste à savoir quelle loi en régira les conséquences ou tempéraments. C'est le problème international du mariage putatif. Là où la jurisprudence a eu à y faire face (en France mais aussi aux Etats-Unis) il apparaît difficile d'élaborer des rattachements satisfaisants. La raison tient probablement à l'évolution du droit interne. Au départ, le mariage putatif n'était qu'un remède empirique et exceptionnel à la rétroactivité de la nullité, soumis à des conditions précises (quant au cérémonial du mariage et à la bonne foi). l'évolution a réduit progressivement les conditions de sa mise en jeu. Les effets du mariage annulé sont de plus en plus comparables à ceux d'un divorce. Selon le mot de Monsieur Fadlallah[3], I'"annulation n'est plus un anéantissement,m ais une modalité de la vie de l'acte"[4]. Après une période où la jurisprudence considérait que la putativité s'imposait pour des raisons d'équité, la Cour de Cassation avait cru pouvoir établir une corrélation rigoureuse entre la condition méconnue, sa sanction et les atténuations. C'est le célèbre arrêt "Moreau-Bazbaz"[5]. La deuxième épouse d'un officier français tué en Syrie avait vu son mariage anéanti pour bigamie. Le tribunal, puis la Cour d'appel lui ayant accordé la putativité, le pourvoi faisait grief à la cour d'appel d'avoir appliqué à la question la loi personnelle du mari, c'est-à-dire la loi française (comme loi des effets du mariage) ; celle-ci connaissait bien le mariage putatif, mais le mari était de mauvaise foi alors que le statut personnel de la femme de bonne foi (loi mosaique syrienne) ignorait la putativité. La Cour de Cassation a répondu que la loi française (applicative à la condition de fond de monogamie) régissait "les conséquences de la nullité comme les tempéraments qu'elle y apporte". En réalité, la Cour de Cassation s'est contentée d'une seule loi personnelle admettant la putativité. La solution a été vivement critiquée en

---

1. Cf. trib. Civ. Seine, 7 novembre 1958, Clun. 1962 - 114 note Amond. Cass. Civ. 1er- 22 décembre 1970, *J.C.P.* 1971 IV - 29 en ce sens P. Courbe, cit. n° 357.
2. Cf. pour le cas inverse d'un premier mariage espagnol, contracté pendant la guerre civile. Les époux le croyaient sans valeur par suite des textes postérieurs, alors qu'une loi de 1949 le validait. Le remariage fut déclaré nul pour bigamie - cf. "BelmonteManinez", Cass. 1er - 14 décembre 1971, Clun. 1972 - 592 note A. Ponsard D. 1972-179.
3. "La famille légitime en droit intemational privé", Paris 1977, p. 51.
4. Comparer G. de la Pradelle, "Les conflits de lois en matière de nullités", Paris, 1967 n° 298 sv. - M. Bischoff mot "Mariage" Repert. Dalloz, "Droit intemational", t. 2, 1968, n° 169-178.
5. Cass. 1er - 6 mars 1956, *Rev. Crit.* 1956 - 305 note Francescakis - D. 1958 - 709 note Batiffol, *J.C.P.* 1956 - 9449 note A. Weill, Grands Arrêts B. Ancel - Y. Lequette p. 214 comment. La Pradelle n° 363 sv.

doctrine[1]. On a fait valoir que la cause de nullité ne joue qu'"un rôle de déclenchement" (Fadlallah) et que la loi des effets du mariage serait nettement plus appropriée à la question du mariage putatif. La formule a pourtant été reprise par la suite[2]. La loi de la condition méconnue a l'avantage d'être unique (sauf éventuellement, comme l'a suggéré Monsieur Bischoff, application cumulative, s'il y a plusieurs cas d'annulation). Au contraire, "la loi des effets" est une notion beaucoup plus ambigue, les rattachements pouvant être multiples selon les questions traitées (garde des enfants, régime matrimonial, etc...). Il serait préférable de laisser sous l'empire d'une seule loi le principe de la putativité (qui pourrait être celle du domicile matrimonial ou de la résidence du couple) ; les effets du mariage putatif, par contre suivraient chacun en rattachement propre, comme ceux d'un mariage valable[3]. La jurisprudence de ces dernières années a admis directement le principe de la putativité par application de la seule loi française, sans s'interroger sur le contenu des lois personnelles en cause[4]. Il est vrai qu'elle a eu à se prononcer sur le cas de couples domiciliés en France, et que la nullité pour bigamie a pu être considérée comme une règle d'application immédiate. Il ne semble pas pourtant que toutes les ambiguïtés aient été dissipées.

209. Les hésitations semblent avoir aussi régné dans les quelques cas de conflits locaux ou internationaux qu'a connu le droit américain, notamment en Louisiane et au Texas[5]. En Lousiane où les articles 17118 du code ont repris la solution des art. 201-202 C. Civ. franc,ais, la tendance est d'appliquer la loi du for louisianaise comme loi des effets du mariage, même si le domicile matrimonial était hors de la Louisiane ("Prince v/Hopson, 1956). Par contre, en Californie, Etat qui fait jouer aussi la putativité, il est nécessaire que les époux fussent domiciliés en Californie au moment du mariage et conservent par la suite en étant de bonne foi, un domicile californien. Le cas international le plus marquant semble avoir été au Texas l'affaire "Davis" (1975) (supra n° 164), offrant quelque similitude avec "Bazbaz". Le mari Texan avait contracté une deuxième union, nulle pour bigamie, avec une ressortissante de Singapour, dont la loi personnelle ignorait le mariage putatif. En raison de la bonne foi de l'épouse, la Cour Suprême du Texas l'a fait bénéficier de la putativité par application de la seule loi Texane du domicile du mari. La doctrine reconnaît que la tendance générale américaine est de s'en tenir à l'"intérêt prédominant des parties".

1. Cf. ouvrages précités de la Pradelle et Fadlallah.
2. Ettouhami Cass. 1er - 14 juin 1957 D. 1957 - 557 - T.G.T. Paris, 30 juin 1977, *Rev. Crit.* 1978 - 523 note Lequette - loi chilienne compétente pour la putativité
3. Cf. "les remarques de M. Fadlallah sous l'arrêt "Hassain", Cass. Civ. 20 novembre 1958 Clun. 1959 - 1146, thèse cit. n° 50 la nullité ayant été pro noncée selon la loi française, il ne s'ensuivait pas que les règles françaises du régime matrimonial fussent applicables au mari musulman.
4. Cf. annulation d'un mariage d'une Yougoslave et d'un Américain, Cour Versailles, 3 juillet 1978 et Cass. 1er - 15 janvier 1980 "Prelevic-Kaspar", Clun. 1980 - 316 note Ph. Kahn, Cour Paris, 27 novembre 1981 D. 1983 - 143 note G. Parie et Cass. 1er - 2 octobre 1984, Bullet. Cass. 1984 - 1 n° 242 - annulation de mariage de deux Américains.
5. Cf. J. D. Finc, "The rights of putative spouses : Choice of Law issues and comparative Insights", I.C.L.Q. 1983, p. 708 sv. spécial, pp. 714 723-725.

Bibliographie :

Sur les formes de la célébration :

J. Mestre, *Jurisclasseur International*, fasc. 546 a et *Rev. Crit.* 1977 - 659 (l mariage en France des étrangers de statut confessionnel").
J.M. Bischoff, Répert. Dalloz, Droit international mot "Mariage", t. 2 (1968)
L. Palsson, "Marriage and Divorce in Comparative Conflict of Laws", 1974.
M. Issad, "Droit international privé algérien", t. 1,1986.
J.A. Carrillo-Salcedo, "La nouvelle règlementation du mariage sur le dro: international privé espagnol", *Rev. Crit.*, 1983, pp. 1 sv.
M. Férid, C. Bohmer, "Internationales privatrecht, 3e édit. 1986, cit.
M. Issad, "Droit international privé algérien", t. 1, 1986.
J.A. Carrillo-Salcedo, "La nouvelle règlementation du mariage sur le dro international privé espagnol", *Rev. Crit.*, 1983, pp. 1 sv.
Von Bar, Internationales Privatrecht, 1991, p. 105 sv.

CHAPITRE VII

Les effets personnels et pécuniaires du mariage — L'obligation alimentaire —

210. On sait que par le terme "mariage", on ne vise pas seulement l'acte créateur d'une union entre deux personnes, mais la situation légale qui en découle, appelée à durer aussi longtemps qu'elle. A la différence de l'union libre où les intéressés déterminent le plus souvent d'eux-mêmes le contenu de leurs obligations, il est rare, que les conséquences du mariage soient abandonnées à la volonté des époux. Les textes préciseront le plus souvent leurs droits et devoirs. Par définition le mariage ne peut se réduire à la "conjonction de deux célibats". Il appelle une vie commune et une nécessaire solidarité d'intérêts. Alors que le Code Civil et même des droits plus récents n'avaient envisagé le problème des relations entre époux que par l'absorption de la personnalité de la femme par celle du mari, les législations contemporaines sont dominées par l'idée d'égalité des conjoints — et aussi par un individualisme croissant. Toute la difficulté sera de combiner une nécessaire entente commune et unité de vie familiale, avec la volonté des époux d'être autonomes dans leur propre sphère. Comme les effets du mariage qui représentent le cercle le plus étroit, l'obligation alimentaire est, elle aussi, fondée sur l'idée de solidarité : il s'agit de l'obligation légale,découlant du lien de parenté ou d'alliance de venir en aide aux proches dans le besoin. Le rétrécissement du cercle familial et l'individualisme qui se traduit déjà dans les rapports entre seuls époux aboutissent à des défaillances de l'aide familiale. Le problème se pose alors de savoir si la collectivité ne devra pas prendre la relève ou à tout le moins, pallier aux défaillances de l'aide familiale. C'est la question du rôle ou des recours de l'Aide sociale.

SECTION I

EVOLUTION GENERALE ET COMPARATIVE DES RAPPORTS PERSONNELS ET PECUNIAIRES ENTRE EPOUX

211. Rien, semble-t-il, n'exprime mieux la conception qu'avaient les rédacteurs du Code Napoléon en 1804 sur les rapports entre époux, que la formule de Vazeille en 1825 dans son traité "du mariage et de la puissance maritale" (t. 2, p. 2) "si au physique, la différence des sexes opère leur rapprochement, au moral la différence des esprits produit souvent des vues et volontés contraires, et rend indispensable la puissance d'un côté et la soumission de l'autre". Bien que la situation juridique de la femme mariée eût connu quelque adoucissements à la fin de l'ancien droit et put faire l'objet de critiques d'auteurs comme Condorcet[1], les articles 212 à 226 : "des droits et devoirs respectifs des époux" traitaient surtout des droits du mari et des devoirs de la femme. C'était là un double héritage de l'"incapacité velléeienne" du droit romain et du mundium germanique que ne devait pas renier Bonaparte. Si le mari est tenu à la "protection"de la femme, celle-ci, par contre, doit faire preuve d'"obéissance dûe à un supérieur". Les prérogatives personnelles et pécuniaires du mari font qu'il y a une confusion presque totale entre ses intérêts propres et ceux du ménage. La femme est tenue d'habiter avec le mari. C'est lui qui fixe le domicile et elle doit le suivre "partout où il juge à propos de résider" (art. 214). En contre-partie, le mari fournit à la femme "ce qui est nécessaire aux besoins de la vie, selon ses facultés et son état". D'après Locré, lors d'une séance préparatoire au Conseil d'Etat, Bonaparte aurait voulu faire préciser que le refus de cohabitation de la femme serait sanctionné par la perte de ses droits alimentaires. Le conseiller Boulay allègua que la question devait "être abandonnée aux mœurs et circonstances[2]. Même la vieille exception admise par Pothier, l'"établissement du mari hors du royaume" n'entraînait aucune dispense de vie commune. L'incapacité générale de la femme, assimilée à un mineur, prolongeait le Velleien : Selon l'article 217, elle ne pouvait "donner, hypothéquer, aliéner, acquérir à titre onéreux ou gratuit" sans concours du mari à l'acte ou autorisation par écrit postérieur. Sans autonomie quant à l'exercice de sa profession et au sort de ses gains, l'épouse ne se voyait reconnaître que le seul droit de tester (art. 226) et de se faire relever judiciairement du refus du mari de la laisser ester en justice ou passer certains actes (art. 218-219). Une position comparable était celle du droit anglais de l'époque. Selon le commentaire de la "Common Law" de Blackstone, la femme était "covert", c'est-à-dire placée sous l'autorité du mari "seigneur et maître". La personnalité du mari absorbait celle de sa femme "os de ses os". Même avec l'autorisation maritale, la femme ne pouvait passer de contrats avec les tiers. Le mari recueillait par contre le bénéfice de tous ses actes passés avant le mariage. Partie obligatoire de toute procédure dirigée par la femme ou engagée contre elle, il disposait jusqu'en

1. Cf. *supra*, n° 45.
2. Locré cit. par F. Laurent, "Principes de droit civil", t. 3, p. 121.

1857 d'une action délictuelle spéciale contre le complice de l'adultère[1]. Seul parmi les droits de l'époque, le Code Civil prussien de 1794 (Allgemeines Landrecht) se distinguait par l'accent mis sur la réciprocité des devoirs et la collaboration de la femme (Mitwirkungsrecht)[2].

212. La transformation des données sociales et économiques, le passage de sociétés encore largement agraires à l'urbanisation et l'activité industrielle féminine ne devaient que très lentement faire sentir leurs effets. En France, jusqu'à la suppression de l'incapacité de la femme mariée (lois de février 1938 et septembre 1942) et même jusqu'à la réorganisation des régimes matrimoniaux par la loi du 13 juillet 1965 le bilan des transformations se révélait modeste. Si la femme séparée de corps recourrait la pleine capacité juridique avec la loi du 8 février 1893, la prépondérance martiale restait intacte, tant quant aux conséquences personnelles de l'union (choix du domicile et autorisation donnée à la femme dans l'exercice de la profession) qu'à propos de la gestion de la masse commune dans le régime légal. Les réformes partielles (loi 20 juillet 1895 sur la possibilité pour la femme d'effectuer des dépôts en Caisses d'Epargne sans autorisation, surtout loi du 13 juillet 1907 sur le "libre salaire de la femme mariée" créant des biens dits réservés... jusqu'à leur disparition avec la loi du 23 décembre 1985) échouaient devant les difficultés de preuve. Tout au plus, la jurisprudence, dès un arrêt de Cassation du 26 janvier 1808, se refusait de faire un absolu de la cohabitation, en exigeant que le mari, changeant de domicile, fournisse à sa femme un logement convenable[3]. Reprenant une tradition remontant aux arrêtés du Président de Lamoignon, les décisions admettaient que la femme put agir sans autorisation maritale pour les achats ménagers courants et les fournitures de la maison. Ce fut l'exercice du mandat domestique par représentation du mari que la loi de septembre 1942 devait transformer en mandat légal[4]. En Angleterre, c'est la jurisprudence de l'Equity "qui devait corriger la rigueur primitive des règles de Common Law". La femme se voyait reconnaître un droit à une intimité personnelle (arrêt Jackson 1891) et la possibilité de passer des contrats sur ses biens personnels immobiliers. Le "Married Women's Property Act" de 1870 devait élargir sa capacité de disposer de ses salaires et revenus. Mais il fallut attendre 1935 pour que soit affirmée l'existence de sa responsabilité délictuelle propre et 1973 pour que soit abolie la notion de "domicile de dépendance"[5].

Les codifications continentales postérieures au Code Napoléon, jusqu'à la seconde guerre mondiale, ne devaient pas faire preuve d'une audace juridique supérieure. Nous avons souligné (supra n° 61) que le Code Civil italien (Codice Civile) de 1942 restait encore très proche de celui de 1865. La qualité de "chef de famille" (capo di famiglia) reconnue au mari comportait des vestiges très nets de l'ancien "mondualdo" ("mundium" germanique). Le mari

1. "trespass vi" — sur tous ces points Kevin J. Gray, "Unité du couple et droits patrimoniaux des époux" in *Mariage et Famille en question*, Angleterre 1979, pp. 43 sv.
2. Cf. C. Labrusse-Riou, "L'égalité des époux en droit allemand", Paris, 1965, p. 20.
3. Cf. F.A. Vazeille, cit. p. 28.
4. Sur l'évolution cf. G. Ripert, J. Boulanger, Traité t. I - 1956 n° 2140-2147 — G. Many et P. Raynaud, 3e édit. 1976 n° 206-207.
5. Cf. K.J. Gray et M.A. Glendon, "State, Law and Family", 1977, p. 121.

gardait dans le code de 1942 le pouvoir de direction de vie commune et de fixation de résidence. La jurisprudence lui reconnaissait un contrôle de l'activité professionnelle de la femme qui devait rester "compatible avec les devoirs domestiques", de la correspondance et même des conversations téléphoniques de son épouse[1]. Le B.G.B. allemand de 1900 connaissait, comme le Code Civil, un chapitre sur les "effets généraux du mariage" (livre IV, § 1353 sv.) et un régime matrimonial dit d'"administration des biens" très favorable au mari. L'activité de la femme n'était possible que si elle était "conciliable avec d'autres tâches" (§ 1356-2e). Toute divergence dans la conduite du ménage était tranchée en faveur du mari (§ 1354 ancien). Celui-ci exerçait le rôle prépondérant dans l'exercice de l'autorité parentale (Stichentscheid). Par contre,la femme n'avait un devoir d'entretien envers lui qu'en cas de "détresse"[2].

Au lendemain de la seconde guerre mondiale, l'importance des principes internationaux et constitutionnels sur l'absence de discrimination et d'égalité des sexes (n° 16-19) donnait à penser que les transformations seraient rapides. De fait, les Constitutions italienne et allemande organisaient un véritable "contrôle de conformité" permettant aux Cours Constitutionnelles de dénoncer les contradictions entre les principes proclamés et les dispositions des codes Civils pour écarter ces dernières. La "loi fondamentale" de la République Fédérale allemande ("Grundgesetz" du 23 mai 1949) déclarait même immédiatement applicable à compter du ler avril 1953 le principe d'égalité de l'article 3 de la constitution. Les tribunaux, malgré certaines résistances politiques devaient déclarer anti-constitutionnel le § 1354 BGB attribuant le pouvoir de décision au mari dans toutes les affaires conjugales[3]. La même technique devait par la suite être mise en œuvre en Espagne, avec la création, par la loi du 26 décembre 1978, du Tribunal Constitutionnel chargé d'assurer la sauvegarde du principe d'égalité de l'article 32[4]. En Italie, une décision de la Cour Constitutionnelle du 18 avril 1974 abrogeait l'article 156 du Code de 1942 exigeant l'obligation inconditionnelle de fidélité entre époux séparés, pour s'en tenir à l'"absence de comportement injurieux" envers le conjoint[5].

213. Les modifications législatives ne devaient pas moins tarder à apparaître. Si on met à part le cas des Etats socialistes de l'Europe de l'Est, ayant jeté à bas l'ancienne législation, et celui des pays scandinaves dont les droits représentaient déjà une "promotion de la femme mariée" (dès une ordonnance suédoise de 1798, elle avait pu passer des actes sans l'autorisation du mari et après une certaine régression, les lois suédoises du 11 juin 1920 et norvégienne du 20 mai 1927 étaient des textes égalitaires) seuls, jusque dans les années 70, les Pays-Bas et dans une moindre mesure, l'Allemagne Fédérale en-

---

1. Arrêt de la Cour de Milan du 2 juillet 1971 - Cf. G. de Nova in "Mariage et Famille en question", Italie, 1982, p. 120 - A. Luminoso, "La condisione giuridica della Donna in Italia tra passato, presente et avvenire". Il diritto di famiglia 1984, pp. 1179 sv.
2. Cf. R. Hepting, in "Mariage et Famille en question", Allemagne, 1980, pp. 70 sv. — H.P. Dopffel "die Gleichberechtingung von Mann und Frau im Familienrecht der Bundesrepublick Deutschland", Zf.R.V. 1978, pp. 1-16.
3. Cf. sur cette jurisprudence C. Labrusse-Riou n° 28 et 34 thèse citée.
4. Cf. J.M. Morenilla-Rodrigue~, "La igualdad juridica de la mjuer en Espana", 19751980, *Revista Ceneral de legislacion,* 1980, pp. 445 sv.
5. Cf. M. Matteucci, "La réforme du droit de la famille de la législation italienne", RDIC, Bruxelles, 1977, p. 7 sv.

tamaient des réformes en profondeur. Les premiers le devaient à l'arrivée au Ministère de la Justice du professeur Van Oven, partisan de l'égalité des époux. Le titre 6 du Code Civil néerlandais de 1838 (Burgerlijk Wetboek) devait être entièrement revu en 1957 puis en 1970 pour créer un "régime primaire" entre époux, dont s'inspirerait la loi française de 1965[1]. Dans le cas de l'Allemagne, l'effort portait surtout sur la réforme des régimes matrimoniaux et l'adoption de la fameuse "participation aux gains" (Zugewinngemeinschaft) à compter du ler juin 1958. Mais les §1628-1629 B.G.B. maintenaient au mari le monopole de la représentation de l'enfant et le dernier mot en cas de divergence entre conjoints[2]. En France, l'affaiblissement des pouvoirs du mari à la tête de la communauté après 1965, n'entamait pas beaucoup ses pouvoirs personnels : il restait (depuis la loi du 10 février 1938) chef de la famille, et fixait la résidence du ménage (sauf recours de la femme). Madame Bourgeois avait pu dénoncer les "séquelles d'infériorité juridique"[3]. L'égalité des époux ne devait être atteinte que par trois lois successives : celle du 4 juin 1970 sur l'autorité parentale, du 11 juillet 1975 abolissant la prépondérance maritale sur le domicile et les charges du ménage, enfin celle du 23 décembre 1985, mêlant la réforme des régimes matrimoniaux et d'administration des biens des mineurs à des effets personnels comme le nom. La France se conformait ainsi à la Convention de l'Assemblée générale des Nations-Unies de Décembre 1979, répudiant toute discrimination, ainsi qu'à la résolution du conseil de l'Europe du 27 septembre 1978 sur l'égalité des époux[4].

Ces dernières réformes survenaient en pleine période d'"effervescence législative". On ne peut guère trouver d'autres matières qui n'aient fait l'objet presque simultanément d'autant de remaniements dans les législations étrangères. Après les "lois fondamentale" du droit du mariage en U.R.S.S. (27 juin 1968), la seule année 1975 a connu la rénovation des rapports entre époux en Espagne (loi du 2 mai), en Italie (loi du 19 mai) et en Autriche (loi du ler juillet). L'Allemagne et la Belgique ont suivi avec les lois des 14 juin et 14 juillet 1976, la Grèce avec la loi du 15 février 1983. Tous ces textes ont en commun la disparition de la prépondérance maritale. Mais, comme nous le verrons, la notion d'égalité reste équivoque. Il peut s'agir, soit d'une collaboration systématique des deux époux, avec les risques accrus d'intervention judiciaire en cas de désaccord, soit de la reconnaissance pour chacun d'une "sphère d'autonomie" qui rapprochera le statut de la femme mariée de celui de la célibataire ou de la personne vivant en union libre. L'intérêt familial n'y trouvera peut-être pas toujours nécessairement son compte.

214. Ces changements contribuent à accentuer un certain contraste avec les droits du proche-Orient et d'Afrique du Nord qui s'inspirent de la tradition coranique. Certes le Prophète s'est exprimé avec modération sur les rapports entre mari et femme. Le premier doit traiter la seconde avec "amour et ten-

1. Cf. D.C. Fokkema in "Mariage et Famille en question", "Evolution des structures juridiques aux Pays-Bas", 1980, p. 149 sv.
2. Cf. P. Dopffel ZrV. 1978 cit.
3. RTDC, 1968, pp. 68 sv.
4. Cf M.A. Guerriero, "La loi du 23 décembre 1985 relative à l'égalité des époux, *Annales de l'Université de Toulouse*, 1985 (t. 33), pp. 95 sv. Ph. Simler, Loi du 23 décembre 1985 relative à l'égalité des époux, Jurisclasseur Civil.

dresse". Rien dans le Coran ne s'oppose à l'exercice d'une activité professionnelle de la femme (c'était le cas de Khadija, la femme du prophète). Le mari ne peut imposer à son épouse la présence au domicile d'un de ses parents si celui-ci lui nuit. Il n'y a d'exception que pour les enfants mineurs (art. 69 C. syrien). S'il y a une pluralité d'épouses, elles ont un droit égal au logement. La seconde ne peut, en principe, être accueillie sans accord de la première (art. 68 C. syrien).

Les rapports n'en demeurent pas moins inégalitaires. Une disposition, comme l'article 39 de la loi algérienne du 12 juin 1984, rappelle celles du code Napoléon. Certes les époux doivent "contribuer conjointement à la sauvegarde des intérêts de la famille, à la protection des enfants et à leur saine éducation" (art. 36-2) ; mais la femme selon l'article 39 est tenue

"1/ d'obéir à son mari et de lui accorder des égards en sa qualité de chef de famille...

2 / respecter les parents de son mari et ses proches".

Dans le même sens,l'article 23-3 du Code de statut personnel tunisien a inscrit le respect des prérogatives maritales ; d'après un arrêt de la Cour de Cassation tunisienne de février 1962, il peut être sanctionné par la perte pour l'épouse de ses droits alimentaires. D'après les docteurs de l'Islam, la femme ne peut quitter le domicile conjugal en cas d'opposition du mari que pour rendre visite à ses parents ou pratiquer le culte[1]. En contrepartie, il n'y a pas réciprocité dans les charges du ménage et les obligations pécuniaires entre époux. La "nafaqa" (obligation alimentaire) incombe au mari, même si ses ressources sont inférieures à celles de la femme. Son montant se règle sur la situation du mari (art. 75 C. syrien, 74 Code algérien). Toutefois d'après certains droits, comme le Code tunisien, l'épouse dispose d'un recours judiciaire pour défaut d'entretien (art. 23-2)[2]. C'est là, nous le verrons, une source de difficultés en droit international.

Par contre, les législations d'Extrême-Orient rejoignent les tendances modernistes. Non seulement en Chine populaire, où la loi du 10 septembre 1980 proclame l'égalité des époux, et le droit d'utiliser librement les produits du travail (art. 9), mais dans les Etats comme la Corée (Code du 1er janvier 1960 revu partiellement par la loi du 31 décembre 1977) et la Thailande (loi de 1976). Ces législations se sont alignées sur la réforme du droit japonais et après-guerre. C'est ainsi qu'en cas de doute, tout bien acquis pendant le mariage est réputé être la copropriété des deux époux ; le Code coréen, depuis la réforme de 1977 prévoit même que dans une famille où il n'y a pas de fils, au

1. Cf. art. 38-1 Code algérien qui vise le droit de visiter et de recevoir "conformément aux usages et aux coutumes" .
2. Sur l'ensemble de la question cf. A.Y. Dennaoui, "La famille musulmane de certains Codes contemporains", thèse Paris 2, 1978 cit. pp. 137 sv. — G. Benmelha in "L'obligation alimentaire en droit international privé", Paris 1983 avant-propos J. Foyer, pp. 17 sv. — L. Hamdan, "Les difficultés de codification du droit de la famille algérien", RIDC. 1985, pp. 1002 sv.

nom de la continuité familiale, une fille peut recevoir la qualité de chef de famille"[1].

.SECTION II
LES EEEETS PERSONNELS DU MARIAGE

§ I. LA COMMUNAUTE DE VIE ET LE CHOIX DU DOMICILE CONJUGAL

215. La première obligation fondamentale qui distingue le mariage de l'union fictive ou simulée, est la communauté de vie. Elle est affirmée avec force dans la plupart des codifications européennes[2]. La notion s'entend avant tout, de l'habitation commune. Mais elle est beaucoup plus riche, dans le sens que lui a donné en France la loi du 4 juin 1970, car elle implique une entente physique et affective. Selon l'expression du Doyen Carbonnier, "Le logis étant commun, la présomption est que la table et le lit le sont également"[3]. Les rédacteurs du Code de 1804 avaient une vision beaucoup moins "conviviale" des rapports entre époux et plus hiérarchisée. Certes dès 1804 l'obligation réciproque de fidélité et d'assistance est en tête des devoirs conjugaux. La vie commune ne s'en réduit pas moins au choix du domicile par le mari et l'obligation pour la femme de le suivre de tous lieux (art. 214), corollaire de son devoir d'obéissance (213). D'autre part, le caractère légale et impératif de la cohabitation paraissait condamner toute convention entre époux qui y dérogerait pour instaurer une séparation consensuelle. C'est sur ces deux points que devait se produire l'évolution.

Il semble que dès avant la rédaction du code Napoléon, la jurisprudence des parlements avait reconnu à la femme une possibilité de résidence séparée au cours de mariage pour mauvais traitements ou hérésie du mari. Lors des travaux préparatoires, le Tribun Mouricault avait parlé d'une "sorte de délit de la femme" de vouloir bénéficier d'une résidence distincte quand le mari avait fixé le domicile. Mais comme nous l'avons signalé (supra n° 212), depuis 1808 la jurisprudence reprenait la tradition, et sans texte créait une autorisation de résidence séparée, distincte de la notion d'unité de domicile[4]. Elle avait égard aux conditions insuffisantes du logement familial, ou à une cohabitation injurieuse pour l'"épouse. C'était contrairement aux vœux des auteurs du code, organiser une "séparation judiciaire au petit pied". Ni la loi de 1893 accordant à la femme séparée de corps un domicile distinct, ni celles de 1938 et de 1912 qui avaient maintenu au mari le choix du domicile, mais organisaient un recours de la femme pour "dangers d'ordre physique ou moral" (loi de 1942), ne mettaient fin à ces décisions. Il y avait une distinction assez nette entre l'ini-

1. Cf. Kim-Chu-Suj "La position légale de la femme coréenne", *Revue de la Corée* (t. 17), 1985, p. 39 — sur les droits japonais et cinois, études de D.T.C. Wang, Genève, 1978 et 1982.
2. An. 215 C. Civ. français, § 1353 BGB. 58 C. Civ. espagnol.
3. Droit Civil, t. 2, édit. 1983, p. 89.
4. Cf. Y. Chartier RTDC. 1971, pp. 510 sv. — FL Gisserot, RTDC, 1979 - 724.

tiative et l'éventuel recours sur la fixation du domicile conjugal d'une part, la dispense de vie commune de l'autre[1]. Un arrêt "Langlois" de la 1re chambre de la Cour de Cassation[2] avait paru mettre fin à la distinction : la femme ne pouvait réclamer une résidence séparée pour elle et ses enfants, qu'en formant un recours contre le choix marital du domicile conjugal. Mais les arrêts postérieurs de la Cour de Cassation réintroduisaient de manière autonome la dispense de vie commune[3].

216. Les transformations législatives imposent de revoir les rapports en droit français entre choix du domicile et communauté de vie.

1. La loi du 11 juillet 1975 a remanié l'article 215 et supprime définitivement une prépondérance maritale maintenue encore en 1970 dans le choix de la résidence familiale. Il n'y a de résidence familiale que celle choisie d'un commun accord. Le choix commun n'interdit pas au mari et à la femme d'avoir des domiciles distincts pendant le mariage, notamment professionnels (art. 108 et art. 108-1 qui assimile la résidence séparée dans la procédure de divorce et de séparation de corps au domicile distinct).

2. Pour autant la distinction de domicile n'abolit pas l'exigence de communauté de vie. Selon le mot de Madame Martin-Serf[4], l'article 108 C. Civ. se contente de juxtaposer autonomie et cohabitation. La Cour de Cassation a dû rappeler que les deux notions sont distinctes et que quand il y a mariage, la communauté de vie est présumée[5].

3. La sanction de la communauté de vie est plus incertaine. Le problème se posera principalement si un des époux, débouté de sa requête en divorce, s'adressait à la justice pour tenter d'imposer à son conjoint la reprise de la vie commune. Il est prévu dans le droit actuel du divorce que le juge qui rejette la demande, peut se prononcer sur la question de la résidence familiale. Mais la tendance est hostile à tout procédé de contrainte. Ni le recours (très archaïque) à l'utilisation de la force publique, ni l'emploi de l'astreinte paraissent admissibles pour restaurer la vie commune. Le tribunal de Paris (18 octobre 1977) a déclaré que "le législateur soucieux d'instaurer une stricte égalité a supprimé

---

1. Cf. Cour Toulouse, 30 janvier 1961, D. 1961 — 325 note H. Roland, femme demandant à être affranchie de la communauté de vie, en restant au domicile conjugal que le mari avait déserté. cour Nancy. 9 février 1956 D. 1956 -147 Cour Paris. 10 juin 1958 - 735 note P. Voirin
2. 1er juillet 1969 - 2e esp. D. 1970 - 148 note le Calonnec J.C.P. 1969 16056 note Lindon.
3. Cass. 14 mars 1973, J.C.P. 1973 17430 note R. Lindon - Cass. 24 octobre 1973 D. 1975, note A. Bénabent.
4. Cf. A. Martin-Serf, "Du domicile à la résidence", RTDC, 1978, 535.
5. Cf. Civ. 1er, 8 mai 1979, D. 1979 I.R. 495 relatif aux charges du mariage — Civ. 2e 20 juillet 1987, Bullet. Cass. 1987 - 2 - n° 174, p. 100 — refus d'inscrire une femme mariée sur les listes électorales en Corse à la suite de son mari au motif qu'il n'est pas prouvé qu'elle ait une résidence distincte. L'arrêt est cassé, la communauté de vie étant la règle.

l'intervention de l'autorité judiciaire"[1]. Il est douteux, comme nous le verrons qu'un époux séparé puisse automatiquement "amener l'autre à récipiscence" en refusant de contribuer aux charges. L'exception "non adimpleti contractus" qui veut que la défaillance de l'un soit compensée par la non-exécution des obligations de l'autre ne joue pas de manière rigide dans l'exécution d'obligations légales. Tout au plus dans le cas d'un mari ayant fait l'objet de deux constats d'adultère et entretenant sa maîtresse à l'ancien domicile conjugal alors que la femme était domiciliée chez ses parents, la Cour d'Aix (22 juin 1978, cit.) a octroyé des dommages-intérêts par "atteinte à l'honneur de l'épouse" après une vie commune de vingt ans (distincts de ceux accordés à l'occasion d'un divorce selon l'article 266 C. Civ.). Il y a donc paradoxalement (hors le cas de réussite d'un divorce) une absence de sanction spécifique au respect de la communauté de vie, au moins sur le plan civil. En effet, l'article 357-1 C. Pén. punit l'abandon "sans motif grave" pendant plus de deux mois de la résidence familiale. Mais il faut que la femme ait été enceinte, ou que les parents, par leur départ, méconnaissent les obligations morales ou matérielles qu'ils ont envers leurs enfants.

4. L'impossibilité de sanctions automatiques pour défaut de vie commune oblige, semble-t-il, à revoir la vieille prohibition des pactes de séparation familiale. Elle tirait son origine à la fois de textes particuliers (comme l'art. 307 ancien interdisant la séparation de corps par consentement mutuel) et de dispositions beaucoup plus générales, telle l'article 388 (impossibilité de porter atteinte aux droits et devoirs du mariage). Une partie de la doctrine affirme la nullité de pareilles conventions[2] ; mais d'autres auteurs s'y montrent beaucoup moins hostiles. On peut faire remarquer que la condamnation de principe des conventions datait surtout d'une époque où on craignait la méconnaissance des prérogatives maritales[3]. Bien que l'article 1388 soit toujours en vigueur, une disposition comme celle de l'article 376-1 sur l'autorité parentale ou l'éducation de l'enfant fait allusion aux "pactes" que les parents ont pu conclure qu'ils vivent ou non séparés. Si dans le cas le plus grave de divorce, les conventions des époux sont obligatoirement soumises à homologation judiciaire, on pourrait prévenir une procédure contentieuse et ménager un espoir de réconciliation[4]. La Cour d'Aix-en-Provence, dans un arrêt du 15 septembre 1982[5] a reconnu indirectement la valeur d'un pacte de séparation amiable. Elle a refusé de voir une faute justificatrice du divorce dans le non-accomplissement commun pendant un certain nombre d'années, des obligations du mariage. Comme l'ont souligné les auteurs, le mariage est un "concours quotidien de

---

1. Cf. T.G.T. Paris 18 octobre 1977 et Trib. Inst. 9e Arrondis. Paris, 29 novembre 1977, J.C.P. 1978 — 18820 note R. Lindon — dans le même sens pour le refus de l'astreinte ou de la sommation, Cour Aix-en-Provence, 22 juin 1978 D. 1979 - 192 note J. Prévault, Cour Versailles 30 janvier 1979 J.C.P. 1979 - IV - 340
2. Cf. A. Bénabent, n° 166, sauf exécution spontanée - Ph. Malaurie n° 807 — avec plus d'hésitations J. Carbonnier n° 85.
3. Ainsi Trib. Civ. Hazebrouck, 8 novembre 1950 D. 1951-15 qualifiant le choix du domicile par le mari d'"ordre public" que la femme vive séparément sans ou avec son consentement.
4. Cf. Roland Tendler D.S. 1979, ch. 263 — A. Chapelle, "Les pactes de famille en matière extra-patrimoniale", RTDC, 1984 - 412 sv.
5. D. 1984 - 267 note plutôt critique C. Atias et A. Sériaux.

volontés". On peut en définitive sans doute s'inquiéter du relâchement d'une obligation aussi essentielle qui découle du mariage[1]. Mais on ne peut oublier que dès avant les réformes, la jurisprudence accordait assez facilement l'autorisation de résidence séparée. Il est difficile de concilier l'individualisme croissant de chaque époux et un minimum d'intérêt familial commun.

217. La vague de réformes qu'ont connu les pays d'Europe en 1975 et 1976 a fait disparaître pour ainsi dire partout la prépondérance maritale dans le choix de la résidence conjugale. Il en va de même aux Etats-Unis. Dès 1952, une cour de Maryland a déclaré caduque la possibilité pour le mari de fixer le lieu d'habitation commune, si la contribution financière de la femme au ménage était plus importante que la sienne (Blair v/Blair) ; et en 1973, la Cour Suprême de Massachusetts a admis que le refus de la femme d'accepter le choix du mari ne constituait plus une cause de divorce[2]. Au Canada, la loi du Québec du 19 décembre 1980, a refondu le livre 2 du Code 1866. Elle a ôté au mari la qualité de chef de la famille, pour donner aux deux époux le soin d'assurer ensemble la direction "morale et matérielle" de la famille. Ils choisissent de concert la résidence familiale[3]. En dehors des droits musulmans, il n'y a que dans certaines législations d'Afrique Noire qu'a subsisté la prépondérance maritale. Ainsi, selon la loi ivoirienne du 17 octobre 1964, c'est encore au mari qu'appartient le choix de la résidence conjugale (art. 60). L'abandon sans motifs que ferait la femme, déchargerait le mari de toute contribution aux charges. Des décisions ivoiriennes auraient même admis des sanctions pécuniaires, voir le recours à la force publique[4]. Ces situations tendent à devenir rares.

Les divergences d'avec le droit français apparaissent dans le recours judiciaire exprès offert par plusieurs législation s'il y a désaccord sur le choix du domicile conjugal et le relâchement possible de la cohabitation conjugale, pour mésentente persistante. Ainsi, la nouvelle rédaction de l'article 144 du Code Civil italien prévoit que le domicile sera fixé "selon les exigences de chacun et celles prépondérantes de la famille". La mésentente conjugale sera tranchée par le juge en faveur de la solution "la plus conforme à la vie familiale". Il pourrait recueillir l'avis des époux et des enfants de moins de 16 ans. L'attitude du conjoint qui méconnaîtrait la décision judiciaire permettrait de le rendre responsable (imputante) de conséquences d'une séparation[5]. Si le § 1353 B.G.B. se contente de préciser que la communauté de vie ne doit comporter "aucun abus" le nouvel article 91 de l'ABGB autrichien (loi du ler juillet 1975) précise que la justice est saisie en cas de transfert de domicile ou de demande de domicile séparé pendant le mariage. Les magistrats apprécieront les motifs respectifs des époux, et ceux qui seront les plus convaincants obligeront l'autre époux à s'y conformer. De plus des "menaces physiques" ou "motifs personnels graves" permettront au juge de prescrire un domicile séparé

1. Mr H.L.J. Mazeaud et M. de Juglart ont qualifié la "communauté de vie" de notion "vague et inconstante", cf. t. I - 3e vol., 6e édit. n° 1078.
2. Cf. M.A. Glendon. cit. p. 125.
3. art. 443 et 444 cf. J. Pineau, "Droit applicable au lendemain de la loi 89. "La famille", Montréal, 1982, p. 93-94.
4. Cf. M. Dumetz, "Le droit du mariage en Côte d'Ivoire", Paris, 1975, p. 110.
5. Cf. G. de Nova in "Mariage et Famille en question", Italie, p. 121.

pour les époux[1]. En Belgique, le remaniement des textes sur les effets du mariage par la loi du 14 juillet 1976 a introduit un recours judiciaire réciproque sur le choix de la résidence conjugale à défaut d'entente entre époux[2]. Le juge de paix tranchera, là encore, selon "l'intérêt de la famille" (art. 214).

L'intervention judiciaire ne se limite pas d'ailleurs au choix de la résidence commune du ménage. Elle est l'indice d'une détérioration des rapports personnels entre époux. Les exemples du droit comparé montrent que plutôt que d'imposer par la contrainte une cohabitation, le rôle du législateur sera plutôt de "prévenir les dégâts" résultant d'une mésentente. Soit que devant le refus de persister dans le maintien de la vie commune, le législateur organise la séparation de fait, soit qu'il donne effet aux conventions privées entre époux. L'exemple est donné par les Etats-Unis où la séparation "informelle" est un phénomène de masse. On a pu évaluer à près d'un million, le nombre de couples séparés qui obtiennent par la suite le divorce, et à 300 000 ceux qui se réconcilient. Rien qu'en Californie, le nombre annuel de séparations serait de l'ordre de 130 000[3]. Plusieurs droits européens prévoient (ce qui est un élargissement de l'ancienne dispense de cohabitation de la jurisprudence française) la possibilité pour les autorités judiciaires de prononcer la séparation. Ainsi, selon l'article 151 C. Civ. italien, "lorsque se produisent des faits qui rendent intolérables la continuation de la vie commune ou causent un grave préjudice aux enfants". La jurisprudence italienne reconnaît la validité du pacte de séparation, et une tendance analogue se dessine en droit espagnol depuis les réformes de mai 1975. Antérieurement les conventions alimentaires entre époux séparés, étaient frappées de nullité comme contraires à l'article 56 du Code Civil espagnol sur l'obligation de vie commune[4]. En Allemagne, le BGB admet implicitement la séparation puisqu'il constate que la cohabitation en cas d'"abus" ou "faillite" de l'union n'a plus de raison d'être, et qu'il règlemente les conséquences pécuniaires (§ 1361-12361a). En Belgique, la loi du 14 juillet 1976 permet au juge de paix d'ordonner la séparation avec des mesures temporaires non seulement quand un époux manque à ses devoirs, mais quand l'entente réciproque est "sérieusement perturbée"[5]. De plus en plus, la séparation apparaît comme l'alternative à ce que la Cour de Cassation italienne (arrêt du 7 mai 1976) appelle "la fin de toute communion matérielle et spirituelle entre les époux", même si parfois certains tribunaux s'en tiennent aux apparences[6].

---

1. Cf. F. Schwind, "I,a réforme du droit autrichien de la famille", R.D.C. Bruxelles, 1980, p. 37s et in "Mariage et Famille en question" : Autriche, 1980, p. 62.
2. Cf. F. Rigaux, in "Mariage et Famille en question", Belgique, p. 97.
3. Cf. Carol S. Bruch, "The Legal Impon of Informel Marital Separations : A Survey of Califomia Law", *California Law Review*, 1977, pp. 1015 sv.
4. Cf. C. Hernandez Tbanez, "Los alimentos en la separacion de hecho", *Revista general de legislacion*, 1981, p. 100.
5. Art. 223 1e et 2e - pour une application de ce texte Cass. Ier - 28 novembre 12986 RTDF -1987 - 318 note J.L. Renchon.
6. M. D. Dumusc, "Le divorce par consentement mutuel dans les législations européennes, Lausanne, 1980, cite ainsi une décision de Palerme, 11 mars 1974 ayant refusé de prononcer la séparation dans le cas d'un mari vivant habituellement chez sa maîtresse et ne retoumant à son domicile que pour "sauver la façade" cf. p. 130

§ 2. LES AUTRES DEVOIRS ET PREROGATIVES PERSONNELLES DES EPOUX (FIDELITE ET ASSISTANCE)

218. Si importante que soit l'obligation de vie commune, elle doit être complétée dans les rapports personnels, par la nécessité ou se trouvent les époux de s'en tenir à leurs devoirs de fidélité et d'assistance (art. 212 C. Civ.), le devoir de secours ayant un prolongement plus strictement pécuniaire.

1/ Il n'est pas nécessaire que le mariage repose en permanence sur des sentiments d'amour ou d'affection. Un arrêt de Cassation qui a eu quelque retentissement[1] a refusé devoir une cause de divorce dans des propos tenus par une épouse le jour de son mariage, suivant lesquels elle n'aurait contracté qu'une "union de raison". Tout au moins les époux doivent faire preuve de fidélité dans leurs rapports mutuels. L'article 17 de la loi du 11 juillet 1975 a supprimé en France (comme c'est d'ailleurs le cas dans la plupart des Etats européens, notamment en Allemagne et en Espagne) la répression pénale de l'adultère. Il reste toutefois (au moins en France) considéré comme un manquement grave aux obligations du mariage, susceptible d'être une cause de divorce (art. 242 C. Civ.). De plus l'époux offensé (indépendamment même de l'action reconnue par l'article 266 C. Civ.) pourrait agir contre son conjoint adultère et le complice, sur le fondement de l'article 1382 C. Civ. pour préjudice moral[2]. La réparation a paru assez longtemps n'avoir qu'une valeur symbolique[3].

Il est vrai que comme la communauté de vie, l'obligation de fidélité a pris une valeur plus relative. En droit français, elle a cessé d'être sanctionnée par une cause péremptoire de divorce depuis 1975. En droit comparé, la notion d'"échec irrémédiable" ou "faillite" de l'union estompe l'idée de faute. C'est moins l'infidélité que la "conduite déshonorante" d'un époux qui sera sanctionnée, comme dans le code suisse (art. 139) ou le Code Civil turc (art. 131). Dans l'interprétation que donne la Cour de Cassation turque,- il s'agit de comportements comme l'abus de confiance, le trafic de drogue, l'habitude invétérée du jeu[4]. Ailleurs ce sera surtout au niveau des conséquences alimentaires du divorce que réapparaît la sanction de l'infidélité du conjoint. Ainsi le droit allemand connaît la notion d'"injustice grossière" du créancier d'aliments après le divorce commise contre le débiteur (§ 1579). L'inconduite rentre dans ce cas. C'est ainsi qu'un jugement du Tribunal de Darmstadt du 19 avril 1979 a refusé toute pension à une femme qui, par sa liaison notoire avec son amant, avait ruiné la carrière de son mari[5].

---

1. Dallier, 2e Ch., 2 février 1972, D. 1972 - 295.
2. Cf. Cass. Civ. 2e avril 1979 D. 1980 IR 34 actions qualifiées de "in solidum" contre l'amant à défaut de sa femme.
3. Cf. le chiffre de 20 000 F à 80 000 F de dommages-intérêts alloués par Cour Paris, 5 juillet 1979 et 10 juin 1980 citée par R. Lindon et A. Bénabent, "Le droit du divorce", 1984, n° 1271.
4. Cf. M. Zwahlen, "Le divorce en Turquie : contribution à la réception du Code Civil suisse", Genève, 1981, p. 131.
5. Cf. F. Furkel, "La faute dans le divorce en droit français et allemand", RIDC, 1982, pp. 1176 sv.

219. 2/ La notion d'assistance est plus complexe dans la mesure où son aspect moral et affectif se sépare difficilement des conséquences matérielles[1]. Il faut d'abord l'entendre comme la volonté de "partager le pire" et pas seulement le meilleur dans le mariage. La situation matrimoniale ne doit pas dépendre d'événements, tels que l'état de santé ou l'emprisonnement du conjoint. L'article 509-1 du Code Civil traduit d'une certaine manière cette obligation d'assistance, en précisant que s'il y a ouverture d'une curatelle pour un époux, dûe à un affaiblissement physique ou mental, c'est son conjoint qui est curateur (pour autant qu'il y ait "communauté de vie"). L'obligation d'assistance implique qu'un des conjoints, connaissant l'état d'intempérance ou de toxicomanie de son partenaire dès avant le mariage s'efforce de le persuader de recourir à un traitement approprié (pour un rappel de ce devoir dans le cas d'un mari invoquant l'ivrognerie de sa femme comme cause divorce"[2]. Il est vrai que ce devoir d'assistance a ses limites dans l'obligation où se trouve le partenaire de se soigner. La jurisprudence, et notamment la Cour de Cassation a vu une faute constitutive de divorce dans la répugnance d'un conjoint à se soumettre à un traitement[3]. On ne peut d'autre part négliger le rôle que jouent les maladies mentales et même physiques dans les causes des séparations ou de divorce en droit comparé. "Sans parler du divorce pour altération mentale profonde des droits français et belge, il faut relever les particularités de la loi espagnole du 7 juillet 1981 ou des "principes Généraux" du droit de l'U.R.S.S. de 1968. Dans le premier cas, celui du droit espagnol (art. 82, loi 7 juillet 1981), la séparation peut être imposée par le juge si un époux a été condamné à une peine privative de liberté de plus de six ans ou reste sous l'emprise d'alcoolisme, toxicomanie, ou aliénation mentale exigeant dans l'intérêt de la famille, une suspension de la vie commune. Le droit de l'U.R.S.S. est beaucoup plus sévère : selon l'article 14 des principes du 27 juin 1968 et le code russe du 30 juillet 1969, un divorce non judiciaire devant l'officier d'état civil est possible pour incapacité à la suite de maladie ou débilité mentale comme pour une condamnation à un minimum de trois d'emprisonnement[4]. C'est une conception singulièrement relâchée de l'assistance conjugale.

Le second aspect de l'assistance est la nécessité où se trouvent les conjoints de ne pas rester dans une attitude hostile ou indifférente à l'activité ou aux difficultés professionnelles de leur partenaire. On a pu se demander si le manquement aux devoirs d'un époux ou le péril dans lequel se trouverait placé la famille n'autoriserait pas, même pour des mesures extra-patrimoniales, le recours à l'article 220-1. Cette disposition — créée par la loi du 13 juillet 1965 et faisant partie du statut dit "primaire" — permet une intervention du président du Tribunal de Grande Instance, pour recourir à

1. Cf. C. Philippe, "Le devoir de secours et d'assistance entre époux : essai sur l'entraide conjugale", thèse, Strasbourg, 1980.
2. Trib. Civ. Valence 16 mars 1955, D. 1955-585 note A. Breton.
3. Cf. Cass. 2C - 16 décembre 1963 D. 1964 - 227 et sur cette jurisprudence, G. Memeteau, "Le droit médical", Litec, 1985, n° 556.
4. Cf. J. Pousson-Petit, "Le démanage en droit comparé, Bruxelles, 1981, pp. 171 et 559.

"toutes mesures urgentes"[1]. Les travaux préparatoires révèlent que outre sans doute une organisation partielle de la séparation de fait, les auteurs du texte ont cru pallier le défaut d'entr'aide conjugale — Contrairement à certaines décisions ou tendances doctrinales, une interprétation restrictive ne s'impose pas[2]. Il est vrai que ces mesures ne peuvent avoir qu'un effet temporaire (maximum de trois ans prévu par l'alin. 3 de l'art. 220-1). Mais il semble que la pratique en fasse un usage plus large que ne le révèle la jurisprudence effectivement publiée[3].

De manière plus positive on peut se demander si la collaboration apportée par un époux à l'activité du conjoint appelle une rémunération spécifique. Certains droits sont en ce sens : ainsi le §94-2 nouveau du code civil autrichien distingue entre la "Berufsehe" et la "Hausfrauehe", l'union où chacun exerce une activité professionnelle, et celle où la femme n'a que des tâches ménagères. Un pareil cas lui assure une créance d'entretien (qui tient compte des ressources de la femme) exigible même en cas de séparation de fait et divorce aux "torts prépondérants" du demandeur. En toutes hypothèses l'apport à l'activité du conjoint entraîne une compensation spéciale[4]. De même le projet de réforme du Code Civil suisse relatif aux effets du mariage envisage pour l'époux au foyer le "droit à une part équitable de revenus que son conjoint ne consacre pas aux charges du mariage" (art. 164-2 cit.)[5]. Le même texte systématise le recours possible au juge si un époux néglige des devoirs de famille. Le droit français reste, jusque là, en retrait. Nous verrons que la jurisprudence sur les charges du mariage s'efforce de prendre en compte la contribution qui va au-delà des dépenses courantes. Le texte de l'article 280-1 accorde en cas de divorce une compensation spéciale à l'époux même fautif, si son défaut était "manifestement contraire à l'équité" compte tenu de la durée de la vie commune[6]. Les applications jurisprudentielles de cette disposition, reposant sur l'idée d'enrichissement sans cause, demeurent encore rares[7].

220. 3/ Les limites du devoir d'assistance entre époux se trouvent dans la nécessité de ne pas porter atteinte à la personnalité de chaque conjoint. Les principes nouveaux d'égalité des époux, le respect de l'identité et de la vie privée (art. 9 CC.) ne permettent plus comme jadis le contrôle marital[8]. La li-

---

1. Cf. A. Colomer, "Régimes matrimoniaux", 2e édit. — Litec, 1986, n° 136 sv. — Ph. Malaurie — L. Aynès, "Régimes matrimoniaux", n° 110-112 et "La famille" n° 810.
2. Cf. A. Colomer n° 136 et 140.
3. Cf. Les décisions citées dans J.M. Florand et O.L. Seguy, "L'urgence dans les régimes matrimoniaux" n° spécial, "couple et modernité", "Les Petites Affiches", 16 mai 1988, Colmar, 25 novembre 1983, mesures prises à l'encontre d'un époux ayant omis depuis plusieurs années de régler les impôts du ménage et achetant une propriété de 850 000 F — Trib. Rodez, ler février 1985, mari reprenant en mains un élevage de lapins dont la femme s'était totalement désintéressée.
4. Art. 98 Cf. F. Schwind in "Mariage et Famille en question", Autriche, 1980, p. 63.
5. Stenauer in "Mariage et Famille en question", Suisse, 1980, p. 23.
6. Sur ce texte cf. R. Lindon et A. Benabent, "Le droit du divorce", cit. n° 907 sv.
7. Cf. Cour Caen, 13 mars 1980 D. 1982, I.R. 38 — femme ayant collaboré à l'exploitation de la ferme pendant 17 ans de mariage, Cass. 9 mars 1983 D. 1984 - 17 note J. Massip.
8. Cf. art. 57 du Code espagnol : "le mari et la femme se doivent mutuellement respect et protection".

berté professionnelle est un principe général, particulièrement mis en relief dans les codes des Etats socialistes[1]. En U.R.S.S. le code du travail a prévu, qu'en cas de changement de poste de travail, la direction de l'entreprise doit permettre au conjoint d'obtenir une modification sans préjudice pour l'intéressé[2]. Dans les cas où l'exercice de l'activité professionnelle de la femme se trouverait encore soumis à une autorisation judiciaire ou maritale[3], le mari ne doit pas fixer un domicile de nature à contrarier la profession de la femme[4]. En droit français la liberté professionnelle est absolue depuis 1965. Le mari a perdu tout droit d'opposition. Il ne peut de même s'opposer aux activités politiques ou syndicales de son épouse, prétendre surveiller ses relations ou ses distractions[5]. L'enregistrement des conversations téléphoniques du conjoint serait certainement illicite, comme la surveillance de la correspondance depuis la loi de 1938[6]. La Cour de Cassation a toutefois admis, à l'appui d'une demande en divorce, qu'un mari pouvait faire état d'une lettre adressée à sa femme, qu'il avait décacheté "sans fraude et sans abus"[7]. Par contre la femme ne saurait avoir un comportement contraire à l'état de son mari ou faisant dépendre sa carrière et ses possibilités de promotion de sa propre situation[8].

C'est probablement au sujet des croyances et pratiques religieuses que risque le plus de se produire le heurt entre les convictions personnelles des époux et le devoir d'assistance (tout au moins dans les droits occidentaux de tradition chrétienne où le mariage n'est pas soumis à des impératifs religieux). Chaque époux a un devoir de respect des convictions de son conjoint et doit s'abstenir de proselytisme. Mais la jurisprudence française se montre assez sévère : la pratique religieuse, voire le "comportement mystique" ne doivent pas aller jusqu'à compromettre l'assistance que se doivent mutuellement les époux. Les arrêts témoignent d'une méfiance pour les pratiques assidues ou les conversions, et y voient parfois une injure grave constitutive de divorce. Il est vrai qu'elles sont assez souvent le révélateur de crises conjugales. Il n'est pas

1. Art. 23 Code polonais, 25 février 1964, 11 IV Code tchèque du 4 décembre 1963 : "chaque époux peut librement déterminer sa profession et son domicile".
2. Cf. Fr. Korkisch Ost-Europa, 1972, p. 17.
3. Art. 159 C. Civ. suisse et 167 C. Civil turc.
4. Cf. l'arret de la Cour de Cassation turque, cité par M. Swahlen, p. 159, de 1970, selon lequel une femme institutrice à Brousse ne pouvait se voir imposer un domicile à Istambul à 200 kms de distance — d'après un autre arrêt de 1977, le mari résident en Allemagne et n'ayant pas foumi à la femme et aux enfants des moyens suffisants pour le rejoindre, ne pouvait invoquer le divorce pour abandon conjugal.
5. Ce qui serait autrement une cause de divorce, Cass. 2e - 29 mai 1957 D 1957 - 480. Cf. Cour Caen, 25 juillet 1950 D. 1951-68.
6. Cf Cass. 2e - 26 novembre 1975 D. 1976 - 371 note critique Bénébent et sur le problème de la correspondance, cf. J. Carbonnier, cit. p. 112.
7. Cf. Civ. 2e 3 juillet 1963 D. 1964 Som. 5 - Civ. 2e - 2 octobre 1974 D. 1975. Som. 2 - volonté de la femme institutrice de faire dépendre le domicile et la profession de mari, ingénieur, de ses propres commodités
8. Cf. Cour Nîmes, 10 juin 1967 D. 1969 - 367 note J. Carbonnier — épouse catholique ayant adhéré à la secte des "Témoins de Jéhovah" et faisant défense aux enfants de rejoindre leur père — Cour Paris, 12 juin 1972, D. 1972 - 217 — femme absorbée par ses pratiques religieuses et "ne donnant pas à son mari l'attention et les soins qu'en raison de son âge il attendait de son épouse" - Cour Amiens, 3 mars 1975 D. 1975 — 707 nole Y. Geraldy", pour élevé que fut le mobile auquel elle a obéi, l'épouse a gravement violé les obligations du mariage en imposant la chasteté à son mari".

facile de concilier l'individualisme contemporain avec la solidarité conjugale (au sens le plus large).

Bibliographie :

Bibliographie générale sur les devoirs de communauté de vie et d'assistance :

Y. Chartier, "Domicile conjugal et vie familiale", RTDC, 1971, pp. 510 sv.
A. Bénabent, "La liberté individuelle et le mariage", RTDC, 1973, pp. 474 sv.
R. Nerson et J. Rubbelin, RTPC, 1975, pp. 292 v. - RTDC 1978 - 864.
M.C. Manigne, "La communauté de vie", J.C.P. 1976 - 2803.
C. Philippe, "Le devoir de secours et d'assistance entre époux : essai sur l'entr'aide conjugale", Strasbourg, Paris, 1980 - 1981.
A. Chapelle, "Les pactes de famille en matière extrapatrimoniale", RTDC, 1984,412 sv.
Fr. Korkisch, "Das neue Ehe une Familienrecht des Sowjetunion", 0st. Europe Recht, 1972, pp. 16 sv.
M.A. Glendon, "State Law and Family cit", 1977 - "Mariage et Famille en question", Angleterre, 1979, Autriche, 1980, Italie, 1982.
Dennaoui, "La famille musulmane en droit contemporain", Paris 2,1978.
M. Zwahlen, "Le divorce en Turquie : réception du Code Civil suisse", Genève, 1981.
J.M. Florand et O.L. Seguy, "L'urgence dans les régimes matrimoniaux", *Les Petites Affiches,* 16 mai 1988.

§ 3. LE MARIAGE ET LE NOM DES EPOUX

221. Jusqu'à une époque toute récente, le droit français du mariage se caractérisait par un contraste entre l'intérêt moral et sociologique qui s'attache au port du nom et le quasi "vide législatif" qui était la règle. Contrairement à certains exemples étrangers (puisque sur ce point l'U.R.S.S. avait légiféré dès le Code de 1926), la matière était pour l'essentiel abandonné à la coutume. Les rédacteurs du Code n'étaient pas intervenus et le texte révolutionnaire (décret du 6 Fructidor an II Contemporain de la création de l'état civil) gardait toute sa valeur. Officiellement le mariage ne devait entraîner aucune rupture dans le port originaire du nom de la femme inscrit à l'état civil. Elle était donc légalement désignée sous son nom de jeune fille dans les actes publics ou privés[1]. Mais un usage constant faisait que dans les relations avec les tiers, la femme était couramment connue sous le nom du mari. La jurisprudence avait admis que même séparée de corps, une femme mariée était en droit de défendre l'utilisation du nom marital à l'encontre de la maîtresse sur le fondement de l'article 1382 (Cour Paris, 10 mars 1961 D. 1961, Som. 70). L'hypothèse inverse était également concevable, quoique infiniment plus rare, à savoir, la

1. Cf. Cour Parts 17 septembre 1941, D.A. 1941 - 364 femmes faisant figurer son nom sur des médicaments - Trib. Seine, 19 janvier 1948 D. 1948 - 136 refusant que des quittances de loyers soient délivrées sous le nom du 2e mari.

possibilité pour le mari de faire suivre son nom patronymique de celui de son épouse[1]. Ce système avait été indirectement consacré par la loi du 6 février 1893. Par l'effet du divorce chacun reprenait l'usage de son nom (art. 299 ancien). En aucun cas, le patronyme maternel ne pouvait être transmis aux enfants. Il y aurait même eu une éventuelle infraction, résultant de la modification du nom paternel inscrit à l'état civil[2].

Tel quel, le système reflétait la conception du Code Napoléon, c'est-à-dire l'identification symbolique de la famille légitime en la personne du mari. La transmission du nom de la femme à la descendance n'était concevable que pour la seule filiation naturelle et encore les réformes postérieures devaient comme nous le verrons, s'efforcer de modeler la situation des enfants illégitimes sur celle des légitimes — Veuve, l'épouse bénéficiait encore de l'usage du nom du mari, mais le divorce le lui faisait perdre. Dans un important article paru en 1980[3]. Madame Gobert dénonçait ce "reliquat de patriarcat" et parlant de la réforme du divorce de 1975 qui désormais permettait à la femme de conserver le nom du mari en cas de rupture de vie commune, la qualifiait de "revanche sinistre pour la femme abandonnée". le désir de réformes ne s'était pourtant guère fait sentir tant que subsistait une certaine prééminence du mariage sur l'union libre et que divorces et remariages n'avaient pas pris leur ampleur contemporaine. Les progrès de l'union libre, l'égalité entre époux dans la plupart des domaines personnels et pécuniaires, la réforme de la filiation donnaient à penser que le droit du nom serait lui aussi modifié. Le désir a cru, semble-t-il, chez un certain nombre de femmes, de renoncer à l'usage du nom marital ou tout au moins d'éviter que par suite d'"expériences conjugales" des enfants de plusieurs mariages portent des noms différent[4]. A partir de 1976, plusieurs propositions parlementaires visaient à modifier le droit du nom, dans les rapports entre époux, et surtout à l'égard des enfants[5]. Le gouvernement a cru, dans l'état actuel des mœurs, devoir aller beaucoup moins loin dans les réformes, au risque de provoquer quelques déceptions. C'est finalement lors de la modification du droit des régimes matrimoniaux et de l'administration des biens des mineurs qu'a été introduit le "nom d'usage"[6]. Dans la mesure où le port du nom est le signe d'une certaine unité familiale, il est apparu difficile de concilier la tendance de tous les membres à suivre une dénomination commune et les désirs des femmes mariées d'être connues sous leur nom propre et de la transmettre à leur descendance. Entre les deux grandes tendances du droit comparé, liberté individuelle totale dans le choix du nom et adoption lors du mariage d'un nom de famille commun, le droit français, comme nous le ver-

1. T.G.T. Seine, 22 janvier 1960 D. 1961 Som. 1.
2. Cf. Trib. Correct. Seine 19 avril 1956 D. 1956 Som. 147 - Trib. Seine, 22 janvier 1960 cit.
3. "Le nom ou la redécouverte d'un masque", J.C.P. 1980 - 2966.
4. En ce sens la remarque de Mme Cacheux lors du colloque de Lille sur le nom en Décembre 1986 in "Laboratoire d'études et de recherches appliquées au droit privé de Lille 2, 1988, p. 18.
5. Notamment, une proposition Masson de 1985 voulant, par abrogation du texte de l'an 2, conférer un choix aux enfants entre le nom du père et celui de la mère - Cf. M.A. Guerriero cit.
6. An. 43 de la loi du 23 décembre 1985, complété par une circulaire du 26 juin 1986 et un arrêté du même jour sur la modification du livret de famille.

rons s'est rallié à une solution de compromis : la distinction entre nom patronymique et nom d'usage, avec le système de l'adjonction.

222.1/ La première tendance du droit comparé est de s'en tenir à un choix individuel total et variable quant au port du nom. C'est le cas des pays de "Common Law" anglaise. Une organisation lâche de l'état civil, que nous avons déjà rencontré à propos du mariage religieux, explique le moindre attachement à la fixité du nom. La femme a la possibilité soit de garder son nom propre, soit de prendre même en cours de mariage, celui de son mari. L'époux, sauf fraude, ne peut s'opposer à ce que sa femme porte son nom après divorce. Il n'y a pas lieu de distinguer entre nom patronymique et nom d'usage. Tout au plus existe une possibilité d'enregistrement au lieu de la résidence habituelle. La règle s'est imposée non sans quelques réticences aux Etats-Unis. En 1976 encore un arrêt de la Cour du Kentucky (Witlow) estimait justifié le refus de délivrance d'un permis de conduire à une femme mariée sous son nom de jeune fille. Le choix est aujourd'hui libre et symétrique, le mari pouvant prendre le nom de la femme comme dans le "Domestic Relations Law" de New-York de 1985[1]. Quant aux enfants, il est possible qu'ils aient un nom propre composé phonétiquement à partir de ceux des père et mère[2]. Au Canada, l'article 442 nouveau du code du Québec précise que "chacun des époux conserve son nom et exerce ses droits civils sous ce nom et prénom"[3]. La femme mariée peut toutefois adopter le nom du mari. Les enfants au choix, porteront le nom du père ou de la mère, voire un nom composé[4].

2/ La démarche opposée tend à lier la célébration du mariage à une déclaration en faveur d'un "nom de famille" commun qui pourrait être dans l'abstrait celui du mari ou de la femme. Un tel système a eu la faveur des Etats socialistes : art. 27-2 du "Code de la famille" roumain de 1954, § 7 du Code de la RDA de 1965, 11-1 des "Principes Généraux" du droit de l'U.R.S.S. A défaut de pareil choix, les époux conserveront leur nom antérieur. Toutefois, les mêmes législations (Roumanie, R.D.A.) admettent la possibilité d'un nom double comme certaines Républiques de l'U.R.S.S.[5]. Le droit de la RDA abrogé entendait ne faire qu'une place exceptionnelle au nom double, si l'un des époux, avant le mariage, avait acquis quelque renommée sous son nom propre[6]. Le choix fait au moment du mariage est en principe irrévocable. Toute modification éventuelle nécessiterait l'accord du conjoint.

---

1. Cf. M. Glendon, "Slate Law and Family", cit. pp. 128 sv. — D. Henrich, "Ehe ond Kindesname : Namenswahl oder Namensfuhrung Kraft Gesetzes" IPR-Praxis, 1987 (4), pp. 225-227.
2. Exemple cité par D. Henrich, le père s'appelant Skylar et la mère Ledbetter, l'enfant sera dénommé Skybetter.
3. Cf. J. Pineau, cit. p. 94.
4. Cf. J.L. Baudouin, Colloque Lille, cit. pp. 165 sv.
5. Russie blanche, Géorgie et Azerbaïdjan d'après M. Korkisch, Ost-Europa Recht cit. p. 17.
6. Cf. Kommentar zum Familien gesetzbuch - édit. Ministère de la Justice, Berlin-Est, 1982, 5e édit

Hors de la sphère des pays de l'Est, le droit le plus significatif relatif au nom est celui du B.G.B. allemand, dans sa version du 14 juin 1976[1]. Selon l'article 13a de la loi sur le mariage (Ehegesetz) l'officier d'état civil doit questionner les futurs époux sur le choix d'un nom conjugal commun (Ehename) qui peut être soit celui du mari, soit celui de la femme inscrit sur l'acte de naissance (§1355 al. 1 et 2). En l'absence de déclaration, le nom conjugal retenu sera celui du mari. Chaque époux est considéré comme ayant un droit personnel sur ce nom commun ; il survit à la séparation. En cas de décès ou divorce, le principe veut que chacun conserve ses droits sur le nom conjugal. La réforme de 1976 a fait disparaître la possibilité antérieure qu'avait le mari de s'opposer au port de son nom pour la femme (§1355-4). Toutefois, par déclaration authentifiée à l'état civil, le survivant ou chaque ex-époux en cas de divorce, pourrait reprendre son nom d'origine. Il pourrait être soit le nom originaire porté sur l'acte de naissance, soit le nom du précédent mari. Le droit allemand s'efforce donc de concilier l'unité du nom de famille et une relative liberté. La loi de 1976 ne paraît pas pourtant avoir réalisé l'égalité souhaitée. D'après Madame Furkel, le choix du nom de la femme comme nom conjugal n'a été réalisé au maximum, et encore dans les grandes villes, que dans 2 % à 5 % des cas[2]. Il paraît d'autre part quelque peu paradoxal qu'une femme mariée deux fois, divorcée d'avec son premier mari et veuve du second, puisse par la suite reprendre le nom de l'ex-premier mari. Un quiproquo fâcheux pourrait se créer à l'égard des tiers — Parallèlement au droit allemand, la loi autrichienne du 1er juillet 1975 sur les effets personnels du mariage a prévu, elle aussi, la possibilité d'un nom de famille commun qui serait le nom de la femme (§ 93 AGBGB). Toutefois ce "nom de la femme", ne peut être que son nom de jeune fille ou veuve, non celui d'un précédent mari en cas d'annulation du mariage ou divorce[3]. Les lois norvégiennes du 18 juin 1979 et suédoise du 1er janvier 1983 admettent elles-aussi le choix d'un nom commun lors de la célébration du mariage — Mais à défaut,les époux garderont leur nom antérieur. De manière générale, le nom conjugal des parents est transmis aux enfants légitimes[4]. Dans la pratique allemande et autrichienne, ce nom sera le plus souvent celui du père. La loi suédoise de 1983, comme la loi grecque de la même année (15 février 1983) laissent le choix aux parents entre le nom du père ou de la mère, voire même (en droit grec comme en droit américain) un nom composé à partir de celui des deux parents. La loi norvégienne de 1979 est sans doute une des plus "avancées", en précisant que si les parents gardent leur nom antérieur, et n'ont fait aucun choix dans les six mois de la naissance, l'enfant prend d'office le nom de famille de la mère[5].

3/ Il semble que lors du vote de la loi de 1976, le législateur allemand ait été conscient que la déclaration d'un nom commun lors de la célébration du

1. Cf. Fr. Furkel, "Les dispositions de la loi allemande du 14 juin 1976 relatives au nom : modèle pour une réforme du droit français ? RIDC. 1985, pp. 353 sv. et Colloque de Lille, cit. pp. 149 sv.
2. Pourcentage atteignant exceptionnellement 6 % à Duisbourg, ville à forte proportion d'immigrés ayant épousé une femme allemande — Cf. Colloque Lille, cit.
3. Cf. Fr. Schwind, RDIC, 1980, pp. 376-377.
4. §1616 B.G.B., 139 ABDG autrichien, art. 37 loi suédoise de 1983.
5. Cf. S. Kiefe, G.P. 1985, 2 - 209.

mariage ne jouerait pas nécessairement en faveur de la femme. D'où la possibilité reconnue par le §1355 alin. 3 — l'époux dont le nom n'a pas été retenu comme nom conjugal (le plus souvent il s'agit de l'épouse) pourra faire savoir à l'officier d'état civil que le nom conjugal doit être précédé de celui sous lequel il (ou elle) s'était fait connaître antérieurement (système du "nom d'accompagnement" ou "Begleitname). Il pourrait s'agir, soit du patronyme de naissance, soit de celui du précédent mari. Ainsi (exemple donné par Madame Furkel) Madame Ex-Schmidt, née Meyer et remariée avec Monsieur Schneider pourrait se dénommer Meyer-Schneider, voire Schmidt-Schneider (le nom de l'actuel mari étant obligatoirement second). Bien que le "nom double" soit pratiqué dans un certain nombre de cas (15 % de gens mariés) on a pu reprocher au législateur d'avoir omis de préciser les délais pour l'exercice de cette faculté, voire de permettre certaines fraudes par la confusion entre deux mariages successifs.

La complexité de la règle allemande montre surtout la difficulté de concilier les idées d'égalité des époux et d'unité du nom familial (le nom double n'est pas transmissible). Le droit italien, qui ignore l'unité de nom conjugal, permet également à la femme mariée d'adjoindre à son propre nom celui de son mari (art. 143 bis C. Civil italien). En cas de relâchement de la communauté de vie (par séparation consensuelle ou judiciaire), le tribunal peut interdire à la femme de "mésuser" du nom du mari ou à l'inverse lui permettre d'abandonner le nom double si elle y trouve quelque désavantage[1]. L'usage voulait classiquement que les enfants prennent le nom de leur père. La règle est apparue contraire à l'article 29 de la constitution italienne sur l'égalité des époux. Il est admis, sans textes, que les parents qui exercent en commun l'autorité sur leurs enfants mineurs (art. 316 Codice Civile) peuvent demander que le nom de la mère soit adjoint à celui du père par rectification de l'acte de naissance[2]. En Espagne, le Code Civil espagnol, dans sa version de 1982 (art. 178) a confirmé le port du nom double pour l'enfant, en première ligne celui du père, en second celui de a mère. L'enfant peut cependant demander qu'à sa majorité l'ordre soit inversé. La jurisprudence belge, de son côté, admet depuis un arrêt de 1967 le nom d'usage de la femme composé de son patronyme et de celui de son mari.

223. En comparaison des expériences étrangères, la réforme française reste modeste. Le législateur n'a voulu ni abroger les vieux textes sur le nom patronymique, ni dans une matière touchant à l'état des personnes, laisser la liberté de modifier le nom originaire. Tout repose sur la distinction entre le nom d'état civil et le "nom d'usage". Le premier subsiste, comme le rappelle la circulaire du 26 juin 1986 complétant le texte extrêmement sybillin de la loi du 23 décembre 1985. Comme par le passé, le mariage n'apporte aucune modification officielle au nom originaire des époux. Pas davantage un enfant légitime, ne peut être désigné à l'état civil sous le seul nom de sa mère. Il faudrait qu'il ait recours à la procédure de changement de nom, toujours en vigueur selon la loi du 11 Germinal an XI. Elle nécessite un décret du premier

---

1. Cf. G. de Nova in "Mariage et Famille en question", Italie, cit. p. 120 - G. Luther RabelsZ, 1978, 309.
2. Cf. Trib. Lucques, ler octobre 1984,11 *diritto di Famiglia*. 1985 -1068.

ministre, puis un avis du Conseil d'Etat[1]. Mais la loi de 1985, à côté du nom patronymique, crée le nom d'usage : "toute personne majeure peut ajouter à son nom, à titre d'usage, le nom de celui de ses parents qui ne lui a pas transmis le sien". S'agissant d'un mineur, cette faculté est mise en œuvre par les titulaires de l'autorité parentale" (art. 43). Le texte ne vise pas spécialement les époux et il faut se reporter à la circulaire. Le nom d'usage résultera soit d'une substitution, soit d'une adjonction. La substitution est propre à la femme mariée (non au mari ou aux enfants). Elle emprunte le patronyme du mari ou le nom d'usage de celui-ci qui aurait été composé avec le patronyme de ses deux parents (le beau-père et la belle-mère de la femme). Dans toutes les autres hypothèses, le nom d'usage suppose un nom composé, par adjonction d'un ou deux éléments au nom patronymique, l'intéressé ayant toute liberté quant à l'ordre de présentation (art. 123-2 Circulaire). Il peut s'agir soit du mari ou de la femme qui adjoignent à leur patronyme le nom de leur conjoint (deux éléments) ou utilisent le nom d'usage de leur partenaire composé du patronyme des deux parents (ainsi Monsieur Martin qui épouse Madame fille de Monsieur Durand et Madame Dubois pourrait s'appeler Martin-Durand-Dubois). Quant à l'enfant, l'opportunité de lui conférer un nom d'usage est un acte d'autorité parentale (art. 372). Il y aurait là encore adjonction d'un ou des patronymes des parents. Les textes ne tranchent pas la question de savoir si l'enfant pourrait avoir un "nom d'usage" par adjonction du patronyme de la mère, alors que celle-ci a usé de la substitution en faveur du mari. D'après la circulaire, le nom d'usage survit au veuvage ou au divorce en tenant compte dans ce cas des règles établies, par la loi de 1975. Le nom d'usage (à la différence des hypothèses étrangères pour la femme précédemment mariée) ne survit pas au remariage[2].

224. On peut, en premier lieu regretter qu'une source de droit français d'un rang aussi mineur que la circulaire ait réglementé le problème du nom des époux. D'autant qu'on a pu détecter une contradiction avec l'arrêté portant réforme du livret de famille[3]. La circulaire du premier ministre interdit toute mention du nom d'usage sur l'état civil. Les arrêtés du Ministère de la Justice et de l'Intérieur prévoient des indications possibles sur l'usage du nom double dans le livret de famille. La réforme avec la dualité du nom patronymique et du nom d'usage apparaît quelque peu un "trompe-l'œil". Aucun délai n'a été fixé pour l'adoption du nom d'usage. Il est précaire, parce que non transmissible (la femme qui utiliserait le patronyme de ses parents ne peut le transmettre aux enfants). Les administrations peuvent faire figurer le nom d'usage sur les cartes d'identité et les listes électorales[3]. Le nom d'usage par substitution est la consécration de la pratique antérieure. L'adjonction ne paraît guère pratiquée que dans certaines régions (corse, DOM-TOM) au profit des divorcées, voire de

1. Cf. pour un cas de ce genre où l'enfant d'une femme divorcée a pu prendre le nom de mère, malgré l'opposition du mari, il est vrai, d'origine étrangère, C.E. 9 décembre 1983 D. 1984-158.
2. Contra, J. rubbelin, RTDC, 1987 - 77 pour que le nom du précédent mari peut survivre dans la vie professionnelle.
3. Cf. R. Lindon et D. Amson, "Une gestation difficile : le nom d'usage", D. 1986-267.
3. Instruction du 1er août 1986 citée par Mme Signoret in colloque de Lille, cit., p. 79.

femmes célibataires qui ajouteraient à leur nom celui de leur mère[1]. encore, le nom d'usage antérieur sera-t-il assez souvent abandonné si la femme vit en union libre. Liberté et continuité familiales ne sont pas synonymes. La question devra certainement être revue en droit français.

Bibliographie :

Droit français :

Chroniques R. Lindon, D. 1986 - 82.
R. Lindon - D. Amson, D. 1986, 267 cit. J. Rubbelin, RTDC, 1987, pp. 67 sv.
Colloque du Laboratoire d'Etudes et de Recherches Appliquées au Droit Privé, Université Lille 2,15-16, décembre 1986, L.G.DJ., Paris, 1988.
M. Grimaldi, "L'attribution du nom", Répertoire Notariat, 1987, 34-117.

Droit étranger :

Fr. Schwind, "La réforme du droit autrichien de la famille" RDIC (Bruxelles), 1980,pp.376 sv.
Fr. Korkisch, Ost-Europa Recht, 1972, cit. pp. 16 sv.
G. Luther, "Die Reformen des Deutschen und italienischen Familienrechts in vergleich", RabelsZ, 1978, pp. 309 sv.
S. Kiefe, "Le nom patronymique à travers les frontières", G.P. 1985, 2, 509. M.A. Glendon, "State, Law and Family", 1977, cit.
D. Henrich IPR-Praxis, 1987, pp. 225-227.

SECTION III
LES EFFETS PECUNIAIRES DU MARIAGE

§ 1. LA SOLIDARITE FAMILIALE

L'expression ne doit pas être entendue ici au sens technique. De même que le mariage entraîne une égalité et une réciprocité de devoirs personnels entre époux, de même la constitution d'une famille provoque un minimum d'intérêts pécuniaires communs. Jadis inégalitaires, ceux-ci se modèlent aujourd'hui sur les rapports personnels, dans trois domaines : la contribution aux charges, le paiement des dettes ménagères, le droit commun sur le logement de la famille. Ce mouvement est toutefois contrarié par le développement de l'individualisme croissant des époux sur le plan professionnel. Les règles, dites de "régime primaire" établissent des "présomptions du pouvoir" individuelles. De plus en plus les époux — et nous verrons que la même tendance apparaît dans l'union libre — entendent profiter à la fois des avantages de la vie commune et d'un "célibat prolongé".

1. Cf. T. Biletta, "L'application de la législation", Colloque de Lille, p. 91.

A/ *La participation aux charges du mariage*

225. Si, dès 1804, le Code Napoléon inscrivait le devoir de secours, au côté de celui de fidélité et d'assistance, comme réciproque aux deux époux (art. 212), les précisions apportées montraient la même inégalité dans la répartition des charges que dans les autres devoirs des époux. Le mari, tenu "à titre principal" fournissait à la femme "ce qui est nécessaire pour les besoins de la vie selon ses facultés et son état". Celle-ci s'acquittait "selon ses apports en dot ou en communauté (ou sur ses biens personnels en régime séparatiste). Il fallut attendre la loi de 1942 pour que l'article 214 C. Civ. remanié parle d'une contribution "en proportion des facultés respectives". Le texte de 1965 visait encore une répartition diversifiée des tâches en précisant que la femme s'acquittait par son activité au foyer ou la collaboration à la profession du mari". La loi de 1975 a fait disparaître cette indication ; Elle paraissait encore trop proche de la formule bismarkienne "Kinder, Kirche, Kuchen (enfants Eglise — cuisine)[1].

La plupart des législations modernes européennes entendent la nécessité de faire face aux charges du mariage comme un devoir strictement égalitaire des deux époux. Il n'en va encore autrement que dans quelques droits comme la Suisse. En Suisse, le Code Civil continue de faire peser l'entretien du ménage sur le mari (art. 160). Cette obligation est indépendante de l'état de besoin de la femme, voire de sa conduite. La séparation de corps et même l'instance en divorce ne suspendraient pas l'obligation d'entretien maritale. En cas de séparation brève, ce serait au juge de la fixer. Toutefois il pourrait en être autrement s'il y avait de la part de la femme, abandon prolongé du domicile conjugal[2]. Plusieurs décisions de jurisprudence semblent avoir fait preuve de réticence dans l'hypothèse où la femme ferait valoir une créance d'entretien, alors qu'elle même "vit en ménage"[3]. Hors d'Europe, ce sont surtout les droits d'inspiration traditionnelle islamique qui s'en tiennent à la conception inégalitaire. Dans des régimes d'une règlementation séparatiste, le mari, seul, comme on l'a souligné est tenu à l'entretien même avec des revenus inférieurs à ceux de la femme. Des nuances séparent toutefois les écoles dites "hanafite" de Syrie et "malékite" d'Afrique du Nord. La première s'attache, pour déterminer le montant à la seule situation maritale ; la femme démunie aura une action oblique contre les créanciers du mari ou sera autorisée judiciairement à emprunter à un tiers (art. 110-2 - C. syrien), voire à réclamer la séparation. Au contraire, l'école "malékite" qui a notamment influencé la rédaction du code tunisien s'attache davantage à la comparaison des situations et l'évolution des besoins (art. 223-2 C. tunisien, art. 79 C. algérien qui interdit toute remise en cause de l'évaluation de l'entretien moins d'un an après un éventuel jugement). Le

1. Sur l'évolution générale, G. Ripert - J. Boulanger t. 1, n° 2128 - G. Marty, P. Raynaud, n° 214 - Ph. Malaurie - L. Aynès, "Régimes matrimoniaux", 1988, n° 90.
2. Cf. C. Noir-Masnata, "Les effets patrimoniaux du concubinage et leur influence sur le devoir d'entretien entre époux séparés", pp. 68 et 874.
3. Caractère abusif ou immoral de la demande selon un arrêt de la Cour de Genève du 20 octobre 1961 et de l'"Obergericht" de Zürich du 23 août 1973. Cf. Noir-Masnata, pp. 74-75.

droit tunisien admet même la participation de la femme et des poursuites civiles ou pénales pour abandon de famille. L'entretien marital est le plus souvent détaillé par les textes[1]. L'article 78 du Code de la famille algérien, comme l'article 50 du Code tunisien vise "ce qui est réputé nécessaire au regard de l'usage et de la coutume". Toutefois l'obligation maritale est subordonnée à la présence de la femme au domicile. Autrement elle ferait preuve d'insubordination (nuchaz) qui délierait le mari de ses charges[2]. Il faut remarquer qu'en droit algérien, l'absence plus d'un an sans entretien de la femme, comme le défaut de tout versement après un éventuel jugement de condamnation constituent des causes de divorce au profit de la femme (art. 53 1er et 5e). Les droits d'Afrique Noire restent proches de cette conception : le mari reste tenu du devoir d'entretien envers la femme et l'exécution en est garantie par la remise de la dot. L'obligation du mari est suspendue si la femme quitte sans motif le domicile conjugal[3]. Certains pays, comme le Sénégal, reconnaissent la possibilité pour les parties de fixer par convention, à défaut par le juge le devoir d'entretien en cas de séparation (art. 262-2).

226. Les perspectives sont tout autres dans les réformes européennes récentes des effets du mariage. Le BGB allemand, depuis la loi du 14 juin 1976, a fait disparaître toute prépondérance maritale. Selon le § 1357, les époux ont le devoir réciproque de satisfaire de "manière appropriée" les besoins de la famille. Le § 1360a les énumère : charges de la maison, besoins personnels des époux, devoir d'entretien des enfants communs. De plus un époux est tenu d'aider son conjoint à supporter les frais de procès même pour une affaire personnelle à celui-ci (1360a (4e)). La séparation ne met pas fin à l'obligation d'entretien sous forme de rente mensuelles (§ 1361). Toutefois le renvoi que fait le § 1361 au § 1579, concernant les pensions après divorce permet d'écarter dans certains cas le devoir d'entretien. La clause d'"équité" ou de "grande injustice" (Grobe Unbilligkeit) libère un époux s'il y a un "comportement délictueux" de son partenaire ou dénûment intentionnel. Pour le Bundesgerichtshof (arrêt du 23 avril 1980) l'époux qui quitte volontairement son conjoint pour s'installer irrégulièrement en ménage, n'est pas fondé à faire valoir sa créance d'entretien[4]. En Italie, la réforme de 1975 a défini une "obligation d'assistance matérielle" (art. 143 Codice Civile) plus étendue que les simples devoirs alimentaires vis-à-vis des autres membres de la famille. Elle fait l'objet d'un accord entre conjoints ; faute de quoi, chacun pourrait s'adresser à la "préture", tribunal du lieu de résidence familiale (art. 143-145). De plus, le conjoint collaborateur de l'"entreprise familiale" ("impresa familiare) se voit reconnaître le droit à une fraction des bénéfices. La séparation entre époux ne met pas fin aux versements périodiques (art. 156-1). Mais le conjoint responsable ne pourrait exiger plus que le simple nécessaire lié à l'état de besoin[5]. Le droit

1. Art. 71-1 C. syrien énumère les frais de nourriture, habillement, logement, soins médicaux.
2. Cf. sur ces questions A. Y. Dennaoui, pp. 150-160.
3. Cf. art. 59-3 Code de la Côte d'Ivoire cit. par P.G. Pougoue in "Encyclopédie juridique de l'Afrique", t. 6, 1982, pp. 208 sv.
4. Cf. C. Noir-Masnata, 1982, cit. p. 98 - G. Beitzke, "Familienrecht", pp. 79-80.
5. Cf. G. Bagrielli, "Les rapports patrimoniaux des époux" in "Mariage et Famille en question" : Italie, cit. pp. 169 sv. 188 - C. Noir-Masnata, pp. 108 sv.

autrichien se caractérise, on le sait, par la reconnaissance de la "créance ménagère" (art. 94-2 ABGB). Celui qui n'a pas les moyens de participer aux charges du ménage disposera du mandat de son conjoint pour les actes de la vie courante (art. 95). Le droit belge, depuis la loi du 14 juillet 1976, connaît des possibilités accrues de recours judiciaire. Si un époux ne contribue pas aux charges, l'autre peut se faire autoriser à percevoir les revenus de celui-ci par le moyen dit "de délégation de sommes" (art. 221)[1]. Par ailleurs, l'article 223 nouveau permet de suspendre la collaboration pour "manquement grave" aux devoirs d'un époux ou "entente perturbée". Dans un pareil cas, le juge peut prévoir une pension d'entretien. La jurisprudence la plus récente ne la fait pas dépendre de la preuve de la faute du conjoint[2]. Aux Pays-Bas, le Code de 1838 avait maintenu jusqu'en 1957 la suprématie maritale dans l'entretien du ménage. Depuis les époux doivent de manière égale, y consacrer les revenus communs, à défaut, utiliser leurs ressources personnelles. S'ils ont par accord mutuel licite, exclu la "communauté de vie" (pacte valable selon l'art. 85-2) le mari doit fournir à la femme des sommes suffisantes pour l'entretien du ménage. Enfin le droit anglais, longtemps réticent, s'est converti aux conceptions "continentales". Selon la tradition de la "Common Law", le mari devait seul pourvoir aux besoins du foyer. Il n'en allait autrement que dans des cas très exceptionnels (maladie ou incapacité de travail du mari). Depuis 1971 (date d'entrée en vigueur de "Matrimonial Proceedings and Property Act" complété en 1973), les époux sont sur un pied d'égalité. En cas de défaillance d'un époux quant à sa contribution aux charges, les magistrats spécialisés ("Domestic Proceedings and Magistrale"s Courts) peuvent le condamner soit à des versements périodiques, soit même à une contribution en capital. Dans une affaire "Donalson v/Donalson" (1958), la "High court" a eu à connaître du cas d'un mari non divorcé, qui touchant une pension, négligeait tout entretien du foyer conjugal. Logeant chez sa maîtresse, il lui avait créé un capital (un élevage de visons) grâce aux accumulations des arrérages de sa pension. La "High Court" a condamné le mari à verser tous les reliquats non investis au profit de son épouse[3].

227. En droit français, la rédaction des articles 212 et 214 C. Civ. appelle la réponse à plusieurs questions.

1/ De quoi tout d'abord peuvent être tenus réciproquement les époux ? L'article 212 vise le "devoir de secours", l'article 214 la "contribution aux "charges du mariage"". La doctrine avait à l'origine tendance à confondre les deux notions, en voyant seulement dans les rapports entre époux une modalité particulière de l'obligation alimentaire dont sont tenus les membres de la famille pour ne pas laisser leurs proches dans le besoin[4]. Il y a pourtant bien,

1. Cf. Fr. Rigaux, cit. p. 97
2. Cf. Cass. 1er - 28 novembre 1986 RTDF, 1987 - 318 note Renchon, cit., n° 217 *supra*.
3. Décision citée par C. Noir-Masnata, pp. 120 et 134 - Comparer K.J. Gray in "Mariage et Famille en question", Angleterre, pp. 51 sv.
4. Cf. G. Ripert, J. Boulanger, t. 1, n° 2128 - H.L.J. Mazeaud et F. Chabas, édit. 1976, cit. pour qui le devoir de secours n'a qu'une valeur morale, et la contribution aux charges un simple problème de répartition entre époux).

semble-t-il, une différence de degré, sinon de nature. Dans un cas comme dans l'autre, les charges comme le secours s'effectuent sous forme de versements périodiques, mais la notion de secours paraît représenter un minimum : l'état de besoin, voire de détresse d'un conjoint qui ne disposerait d'aucune ressource propre. Un pareil cas ne serait guère envisageable que dans une situation de crise matrimoniale (époux séparé sans travail) ou, le mariage dissous, comme un reliquat des devoirs antérieurs des époux. Le plus souvent le devoir de secours est "recouvert" voire dépassé par la contribution aux charges. Un époux est tenu de fournir à l'autre tout ce qui correspond au train de vie ordinaire du ménage ; il faut entendre par là non seulement les dépenses personnelles des époux, mais éventuellement ce qui englobe l'entretien des enfants[1]. La jurisprudence s'est efforcée de distinguer la contribution aux charges du devoir de secours, ne la faisant pas dépendre l'état du besoin. L'époux, qui a des ressources propres provenant d'un capital qu'il ne peut "mobiliser" ou qui s'en procure par son travail n'est pas moins fondé à réclamer à son conjoint une contribution aux charges. Un important arrêt de Cassation a cassé une décision de la Cour de Rennes qui s'était fondé sur l'absence de besoin du créancier (en l'occurrence une femme séparée de son mari dont les biens étaient "immobilisés") pour lui refuser toute contribution[2]. L'époux débiteur ne saurait se soustraire à cette obligation, en alléguant que le travail de son conjoint lui procure le nécessaire. On a même vu, dans l'exercice de l'article 214 une action procéduralement distincte, devant le Tribunal d'Instance de celle de l'article 212. Celui qui a agi en contribution aux charges du mariage ne pourrait subsidiairement invoquer le devoir de secours[3].

228. 2/ A partir du moment où la jurisprudence s'efforce de détacher la contribution aux charges de fondement alimentaire, elle présente une singularité quant au mode de règlement et au régime juridique. Le procédé normal est l'exécution régulière et spontanée par chaque époux en puisant sur ses revenus et "en proportion de ses facultés" (art. 214). Depuis la réforme du 23 décembre 1985, où la femme en régime de communauté dispose de pouvoirs égaux à ceux du mari, elle pourra directement contribuer aux dépenses par prélèvement sur les biens communs, sans avoir, comme dans le passé, à remettre des sommes entre les mains du mari. D'autres procédés sont d'ailleurs concevables en régime séparatiste. Le code civil lui même a prévu un aménagement, conventionnel par contrat de mariage (art. 1537), un époux ne pouvant d'ailleurs à l'avance s'affranchir de la totalité des charges. La jurisprudence a hésité dans le passé à admettre que les époux pourraient se lier contractuellement en dehors du contrat de mariage, le caractère immuable d'un pareil accord s'accordant mal avec la variabilité des charges et des revenus. La Cour de Cassation l'a pourtant admis à l'occasion d'une dissolution de la communauté

1. Dans le sens de cette interprétation, A. Colomer, "Régimes matrimoniaux", 2e édit., 1986, n° 105 - Ph. Malaurie et L. Aynès, "Les régimes matrimoniaux", 1988, n° 91.
2. Cf. Cass. 1er - 23 juin 1970, D. 1971 - 162 note C. Larroumet, Cour Rouen, 9 janvier 1974, D. 1974 - 545 note C. Larroumet - Cour Caen, 13 mai 1974, D. 1975 Som. 43 - Cass. 24 octobre 1977 D. 1978 - T.R. 66 - Cour Rouen, 31 octobre 1985 G.P. 1986 - 2 Som. 284
3. Cf. Cour Rouen, 31 octobre 1985, cit.

et d'un changement de régime "sous réserve pour chaque époux de faire varier le montant en considération de la situation des parties"[1].

La contribution aux charges du ménage et à l'entretien des enfants n'étant pas fondée sur le "seul" état de besoins, un époux paraît en droit de réclamer à l'autre le montant non versé de la contribution pendant plusieurs années. L'adage classique en matière alimentaire — que nous retrouverons — "aliments ne s'arréragent pas" n'a pas à recevoir application ici. Il n'y a pas à présumer une renonciation tacite fondée sur l'absence de besoin[2]. Un des époux en cas de défaillance pourrait opérer un prélèvement sur un capital : la Cour de Cassation a admis dans le cas d'un régime séparatiste que si les époux avaient indivisément acquis un immeuble, puis l'avaient revendu, le mari faute de la contribution de la femme aux charges pendant plusieurs années avait pu se faire remettre la totalité du prix de vente de l'immeuble[3]. A l'inverse un des conjoints serait mal fondé de se dépouiller à l'avance d'un capital pour invoquer par la suite son incapacité de contribuer aux charges. Ce serait une forme de fraude aux droits de son partenaire[4]. L'inéxécution sera la plus sanctionnée par le recours au juge d'instance suivant la procédure spécifique des articles 1282 et sv. C.P.C. (Code de procédure civile). Sur la demande écrite ou verbale des intéressés au secrétariat-greffe, le greffier les convoque. Les époux doivent se présenter en personne (art. 1283). Le juge d'instance rend alors une décision exécutoire à titre provisoire et susceptible de modifications (art. 1281-1285 C.P.C.). Comme nous le verrons les modes de recouvrement des pensions alimentaires ont été étendus aux contributions aux charges (art. 15, loi 75-618 -1 1 juillet 1975). La jurisprudence, après avoir d'abord refusé de faire jouer au profit des charges, le régime de faveur prévu pour les indexations d'aliments par l'ordonnance du 30 décembre 1958, dans son article 79-3[5] l'admet aujourd'hui, semble-t-il, sans problèmes[6].

3) La notion de "charges du mariage" doit être précisée. Elles ne sauraient se réduire au minimum que constituent des dépenses comme l'habillement, la nourriture ou les frais médicaux, ce qui constitue pour Monsieur Malaurie, le "socialisme de souris"[7]. Il faut y comprendre des dépenses, même élevées, qui seraient en rapport avec la condition sociale des époux (croisières à l'étranger) comme certains frais spéciaux (par exemple ceux occasionnés par les dommages dont les enfants sont à l'origine et qui entrainent réparation[8].

---

1. Cf. cass. 1er, 3 février 1987, Bullet. Cass. 1987 - 1 - n° 41 Répert. Notariat 1987 33978 note J. Massip.
2. Cass. 2e 29 octobre 1980, JCP, 1981, 19665 note Jambu-Merlin, Angers, 6 octobre 1983, J.C.P. 1985, 4, 91.
3. Cf. Caillet, cass. 1 - 7 juin 1974 D. 1975 - 461 note R. savatier
4. Cass. 1er novembre 1984, Bullet. Cass. 1984 - 1 - n° 296.
5. Cour Versailles, 2 juillet 1982, D. 1983 T.R. 176.
6. Cf. cass. 2e - 13 janvier 1988, Bullet. Cass. 1988 - 1 - n° 164 G.P. 1988 som. 188 contribution en fonction de l'indice des prix à la consommation).
7. A propos d~un arrêt de la Cour de Paris du 17 février 1966 D. 1966 - 547 rejetant une demande en contribution au motif que "les besoins du mariage étaient surabondamment satisfaits" et "qu'il ne pouvait y avoir accroissement de la fortune du bénéficiaire".
8. Cf. Cass. Civ. décembre 1963 D. 1964 159 note P. Voirin.

Deux questions restent délicates : la première est de savoir si les impôts doivent être inclus dans les charges du mariage. "Fiscalistes et civilistes" s'opposent à ce sujet. Les premiers ont été mués par le souci d'étendre la matière imposable. Le Code des Impôts (art. 6) considérait originairement le mari comme seul tenu, et le Conseil d'Etat avait refusé d'assimiler l'impôt à une contribution aux charges du mariage[1]. Cette position devait se modifier avec le décret du 2 mars 1938. Désormais chaque époux devenait solidairement responsable des impositions assises au nom de son conjoint (art. 1685 G.G.I.). La loi de finances de 1980 instaurait la signature obligatoire de la femme sur la feuille d'établissement des revenus[2]. Par contre si certaines juridictions civiles en ont tiré la conséquence que les impôts figurant dans les charges du mariage[3], la majorité de la jurisprudence s'y refuse. "L'impôt sur le revenu est une charge directe, étrangère aux besoins du ménage". La contribution aux charges ne peut être calculée qu'après déduction des impôts[4].

D'autre part, on a pu se demander (pratiquement en régime séparatiste où il n'y a pas partage de biens communs) si un époux, par sa participation à l'activité professionnelle de son conjoint n'est pas allé au delà de sa contribution aux charges du mariage, et de ce fait, aurait droit à certaines contre-parties. Le problème, qui n'avait jamais été prévu par un texte, est apparu, semble-t-il, avec un arrêt de la Cour de Rouen du 16 juillet 1936[5]. Un conjoint en effet, sans qu'il y ait entre époux un contrat de travail exprès dont la validité est aujourd'hui reconnue, a pu renoncer à sa propre carrière pour sa consacrer plus ou moins complètement à celle de son conjoint (ex. de la femme de commerçant ou de médecin). La Cour de Rouen (et le raisonnement devait être repris postérieurement par la Cour de Cassation) se fondait sur l'enrichissement sans cause pour admettre le versement d'une indemnité à l'époux après divorce[6]. Il faudrait bien sûr que les conditions en soient réunies, c'est-à-dire une activité sans rapport avec l'assistance normale d'un conjoint l'appauvrissement du demandeur et un enrichissement corrélatif du défendeur surtout l'absence d'intention libérale dans l'activité. C'est de dernier élément qui a permis de sauver de la nullité qui frappe les donations déguisées (art. 1099 - 2e) des acquisitions faites pendant le mariage par l'un des époux à l'aide des deniers fournis par l'autre. Il peut y avoir dans un pareil cas, pour la Cour de Cassation, volonté de "rétribuer l'aide morale et matérielle apportée au foyer"[7]. L'évaluation de la demande d'indemnité doit se faire au moment du divorce "en raison de

1. C.E. 29 mars 1930 D.H. 1930 - 320.
2. Cf. D. Mardesson, "Le couple et l'égalité devant l'impôt sur le revenu", *J.C.P.* 1987 - 3294.
3. Cf. Cour Versailles, 7 décembre 1979 G.P. 1982 - 1 - Som. 91 refusant après divorce la compensation entre le paiement par le mari des impôts de son épouse et le paiement par la femme d'une prime d'assurance sur l'immeuble du mari.
4. Cf. Cass. 1er 22 février 1978, D. 1978 - 603 note D. Manin - Cour Versailles 30 juin 1988, D. 1988 I.R. 254 G.P. 1988 Som. 448. . D.P. 1938 - 2 - 89 note M. Nast.
5. D.P. 1938 - 2 - 89 note M. Nast.
6. Cf. Cass. 1er - 9 janvier 1979 et 30 mai 1979 D. 1981 - 241 note A. Breton, *J.C.P.* 1979, 4 - 255.
7. Cf. Cass. 1er - 24 octobre 1978, *J.C.P.* 1979, 19220 note J. Patarin - Cass. 1er - Mai 1981 *J.C.P.* 1981 - 4 - 281 Cass. 1er - 28 février 1984, Bullet. Cass. 1984 - 1 - n° 78.

l'impossibilité morale pour la femme d'agir antérieurement contre son mari[1]. Mais on voit mal à une époque d'égalité des époux et de rétrécissement du devoir d'assistance comment une autre technique serait possible.

4/ Il reste à savoir si la contribution aux charges peut survivre au défaut de communauté de vie pendant le mariage. La plupart des législations étrangères récentes se refusent, on le sait, à appliquer aux relations entre époux le principe contractuel de l'exception d'inexécution qui voudrait que faute de cohabitation dûe à l'attitude d'un des époux, son conjoint soit dispensé des obligations pécuniaires du mariage. Il n'en demeure pas moins qu'il peut être fait échec à une action d'entretien qui aurait un caractère "illicite ou immoral". Un époux ne peut se voir condamner à faire vivre le "pseudo-ménage" de son conjoint[2]. La position de la jurisprudence française est nuancée. Tant que dure le mariage, l'absence de vie commune n'est pas un obstacle à l'application de l'article 214[3]. Toutefois la Cour de Cassation approuve les juges du fond de "tenir compte des circonstances". C'est ainsi qu'un important arrêt a rejeté un pourvoi formé contre une décision de la Cour de Nîmes : celle-ci avait refusé d'accueillir une requête de contribution aux charges contre le mari, formulée par une femme mariée, mais séparée depuis trente deux ans et vivant en union libre[4]. L'acceptation ou le rejet de l'action en contribution dépendra le plus souvent, non de la simple constatation du départ du domicile commun, mais d'un délicat problème d'imputabilité : la responsabilité du créancier à l'origine de la rupture[5]. C'est ainsi que le fait que le mari et les cinq enfants après le départ de la femme du domicile conjugual se soient maintenus sur les lieux de l'immeuble indivis a pu représenter leur part de contribution aux charges et a rendu irrecevable la réclamation de la femme pour une indemnité de jouissance privative[6]. S'il n'est pas considéré comme en ayant eu seul l'initiative, il serait toujours fondé à invoquer l'article 214[7]. La question reste ouverte de savoir si, à défaut de pouvoir invoquer l'article 214, l'époux (comme c'est parfois le cas à l'étranger serait en droit de réclamer le "minimum alimentaire" au titre de l'article 212, c'est-à-dire du devoir de secours. La réponse parait peu douteuse, en l'absence de cause légale de déchéance : l'article 212 serait applicable jusque dans la période d'instance en divorce, avant la dissolution définitive du lien. Toutefois le fait qu'il vive en union libre et dispose de ressources propres pourrait constituer une fin de non-recevoir. A l'inverse, le "faux ménage" de

1. Cf. Cass. 1er - 26 octobre 1982, *J.C.P.* 1983 - 19992 note F. Terré - femme d'un chirurgien ayant pendant dix ans rendu les services d'une infir mière anesthésste sans rémunération.
2. Cf. *supra*, n° 226.
3. Cass. Civ. 1er - 14 mars 1973 D. 1974 - 453 note Ph. Rémy, Cass. 1er - 27 octobre 1976, D. 1977 T.R. 24.
4. Cf. Cass. 1er - 8 mai 1979 Bullet. Cass. 1979 - 1 - 110, D. 1979 T.R. - 495 note D. Manin, *J.C.P.* 1979 - 4 - 228 — dans le même sens, Cass. 1er - 16 février 1983 D. 1983 T.R. 348 com. D. Martin - G.P. 1983 - 2 Panor. 259 comment. M. Grimaldi Cass. 1er - 16 octobre 1984 et Cour Versailles, 5 décembre 1984 D. 1985 T.R. 305 com. D. Martin Cour Versailles, 6 juin 1986 D. 1986 T.R. 310.
5. Cf. comm. Grimaldi sous Cass. 16 février 1983, cit.
6. Cass. 1er, 6 mars 1990, Bullet. Civ. 1990, 1, n. 61, D. 1990, T.R. 77.
7. Cf. Versailles 6 juin 1986, cit.

l'époux débiteur, par les économies qu'il lui permettrait de réaliser serait à prendre en compte dans le calcul de sa contribution aux charges[1].

Bibliographie :

C. Philippe, "Le devoir de secours et d'assistance entre époux", thèse, Strasbourg, 1980, cit.
C. Hernandez - Ibanez, "Los alimentos en la separacion de hecho", *Revista General de legislacion*, 1981, pp. 90 sv.
— "Mariage et Famille en question" : Allemagne, Italie, Belgique et Pays-Bas, 1980-1981, cit.
C. Noir-Masnata, "Les effets patrimoniaux du concubinage et leur influence sur le devoir d'entretien entre époux séparés", Genève, 1982.

B/ *Le sort des dettes ménagères*

229. En dehors de la participation aux charges, le traitement particulier réservé aux dettes ménagères, quel que soit le régime matrimonial est le témoignage le plus manifeste de l'union des intérêts que crée le mariage. Il n'est pas indifférent de constater que beaucoup plus que dans des régimes d'inspiration communautaire, c'est dans un contexte "séparatiste" qu'est apparue la nécessité de corriger une gestion et une responsabilité aux dettes trop individuelle, sinon trop inégalitaire. Un des premier textes étrangers à l'avoir admis est, semble-t-il, la loi danoise du 18 mars 1925. Alors que le régime légal est celui d'une "communauté différée au partage" (en réalité séparatiste pendant le mariage) l'article 11 de ce texte reconnaît à chaque époux le pouvoir de contracter seul et d'engager le conjoint pour "les actes nécessaires à l'entretien du ménage et des enfants qui sont habituels dans la famille de même niveau social"[2]. Beaucoup plus que par la construction du mandat domestique, qui n'engage que le seul mari pour les dépenses de la femme, c'est la jurisprudence française élaborée en régime conventionnel séparatiste qui a été l'origine de la réforme de 1965. La Cour de Cassation, pour les fournitures de toilette ou de ménage avait admis que les créanciers puissent poursuivre solidairement les deux époux, pourvu que les dépenses ne fussent pas excessives au regard des ressources du ménage[3]. Les rédacteurs de la loi de 1965 n'ont eu qu'à étendre cette jurisprudence au régime légal par la nouvelle rédaction de l'article 220. Chaque époux se voit reconnaître un pouvoir autonome pour passer les contrats ayant trait à "l'entretien du ménage ou l'éducation des enfants". Mais toute dette contractée par l'un oblige l'autre solidairement. L'originalité de la disposition ressortait beaucoup plus dans le texte originaire des régimes matrimoniaux (loi du 13 juillet 1965) que lors de la réforme du 23 décembre

---

1. Cass. 1er - 21 décembre 1981 D. 1982 - T.R. 238 com. D. Manin, *J.C.P.* 1982 - 4 96.
2. Cf. cité in Rapport A. Leuck et R. Evis, "Le statut matrimonial et la vie internationale", 75e Congrès de Notaires de France, la Baule, 1978, n° 416.
3. Cf. Cour Paris, 8 juillet 1925 et Trib. Seine, 2fi décembre 1925 D.P. 1925 - 2 - 78 note M. Nast "Société Patou", Cour Montpellier, 3 novembre 1925 D. 1927 - 2 - 16 Cass. Req. 31 octobre 1934 D.H. 1934 - 587 et Chron. R. Savalier, D.H., 1935 - 25.

1985. Si le texte de l'article 220 n'a, en effet, subi qu'un léger remaniement, la possibilité pour la femme d'engager la communauté par ses dettes — exceptionnelle en 1965 — est devenue la règle dans la nouvelle version de l'article 1413. Il reste que l'article 220 appartient à ce qu'il est convenu d'appeler le "régime primaire" ou "statut impératif de base" (A. Colomer) appelé à jouer sous tous les régimes. Le créancier dans l'exercice de ses poursuites n'aura pas à distinguer les biens propres ou personnels de l'époux du chef duquel est née la dette, de la masse commune et même des biens propres ou personnels de son conjoint. Ce n'est qu'entre époux qu'il y aurait un problème de contribution. Les dépenses ménagères rentrent d'autre part dans le passif définitif de la communauté (art. 1409). Elles créent un droit à récompense pour celui qui se serait acquitté sur ses biens propres[1].

230 1/ la solidarité qui résulte de l'article 220 est d'ordre public. Elle échappe à tout aménagement conventionnel ou faculté de retrait comme autrefois le mandat domestique qui était conféré par le mari. Il est toutefois admis qu'un époux aurait, au titre des mesures urgentes et temporaires de l'article 220-1 (jusqu'à trois ans) la faculté de saisir le président du Tribunal de Grande Instance pour faire interdire à son conjoint des dépenses inconsidérées[2]. Une telle faculté semble n'exister dans la pratique qu'indirectement, pour violation du devoir d'assistance[3].

2/ Les rédacteurs de l'article 220 n'ont pas précisé l'étendue de la solidarité quant aux dépenses relatives à l'entretien du ménage et l'éducation des enfants. "Le rapporteur a entendu exclure des dépenses de caractère purement somptuaire, comme le placement d'un enfant dans les cours privés très coûteux, voire l'acquisition d'une automobile (mais est-ce toujours le cas ?)[4]. Une partie de la doctrine[5] veut englober dans la solidarité non seulement les dépenses courantes, mais d'agrément. La jurisprudence semble s'attacher au critère de la prévoyance familiale : ainsi les dettes locatives et charges à usage d'habitation principale[6]. La solidarité jouera pareillement pour les paiements de cotisations de caisses de retraite, au moins celles qui ont un caractère obligatoire[7] pour la souscription d'une police d'assurance complémentaire contre la maladie[8]. La Cour de Cassation a déclaré que l'art. 220 a "vocation à s'appliquer à toute dette même non contractuelle, ayant pour objet l'entretien du ménage et l'éducation des enfants et n'opère aucune distinction entre

1. Cf. A. Colomer, "Les régimes matrimoniaux", 2e édit., al. n° 92.
2. En ce sens, J. Patarin et G. Marin, "La réforme des régimes matrimoniau~", t. I - 4e édition, n° 22.
3. Cf. l'arrêt inédit de la cour de Colmar de 1983 cité supra n° 219.
4. Cf. J. Patarin n° 23.
5. Cf. A. Colomer cit. n° 93.
6. Cf. Cour Rouen, 22 décembre 1970 D. 1971 - 429 note R. Belhumeur, par qui c'est la contre-partie du droit personnel de la femme au bail, Cour Paris, 31 janvier 1980 D. 1980 TR. 258 malgré le départ du domicile conjugal.
7. Cf. Trib. Paris, 10 décembre 1973 D. 1975 - 265 note D. Martin, Caisse autonome de retraite des médecins.
8. Cf. Cour Reims, 7 janvier 1980 D. 1980 457 *J.C.P* M981- 4.

entretien actuel et futur"[1]. Les arrêts ont par contre refusé d'assimiler à des dépenses ménagères, des contrats passés par la femme pour le fonctionnement d'une entreprise commerciale (même si les revenus servaient indirectement à l'entretien du ménage[2]) ou un investissement immobilier pour l'acquisition d'une résidence secondaire[3]. A fortiori le paiement du prix d'un billet d'avion pour un voyage d'agrément ne saurait rentrer dans la catégorie des dépenses solidaires[4]

La jurisprudence s'est montrée assez hésitante sur les emprunts contractés par les époux. Ils étaient assimilés aux dettes ménagères dans la théorie du mandat domestique avant 1965, mais ils ont pu paraître comme particulièrement dangereux et de nature à grever le passif d'un époux à son insu[5]. La Cour de Cassation devait accorder ce bénéfice de la solidarité aux créanciers à la suite de prêts "répétés et modestes, faisant face au jour le jour aux besoins les plus pressants du ménage"[6]. Finalement, la loi du 23 décembre 1985 a remanié l'alinéa 3 de l'article 220 en ce sens. La solidarité ne joue plus que pour les emprunts portant sur des sommes modestes nécessaires aux besoins de la vie courante. Dans les autres cas, le double consentement des époux sera nécessaire.

Il en sera de même pour les achats à tempérament qui n'auraient pas été effectués avec l'accord initial des conjoints. Cette exception figurait déjà dans la loi de 1965. La sanction sera, non la nullité de l'emprunt ou de l'achat à tempérament, mais l'absence de solidarité. Seul le conjoint à l'origine de la dette en répondra (voir cependant pour un cas où la nullité de l'achat à tempérament a été prononcée, mais pour violation des lois du 22 décembre 1972 et 10 juin 1978 sur le crédit à la consommation, dans une espèce où le contrat établi au nom du mari, avait été signé par la femme à son insu[7]).

3/ En dehors des emprunts et achats à tempérament, le texte de l'article 220 contient une imite qu'avait déjà imposé la jurisprudence. La dépense ne doit pas être "manifestement excessive". C'est un critère économique : on se réfère au train de vie du ménage et à l'utilité de l'opération, voir comme on le précise le texte de l'article 220, la connaissance que pourrait en avoir le tiers du caractère exagéré (c'est ce qu'il faut entendre par "bonne ou mauvaise foi"). Dans l'arrêt de 1934 (cit.) La Cour de Cassation avait déjà contraint une femme séparée de biens à payer une forte note de frais de tailleur de son mari ("non hors de proportion avec le train de vie luxueux" disait l'arrêt). Les déci-

1. Cass. Civ. 9 octobre 1991, Bullet. Cons. 1991, 1 n° 255, D. 1991, I.R. 242, J.C.P. 1991, IV, 228.
2. Cour Amiens, 19 avril 1977, *J.C.P.* 1978, 4, 318.
3. Cass. 1er -11 janvier 1984, Bullet. Cass. 1984 - 1 - n° 13, G.P. 1984 - 2 - Panor. 205 note Grimaldi.
4. Cour Paris, 11 octobre 1989, D. 1989, T.R. 276.
5. Cf. Chron. F. Monéger, D. 1975, 165.
6. Cass. Civ. 24 mars 1971 D. 1972 - 360 note E. Abitbol - pour le cas d'un emprunt destiné à financer la construction d'une maison, T.G.T. Mulhouse, 9 novembre 1978, J.C.P. 1980 - 4 - 34.
7. Cass. 1er juin 1984, Bullet. Cass. 1984 - 1 - n° 201.

sions postérieures à la loi de 1965 ont persévéré dans cette appréciation. La sanction serait là encore, le défaut de solidarité[1].

Les textes n'ont pas précisé la durée de la présomption. Il est admis que ni la séparation de fait, ni l'ordonnance de non conciliation dans la procédure de divorce n'y mettait fin. C'est seulement la transcription du jugement définitif de divorce qui fera disparaître cette solidarité. Le bailleur serait donc fondé, au titre de l'art. 220 de réclamer à l'épouse le paiement des loyers, charges et réparations jusqu'à cette date[2]

231. Nombre de législations modernes contiennent des dispositions proches de celles du droit français. Sans parler du droit danois déjà cité, le nouvel article 85 du livre 1 du code Civil des Pays-Bas (en vigueur depuis le 1er janvier 1970) dispose que chaque époux est tenu pour le tout avec l'autre, s'agissant d'engagements "prix pour les besoins normaux du ménage". En cas de cohabitation, le concours de l'autre conjoint serait nécessaire pour les achats à tempérament manifestement destinés aux besoins du ménage (art. 87)[3]. En Allemagne Fédérale, la rédaction remaniée en 1976 du § 1357 BGB, a généralisé l'ancien "pouvoir des clefs" de la femme qui ne l'obligeait que subsidiairement. Chaque époux a le pouvoir solidaire d'engager le conjoint pour les dépenses relatives aux besoins vitaux de la famille", y compris d'ailleurs pour les achats à tempérament (à moins qu'il n'en résulte autrement des circonstances, dit le texte). La disposition est d'ailleurs critiquée comme créant une discrimination à l'égard des couples vivant en union libre[4]. En droit danois et hollandais, comme en droit allemand, le "pouvoir ménager" connait d'ailleurs certaines limites : au Danemark, la possibilité pour les autorités publiques de priver un conjoint de cette faculté en cas d'abus (art. 12 de la loi de 1925), aux Pays-Bas le recours judiciaire ouvert à un époux pour ne plus être tenu des engagements de son conjoint. Dans les deux cas, la décision doit être inscrite sur le "registre matrimonial" pour être opposable aux tiers. Le droit allemand admet la possibilité réciproque de limitation ou retrait des pouvoirs (dans un régime dit de "péréquation aux gains" à fonctionnement séparatiste). En cas d'abus de ce droit, le tribunal de tutelle serait saisi (§ 1357 - 2 - BGB). De toute manière, le retrait de pouvoir devra donner lieu à l'inscription vis-à-vis des créanciers (§ 1412). Les lois belges (depuis la réforme du 30 avril 1958 sur l'égalité des époux) et luxembourgeoise (loi du 12 décembre 1972) ont une rédaction analogue à celle du droit français. Par contre l'idée de pouvoirs ménagers égaux semble avoir eu plus de mal à s'imposer dans les pays de tradition de "Common Law". Le droit anglais s'en remet surtout aux accords entre époux et au jeu des présomptions tacites : les commandes passées par la femme sont supposées faites avec l'autorisation du mari pour l'engager. Il

1. Cf. pour les cotisations de retraite, Trib. Paris, 10 décembre 1973 — pour une police d'assurance d'un montant disproportionné à l'importance du risque couvert, Cour Reims 7 janvier 1980, cit.
2. Cass. 2-3 octobre 1990 et Com. Rouen, 3 janvier 1990. D. 1992 Som. Com. 219, observ. F. Lucet.
3. Cf. Fokkema in "Mariage et Famille en question, Pays-Bas", p. 149, cit. et Van der Plocq, Brower et autres in t. 2, "Régimes matrimoniaux, successions et libéralités" mot "Pays-Bas", n° 92-93, Union internationale du notariat latin, Neuchâtel, 1979.
4. Cf. G. Beitzke, "Familienrecht", cit. p. 71.

pourrait en être autrement, si le mari démontrait qu'il avait fourni des sommes suffisantes à la femme ou lui avait interdit de le représenter[1]. Aux Etats-Unis dans des régimes séparatistes comme celui qui résulte du "Domestic Relations Law" de l'Etat de New-York, les "dépenses nécessaires" faites par la femme engagent le mari. Il n'y avait pas traditionnellement de réciprocité. Ce principe est en passe d'être abandonné au nom de l'égalité des époux. Dans deux arrêts importants où la femme était poursuivie pour des notes de frais médicaux laissés impayés par le mari défunt "Manatee Convalescent Center Tnc/v/McDonald" (Cour de District de la Floride) et "Condor v/Prince George"s Country" (Cour d'appel du Maryland), le principe de la réciprocité a été admis. Le code du Maryland, après l'adoption en 1972 du texte constitutionnel sur l'égalité des droits "equal rights Amendment" a été réformé en 1980 pour retenir la responsabilité égale des deux époux en matière de dettes alimentaires[2].

C/ le statut du logement familial

232. Nous étant interrogés dès l'Introduction sur le sens du concept de "famille"[3] nous avions vu que la seule définition qui rende compte de l'évolution du droit moderne est celle d'une "communauté affective" partageant le même logement. A la vision abstraite du Code Napoléon ne connaissant que les seuls liens légaux de mariage et de parenté — s'oppose ou plus exactement se complète la version moderne du "cadre familial". On ne peut être surpris de l'absence dans la rédaction de 1804, de toute disposition propre au logement familial. Tout au plus l'ancien article 1465 (1481 actuel) accordait en régime de communauté un droit exceptionnel de logement au survivant dans le délai nécessaire pour "faire inventaire et délibérer" (soit traditionnellement trois mois et quarante jours — neuf mois aujourd'hui). Une vision individuelle de la vie familiale se conjuguait avec le caractère personnel du droit au bail. Tout a évolué avec l'étendue des prérogatives conférées au locataire à partir de la loi du ler septembre 1948, la conviction que le "droit à l'habitat est un droit fondamental" (art. 1 de la "loi Quilliot" du 22 juin 1982). Dès avant la réforme des régimes matrimoniaux, en 1965, il est apparu qu'il n'était pas possible de faire dépendre de la structure du régime la garantie pour la femme, voire pour les enfants de ne pas se faire expulser du logement d'habitation[4].

Une première réforme résultait de la nouvelle rédaction de l'article 1751, C. Civ. selon la loi du 8 août 1962. Le droit au bail du local d'habitation (sans caractère professionnel ou commercial) est, quel que soit le régime matrimonial "réputé appartenir à l'un ou l'autre époux". Le texte se refuse à prendre en considération la date de conclusion du bail (avant ou après le mariage) comme le caractère propre ou personnel suivant le régime matrimonial. Mais il faut qu'il serve "à l'habitation effective des époux". Ce ne serait pas le cas si les époux vivaient séparés, ou si le bail portait sur une résidence secon-

1. Cf. D.M. Lew et R. Lowe, "Angleterre" in t. 2 "Union du notariat latin", cit. n° 63.
2. Art. 45 § 21 Cf. *Annual Survey of American Law*, 1982, pp. 659-660.
3. Cf. *supra*, n° 5.
4. Sur cette évolution générale, A. Rieg, "'L'immeuble d'habitation dans le droit patrimonial de la famille" in *L'immeuble urbain à usage d'habitation*, ouvrage collectif, préf. J. Carbonnier, 1963, pp. 437 sv.

daire. La femme ne pourrait alors bénéficier de la protection de l'article 1751 C. Civ.[1]. Par contre, si les conditions sont remplies aucune cession de bail, aucune notification de congé ou ordonnance d'expulsion ne sauraient être valables sans le consentement de l'autre conjoint[2]. Nous verrons que dans l'hypothèse du divorce, le 2e alinéa de l'article 1751 prévoit une attribution judiciaire du bail en fonction des "intérêts sociaux en cause".

Trois ans plus tard, la "refonte" des règles du régime primaire, par la loi de 1965 a procuré au conjoint, sans abroger l'article 1751, une protection beaucoup plus complète. La "cotitularité" ne joue plus seulement pour le bail, mais pour tout acte quelconque par lequel un époux "dispose des droits pour lesquels est assuré le logement de la famille". Peut importe donc la date et acquisition du logement, le fait qu'il était propre ou personnel à un conjoint avant le mariage. Pour rendre la protection plus efficace, l'article 215 alin. 3, étend le concours des époux aux "meubles meublants" qui garnissent le logement (art. 215, 3e). Cette disposition a suscité un contentieux plus important que ne l'avaient sans doute prévu ses rédacteurs. La pratique a vu assez souvent s'affronter un des époux (le plus souvent la femme) alléguant l'absence préalable de son consentement et les tiers, spécialement les créanciers pour lesquels l'immeuble d'habitation constitue souvent la valeur la plus importante de l'actif communautaire. Un projet de remaniement de l'article 1414 C. Civ. qui n'a pas abouti, créait une véritable inssaissabilité du logement familial dès lors qu'un des conjoints avait contracté une dette dans l'exercice d'une activité séparée[3].

233 1/ La première condition a trait à la durée de la protection. Bien que la disposition figure à l'article 215 dont le 1er alinéa prévoit "la communauté de vie", le texte est plus large que celui de l'article 1751 qui vise l'"habitation effective des deux époux". Il faut en conclure que l'article 215 peut jouer tant que le mariage n'est pas dissous. Le fait qu'un époux ait quitté le domicile conjugal ne le prive pas de la faculté d'invoquer l'article 215 (en ce sens au sujet de l'aliénation de meubles au cours d'une instance en divorce, cour Colmar, 11 juin 1974 (2e esp.)[4].

2/ Le but de la règle est d'éviter que par le jeu d'un acte passé par un époux seul, son conjoint et éventuellement les enfants du mariage ne soient évincés du local d'habitation. Par conséquence une vente avec réserve d'usufruit qui assurerait à la veuve la jouissance de l'appartement ne serait pas soumise à

---

1. Cf. Cour Orléans, 20 février 1964 D. 1964 - 260 Cass. 3e - 28 janvier 1971, J.C.P. 1972- 16982.
2. Cass. 3e, 23 janvier 1985, Bullet. Cass. 1985 - 3 - n° 16 - Cass. 3e, 20 janvier 1988, Bullet. Cass. 1988 - 3 - n° 12.
3.. Sur l'art. 215 3e. Cf. R. Nerson Chron., *RTDC*, 1975, pp. 292 sv. — 1978, pp. 130 sv. — R. Savatier, "La protection juridique de logement de la famille dans le concept juridique d'habitation familiale", *Mélanges Hébraud*, Toulouse, 1981, pp. 799 sv. — M. Grimaldi, "Le droit au logement", Rapport aux jornées mexicaines H. Capitant, 1982, in Répert. Notariat 1983, 33130 et Travaux de l'Association H. Capitant, Economica, 1984, pp. 421 sv.
4. D. 1975, 541 note C. Foulon-Piganiol, Cour Aix-en-Provence, 122 février 1982, G.P. 1982-1 - 314 note J. Viatte.

l'application de l'article 215[1]. Mais un époux ne saurait par le "montage" d'une société fictive dont il serait le représentant vendre sans autorisation de la femme l'immeuble où il l'avait installé avec les enfants[2].

Pourtant, un arrêt très critiqué de la Cour de Cassation du 22 octobre 1974[3] n'a pas permis à la veuve d'éviter l'expulsion par suite du legs de l'appartement conjugal fait par le défunt à son frère. La liberté de tester, en l'absence de réserve a prévalu sur la protection possible du survivant. On a pu faire valoir, pour la défense de l'arrêt, que si le logement était un bien propre, il faudrait, au delà de la dissolution du mariage, un remaniement du droit successoral (non encore intervenu) au profit du survivant[4]. Toutefois, le but recherché par l'article 215 n'est pas atteint. La solution contraste avec celle qui dans la nouvelle version de l'article 221-2 (loi du 23 décembre 1985) prolonge la présomption de pouvoir du survivant au-delà du décès.

3/ quant à la forme par lequel s'exprime le consentement du conjoint, il doit être normalement préalable à l'acte et spécial[5]. S'agissant d'un acte de cession, des difficultés se sont élevées, notamment sur les modalités du prix. La Cour de Cassation n'exige pas expressément que l'époux ait donné un accord écrit. Encore faut-il qu'il n'y ait aucune équivoque sur les conditions définitives[6].

4/ La question la plus délicate reste évidemment de savoir quels actes sont couvertes par la protection de l'article 215. Celui-ci vise la "disposition des droits". Il faut entendre normalement par là toute cession à titre gratuit ou onéreux. La Cour de Cassation se refuse pourtant à une interprétation trop large. Dans une hypothèse où une S.A.R.L. dont le mari était gérant, était titulaire d'un bail commercial et à usage d'habitation, et où l'époux avait cédé ses parts à une fille du premier lit, le conjoint n'a pu invoquer l'absence préalable de son consentement. La cession de parts n'a pas été assimilée à une donation. La fille a pu expulser le conjoint, le mari n'étant pas considéré comme titulaire du logement à titre personnel, mais comme gérant de la société. (La fraude ne paraissait pourtant pas à exclure[7]). Surtout l'application de l'article 215 a mis en lumière l'opposition éventuelle entre l'intérêt d'un époux et celui des créanciers de son conjoint. Celui-ci a pu consentir des engagements qui en cas d'inexécution, donneraient lieu à saisie et vente des biens, les créanciers disposant d'un "droit de gage général" sur le patrimoine de leur débiteur selon les articles 2092-2093. Les décisions ont eu à plusieurs reprises, à connaître du cautionnement consenti par un seul époux, et conforté le plus souvent par

1. Cf. T.G.T. Paris 16 décembre 1970, D. 1971, Som. 61.
2. Cf. "Michelsen-Béné", Cass. le 11 mars 1986 Bullet. Cass. 1986 - 1 n° 62 — le mari était titulaire de 194 actions sur 200.
3. "Veuve Bret", D. 1975, 645 note Foulon-Piganiol, *J.C.P.* 1975 - 18041 note Y. Chartier.
4. Cf. A. Ponsard, "L'interprétation par la Cour de Cassation de la loi du 13 juillet 1965 sur les régimes matrimoniaux", *Mélanges J. Flour* p. 391.
5. Cf. Cour Lyon, 5 novembre 1980, D. 1982, T.R. 238 com. D. Martin.
6. Cf. Cass. 1er - 13 avril 1983, Bullet. Cass. 1983 - 1 - n°120, Cass. 1er - 16 juillet 1985, Bullet. Cass. 1985, 1, n° 223 conjoint n'ayant pas consenti à un avenant modifiant les conditions de paiement.
7. Cass. 1er, 4 octobre 1983, Bullet. Cass. 1983 - n° 217.

l'inscription d'une hypothèque judiciaire au profit des créanciers. Il ne s'agit en principe que d'une sûreté personnelle, non d'un acte de dispositions. Si le logement est bien commun, il risque toutefois d'être saisi par les créanciers. S'agissant de la liquidation de biens d'un commerçant, la Cour de Cassation a autorisé le syndic représentant la masse des créanciers à procéder à la vente forcée et à l'expulsion du débiteur et de sa famille, bien que le conjoint n'ait pas été partie à la vente[1]. Pour le cautionnement, elle a refusé de l'assimiler à l'acte de disposition. Même si le créancier avait pris une inscription d'hypothèque judiciaire, ce n'était "que l'exercice d'une prérogative légale reconnue même à un créancier "chirographaire"[2]. La loi du 23 décembre 1985, en remaniant l'article 1415 paraît avoir démenti en partie cette jurisprudence. Avec le souci, exprimé par le Garde des Sceaux, de renforcer la protection du logement conjugal, il exige le concours du conjoint pour engager la masse commune par les "cautionnements ou emprunts". Faute de quoi l'époux ne répondrait que sur ses propres. Mais on a fait remarquer que le texte ne saurait concerner les époux mariés sous régime séparatiste et que l'article 215 - 3e - n'a pas été modifié[3].

5/ La sanction de l'article 215 est en principe la nullité de l'acte passé sans le consentement du conjoint. Il s'agit d'une nullité relative d'une durée d'un an à partir du jour où il a pris connaissance de l'acte (en cas de dissolution du régime un an à compter de l'expiration de sa dissolution). On pourrait concevoir un recours en justice d'un époux à défaut de l'habilitation préalable de son conjoint (art. 217 ou 219). Encore faudrait-il que les conditions en soient réunies (conjoint hors d'état de manifester sa volonté). Un arrêt d'Aix-en-Provence, à propos de l'aliénation de meubles du domicile conjugal, a fait jouer non pas la nullité, mais l'inopposabilité à l'égard de la femme de la vente opérée ; le mari était tenu d'effectuer un rapport en valeur à la masse commune. La solution ne paraît pas conforme au texte[4].

La Cour de Cassation, dans une hypothèse où l'épouse avait refusé de ratifier la vente du pavillon familial par le mari seul, a déclaré non valable la promesse de portefort à l'acte émanant du mari ; elle l'a condamné au versement de dommages-intérêts envers le cabinet immobilier et les acheteurs[5]

234. La protection spécifique du logement familial, bien que l'idée soit en progression, n'est pas une donnée du droit comparé aussi répandue que la solidarité des dettes ménagères. Les droits italien et allemand ne contiennent pas une formule comparable à celle de l'article 215. L'attention du législateur dans ces deux pays s'est surtout portée vers les "situations de crise" (séparation de corps, divorce) et le souci d'éviter l'expulsion du conjoint auprès duquel vi-

1. Cass. 3e - 12 octobre 1977, D. 1978 - 333 - note Y. Chanier, *J.C.P.* 1979, 19205.
2. Cf. Cass. 1er - 21 juin 1978 "Pinai", D. 1979, 479 note Y. Chartier - Cass. 1er, 4 octobre 1983, Bullet. Cass. 1983 - 1 - n° 216, G.P. 1984 - 2 - Panor. 189 note Grimaldi, Cass. 1er juillet 1986, Bullet. Cass. 1986, 1, n° 191.
3. Cf. J.P. Langlade, "Dissertation sur un oubli fâcheux de la loi du 23 décembre 1985" ; la toilette de l'article 215-3 du Code Civil, D. 1986, chron. 166.
4. Cf. la note approbative de J. Viatte sous Aix, 22 février 1982, G.P. 1982 - 1 - 314 cit.
5. Cons. 1er, 11 octobre 1989, D. 1990, 310 note Le Guidec et D. 1992, 220 obs. Lucet, J.C.P. 1990, 21549 note M. Henry

vent les enfants. Le droit italien, par les réformes de 1975 et de 1978 (art. 62 — loi 27 juillet 1978 sur le divorce) a donné au magistrat un large pouvoir d'attribution en cas de séparation ou de divorce (bail sur l'immeuble du conjoint). A la différence du droit français, l'article 540-2 C. Civil italien réserve même un droit réel d'habitation et un droit d'usage des meubles à l'époux veuf[1]. Le droit allemand fait découler de la communauté de vie (§ 1353) l'utilisation par les deux conjoints de la maison d'habitation. Il s'est orienté dans le sens du droit italien, avec la loi du 1er avril 1986 introduisant le § 1361-1[2]. S'il s'agissait d'une maison acquise par les deux époux, un rapport de location pourrait s'instaurer entre eux. Comme en droit français avec l'article 220-1, un époux pourrait interdire à l'autre le déménagement des objets du ménage ou lui imposer la restitution. Le droit anglais ne connaît pas non plus un principe général assurant les droits égaux aux deux époux. Mais il s'est efforcé d'assurer une protection de plus en plus efficace à la femme mariée depuis le "Matrimonial Home Act" de 1957, et plusieurs arrêts de la Chambre des Lords, notamment "Pettitt v/Pettitt" et "Gissing" (1971). La jurisprudence a classiquement utilisé les procédés du "trust" (resulting trust) pour permettre à la femme de bénéficier de droits sur la maison acquise par le mari, du moment qu'elle avait contribué à son financement. Elle a même admis que l'apport de la femme pouvait être symbolique (l'arrêt "Gissing" en 1970 lui a attribué la moitié du prix de vente de la maison alors qu'elle n'avait payé que 30 livres pour le parterre de gazon, 190 pour le mobilier)[3]. Par contre, l'épouse, n'ayant pendant longtemps que des droits de caractère personnel contre le mari risquait l'expulsion si celui-ci, de sa seule initiative, vendait ou hypothéquait la maison. Elle est désormais mieux protégée en cas de vente par le mari et surtout après divorce. La présence des enfants mineurs est un élément important dans la décision des juges de maintenir sur les lieux le conjoint (Cook v/Cook, 1982)[4]. Au Canada, le Code Civil de la province de Québec, d'avril 1981 connaît une certaine protection du logement familial, mais subordonnée à une déclaration de résidence (très peu observée, semble-t-il, dans la pratique). Le conjoint locataire pourrait bénéficier d'un maintien sur les lieux s'il donne avis au propriétaire que le logement sert de résidence principale à la famille. Les époux, il est vrai, peuvent créer un "patrimoine familial" (homestead) insaisissable pendant quinze ans[5].

235. Un certain nombre de droits connaissent, en revanche, une formulation beaucoup plus proche de celle du droit français. C'est le cas des Etats scandinaves, des Pays-Bas, et de la Belgique. Les Etats scandinaves ont été chronologiquement les premiers à exiger le concours du conjoint : ainsi dans la loi suédoise du 11 juin 1920 (à régime matrimonial de "communauté différé") le droit d'un époux de disposer de manière générale des immeubles

1. Cf. Rapport U. Breccia in Journées Mexicaines, H. Capitant, cit. 1982, pp. 447 sv.
2. Cf. "Die Zuweisung der Ehewohnung an einen Ehegatten", *L'attribution de la maison à un époux*, par G. Brudermüller, EamRZ, 1987, pp. 109 sv.
3. Cf. rapport R. Leuck, 75e Congrès des Notaires de France, cit. n° 388.
4. Sur le droit anglais, cf. Rapport Leuck, cit - Julian D.M. Lewe et R. Lowe, Union Internationale du notariat latin, 1979, T. 2, cit. n° 61 sv. — S. Blake, "The matrimonial Home on Divorce", *Family Law*, 1984.
5. Cf. sur le droit canadien du Québec. Cf. E. Caparros, Jornées H. Capitant, pp. 399 sv

supposait déjà l'accord écrit du conjoint en présence de deux témoins. Les lois norvégienne (du 20 mai 1927) et finlandaise (du 13 juin 1929) ont été plus précises. Un époux ne peut consentir seul une aliénation ou une mise en gage de l'immeuble conjugal et du mobilier du ménage. Le droit finnois étend la protection aux instruments de travail du conjoint et aux meubles çà l'usage des enfants[1]. Aux Pays-Bas, la rédaction actuelle de l'article 88 exige le consentement du conjoint (à défaut l'autorisation judiciaire) pour "aliéner, grever de charges réelles, mettre fin à l'usage" d'une habitation occupée par les deux époux. Cette protection pourrait s'étendre ~ la résidence secondaire, et englobe le cas où un époux se porte caution solidaire vis-à-vis d'un tiers[2]. En droit belge, l'article 215 nouveau du code Civil dispose depuis la loi du 14 juillet 1976 qu'un époux ne peut sans l'accord de l'autre, disposer entre vifs de l'immeuble conjugal, ni l'hypothéquer. En cas de refus pour "motifs graves" l'époux a la possibilité d'obtenir du tribunal de première instance la possibilité d'aliéner l'immeuble. (En cas d'urgence par recours du Président du Tribunal). Le droit au bail du logement principal, même antérieur au mariage, appartient aux deux époux, nonobstant toute convention contraire. Toutefois l'article 553 du Code de Commerce, refuse d'étendre la protection du conjoint à la vente forcée en cas de faillite. La Cour de Bruxelles a eu à connaître du cas non tranché par les textes, d'ouvertures de crédit auprès d'une banque consenties par le seul mari, et assorties d'une clause permettant à la banque de poursuivre la vente d'un immeuble propre hypothéqué à titre de garantie. Le conjoint a requis et obtenu l'annulation de cet engagement ; portant sur la résidence conjugale, il "mettait en péril les intérêts de la famille" au sens de l'article 224 C. Civ.[3]. Il est intéressant de constater que le droit de l'Europe de l'Est s'oriente vers une certaine défense de la maison conjugale : le Code bulgare de 1968 (art. B) prévoyait déjà qu'un époux propriétaire d'une maison individuelle, ne pouvait en disposer sans son conjoint, sauf à se faire autoriser par le "tribunal populaire" de l'intérêt de la famille[4]. Le droit polonais a complété par une loi du 19 décembre 1975 le Code de 1964 — les deux époux ont un droit égal au bail à usage d'habitation, même antérieur au mariage, une mesure considérée comme importante dans un pays où sévit la crise du logement[5].

§ 2. L'AUTONOMIE PECUNIAIRE DES EPOUX ET LES RECOURS EN JUSTICE

A/ *L'autonomie pécuniaire*

236. De même qu'à propos des conséquences personnelles de l'union, nous avons vu que les obligations communes nées du mariage étaient battues en brèche par la reconnaissance de l'individualité de chaque époux, de même rencontrons-nous la même limite aux intérêts pécuniaires communs. A la so-

1. Cf. Leuck, n° 427 et 442.
2. Cf. Union intrnationale du notariat latin — t. 2, article "Pays-Bas" par Van der Ploeg-Brower, n° 94.
3. Cf. Cour Bruxelles. 5 mai 1987 RTDF. 1988-85.
4. Cf. art. 13, *Revue de droit bulgare,* 1971, pp. 5 sv.
5. Cf. Z. Radwanski ZrV. 1979, p. 13.

lidarité d'intérêts, s'opposent les présomptions de pouvoirs de chaque conjoint et la possibilité d'agir en justice pour vaincre la résistance du partenaire. L'intérêt de ces règles du régime primaire, évident lors de la réforme des régimes matrimoniaux du droit français en 1965, a semble-t-il, diminué, au moins pour les présomptions de pouvoirs depuis la réforme du 23 décembre 1985. Les rédacteurs de la loi du 13 juillet 1965 avaient été en effet inspirés par la crainte de la relative inefficacité de la nouvelle répartition des pouvoirs dans le régime légal de communauté. En raison du maintien de la présomption d'acquêt (art. 1402 C. Civ.) ils voulaient éviter les justifications réclamées par les tiers. D'où dans la double pensée d'assurer la sécurité des tiers et de favoriser la "promotion de la femme mariée", les "présomptions de pouvoir" des articles 222 et 221 C. Civ. — Appelés en principe à fonctionner sous tous les régimes et au profit des deux conjoints, ils n'avaient de véritable portée que dans le régime de communauté et au profit de la femme[1]. Cette tendance avait été renforcée par la loi du 4 juillet 1980 créant une "présomption de mandat" pour la gestion de l'exploitation agricole (art. 789-1 du Code rural), disposition qualifiée de "rallonge agricole du régime primaire" par Monsieur Cornu[2]. Si les articles 221 et 222 n'ont pas été modifiés par la loi du 23 décembre 1985, le contexte est tout autre. Désormais, le principe est celui de pouvoirs concurrents dans l'administration et la disposition des biens communs (art. 1421-1). L'époux qui exerce une profession séparée engage la masse commune, sauf exceptions limitatives, et ses gains et salaires sont à l'abri des créanciers de son conjoint[3]. Le particularisme des "gains et salaires" de chaque époux est devenu tel qu'une discussion a pu s'engager sur leur caractère commun, et le régime légal français prend de plus en plus une "teinte séparatiste"[4]. Sans être inutiles, les présomptions de pouvoir ont perdu leur originalité.

1/ La présomption de portée la plus générale, qu'on retrouve dans plusieurs droits étrangers en faveur des créanciers est que si un époux se présente seul, pour faire un acte d'administration ou de disposition sur un bien immeuble qu'il détient, vis-à-vis des tiers de bonne foi, il est "réputé" avoir le pouvoir de faire seul l'acte (art. 222). La règle ne pourrait s'appliquer ni aux meubles meublants du domicile conjugal, ni à ceux à usage exclusif de l'autre conjoint. L'article 222 fait jouer la présomption pour les meubles corporels et sans discussion depuis la réforme du 2 mars 1983 qui a uniformisé par "dématérialisation" le régime des titres nominatifs et au porteur, pour les valeurs mobilières[5]. Elle s'applique aux opérations juridiques les plus variées, vente, échange, paiements[6]. La présomption ne pourrait être paralysée que par

1. Cf. l'exposé des motifs par le Garde des Sceaux en 1965 in A. Colomer, "Régimes matrimoniaux", art. n° 222.
2. Cf. "Les régimes matrimoniaux", 3ᵉ édit. Préf. 1981, p. 149 sv.
3. Art 1421-2 et 1414 sur la partie des règles nouvelles, Ph. Simler n° spécial des Juris-Classeur de droit civil — M. A. Guerriero, Annales de l'Université de Toulouse, 1985 cit. pp. 95 sv. — J.L. Virfolet, "Liberté, égalité... amour — à propos de la réforme des régimes matrimoniaux", *J.C.P.* 1986 - 3232.
4. Cf. Ph. Simler, cit. n° 66.
5. Cf. A. Colomber, cit. n° 269.
6. Cf. pour le cas d'un paiement en espèces fait par une femme commune en biens, Cour Lyon, 30 mai 1973 D. 1974, 264, note Massip, *J.C.P.*, 1974, 17681 note F. Boulanger.

une éventuelle "mauvaise foi" du tiers, c'est-à-dire la preuve qu'il aurait connaissance de l'opposition du conjoint (ou qu'il méconnaitrait une interdiction du président du Tribunal selon l'art. 220-1). Les droits néerlandais et allemand entendent de la même manière, garantir la sécurité des tiers. Aux Pays-Bas l'article 92 du Code Civil dispose que si un tiers "ne peut savoir" quel époux a les pouvoirs sur un meuble (non immatriculé ou "enregistré") ou un titre au porteur, il considère que le possesseur est juridiquement le titulaire du droit. En Allemagne Fédérale le §1362 BGB pose une présomption identique au profit des créanciers des deux époux. Elle ne joue pas pour les biens personnels de l'autre conjoint ou si les époux vivent séparés.

237 2/ Plus particulière, mais non moins importante, est ce qu'on a appelé l'"autonomie bancaire et boursière" de l'article 221[1]. Il faut entendre par là l'entière liberté laissée à chaque conjoint (en pratique à la femme) de faire ouvrir et fonctionner un compte sans justification envers le banquier dépositaire. Par là, la loi de 1965 a rompu avec les antécédents (lois de 1942 et 1943) qui ne connaissaient que le "compte ménager" ou celui ouvert avec autorisation maritale. On retrouve une formule à peu près analogue en droit belge avec les articles 221 et 223, mais moins stricte. La liberté d'ouvrir un compte de dépôts ou titres, de louer un coffre-fort n'exclut pas l'obligation de la part du dépositaire ou du bailleur d'avertir le conjoint, sans compter un éventuel recours judiciaire[2] . En droit français, la présomption de l'article 221 a dans les relations avec le dépositaire un caractère bien plus fort que celle de l'article 222, puisqu'elle fait abstraction de la connaissance qu'aurait le banquier et un éventuel défaut de pouvoir. S'agissant des rapports entre époux, Monsieur Colomer estime qu'au moins en régime légal de communauté, la présomption de pouvoir de la femme est de la même force que la présomption d'acquêt du mari. Ce serait à lui de prouver que les opérations effectuées par les femmes sur un compte le sont avec ses fonds propres[3].

La question la plus délicate est celle de la durée de la présomption : à supposer qu'à la veille de la dissolution du mariage par divorce ou décès, l'un des époux ait déjà eu le maniement d'un compte, le blocage doit-il être automatique, dès lors que, fut-ce officieusement, la banque aurait connaissance de la cause de cessation de la présomption, ou le banquier doit-il attendre d'avoir reçu de la part d'un cohéritier indivisaire une notification officielle de blocage de compte ? Le problème ne se posait pas pour le compte joint, survivant au décès d'un des conjoints et une note du Ministère de la Justice de 1966 recommandait aux banques d'attendre une initiative des indivisaires. La question devait se cristalliser avec l'affaire "Edberg", où une veuve, après le décès du mari, s'était livrée à des opérations de vente et rachat de titres. Les héritiers, les estimant désavantageuses reprochaient à la banque de ne pas avoir procédé à un blocage et entendaient mettre en cause sa responsabilité. La Cour de Cassation et les juges du fond se divisaient à ce sujet. La première soutenait

1. Cf. J. Patarin, "La réforme des régimes matrimoniaux", cit. n° 53 sv. — A. Colomer n° 223 sv.
2. Cf. P.F. Ghorain et M. Verwilghen mot "Belgique" Union internationale du notariat latin, t. 1, n° 137.
3. Cf. A. Colomer, cit. n° 212.

que la présomption cessait de produire effet à la dissolution[1]. Les seconds se montraient sensibles au danger de remise en cause de la présomption et de l'impossibilité où seraient les établissements bancaires de procéder par eux-mêmes à des recherches sur les causes de dissolution[2]. Finalement, l'Assemblée Plénière soulignait que "la dispense de vérification ne peut être remise en cause rétroactivement par le décès d'un époux". Sans opposition des héritiers, le dépositaire ne pouvait prendre aucune initiative[3]. La loi du 23 décembre 1985 a précisé dans le 2e alinéa de l'article 221 : "à l'égard du dépositaire, le déposant est toujours réputé, même après la dissolution du mariage, avoir la libre disposition des fonds et libres en dépôt". Le texte tranche donc en faveur d'une survie provisoire de la présomption, quelle que soit la cause de dissolution (nullité, divorce ou décès). La réforme de 1985 n'a d'ailleurs pas fait l'unanimité. On a pu faire observer qu'on prolonge un effet de l'union au delà de son existence (contrairement à la position prise en matière de protection du logement) et que le conjoint jouira d'une liberté d'action, contraire à celle d'un indivisaire qui ne peut pratiquer que des actes conservatoires (art. 815-3 - 2e alin.). Mais, le texte assure la sécurité des établissements bancaires jusqu'à la notification du décès ou du jugement définitif de divorce. Un blocage automatique risquerait en même temps de laisser sans ressources le conjoint[4].

238 3/ Il faut enfin souligner, comme une conséquence de l'autonomie pécuniaire des époux, l'atténuation du particularisme auquel étaient soumis traditionnellement les actes à titre gratuit ou onéreux qu'ils passaient. Les donations entre époux sont jusqu'à présent en droit français, et contrairement au droit commun toujours révocables pendant le mariage (art. 1096-1). Les motifs invoqués sont d'une valeur inégale, et pour certains antérieurs aux réformes : notamment la crainte d'une influence excessive d'un conjoint sur l'autre, celle de déroger aux rapports inégalitaires entre époux et à l'immutabilité du régime matrimonial[5]. De plus, les donations déguisées sont nulles (art. 1099-2) et les donations indirectes réductibles pour atteinte à la réserve. Paradoxalement ces règles restrictives défavorisent les époux par rapport aux concubins vivant en union libre. Si elles se retrouvent dans plusieurs législations qui vont jusqu'à prohiber les donations entre époux (art. 1334 C. Civ. espagnol, nullité sauf cadeaux modiques à l'occasion de fêtes de famille — art. 1715 C. Civ. néerlandais — nullité sauf pour les donations par contrat de mariage) la tendance moderne du droit comparé est plutôt en sens contraire : ni le droit anglais, ni le droit allemand ne contiennent de règles particulières dérogatoires. Le Code portugais valide des donations entre époux, et en Italie la Cour Constitutionnelle, par arrêt du 21 juin 1973 a considéré comme dis-

1. Com. février 1980, *J.C.P.* 1980 - 19474 note F. Boulanger D. 1980 - 509 note D. Manin.
2. Cf. Cour Paris, 6 juillet 1977 D. 1978 I.R. 106 ob. M. Vasseur Répert. Notar. 1978 31828 note G. Champenois — et sur renvoi de Cassation, Cour Reims, 11 octobre 1983 *J.C.P.* 1984 - 20264 note F. Boulanger D. 1985 - 306 note G. Parléani.
3. Cass. Plén. juillet 1985, D. 1985 - 421 Concl. J. Cabannes note D. Martin, *J.C.P.*, 1985, 20457 rapport A. Ponsard.
4. Cf. sur la réforme de 1985 A. Colomer n° 249-251 - J. M. Florand, "Les conséquences de la dissolution du mariage sur la liberté bancaire des époux", *Les petites Affiches*, 7 août 1986, pp. 7 ss.
5. Cf. Ph. Malaurie et L. Aynès, "Les régimes matrimoniaux", 1988, cit. n° 100-102.

criminatoire et contraire à la Constitution la prohibition des donations directes et indirectes de l'article 781 C. Civ. italien[1]. S'agissant des sociétés entre époux, le droit français s'est par contre départi de sa rigueur : jadis considérées comme un procédé pour tourner les règles matrimoniales ou frauder les créanciers, elles sont devenues définitivement licites avec la loi du 10 juillet 1982 (art. 1832-1 nouv. C. Civ.) : deux époux peuvent seuls ou avec d'autres personnes être associés dans une même société. L'impossibilité d'être tenus indéfiniment et solidairement aux dettes sociales a disparu. Il reste que la société peut être un "montage" et dissimuler une donation déguisée frappée de nullité[2]. Certains droits tels l'article 1714-2 du Code portugais persistent d'ailleurs dans la prohibition. Enfin, la vente entre époux avait été interdite dans la rédaction originaire de l'article 1595 C. Civ. Sauf exceptions, on y voyait aussi une atteinte à l'immutabilité du régime et une présomption de fraude à l'égard des créanciers. Elle est désormais licite ; les rédacteurs de la loi de 1985 ont passé outre, aux craintes de voir les époux, par le jeu des conventions privées, organiser une liquidation anticipée de leur régime[3]. La vente pourrait d'ailleurs, comme le contrat de société, si le prix était fictif ou inférieur à la valeur du bien vendu, déguiser une libéralité[4]. Il n'en demeure pas moins que peu à peu disparaît le particularisme qui affectait les actes passés par les personnes mariées. Elles se retrouvent à cet égard dans la situation de célibataires ou de ceux qui vivent en union libre.

B/ *Les recours judiciaires*

239. Un des procédés désormais les plus employés pour assurer l'égalité effective des époux en droit comparé est, non seulement de leur reconnaître des pouvoirs propres, mais de leur permettre d'agir en justice pour la sauvegarde de leurs intérêts ou pour forcer la résistance du conjoint qui refuse de donner son concours à tel ou tel acte. Certains droits connaissent des formules générales d'intervention, tel le droit italien ou le droit suisse. Dans le premier cas, nous savons (supra n° 217) que les tribunaux s'arrogent un droit de regard sur une vie familiale "perturbée" et organisent le cas échéant, la séparation. "Ce que la femme a gagné en liberté et l'enfant en sécurité, a écrit Monsieur Hartemann[5], la famille l'a perdu en intimité". Le code Civil suisse, pour sa part, permet à un époux de faire appel au juge, si le conjoint "néglige ses devoirs de famille" (art. 1695). La réforme des effets du mariage en droit suisse a prévu la possibilité pour le juge de prescrire aux débiteurs d'un époux négligent, de s'acquitter entre les mains de son partenaire, voire même de restreindre les pouvoirs de disposer d'un des époux au nom des intérêts familiaux[6]. Dans d'autres systèmes, comme en droit belge, les recours sont assez nombreux, mais

1. Cf. Union du notariat latin mot "Italie" par A. Avanzini et autres n° 127.
2. Cf. Cass. 1er - 17 mars 1987, Bullet. 1987 - 1 - n° 96 - société civile immobilière ayant réalisé une unique opération, l'acquisition d'un immeuble avec les deniers du mari. L'attribution à la femme de la moitié des parts constituait une donation déguisée.
3. Cf. Ph. Simler, n° 206-206 cit. — M. Dagot, *J.C.P.* 1987, édit. N.J. 3272.
4. Cf. Ph. Malaurie - L. Aynès, "Les régimes matrimoniaux", cit. n° 105
5. in "Mariage et Famille en question". Italie. pp. 199 sv.
6. Cf. P.H. Steinauer in "Mariage et Famille en question", Suisse, 1980, p. 27.

"ponctuels" : ainsi, pour permettre à un époux de passer seul un acte sur le logement d'habitation, pour l'autoriser à percevoir des sommes destinées aux besoins du ménage (art. 220-1, 223). De même un des conjoints pourra demander en justice d'exercer en tout ou partie les pouvoirs de l'autre époux, ou d'interdire des actes dangereux pour la famille comme les donations ou les sûretés personnelles[1].

Le droit français ne connait en principe que des cas limitatifs de recours, le premier celui des habilitations judiciaires des articles 217 et 219, le second plus large mais d'une application limitée dans le temps auprès du président du tribunal de grande instance selon l'article 220-1.

1/ Les articles 219 et 217, applicables sous tous les régimes séparatiste ou communautaire sont proches par leur rédaction. La formule la plus générale est celle de l'article 219. On suppose qu'un époux est hors d'état de manifester sa volonté, quelle qu'en soit la cause : éloignement, incarcération[2], dégradation de son état mental. Le conjoint peut se faire autoriser par le juge à le représenter, soit de manière générale, soit pour certains actes particuliers. Ceci peut s'entendre même des pouvoirs sur les biens propres ou personnels dans la séparation de biens, l'étendue étant fixée par le juge. L'exercice de l'article 219, en cas d'altération des facultés mentales d'un époux dispense d'ouvrir à son encontre un régime spécial de tutelle[3]. L'article 217 vise, quant à lui, deux hypothèses distinctes. La première est celle où un époux veut agir de sa propre initiative mais son conjoint est hors d'état de lui prêter son concours et consentement. Le cas paraît proche du précédent. Mais il en diffère dans la mesure où l'habilitation ne peut porter sur des biens pour lesquels l'intéressé n'avait originairement aucun pouvoir, comme les biens propres ou personnels de son conjoint[4]. Le Tribunal de Paris (une des rares décisions à avoir fait jouer l'article 217) a ainsi autorisé un époux à vendre seul une résidence secondaire acquise en indivision sur laquelle les deux conjoints avaient des droits égaux[5]. La seconde hypothèse est celle où le refus du conjoint serait contraire à "l'intérêt de la famille". Le tribunal pourrait passer outre (pour le rejet de la demande du mari d'obtenir une hypothèque sur des biens communs, alors que les époux étaient en instance de divorce, le mari "ne pouvant imposer à l'épouse sa propre conception de l'intérêt familial"[6]).

240 2/ D'un maniement beaucoup plus fréquent est l'intervention judiciaire prévue dans les "situations de crise" avec l'article 220-1, déjà évoquée à

---

1. Cf. "Union du notariat latin", cit. mot "Belgique" par M. Verwilghen, n° 137.
2. T.G.T. Valence 1er juin 1979 D. 1980 Som. 137.
3. Art. 498 — pour la validité d'une habilitation à vendre l'immeuble personnel du mari, âgé de 85 ans. Cf. Cass. Civ. 1er _ 9 novembre 1981, *J.C.P.* 1982 - 19808 note J. Prévault sur pourvoi de Paris, 2 juillet 1980, *JCP* 1981 - 19636 note J. Prévault, "Larivière", — pour la vente de la résidence secondaire inhabitée dans la même affaire, Cass. 1er, 1er octobre 1985, Bullet. Cass. 1985 - I -1 - n° 237.
4. Sur la discussion entre l'application de l'art. 217 et 219 A. Colomer n° 127 B. Bocuqet "L'intervention de la justice dans les rapports entre époux", thèse Toulouse, 1969 spécial, pp. 193 et 235.
5. Cf. T.G.T. Paris, 12 février 1982 D. 1982 T.R. 406.
6. T.G.T. Le Mans, 15 novembre 1983, G.P. 1984 - 1 Som. 121.

propos du devoir d'assistance[1]. Selon une formule comparable à celle des droits étrangers, il faut un "manquement grave des devoirs d'un époux" qui "met en péril les intérêts de la famille". Le texte ne distingue pas, malgré au départ quelques réticences jurisprudentielles, la nature des manquements dont l"époux se rendrait coupable[2]. Le conjoint, qui représente les intérêts du groupement familial menacé, pourrait alors, sous le signe de l'urgence, s'adresser au président du Tribunal. Celui-ci a des pouvoirs très variés qui lui permettent de prendre des mesures conservatoires ou de blocage : par exemple l'interdiction de déplacement des meubles corporels signifiée à l'autre époux[3], voire la défense d'aliéner des biens sujets à publicité[4]. Les juridictions ne s'estiment d'ailleurs pas liées par une interprétation restrictive des textes[5] et pourraient prescrire des mesures plus positives, comme la gestion d'un fonds artisanal ou le remboursement de taxes de T.V.A.[6]. Toutefois le Président du Tribunal, agissant en référé (selon art. 290 N.C.P.C.) pourrait autoriser la vente de biens indivis de faible valeur, mais non d'un immeuble[7]. Le législateur a marqué sa volonté de ne pas créer une intervention judiciaire permanente dans la vie de la famille ou une séparation de fait durable. Les mesures prises par voie d'ordonnance sont à la fois révisables et temporaires : elles sont révisables puisque les décisions prises par voie de référé ou ordonnance sur requête sont susceptibles d'être rapportées par le président du Tribunal, dès lors que leur utilité n'est plus démontrée[8]. D'autre part, la durée des mesures ne saurait aller au-delà de trois ans, prolongations comprises (art. 220-1, alin. 3). La sanction, dans le cas par exemple d'une interdiction de disposer des meubles, serait de constituer le conjoint auquel a été signifié l'ordonnance, gardien responsable dans les mêmes conditions qu'un saisi (art. 220-2 alin. 2). De plus, tous les actes passés avec un tiers de mauvaise foi en violation de l'ordonnance sont frappés de nullité. Selon l'article 220-3, le conjoint dispose d'un délai de deux ans pour agir à partir du jour où il a connaissance de l'acte. S'agissant d'un bien sujet à publicité dont l'aliénation lui a été interdite, le délai serait appelé à courir du jour de la publication (art. 220-3 - 2e alinéa). Bien que n'étant pas permanentes, les mesures prises au titre de l'article 220-3 of-

---

1. Cf. *supra*, n° 219.
2. Cf. T.G.T. Saint-Brieuc, ler juin 1967 D. 1967 Som. 89, époux alcoolique dont la conduite automobile met la famille en péril — T.G.I. Nevers, 9 novembre 1973, *J.C.P.* 1974, IV, 195 — mari sans domicile, ni résidence connue, ne donnant plus signe de vie.
3. Cas prévu à l'art. 220-2, 2e . Cf. Cour Nancy, 12 décembre 1968, D. 1969 - 302 note de M. Foulon-Piganiol.
4. Art. 220-2 - 1er alin. — Cf. T.G.T. Nevers, 12 juillet 1971 D. 1971 - 643 interdisant au mari de disposer seul d'une automobile en régime séparatiste.
5. Cf. T.G.T. Digne, ler juillet 1972 D. 1973 - 259 note M. Foulon-Piganiol, *J.C.P.* 1973 - 17443 note D. Mayer : immatriculant au nom de la femme la moitié des titres de communauté.
6. Cf. T.G.T. Chambéry, 16 mars 1967, *J.C.P.* notar. 15184 bis note J.A. - T.G.T. Nevers, 9 novembre 1973 cit.
7. Cour Versailles, 29 novembre 1991, D. 1992 T.R. 77.
8. Cf. Cass. 1er Civ. 25 octobre 1972 D. 1973 Som. 30 approuvant le retour des meubles au domicile conjugal sans préciser la durée — art. 1290 C.P.C.

frent des possibilités dont les juges français n'ont usé jusque là qu'avec une certaine discrétion[1].

Bibliographie

J. Patarin, G. Morin, "La réforme des régimes matrimoniaux", t. 2, "Statut fondamental", n° 5-92.

A. Leuck, "Le statut matrimonial et la vie internationale", in "Le statut matrimonial des Français", Congrès des Notaires de France, La Baule, 1978, — t. 2., "Régimes matrimoniaux, successions et libéralités", Union du Notariat latin, 2 volumes, Neuchâtel, 1979.

C. Noir-Masnata, cit.

A. Colomer, "Régimes matrimoniaux" 2e édit. 1986.

Ph. Malaurie, L. Aynès, "Régimes matrimoniaux", Paris, 1988.

Sur le logement familial :

Journées Mexicaines H. Capitant, 1982, public. Economica, 1984.

Sur les comptes bancaires :

J.M. Florand, "Les Petites Affiches", 7 août 1986, cit. D. Martin, D. 1989,135.

SECTION IV
L'OBLIGATION ALIMENTAIRE

§ 1. CARACTERISTIQUES ESSENTIELLES ET EVOLUTION DE L'OBLIGATION ALIMENTAIRE

241. Selon une distinction retenue par la doctrine[2] l'obligation alimentaire répond à une double définition, l'une très générale, l'autre plus étroite. Dans un sens très large, on peut la comprendre comme tout engagement pris dans un acte à titre onéreux ou gratuit de subvenir aux besoins d'une autre personne : ainsi dans le contrat de vente quand un acquéreur s'acquitte moyennant une rente viagère ou un bail à nourriture... même dans une donation, quand le Code sanctionne le refus d'aliments par la révocation de la libéralité (art. 955-3). La signification plus restreinte — la seule qui nous intéresse ici — est l'obligation légale, fondée sur des liens de parenté ou d'alliance de venir au secours des membres de la famille dans le besoin. Le code Civil a

1. Cf. l'exemple cité par M. Malaurie, "Régimes matrimoniaux", p. 83, note 16 de la femme qui réclamerait l'"assignation à résidence" du mari coureur ou habitué des cafés.
2. Cf. Ph. Malaurie, p. 838.

traité — brièvement d'ailleurs — de l'obligation alimentaire au chapitre V du livre 1 "des obligations qui naissent du mariage". Le plan suivi est impropre. Dans les rapports entre époux la forme minima et assez particulière de l'obligation alimentaire est celle du devoir de secours (art. 212) élargi le plus souvent par la "contribution aux charges". Les devoirs de parenté ne sont pas nécessairement liés au mariage. D'une manière plus correcte, le B.G.B. allemand a séparé le devoir d'entretien mutuel entre époux (§ 1359-1361 a) des règles générales sur l'obligation alimentaire traitées, après le chapitre de la filiation (§ 1601 sv.).

242. On pourrait penser, que selon une idée comparable à l'enrichissement sans cause, l'obligation alimentaire est un principe moral très général, à la source de toutes les relations entre membres de la famille. Or il n'en est rien, le Code Civil — comme d'ailleurs les législations postérieures — ayant défini de manière restrictive les conditions comme les personnes tenues de l'entretien. Il est vrai que d'une part les rédacteurs du code avaient fait confiance à la solidarité familiale encore vivace dans une société rurale où on peut plus facilement exécuter en nature l'obligation[1]. D'autre part, la jurisprudence a admis qu'au delà de la définition légale et des personnes tenues, il y avait une obligation naturelle d'assistance, par exemple entre frères et sœurs ou parents naturels avant les réformes du droit de la filiation[2].

La pratique devait révéler malheureusement une carence croissante des débiteurs d'aliments. Déjà, dans les rapports entre parents et enfants, le Code Civil était suivi, quelques années après, par le décret de 1811 sur les conditions d'assistance à l'enfance qui témoignait pour le moins de défaillances familiales. Les pouvoirs publics, à partir de la seconde moitié de XIXᵉ siècle vont reprendre la politique traditionnelle d'assistance de l'Eglise. A la notion de secours alimentaire familial se substitue celle de l'Aide Sociale. Elle ne vise originairement que les catégories indigentes : ainsi la loi du 15 juillet 1893 sur l'assistance médicale gratuite, celle du 14 juillet 1905 sur l'assistance aux vieillards infirmes ou incurables. Mais l'extension de l'Aide, l'ampleur des dépenses sanitaires et sociales font que les pouvoirs publics ne peuvent se résigner à voir disparaître toute contribution alimentaire des débiteurs d'aliments. On aboutit alors à une combinaison originale de l'aide publique et de la participation privée qui justifie le recours des collectivités ou des établissements publics contre les membres de la famille tenus selon le Code Civil. Ce mécanisme instauré dès la loi du 30 juin 1838 sur les frais de placement des internés[3] s'est prolongé avec la loi du 7 août 1851 (légèrement remaniée par celle du 21 décembre 1941). En même temps, devant l'échec des procédures ordinaires de recouvrement, l'Etat s'est efforcé de les faciliter grâce, nous le verrons, à l'intervention du Trésor Public (loi du 11 juillet 1975). Les systèmes étrangers les plus "étatisés" reconnaissent, eux aussi, la nécessité de maintenir des rapports alimentaires de droit privé, comme en témoigne par exemple le droit russe. La réforme du droit soviétique a mis fin à l'interdiction de toute

1. Cf. la réminiscence de l'art. 210.
2. Cf. sur l'idée d'une obligation naturelle d'assistance G. Ripert, "La règle morale dans les obligations civiles", 1949 n° 199. 2 .
3. Cf. Cass. Req. 2 mai 1938 D.H. 1938 - 421 appliquant l'art. 27 de la loi.

réclamation alimentaire des enfants naturels, telle qu'elle existait dans la loi de 1944 (cf. supra n° 64). Toutefois la politique sociale française la plus récente fait prévaloir l'aide publique. Les allocations familiales, depuis une loi du 23 décembre 1984 sont habilitées à accorder "des avances sur pensions", et dans la prise en charge des cotisations d'assurance maladie par l'Aide sociale, une circulaire du 8 janvier 1988 recommande de ne pas tenir compte des créances alimentaires[1].

Les obligations alimentaires ne sont étudiées ici que dans leurs aspects généraux ; certaines caractéristiques de l'action de subsides et de l'obligation d'entretien des parents seront abordées à propos de la filiation et de ses effets. Les secours alimentaires après divorce ne se séparent guère de l'institution elle-même.

§ 2. LES PERSONNES TENUES DE L'OBLIGATION ALIMENTAIRE

243. Le Code Civil énumère limitativement les personnes tenues d'un lien alimentaire, mais la jurisprudence corrige heureusement le principe par l'absence de classement hiérarchique des débiteurs d'aliments.

1/ En dehors des époux eux-mêmes (art. 212) seuls sont tenus les ascendants et descendants en ligne directe (art. 205) ainsi que les gendres et belles-filles dans les rapports avec les beaux-parents (art. 206). L'obligation réciproque qui existe entre ascendants et descendants doit être normalement distinguée de l'obligation d'entretien unilatérale des parents à l'égard des enfants, découlant du mariage (art. 203). Cette dernière ne peut se prolonger que dans certaines conditions au delà de la majorité, alors que l'obligation alimentaire fondée sur le besoin existe, la vie durant entre créancier et débiteur. La loi du 3 janvier 1972, en faisant entrer l'enfant naturel dans la famille de son auteur (art. 334) ne fait plus aucune distinction selon le type de famille, légitime ou naturelle. La règle sera la même pour la famille adoptive, au moins en cas d'adoption plénière (art. 358).11 faudra, en effet, pour l'adoption simple, tenir compte de l'article 367 : les père et mère de l'enfant par le sang restent tenus, mais de manière subsidiaire, si l'adoptant ne peut fournir d'aliments. On peut remarquer que la loi n'a instauré aucune obligation légale entre enfants d'un premier lit et parâtre ou marâtre à la suite du remariage de l'un de leurs parents[2]. La jurisprudence belge qui ne connaît pas une pareille limite, a néanmoins tenu compte, dans l'action d'un père remarié contre son fils du premier lit, de la charge que représentait sa seconde épouse et son enfant[3].

---

1. Cf. E. Alfandari, "Action el aide sociale", 4e édit. p. 397, note 2. Sur l'évolution de l'obligalion alimentaire cf. R. Savalier, "Les métamorphoses économiques et sociales du droit civil d'aujourd'hui", 1re série, 8e édit. 1964 n° 216-218 — J. Pélissier, "Les obligations alimentaires : unité ou diversité (préf. R. Nerson), Paris, 1961 — E. Alfandari, "Action et aide sociale, Paris, Dalloz, 4e édit. 1989.
2. Cf. Trib. Duclair, 23 février 1954 D. 1954 - 216 pour qui il ne peut y avoir que l'exécution d'une obligation naturelle.
3. Cf. Trib. Nivelles 3 janvier 1968 et Cass. belge, 3 janvier 1969 cit. E. Vieujean, RTDC. 1972, p. 220, n° 5.

S'agissant de la famille par alliance, le texte de l'article 206 C. Civ. ne vise que l'obligation entre gendre et belle-fille d'un côté, beau-père ou belle-mère de l'autre. Les aliments n'existent qu'en raison de la seule personne qui a créé l'affinité[1]. C'est dire qu'il n'y a pas une obligation réciproque à tous les degrés, comme entre ascendants et descendants. Un gendre n'est pas le débiteur de la grand-mère de la femme[2]. Le lien créé par l'alliance est fragile. Une cause initiale de son extinction a disparu avec la loi du 9 août 1919 : c'était le remariage de la belle-mère, souvenir du vieil ostracisme à l'égard des secondes noces (cf. supra n° 53). Mais subsistent les cas de dissolution du mariage par divorce ou décès d'un époux. S'il y a divorce, l'obligation ne cesse qu'au prononcé définitif[3]. Dans l'hypothèse du décès, c'est la traduction du vieil adage "morte ma fille, mort mon gendre". Mais l'action alimentaire subsiste, en présence d'enfants issus du mariage, même si par exemple le gendre s'était remarié[4].

Ni les frères ou sœurs, ni aucun collatéral ne figurent au nombre des personnes tenues. Les raisons invoquées sont bien archaïques dans le contexte démographique actuel, notamment celle d'un recours contre un frère aîné qui serait chargé d'une famille nombreuse[5]. Peut-être faut-il voir, avec Monsieur Alfandari[6] dans le rapport alimentaire une situation d'inégalité, qui ferait qu'un gendre ou un beau-père est mieux placé qu'un frère ou une sœur.

244 2/ L'énumération restrictive du code Civil est atténuée par le principe jurisprudentiel de l'absence de hiérarchie des débiteurs d'aliments. S'agissant des besoins élémentaires du créancier, la Cour de Cassation n'a pas voulu suivre le principe successoral qui écarte les parents d'un degré plus éloigné au profit de ceux d'un degré plus proche. Des époux ayant assigné leur belle-fille avant leur deux enfants, la chambre civile a cassé l'arrêt de la Cour de Riom qui leur avait imposé une action successive : "aucune disposition n'impose au demandeur, contre les divers débiteurs d'aliments une action commune ou des actions successives suivant un ordre déterminé"[7]. Une partie de la jurisprudence tient compte toutefois du caractère particulier des rapports entre époux pour faire primer le devoir de secours réciproque, avant toute autre action[8]. Soucieuse de venir en aide au créancier, la Cour de Cassation a rappelé que l'inexécution de l'obligation d'entretien du père divorcé envers ses enfants

1. Cf. Cass. 11 décembre 1979, *JCP*, 1980 - 4 -77.
2. Trib. Inst. Laval, 16 mai 1961 - 712 - Cour Angers, 5 février 1974, D. 1974 - 535 note D. Martin, contra, au nom de la solidarité familiale, Trib. Quimperlé, 12 août 1937 D. 1938 - 2 - 120 — Cour Paris, 31 octobre 1980, G.P. 1982 - 1 - Som. 74 — prise en compte des revenus des conjoints des petits enfants
3. Cf. Cour Bordeaux, 4 mai 1972, *J.C.P.* 1972 - 4 - 178, gendre prétendant mettre fin à son obligation dès l'instance en non-conciliation
4. Cf. Cour Lyon, 25 janvier 1967, D. 1967 - 443 Commenl R. Nerson, RTDC. 1968 - 350.
5. Cf. J. Pélissier cit. p. 48.
6. Cf. "Droits alimentaires et droits successoraux", Mélanges R. Savatier, 1965, p. 5.
7. Epoux Giraud Civ. 2 janvier 1929 D. 1929 - 1 - 137 - Trib. Seine, 25 novembre 1931 D. 1933 Som. 1 Civ. 1er, 18 mars 1968 D. 1968 - 623.
8. Cf. Cour Montpellier 9 janvier 1952 D. 1952 Som. 25 - Cour Paris, 20 mars 1952 D. 1952 Som. 73. - mais contra : Cour Douai, 28 juillet 1953, D. 1954 - 477 note R. Savatier pour qui le beau-père ne pouvait se retrancher derrière l'obligation du mari, en liquidation de biens.

n'interdit pas un cumul avec l'obligation de droit commun contre les grands-parents[1]. Plus récemment elle a précisé que l'absence de ressources des père et mère tenus au titre de l'art. 203 C. Civ. permettait aux descendants d'agir contre les mêmes grands-parents selon l'ar. 205-207[2].

Il est plus délicat de savoir dans quelle mesure un débiteur d'aliments poursuivi par un créancier a un recours contre les coobligés. Un arrêt du parlement de Paris du 18 février 1766 avait admis la solidarité dans les rapports alimentaires entre enfants et parents. On sait que le Code Civil ne l'a pas admise de plein droit et qu'elle doit être stipulée (art. 1202). Dans le silence des textes, un arrêt de 1935, à propos de l'obligation d'entretien des parents, affirmait son caractère solidaire et indivisible, chacun étant tenu pour le tout et ayant un recours contre le débiteur défaillant[3]. La jurisprudence avait toutefois manifesté une grande réticence pour l'extension de cette solution du droit commun en faisant valoir qu'il n'y avait ni gestion d'affaires (le débiteur poursuivi ayant acquitté sa propre dette) ni subrogation légale au sens de l'article 1251, le paiement n'ayant pas été effectué pour d'autres[4]. C'est seulement en cas de répartition conventionnelle ou judiciaire préalable qu'elle admettait la subrogation[5]. La Cour de Cassation a posé le principe d'un recours d'une sœur contre son frère coobligé, compte-tenu des facultés respectives des débiteurs[6]. Mais une décision plus récente à propos de l'action d'une maison de santé contre un débiteur d'aliments, a cassé un arrêt de Nîmes et nié la solidarité. L'intéressé pouvait obtenir une division de la dette[7]. Il semble bien que la solidarité reste spécifique à l'obligation d'entretien[8].

245 3/ Plusieurs droits étrangers présentent des différences assez sensibles d'avec le droit français quant aux personnes tenues de l'obligation, voire quant à la hiérarchie des débiteurs d'aliments. La plupart des droits "occidentaux" ignorent les obligations entre alliés, mais par contre les connaissent entre frères et sœurs (sauf en droit allemand) : ainsi l'article 457 du Code Civil italien, l'article 143-2 du Code Civil espagnol, l'article 328 du code Civil suisse ("s'ils vivent dans l'aisance"). Le code civil suisse de 1907 qui admet également l'obligation alimentaire, en ligne directe, va au delà en donnant aux enfants et petits enfants majeurs qui vivent chez les parents ou grands-parents, un droit à "une indemnité équitable" s'ils leur consacrent leur travail[9]. Le droit belge dans l'interprétation qu'en a donné la jurisprudence, fait

1. Cass. Civ. 1er - 6 mars 1974, D. 1974 - 329 note Ch. Gaury.
2. Cass. Civ. 6 mars 1990, J.C.P. 1991, 21664 note T. Garé, D. 1990, T.R. 75.
3. Cf. Cass. Civ. 27 novembre 1935, D. 1936 - 1 - 25 - note A. Rouast - Cass. 2e -12 juillet 1971 D. 1971 - 689 - obligation de parents divorcés.
4. Cf. Trib. Civ. Bar-le-Duc, 8 juin 1943 D.C. 1944 - 18 - note G. Ripert invoquant l'enrichissement sans cause — Trib. Civ. Boulogne 21 décembre 1948, D. 1949 Som. 15.
5. Cf. Trib. Instance Paris 20e - 19 février 1965 D. 1965 Som. 109. Gerfaud, Civ. I - 29 mai 1974 D. 1975 - 482 - note F. Magnin.
6. Cass. 1er - 3 mars 1987 "De Cecco", Bullet. Cass. 1987 - 1 n° 80, *J.C.P.* 1987 - 4 159.
7. Cf. Cass. 2e - 28 avril 1980, *J.C.P.* 1980 - 4 - 261. L'art. 208 n'impose pas une limitation ou une division de la dette en raison de l'existence d'aucun débiteur. Cass. 5 février 1991 (2 arrêts), Bullet. Cass. 1991, 1, p. 42 et 43, D. 1991, I.R. 57 et 71.
8. Art. 334 et 334 bis. Cf. Steinauer in "Mariage et famille en question : Suisse", p. 34
9. Sur la priorité de l'obligation d'entretien, Cour Bruxelles, 6 janvier 1987 RTDF.

passer l'obligation d'entretien des parents (art. 203) avant celle des grands-parents si un enfant est dans le besoin. Les grands-parents ne sauraient donc faire l'objet d'une action en justice pour peu que la mère puisse subvenir aux besoins de l'enfant. De plus un nouvel article 203 bis (rédaction du 31 mars 1987) assure à chaque parent un recours contre l'autre7. Au Canada, l'article 594 du Code du Québec ne connaît que l'obligation entre époux et celle entre ascendants et descendants, sans limitation de degré[1]. Le B.G.B. allemand a adopté une classification des débiteurs comparable à celle des successions (§ 1606 et 1608) : les époux passent avant tous les autres parents, sauf l'hypothèse où le conjoint débiteur ne pourrait remplir ses devoirs "sans mettre en danger son propre entretien" (§ 1608). Parmi les parents tenus réciproquement en ligne directe, les descendants priment les ascendants, et à l'intérieur de chaque branche, on tient compte de la proximité de degré. En cas de pluralité de débiteurs au même degré, ils répondent en proportion de leurs facultés (§ 1606, alin. 2 à 3). Le §1609 prévoit le cas particulier d'une pluralité de créanciers que ne pourrait satisfaire un débiteur d'aliments. Les enfants mineurs non mariés ont la priorité et pourraient recourir exceptionnellement à leurs cousins. Les droits des pays socialistes s'attachent surtout à ceux qui peuvent, de fait, venir en aide aux créanciers d'aliments : ainsi l'article 85 du Code Civil russe admet que l'enfant ou la personne hors d'état de travailler puisse réclamer des aliments à celui qui les avait entretenu, faute de parents ou de conjoint. De manière générale, le cercle des personnes tenues est large : le conjoint, les ascendants et descendants, les frères et sœurs (art. 81 code bulgare), voire les beaux-parents qui auraient entretenu l'enfant après le décès de ses propres parents[2].

§ 3. LE REGIME JURIDIQUE DE L'OBLIGATION ALIMENTAIRE

246. L'action alimentaire est à la limite des droits pécuniaires et de ceux de la personnalité. Son but est de faire vivre une personne, ce qui lui confère un caractère indisponible et urgent[3]. Les traits essentiels de l'action partent de cette idée.

1/ On suppose tout d'abord que le créancier réclame "des aliments". L'expression ne doit pas être entendue dans le sens le plus restreint. Elle comprend naturellement ce qui est nécessaire à la subsistance[4]. Il faut englober les dépenses d'entretien (vêtements, logement, chauffage) les soins dans les établissements spécialisés (maisons de retraite), les charges médicales et chirurgicales[5]. On pourrait même y comprendre les dépenses funéraires "en rapport

1. Cf. J. Pineau, p. 263
2. Art. 144 du Code polonais, 31 du Code bulgare, 37 du Code roumain — Cf. W. Gzachorski, "Introduction aux droits socialistes", Budapest, 1971, pp. 562-563.
3. Cf. J. Carbonnier, "Droit Civil", 12e édit. p. 503.
4. Cf. pour le caractère alimentaire des frais de cantine d'un enfant, Cass. 2e mai 1987 Bullet. Cass. 1987 - 2 - n° 118.
5. Cass. Civ. 28 février 1938 D.H. 1938 - 241 - Cass. Civ. 17 décembre 1946 D. 1947 93 - Cass. Civ. 4 juillet 1983, Bullet. Cass. 1983 - 5 - n° 390

avec la condition du défunt"[1]. Seuls, semble-t-il, les frais d'éducation (qui rentrent dans l'obligation d'entretien des parents de l'article 203) ne figureraient pas dans les charges alimentaires des autres membres de la famille, ce qui peut paraître contestable[2]. Le §1610 - 2 BGB englobe dans l'entretien le coût d'une formation professionnelle appropriée.

2/ Les aliments dépendent à la fois des besoins du créancier et de l'état de ressources de celui qui les fournit (art. 208 C. Civ.). C'est normalement au créancier qu'incombe, lors d'une action en justice,la charge de la preuve de son état de besoin, et au débiteur de faire état de son impossibilité de faire face à la demande ou de la survenance de charges nouvelles[3]. A vrai dire, sauf la survenance de certains événements qui font présumer par eux-mêmes l'absence de moyens du créancier (comme la situation d'un beau-père dont la liquidation des biens nécessite un recours à son gendre)[4], l'allégation de son état de besoin s'accompagne d'un examen de sa conduite. Le juge n'est pas obligé de s'attacher à l'état apparent du créancier. Il peut vérifier si de soi-disant troubles n'empêchaient pas le créancier d'exercer une activité rémunérée[5] ou s'il n'a pas volontairement démissionné d'un emploi antérieur plus lucratif[6]. A l'inverse, l'obligation du débiteur se mesure suivant sa situation et ses ressources — (âges, état de santé, etc...). Là encore ses allégations et sa conduite pourraient être démenties pour l'état réel de ses moyens et amener la juge à lui refuser une diminution ou une suppression de ses versements[7].

Le droit comparé montre que dans quelques cas, le refus volontaire d'aliments peut devenir une cause d'indignité successorale pour le débiteur (Yougoslavie, Mexique). A l'inverse, le comportement du créancier à l'égard du débiteur peut constituer une fin de non recevoir. C'est ainsi que le § 1611 du BGB allemand retient la faute volontaire ou le préjudice grave du créancier envers le débiteur ou un de ses proches. Ce dernier n'est plus alors tenu que d'un versement "équitable". Son obligation disparaît totalement si le débiteur fait preuve d'"injustice grossière" (grob unbillig). En France, la loi du 3 janvier 1972 avec la modification du 2e alinéa de l'article 207 a créé l'"exception d'ingratitude". Le comportement du créancier qui a "manqué gravement à ses obligations" envers le débiteur, entraînera décharge totale ou partielle de ce dernier. On a invoqué le scandale qui consisterait pour un ascendant ou un membre de la famille créancier d'aliments d'avoir failli dans le passé à ses de-

---

1. Trib. 15e arrond. Paris, 26 octobre 1934 D.H. 1934 - 614 - Trib. Mamers - 8 novembre 1955 D. 1956 - 32.
2. Cf. Cour Aix-en-Provence, 2, mai 1970, D. 1971 Som. 109 - grands parents non tenus des frais d'éducation.
3. Cf. pour le cas du remariage du débiteur, Cass. 1er - 18 janvier 1989, Bullet. Cass. 1989 - 1 n° 14 D. 1989 I.R. 29.
4. Cass. 11 décembre 1979, cit. *J.C.P.* 1980 - 4 - 77.
5. Cf. Cass. 19 juin 1979, *J.C.P.* - 4 - 285.
6. Cass. Civ. 2e - 2 juillet 1980 D. 1981 T.R. 272.
7. Cf. Cour Grenoble, 18 janvier 1960 D. 1960 - 273 - mari divorcé "paresseux et intempérant" alléguant en vain que la pension mensuelle versée à la femme absorbait ses revenus, alors qu'il avait un élevage de visons et deux fermes en métayage — Paris, 6 octobre 1959, D. 1960 - 143 - demande de diminution de pension en fonction d'une déclaration fictive aux contnbutions, quand l'inté ressé avait majoré ses frais professionnels.

voirs les plus élémentaires envers le débiteur et sur le tard de réclamer une pension. Cette disposition a en réalité entraîné un contentieux sans doute plus abondant que ne l'imaginaient ses auteurs, et s'est révélée "la boite de Pandore" des conflits familiaux. La décharge du débiteur ne sera possible que s'il a des griefs sérieux à faire valoir à l'encontre du créancier. Ainsi, l'action d'une mère contre ses enfants ne saurait être écartée du seul fait qu'ils ont fait l'objet d'une mesure d'assistance éducative pendant leur minorité (sans que la responsabilité incombe à la seule mère), qu'elle ait été divorcée ou l'enfant confié originairement à ses grands-parents[1]. La Cour de Cassation s'en remet à l'appréciation des juges du fond ; elle considère que cette fin de non-recevoir peut jouer même en appel, sans qu'on puisse opposer l'autorité de chose jugée en première instance . Ce pouvoir des juges explique les divergences : pour les uns, le père ne peut reprocher à son fils majeur d'avoir quitté le domicile paternel et de vivre en concubinage[2] — pour les autres, ce serait au contraire un motif d'exonération[3]. En tout cas, l'article 107-2 a été considéré comme inapplicable à l'obligation unilatérale d'entretien des parents de l'article 203. L'"exception d'ingratitude" est souvent invoquée par un des conjoints divorcés à l'encontre de l'autre et la jurisprudence a eu certainement la volonté de ne pas aggraver un climat souvent tendu. Le débiteur aurait pu trop facilement invoquer des griefs à l'égard de son ex-époux[4].

247 3/ Action personnelle de subsistance, l'obligation alimentaire est considérée classiquement comme étant un droit d'ordre public. C'est dire que le créancier ne pourrait renoncer pour l'avenir, à la faire valoir, ni la céder. Pas davantage, elle ne saurait donner lieu à des saisies (art. 2092-2 C. Civ.). La Cour de Cassation atténue toutefois l'indisponibilité. Elle déclare valable la cession de termes déjà échus, ou des transactions sur des versements passés, par lesquelles un époux se déclarerait "rempli de ses droits". De tels accords n'engagent pas l'avenir[5].

L'obligation alimentaire a surtout deux caractères importants : elle est variable et personnelle. Sa variabilité signifie que quelle que soit la manière dont elle est exécutée, elle doit pouvoir s'adapter aux besoins du créancier et aux ressources du débiteur. Le procédé normal est un versement périodique en argent. Ce ne serait que dans des cas exceptionnels que le tribunal pourrait ordonner une exécution en nature (parents offrant de recevoir les enfants ou débiteur prouvant qu'il ne peut fournir une contribution financière, article 210 et 211). Si le montant de l'obligation pécuniaire a été fixé, comme en matière de

---

1. Cf. Cass. Civ. 1er - 27 mars 1979, D. 1979 I.R. 428 - Cour Montpellier, 12 mai 1986 G.P. 1987 - 2 Som. 375.
2. Cass. 1er - 25 mai 1987 Bullet. Cass. 1987 - 1 n° 159, *J.C P.* 1987 - 4 - 261. Cour Paris, ler juillet 1986, D. 1986 I.R. 470.
3. Trib. Angers, 26 octobre 1983 G.P. 1984 - 1 Som. 11 - outre son concubinage, le père accusait son fils créancier de ne le rencontrer que dans l'enceinte du palais de justice.
4. Cf. Cass. 2e - 17 juillet 1985 G.P. 1987 - 175 note J. Massip — mari alléguant sans succès que les filles avaient pris le parti de leur mère — Cour Paris 14 juin 1988. D. 1988 I.R. 232 — reproche fait à la mère de n'avoir pas déféré à la convocation de l'assistante sociale.
5. Cf. Cass. 1er - 15 mai 1973 D. 1973 - 479 - note B.V. Cass. 1er 25 mai 1985, Cass. 1985 - 1 n° 167 - transaction sur des dépenses antérieures d'entretien de l'enfant.

contribution aux charges du mariage par accord amiable entre époux (supra n° 228), il doit être revu en fonction des circonstances[1]. C'est seulement à défaut d'accord ou si la convention passée entre les époux était muette sur certains aspects alimentaires (par exemple l'obligation d'entretien de l'enfant) que le magistrat interviendrait. Le débiteur ne pourrait pas invoquer une homologation antérieure d'une convention de divorce excluant la pension si le besoin d'entretien se manifestait par la suite[2].

Le juge compétent pour condamner le débiteur sera, au choix du créancier, le Tribunal d'Instance de son domicile ou de celui du défendeur[3]. Cette compétence n'est ailleurs pas considérée comme exclusive, et le juge aux affaires matrimoniales (J.A.M.) pourrait intervenir de manière incidente, par exemple à l'occasion d'un transfert d'autorité parentale[4]. Pour prévenir les difficultés liées à la révision de la pension, l'article 208-2 C. Civ. a donné au magistrat la possibilité "même d'office" d'assortir la pension d'une clause d'indexation. L'obligation alimentaire échappe aux limites posées par l'article 79-3 de l'ordonnance du 30 décembre 1958 (indexation sans relation directe avec l'objet de la convention ou l'activité d'une partie). Les juges du fond se voient reconnaître un pouvoir souverain par la Cour de Cassation, l'indice choisi pourrait être, soit le salaire minimum de croissance (SMIC) pour des salariés, soit l'indice des prix à la consommation en milieu urbain pour non salariés[5]. Un arrêt de la Cour de Paris du 9 mai 1980[6] a tiré des conséquences excessives de la notion de dette "portable", c'est-à-dire payable au domicile du créancier. Il a énoncé qu'en cas de clause d'indexation automatique, le débiteur était tenu de procéder de plein droit à un réajustement. Faute de quoi, il s'exposerait aux procédures spéciales de recouvrement. A l'inverse, la notion de variabilité implique la possibilité de réduction ou de suppression de l'obligation si le créancier revenait à meilleure fortune[7]. C'est l'application de l'article 209 du Code Civil qui prévoit la décharge, si le besoin disparaît. Le débiteur serait même fondé à réclamer la répétition des sommes versées depuis l'événement[8]. Il est plus délicat de savoir si les débiteurs ne pourraient pas "récupérer" dans la succession les sommes versées du vivant du créancier. La Cour de Cassation a considéré qu'ils avaient accompli un devoir légal alors que le créancier était dans le besoin, et ne pouvaient alléguer l'avance sur la succession[9]. La doctrine se montre moins affirmative. La notion de besoin peut

1. Cf. Trib. Civ. Les Andelys - 22 octobre 1948 D. 1949 - 114 - Cass. 1er - 18 mai 1960 - 3e esp. D. 1960 - 682 — engagement initial de pourvoir à l'entretien de l'enfant illégitime : "l'intention formelle de D... était de lui fournir des moyens d'existence suffisants, donc variables avec ses besoins".
2. Cass. Part. 2e Civ. 17 octobre 1985, Bullet. Cass. 1985 - 2 - n° 157 - Cass. 2e - 4 mars 1987 Bullet. Cass. 1987 - 2 - n° 60
3. Cf. art. 46-4 C.P.C. - R. 321-9 C. Org. Judic.
4. Cour Paris - 2 février 1989 D. 1989 T.R. 81.
5. Cf. Cass. 2e - 18 février 1976 D. 1976 T.R. 136 - Cass. 2e - 12 janvier 1977 D. 1977 T.R. 171 - Cour Douai, 21 octobre 1976 D. 1978 I.R. 77.
6. D. 1980 - 532 - note J. Massip, RTDC 1981 - 910 ob. R. Perrot.
7. Cass. Req. 5 janvier 1938 D.H. 1938 - 180 débiteur déchargé par le mariage de sa fille - Cass. 1er - 14 janvier 1969 - 217 - fils ayant rejoint son père qui avait assumé son entretien.
8. Cass. 5 janvier 1938 cit.
9. Cf. Cass. 1er Civ. 25 octobre 1965, D. 1967 - 745 - note R. Lindon.

avoir un caractère relatif. Si un fils avait fourni à son père du vivant de celui-ci, une pension, alors que le père était incapable de "réaliser" certains biens, il devrait avoir la possibilité de revendiquer des sommes d'un montant égal à celui que le père créancier aurait tiré de la vente de ses biens[1].

248. On touche par la au caractère personnel de la pension. Il ne fait pas de doute que l'action du créancier est liée à sa situation personnelle. Ses héritiers ne pourraient réclamer que les arrérages échus, et s'ils avaient à faire valoir un droit, ce serait en leur nom propre. Il n'y a pas de transmissibilité active[2]. L'hésitation commence pour l'intransmissibilité passive de la dette. On pourrait invoquer le fait que les besoins du créancier ne disparaissent pas avec le décès du débiteur et que la solidarité familiale imposerait de la part des héritiers, le respect des engagements pris par leur auteur. Mais à l'inverse, on a pu faire valoir que la disparition du débiteur crée d'autres engagements familiaux, et que la jurisprudence veut éviter qu'un "deuxième réseau" de liens patrimoniaux n'interfère avec le premier[3]. Malgré certaines exceptions (volonté exprimée par un père de subvenir aux besoins de l'enfant adultérin, avant la loi de 1972) la Cour de Cassation a depuis le XIXe siècle, affirmé l'intransmissibilité des obligations légales[4]. Les articles 448 du Code Civil italien, § 1615 BGB édictent l'intransmissibilité active et passive (sauf non-exécution d'engagements antérieurs). En droit français actuel, les seules dérogations admises concernent l'action à fin de subsides (art. 342-5) et surtout la possibilité donnée au conjoint survivant dans le besoin de réclamer des aliments à la succession. Le but recherché par le législateur qui a inséré cette disposition en 1891 (art. 207-1) a été de compenser l'absence de réserve du survivant. On n'a pas voulu qu'en présence d'une succession qui peut être opulente, un conjoint écarté par donation ou legs, reste dans le besoin[5]. Ce ne sont pas à vrai dire, les héritiers qui sont tenus personnellement, mais la masse successorale qui supporte la dette. La pension sera fixée selon la valeur des biens et l'appréciation des ressources du créancier au jour de l'ouverture de la succession[6]. Elle sera payée de préférence aux legs particuliers, qui pourraient subir une réduction proportionnelle (art. 207-1 - 2e alin.). Mais la condition nécessaire est l'absence de moyens personnels[7] et l'obligation où se trouvera le survivant

---

1. Cf. E. Alfandari, "Droits alimentaires et droits successoraux", Mélanges Savatier, cit., p. 18.
2. Cf. pour le rappel de l'intransmissibilité à propos de l'action récursoire du Département contre les héritiers du créancier, (Cass. 1er, 21 juillet 1987, Bullet. Cass. 1987 - 1, n° 237 - *J.C.P.* 1987 - 4 - 347 - Cour Versailles, 17 février 1988, D. 1988 I.R. 113.
3. Cf. sur cette question, J. J. Dupeyroux, D. 1959 Chr. 71 - E. Alfandari mél. Savatier cit.
4. Cass. 8 juillet 1857 D. 1857 - 1 - 531 Cass. Civ. 30 mars 1925 D. 1927 - 1 - 92 Cass. Civ. 29 mars 1950 D. 1950 - 593 - note J. Charbonnier, "L'obligation alimentaire est par essence, intransmissible".
5. Cf. sur l'art. 207-1, 205 jusqu'en 1972 — G. Ripert, J. Boulanger, t. 1, n° 2095 sv. et Cour Nîmes, 7 décembre 1936 D.H. 1937 - 124 - succession Darboux où la veuve avait été privée de l'émolument par une série de legs à l'Institut Pasteur.
6. Paris, 22 mars 1958 D. 1958 Som. 101.
7. Cf. Cour Montpellier, 26 janvier 1937 D.H. 1937 - 212 "Il ne s'agit pas de savoir si la veuve pourra continuer l'existence luxueuse qu'elle menait près de son mari".

d'agir rapidement : un an à partir du décès et s'il y a partage jusqu'à l'achèvement (la pension ne saurait se limiter à la période de l'indivision)[1].

249 4/ Une dernière règle caractéristique de l'état d'urgence où se trouve le créancier d'aliments est son impossibilité de réclamer les arriérés d'une pension qu'il n'a pas touché. C'est l'application d'un adage assez général "aliments ne s'arréragent pas". Il y a à la fois l'idée que si le créancier est resté inactif, c'est qu'il n'était pas à ce moment-là dans un besoin qui le poussait à agir et qu'une réclamation tardive de sa part aboutirait par l'accumulation des arriérés impayés, à opérer une véritable "ponction en capital" sur le débiteur[2]. Les quelques droits étrangers qui réglementent cette question ne permettent l'action du créancier que dans d'étroites limites : l'arriéré ne peut porter que sur une année et le créancier doit prouver sa carence (§ 1613-2 BGB, art. 637 C. Québec). En droit français, le seul texte écarté en l'occurence, est la prescription quinquennale de l'article 2277 relative aux dettes d'aliments. L'adage semble s'être développé dans la jurisprudence du XIXe siècle, à partir de l'idée de renonciation expresse ou tacite (cf. pour le cas où la renonciation au versement des mensualités dûes à la femme après une ordonnance de non conciliation n'était que la contre-partie de l'abandon par le mari de la procédure de divorce)[3]. On a pu douter de la valeur de la renonciation dans une matière d'ordre public. Aussi admet-on plus simplement que l'adage ne crée qu'une présomption simple. Le créancier aurait la possibilité de démontrer qu'il n'a pu agir par suite de l'attitude fautive du débiteur ou d'événements de force majeure[4]. Pris au pied de la lettre, l'adage pourrait être un encouragement à certaines défaillances volontaires de paiement. Comme l'a fait remarquer Monsieur Jambu Merlin[5], il n'a plus grand sens dans une société de crédit, où se confondent dispenses présentes et passées. Aussi la jurisprudence la plus récente cherche à la restreindre. D'une part, il est inapplicable à la contribution à l'entretien de l'enfant de l'article 203. Il s'agit d'une dette légale qui découle de la naissance, non d'une action en justice[6]. Il en va de même pour la contribution aux charges distinctes par son fondement et son but de l'obligation alimentaire pour la période qui serait comprise entre la séparation des époux et l'assignation en justice[7]. La Cour de Cassation belge a pris, sur ce point, une position analogue[8]. D'autre part, à compter du jour où il y a condamnation au versement d'une pension, le créancier sera en droit de réclamer le paiement des arrérages ; l'action sera soumise à la prescription quinquénnale de droit

---

1. Cf. Cass 1er, 1er mars 1988 D. 1988 - 477 - note J.M.
2. Cf. sur l'adage L. Peyrefitte, RTDC, 1968-286 - J. Ghestin, "Mélanges Brèthe de la Gressaye", 1967, p. 295.
3. Cass. Req. 27 juillet 1942 D.A. 1943-10.
4. Cf. Cass. Req. 30 janvier 1933 "Couchon", D.H. 1933 - 114 - mari condamné à payer cinq ans d'arrérages, à la suite d'un abandon de domicile et de l'impossibilité pour sa femme pendant plusieurs années de retrouver son adresse — Cass. 24 octobre 1951 — réclamations incessantes contre l'irrégularité des versements, D. 1952 - 577 - note A. Ponsard - Civ. 1er - 28 avril 1969 D. 1969 - 411 - réclamation d'arriérés alors qu'il y avait plainte en abandon de famille.
5. Note sous Cass. 2e - 29 octobre 1980, *J.C.P.* 1981, 19665 cit. supra, n° 228.
6. Cf. Cass. 2e - 29 octobre 1980 cit. pour l'obligation pendant une instance en divorce.
7. Cass. Civ. 1er, 8 novembre 1989, Bullet. 1989, 1 n° 341, D. 1989, T.R. 303.
8. Cf. Cass. 1er ch. - 2 juin 1978, RTDF, 1979 - 78, note J.L. Renchon.

commun ; par un véritable renversement de la charge de la preuve, ce sera au débiteur d'alléguer l'absence de besoin ou la renonciation antérieure du créancier[1]. Comme nous le verrons à propos de l'action récursoire des collectivités publiques, l'adage ne conservera quelque sens que si elles entendent se faire rembourser des frais de placement et d'hospitalisation antérieurs à la demande en justice[2].

Du fait des longs délais qui s'écoulent entre l'entrée en maison de santé et de repos et l'action en justice, la non-application de l'adage ferait retomber la dette à la charge de la collectivité publique, et à l'avantage des débiteurs peu scrupuleux. Il faut, d'autre part, reconnaître que le maintien de l'adage est une règle inique dans l'hypothèse où des femmes divorcées ou séparées n'ont pu pendant des années, dans l'ignorance de l'adresse ou de la profession du conjoint, faire valoir les arrérages de pensions alimentaires.

§ 4. L'EXECUTION DE L'OBLIGATION ALIMENTAIRE : LES PROCEDURES DE RECOUVREMENT ET L'ACTION DES COLLECTIVITES PUBLIQUES

A/ *Le recouvrement des pensions*

250. Un des problèmes essentiels de l'obligation alimentaire, qu'elle soit fixée par convention ou jugement, est celui de son exécution. Peu d'institutions du droit civil semblent souffrir d'une telle ineffectivité. En 1973, 27 % des pensions restaient impayées, 37 % l'étaient irrégulièrement[3].

Les procédures de droit commun des saisies, notamment, la saisie-arrêt sur les salaires, prévue à l'article L. 1452 du Code du Travail (prélèvement du terme mensuel courant sur la portion insaisissable de la rémunération) se sont révélées coûteuses et peu efficaces. Le droit pénal est venu au secours des créanciers avec la loi du 7 février 1924 (modifiée en 1942 et 1958) créant le délit d'"abandon de famille". Aux termes de l'article 357-2, se rend coupable d'abandon, quiconque au mépris d'une décision judiciaire le condamnant à verser une pension ou à s'acquitter des charges du mariage, est resté plus de deux mois sans fournir les subsides déterminés par le juge. La loi présume que le défaut de paiement est volontaire et rejette les excuses d'insolvabilité tirées de la paresse, inconduite ou ivrognerie (art. 357 - 2 - 3e alin.). Les sanctions sont en principe sévères : trois mois à un an de prison, se cumulant avec une amende de 500 à 20 000 F., et pouvant s'accompagner de la perte de droits civiques ou familiaux (art. 42 C. Pén.), voire de la déchéance de l'autorité parentale. L'abondance des condamnations prononcées (13450 en 1984 selon le chiffre de M. Malaurie, p. 447 n° 93) n'a pas toutefois résolu le problème du non-paiement. Le débiteur s'efforce souvent de se soustraire aux poursuites même si l'article 357-3 l'oblige, sous peine de prison (un à six mois) et d'amende à notifier dans le mois de son changement de domicile au créancier

1. Cf. Cass 1er - 5 juillet 1988, D. 1989 - 51 - rapport conseiller Massip.
2. Cf. Cass. 1er - 18 janvier 1989, Bullet. Cass. 1989 - 1 - n° 14 D. 1989 T.R. 29 - Cour Paris, 31 mars 1989, D. 1989 T.R. 141.
3. Cf. M.J . Gebler, D. 1973 - 107.

d'aliments. On s'explique alors les efforts successifs du législateur, pour venir en aide sur le plan civil, aux créanciers : procédure dite de "paiement direct", instaurée par la loi du 2 janvier et le décret du ler mars 1973, loi du 11 juillet et décret du 31 décembre 1975 sur le recouvrement public des pensions alimentaires, loi du 11 décembre 1984 relative au rôle des Allocations Familiales dans le recouvrement. L'abondance des textes et du contentieux témoigne des difficultés de faire passer les réformes dans la pratique.

251 1/ La loi du 2 janvier 1973 part de la volonté de sanctionner le défaut de ponctualité du débiteur. Il n'est pas toujours délibéré, mais le texte considère que la négligence est a priori suspecte. Le créancier d'aliments jouit d'un véritable privilège pour se faire payer directement entre les mains du dépositaire de fonds, banquier ou employeur de son débiteur. Selon l'article 1, alinéa 3 du texte, le champ d'application est très large. Il comprend, non seulement l'obligation alimentaire classique, mais la contribution aux charges du mariage (art. 214), la "prestation compensatoire" après divorce (art. 276 C. Civ.) et même l'action à fins des subsides" des enfants illégitimes (art. 342). La seule condition est un jugement exécutoire de condamnation ou une homologation de la convention de divorce et un défaut de paiement à terme. Cette procédure vaut d'ailleurs depuis la loi de 1975, non seulement pour les termes à échoir, mais aussi pour les termes échus des six derniers mois (art. 5, alin. 2). Il appartiendra alors à l'huissier de justice de la résidence du créancier d'opérer notification dans les huit jours du jugement au tiers débiteur (art. 1 - décret du ler mars 1973). Il bénéficie pour cela du concours des administrations publiques et organismes de prestations sociales, pour connaître l'adresse du débiteur et du tiers dépositaire, sans qu'on puisse lui opposer le secret professionnel (art. 7, loi du 2 janvier 1973). Le débiteur sera seulement "avisé" par lettre recommandée, sans qu'on ait à procéder à une mise en demeure[1]. Le simple versement d'acomptes serait insuffisant pour le faire échapper à cette procédure. Par contre, s'il y avait une ordonnance du juge, modificatrice du montant initial de la pension, elle devrait être elle-même exécutoire. Si le tiers dépositaire des sommes avait continué de verser le montant initial, le débiteur pourrait obtenir le remboursement du trop perçu[2].

L'effet de la notification d'huissier est particulièrement énergique. Selon l'article 2 de la loi de 1973, elle vaut, "sans autre procédure" attribution des sommes au bénéficiaire, au fur et à mesure qu'elles deviennent exigibles. Les contestations relatives à la procédure de paiement sont portées devant le tribunal d'instance du domicile du débiteur de la pension, les frais de recouvrement étant à sa charge (art. 5 et 5-1 du décret du 1er mars 1973). Mais le débiteur ne pourrait opposer ni compensation, ni demande en révision de la pension (art. 3, loi 1973). De son côté, le tiers détenteur ne pourrait faire valoir l'insaisissabilité de certaines sommes[3]. Dans un cas où une femme divorcée, bénéfi-

1. Cass. 2e - 14 janvier 1987 - Bullet. Cass. 1987 - 2 - n° 11, G.P. 1987 - 2 Panor. 194.
2. Cf. Cass. 2e - 6 janvier 1988, Bullet. Cass. 1988 - 2 - n° 1 - Cass. 2e - 10 février 1988, Bullet. Cass. 1988 - 2 - n° 37 G.P. 1988 - 1 - Som. 129.
3. Cf. pour le cas de notification au Comptable du Trésor portant sur la pension de retraite militaire du mari dont selon l'article L. 56 du code des pensions la saisie maximum ne pouvait dépasser le tiers, Conseil d'Etat, 2 décembre 1976, *J.C.P.* 1977 - 18660 note R. Lindon.

ciaire d'une prestation sous forme de rente mensuelle indexée, avait agi contre le tiers détenteur, alors que le mari avait été mis en règlement judiciaire après le jugement, la Cour de Cassation a écarté l'opposition du syndic. Celui-ci avait fait valoir que selon l'article 35 de la loi du 13 juillet 1967 que les créanciers devaient se soumettre à la vérification de leurs créances, et qu'il y avait suspension des poursuites. La Cour n'a pas voulu atténuer la position privilégiée du créancier[1].

La notion des sommes "liquides et exigibles" (art. 1 de la loi de 1973) a donné lieu à quelques difficultés en jurisprudence. Il faut certainement y comprendre les allocations familiales habituellement versées pour l'éducation et l'entretien des enfants, qui sont saisissables pour le paiement des dettes alimentaires[2]. Mais certaines formes de rémunération ont pu prêter à discussion : ainsi le pourcentage sur les consommations perçu par un garçon de café, considéré comme une avance sur le salaire mensuel et permettant de condamner son employeur, au titre des "sommes exigibles"[3]. Surtout, malgré les sanctions pénales dont serait assorti un éventuel refus de paiement du tiers débiteur au créancier (art. 4-1 décret de 1973 amende de 2 500 à 5 000 F pouvant être doublée s'il y a récidive) une controverse s'est instaurée sur la notion de "fonds déposés" en banque. La Chambre Criminelle de la Cour de Cassation a reconnu la validité de prélèvements sur des fonds qui ne représentaient qu'une avance, en vertu de la "convention de découvert" entre la banque et son client[4].

Au total, l'application de la loi de 1973 a suscité un contentieux trop important. Le "rendement" n'a été que très faiblement amélioré (de 36 à 40 % des cas en pourcentage d'augmentation, selon MM. Vincent et Prévault D. 1976, Ch. 237, qui relèvent des chiffres contradictoires : sur 7 273 demandes en juin 1975, certains avaient allégué que 6 000 auraient été réglées). Le fait qu'on ait envisagé d'autres solutions (notamment, la création d'un "Fonds national de recouvrement") témoigne du succès très modeste de ce texte.

252 2/ Sans abroger la loi de 1973, la loi du 11 juillet 1975 (et le décret du 31 décembre de la même année) ont eu un objectif plus vaste : mettre à la disposition du créancier les possibilités de recouvrement du Trésor Public, en atteignant les débiteurs non salariés, comme les salariés. La procédure n'a qu'un caractère subsidiaire. Le créancier doit prouver que le recouvrement par les voies de droit privé a été infructueux et qu'il n'a pu obtenir un paiement "total ou partiel" de sa créance.

Il adresse une requête au Procureur de la République dans le ressort du tribunal de grande instance près duquel il a son domicile (art. 1 à 3 de la loi de 1975). Elle doit contenir à la fois l'expédition du jugement de condamnation, la justification de l'accomplissement des procédures antérieures, et tous les renseignements en sa possession sur le débiteur (art. 2 et 3 du décret du 31 décembre 1975). Le procureur de la République (selon une circulaire du 24 décembre 1975) n'est juge que de la régularité du dossier non de son opportunité,

---

1. Cf. Cass. Com. 15 juillet 1986 D. 1987 - 192 note J. Massip.
2. Art. L. 553 C.. Séc. Soc. - Cass. Soc. 4 juillet 1983, Bullet. Cass. 1983 - 5 - n° 390.
3. Cass. 2e - 4 juillet 1984 - Bullet. Cass. 1984 - 1 - n° 125.
4. Cf. Cass. Crim. 29 mai 1984 D. 1987 - 1226 note Ph. Desprez, com. critique C. Gavalda, J. Stoufflet, *J.C.P.* 1985, 3221 n° 33.

il fait connaître sa décision d'admission de la procédure à la fois au créancier et au débiteur, et délivre un état exécutoire au Trésor Public portant sur les termes à échoir, le cas échéant les termes échus depuis six mois (art. 3 de la loi). Le Procureur informe les intéressés de la possibilités de contester le recouvrement public. Le Président du Tribunal de Grande Instance serait alors compétent pour statuer par ordonnance dans la quinzaine. Elle ne serait frappée que d'un pourvoi en Cassation dans les deux mois (art. 8 et 9 décret 31 décembre 1975). Le Trésorier-payeur Général, destinataire de l'état mandate alors pour le recouvrement le comptable public (percepteur du domicile ou de la résidence du débiteur). La pension sera alors percue selon les procédés habituels des contributions directes, avec une majoration de 10 % pour frais de recouvrement. Le Trésor est subrogé dans les droits et garanties du créancier (art. 6 et 7 loi 11 juillet). Le comptable renvoie le titre exécutoire au Procureur en cas de décès ou carence du débiteur (art. 10). A l'inverse, le débiteur qui a fait preuve de ponctualité en réglant les arriérés et en versant pendant douze mois les termes à la caisse du comptable, pourra demander au Procureur de la République de se libérer directement entre les mains du créancier (art. 12). Il est intéressant de relever que la procédure perd son caractère subsidiaire en cas de nouvelle défaillance dans les deux ans (art. 13 de la loi). Le créancier pourrait alors requérir du procureur de la République qu'il use directement de la procédure de recouvrement public, sans passer par le préalable des voies de droit privé. Il semble que là encore l'optimisme affiché au lendemain de ces textes ait été prématuré ; sur 2500 demandes de recouvrement public de 1975 à 1980, 950 seulement auraient été satisfaites (chiffre de Mme Sauteraud Marcenoux, G.P. 1983 Chron. 65). Les services de perception manifesteraient peu d'enthousiasme à se faire les auxiliaires du recouvrement des pensions.

253. Dans une dernière phase, une loi du 22 décembre 1984 et plusieurs décrets (17 décembre 1985 et 30 septembre 1986) complètent les lois de 1973 et de 1975, mais dans un esprit déjà différent. Il ne s'agit plus du seul rapport de droit privé entre créancier et débiteur, le premier étant réduit à attendre l'exécution du second. En tenant compte de l'urgence et du fait que les créanciers alimentaires, selon l'expression de Monsieur Alfandari[1] font "souvent partie de la clientèle des services sociaux", les prestations des Caisses d'allocations familiales sont servies en avance ou acompte de la pension alimentaire, les Caisses étant dans un second temps subrogées aux droits du créancier dans le recours contre le débiteur (art. 1581-2 Code de la Sécurité Sociale)[2]. L'allocation versée à titre d'avance d'une pension constatée en justice est l'"allocation de soutien familial", nouveau nom donné à l'ancienne "allocation orphelin" attribuée à un parent en situation économique difficile, parce qu'obligé de faire face seul à l'entretien de l'enfant, par suite de la disparition de l'autre. Ce n'est d'ailleurs pas seulement pour le recouvrement de la créance d'entretien, mais pour toutes les créances familiales visées par les textes antérieurs de 1973 et 1975 que les caisses auront une action récursoire

1. Cf. "Action et aide sociale". 4e édit. 1989 cit. p. 503.
2. Cf. B. Fragonard, "L'intervention des caisses d'allocations familiales dans l'aide aux créanciers de pensions alimentaires impayées : un regard rétrospectif", Droit Social 1986, p. 387 sv. — F. Zenati, TFCD, 1985 - 630.

(L. 581-3). Le Directeur de la Caisse des prestations aura la possibilité de faire valoir le montant des sommes à recouvrer auprès du "représentant de l'Etat dans le département" (art. L. 581-7). Celui-ci ouvrira alors la procédure de recouvrement public en transmettant dans les cinq jours un état exécutoire au Trésorier-Payeur (L. 581-7). La créance alimentaire pour l'entretien des enfants mineurs bénéficiera d'un régime préférentiel : en effet, même si le titulaire de la créance n'est pas dans les conditions voulues pour être bénéficiaire de l'allocation, et s'il n'a pas obtenu de résultats avec les voies de droit privées, il aura l'appui des Caisses d'allocations pour un recouvrement public : celui-ci visera non seulement les termes à échoir, mais les termes échus depuis deux ans (L. 581-6). Cette superposition de textes ne témoigne pas d'une technique juridique très heureuse. Elle montre en tout cas le rôle croissant d'organismes publics dans le recouvrement. La tendance est générale en droit comparé, comme le témoigne aux Etats-Unis la création d'un "Fonds de recouvrement" au Département Fédéral de la Santé et de l'Education[1]. On le retrouve dès lors qu'il y a eu une prise en charge initiale du créancier admis dans un établissement public (hôpital, maison de retraite) et recours des autorités administratives contre les débiteurs d'aliments.

B/ *L'action récursoire des autorités administratives contre les débiteurs d'aliments*

254 1/ On se rappelle qu'historiquement, des lois de 1838 et 1851 avaient prévu la possibilité d'un recours contre les débiteurs d'aliments, juridiquement concevable dès lors que les maisons de placement et les hôpitaux étaient accessibles à d'autres qu'à des indigents et que les collectivités publiques n'entendaient pas se substituer entièrement à des débiteurs défaillants[2].

Le régime actuel combine de façon originale le système d'admission à l'aide sociale et le recours contre les débiteurs[3]. Au départ les commissions d'admission à l'aide sociale — commissions départementales et commission centrale fixent le montant de l'admission en tenant compte des créances alimentaires. L'urgence du placement fait que les commissions organismes administratifs apprécient comme les tribunaux civils, l'existence et l'étendue de la dette. Elles n'obligent pas le créancier, comme antérieurement, à mettre en cause ses débiteurs[4]. Toutefois ceux-ci sont entendus ; ils "doivent fournir le cas échéant la preuve de leur impossibilité à couvrir la totalité des frais" (art. 144 C. Famille). Une circulaire du 26 septembre 1963, déconseillant les recours contre les débiteurs au-dessous d'un certain minimum a été comprise comme jouant au niveau de l'admission. La Commission ne tiendrait pas compte des débiteurs ayant un trop faible niveau de ressources[5]. Il est possible, au contraire qu'elle rejette la demande, en fonction des créances alimentaires ou qu'elle révise le montant de l'admission sur production d'une décision judiciaire. Elle ne saurait empièter sur ce qui est une fonction de l'autorité ju-

1. Bill de janvier 1975, *Columbia Law Rev.* 1981, p. 1027.
2. Cf. n° 242 et note P. Gersévie sous cour Lyon, 13 novembre 1952, D. 1953 - 755.
3. Art. 141,144,146 code de la famille - L. 708 C. de la Santé publique.
4. Cf. E. Alfandari n° 250.
5. Cf. E. Alfandari n° 252.

diciaire, comme la répartition entre les divers débiteurs d'aliments. Pas davantage ceux-ci ne seraient recevables à protester contre une éventuelle réduction de la part de prise en charge devant les commissions d'aide sociale[1]. Il y a là une ligne de partage assez délicate entre compétence administrative et judiciaire.

2/ Si le créancier ne fait valoir aucun droit contre les membres de sa famille, ou même si la demande d'admission a été rejetée, l'article 145 investit le représentant de l'Etat (à l'heure actuelle, le président du conseil Général) du pouvoir de faire fixer en justice la celle alimentaire. Le montant sera versé au Département, à charge pour celui-ci de le reverser au bénéficiaire. Le représentant de l'Etat ne peut émettre directement un état exécutoire contre un débiteur "qui correspondrait non à la dette alimentaire de ce dernier,mais à la dette d'un créancier d'aliments vis-à-vis d'une personne publique"[2]. Le président du conseil Général exercera un recours judiciaire contre les débiteurs qualifiés d'"action directe" ou pour M. Alfandari, d'application du principe de "représentation légale". Elle n'échappe pas aux règles habituelles de l'obligation, comme l'impossibilité de l'intenter après le décès du créancier[3] ou la nécessité de prendre en compte les ressources respectives des divers débiteurs[4]. L'attention s'est portée plus récemment sur la date de fixation de la dette et l'application de l'adage "aliments ne s'arréragent pas"[5]. Le Président agit en lieu et place du créancier : la dette alimentaire ne court que du jour de la demande en justice, et faute d'action conservatoire antérieure, ne peut remonter au jour du placement[6]. On pourrait faire valoir que l'état de besoin du créancier existait dès l'entrée dans l'établissement. Le rejet de la demande du président du Conseil Général n'aboutit qu'à accroître la charge de la collectivité. L'application de l'adage profite indûment aux débiteurs d'aliments.

Bibliographie :

Sur l'obligation alimentaire en général :

J. Pélissier, "Les obligations alimentaires : unité ou diversité", Paris, 1961.

E. Alfandari, "Droits alimentaires et Droits successoraux", *Mélanges R. Savatier*, 1965, "Action et aide sociales", 4e édit. Dalloz, Paris, 1989.

1. Cf. Conseil d'Etat, 16 février 1983, *Rev. Trim. Droit Social* 1983 - 755 note E.Alfandari.
2. Cf. Cass. 1er décembre 1987, "Directeur Départemental de la DASS des Hautes-Alpes c/Consons Chappa, *J.C.P.* 1988 - 20952 rapport cons. P. Sargos.
3. Cass. 1er, 21 juillet 1987. Bullet. Cass. 1987-1 n° 237, *J.C.P.* 1987 - 4 - 347.
4. Cass. 1er - 3 mars 1987 De Cecco, cit. Bullet. Cass. 1987, n° 80.
5. Cf. Ph. Ligneau, "Sur quelques difficultés d'application de l'article 145 du code de la Famille et de l'aide sociale d'aujourd'hui", *Rev. Droit Sanit. et Soc.* 1988 - 543.
6. Cf. Cour Versailles, 23 juin 1987, B.P. 1987 - 1 Som. 100 - Cour Versailles 17 février 1988 T.R. 29.

L. Peyrefitte, "Considérations sur la règle aliments ne s'arrérageant pas", *RTDC*, 1968, 286. — "Mariage et Famille en question : Allemagne et Belgique".

W. Czachorski, "Introduction aux droits socialistes", Budapest, 1971, pp. 562 sv.

Sur les procédures de recouvrement et les actions récursoires :

M. J. Gebler, "Le paiement direct des pensions alimentaires", D. 1973 - 107.

R. Lindon, "La nouvelle législation sur le divorce et le recouvrement public des pensions alimentaires", *J.C.P.* 1976 - 2728 et 2763.

J. Vincent et J. Prévault, D. 1976, Chr. 237.

L. Topor, "La notion de créance à caractère périodique au sens de l'article 2277", RTDC, 1986, pp. 24 sv.

R. Salvat, "La procédure de recouvrement forcé des créances d'aliments", G.P. 1985, 324.

B. Fragonard, cit. Droit Social, 1986, pp. 387 SV. Ph. Ligneau, cit. *Rev. Droit Sanit. et Soc.* 1988, 543 sv.

CHAPITRE VIII

Le droit international des effets du mariage et de l'obligation alimentaire

SECTION I
LA DETERMINATION DU DROIT APPLICABLE

§ 1. LE CHOIX DES CRITERES DE RATTACHEMENT

255. Les conséquences personnelles et pécuniaires qui découlent de l'existence du lien matrimonial posent en matière internationale des questions plus complexes et délicates que celles qui présidaient à sa formation. On ne peut, en effet s'en tenir aux seules lois en présence lors de la célébration de l'union et appliquer un système "distributif" quant à l'aptitude de chaque futur conjoint à la création du lien. L'union crée un statut légal amené, en principe, à durer autant qu'elle. La logique internationale voudrait qu'il soit apporté une réponse unique et stable aux relations entre époux. Cette nécessité semble avoir été malheureusement mal perçue dès l'ancien droit et peut-être au delà. Ce n'est pas faute d'avoir assez tôt, pour la doctrine et les arrêts du Parlement, abordé les conflits de coutumes qui naissaient de la diversité, dans l'Ancienne France, des effets du mariage. Comme l'ont montré les travaux de Lemarignier, et à une date plus récente ceux de Monsieur Ancel[1], les controverses ont surtout porté sur les "zones frontières" du statut personnel et du statut réel. Le maintien de l'"incapacité végleienne" de la femme mariée dans certaines provinces (Normandie), la diversité du sort des donations entre époux (le don mutuel était permis dans le ressort de la Coutume de Paris, mais nul dans le Midi selon un vieil édit romain de Caracalla, de 206), devaient donner

1. Cf. B. Lemarigmer, "La conférence des avocats et les conflits de statuts concmant les effets du mariage au début du XVIIIe siècle", Paris, 1961 — B. Ancel, "Les conflits de qualification à l'épreuve de la donation entre époux", Paris, 1977, Préface H. Battifol, n° 42-57.

lieu à une jurisprudence assez contradictoire. En réalité, à la différence du mariage lui-même (supra, n° 68-69), la doctrine n'arrivait pas à définir une "catégorie de rattachement" ferme. Sauf déjà à distinguer (et amputer) des effets généraux pécuniaires, les règles du régime matrimonial, grâce au prolongement des solutions de Dumoulin dans l'affaure "de Ganay". Les Rédacteurs du code gardè-rent un silence qui devait forcer la jurisprudence à étendre aux effets du mariage l'application de la loi nationale prévue en principe par l'article 3 pour le seul "état" d'une personne.

256. Il n'y a pas lieu de revenir ici sur le mérite qu'a présenté le critère de nationalité. L'application de la loi nationale commune pour les effets du mariage était en harmonie avec l'acquisition par la femme mariée de la nationalité du mari, et l'unité de direction du ménage au profit du mari (cf. *supra* n° 73-74). Les exceptions en faveur de la loi du domicile par le jeu du renvoi ou l'existence d'apatrides étaient encore rares. Toutefois l'application de la loi nationale commune devait soulever deux difficultés particulières en la matière : le premier tenait à l'existence de conflits mobiles en cours de mariage. Soit que les époux fussent amenés à changer tous deux de nationalité, ce qui ne soulève pas de problème, les intéressés passant alors sous un nouveau statut personnel commun, par transposition des règles transitoires internes, soit qu'un seul fut conduit à changer de nationalité, ce qui faisait perdre au ménage son unité originaire et posait le problème du rattachement subsidiaire[1]. La crainte de la fraude semble avoir inspiré dès le départ les premières codifications du XIXe siècle et les rédacteurs de la Convention de La Haye du 17 juillet 1905 sur les "droits et devoirs des époux dans leurs rapports personnels et sur leurs biens" (texte in "Union internationale du Notariat Latin", 1979, t. 1, p. 309). Il est vrai qu'assez ambitieusement les textes visaient l'ensemble des relations entre époux, y compris matrimoniales, et qu'un changement de statut pouvait permettre de tourner les règles sur l'immutabilité des régimes. La convention de La Haye de 1905 (dénoncée par la France en 1917) distinguait (art. 1) "les droits et devoirs des époux dans leurs rapports personnels" soumis à la loi nationale commune (sous la réserve des sanctions prévues par la loi du pays où elles sont requises) et "les effets du mariage sur les biens" réglés par la loi nationale du mari lors de la célébration, étant précisé qu'un changement de nationalité des deux époux ou de l'un d'entre eux n'avait aucune influence (art. 2). Le fait que la plupart des Etats signataires devaient, plus ou moins tard, dénoncer la Convention (ainsi les Pays-Bas en 1977) n'a pas empêché plusieurs codifications modernes d'en reprendre le texte : selon les articles 18 et 19 du code Civil italien, "le changement de nationalité n'influe pas sur les rapports patrimoniaux sauf en cas de convention entre les époux basée sur leur nouvelle loi nationale" — de même l'article 14 du Code grec de 1946. D'autre part pour s'en tenir au droit français, le contenu de la catégorie d'"effets du mariage" restait indécis. La jurisprudence n'y englobait pas les régimes matrimoniaux (relevant historiquement de la loi d'autonomie), et comme l'a montré Madame Simon-Depitre dans une communication faite en 1974 au "Comité français de droit international privé" le problème des aliments dès avant que ne s'impose le droit conventionnel en la matière, se détachait du statut général.

1. Cf. Batiffol, P. Lagarde, "Droit international privé, t. 2, n° 433.

Un arrêt de Cassation du 20 juillet 1936 "Feyl"[1] et surtout l'arrêt "Valentinis" du 17 décembre 1958[2] qualifiaient l'obligation alimentaire (aussi bien générale qu'entre époux) de "règle fondamentale de l'ordre public français capable de faire échec à une loi étrangère"[3].

257. Le double postulat sur lequel reposait la suprématie de la loi nationale commune en Europe a progressivement disparu : à savoir l'unité de nationalité dans le ménage, l'inégale répartition des devoirs et des prérogatives des époux au profit du mari. Il sera de plus en plus fréquent, non seulement en France, mais dans les pays européens d'immigration, d'être en présence d'un couple "mixte" pour lequel il faut trouver une loi "neutre" qui ne défavorise aucune des parties en présence et sauvegarde l'égalité conjugale. Un système cumulatif des lois nationales est presque inconcevable, tant il risque d'aboutir à un surcroît de complications, voire de contradictions (seul l'article 14 de la loi finlandaise de 1929 se rallie à un tel système, à défaut de nationalité commune). Il est paradoxal que ce soit à propos du divorce, c'est-à-dire de la dissolution du lien matrimonial, que la jurisprudence française (arrêts Rivière Tarwid) ait dégagé en premier l'idée d'une loi commune du couple, celle du domicile, entendu au sens de "l'intégration au milieu local par un établissement effectif dans le même pays" faute de quoi il faudrait appliquer la loi du for, c'est-à-dire celle du juge saisi. Le second paradoxe tient au caractère tardif par lequel a été formulée la compétence de la loi du domicile en matière d'effets du mariage, d'abord à propos d'une réclamation de la seconde épouse d'un polygame naturalisé français quant aux charges du mariage[4], puis au sujet de la révocabilité de la donation mobilière entre époux[5]. Or, comme nous le verrons, si la donation entre époux continue de relever des effets du mariage, la réclamation d'un époux quant à la contribution aux charges, suscite aujourd'hui des difficultés de qualification qui tendent à la faire sortir de la catégorie dégagée. Un motif d'inquiétude supplémentaire est né de la réforme du divorce par la loi du 11 juillet 1975 — Fallait-il étendre aux effets du mariage les règles régissant sa dissolution ? La doctrine a été la-dessus à peu près unanime à en dénoncer l'illogisme[6]. Les raisons qui ont conduit à l'adoption de la loi du domicile étaient propres aux effets du mariage ; à savoir que c'est le "cadre de vie commune du couple.

258. La référence à la loi du domicile n'a pu à elle seule résoudre toutefois toutes les difficultés. Sans parler, comme nous y reviendrons, de la tentation de voir dans les effets du mariage des "lois d'application immédiate", le critère du domicile risque assez souvent de faire défaut. Le contentieux de l'application des effets du mariage naîtra entre époux désunis, voire vivant séparés

1. D.H. 1936-474.
2. *Rev. Crit.* 1959-691, note Deprez.
3. Cf. Travaux Comité Français T.T.P. 1973-1975, pp. 50-51.
4. "Chemouni", Civ. 1er -19 février 1963, *Rev. Crit.* 1963 - 559 note G.H. Clun. 1963 1986 note Ponsard, "Grands Arrêts" par B. Ancel et Y.L. Lequette n° 29-30.
5. "Campbell-Johnston", Cass. 1er — 15 février 1966, *Rev. Crit.* 1966 - 273 note H. Batiffol, Clun. 1967 - 95 note B. Goldman, D. 1966 - 370 note Ph. Malaurie.
6. Cf. H. Batiffol, P. Lagarde, t. 2, n° 432—Y. Lassouam, P. Bourel, "Précis de droit intrnational privé", 3e édit. n° 311.

dans des pays différents. Déjà, à propos du divorce et de la jurisprudence "Rivière-Tarwid", Monsieur Malaurie avait souligné les inconvénients du "retour à la loi du for" et à l'absorption de la compétence législative par la juridictionnelle[1]. Aussi paraît-il préférable de s'en tenir à l'application d'une loi qui marque l'unité du couple, soit celle du dernier domicile commun (comme le suggèrent MM. Loussouarn et Bourel), soit celle de la dernière nationalité commune (comme dans plusieurs codifications contemporaines).

D'autre part, même en adoptant le domicile au sens "d'intégration au milieu", l'expérience peut démentir les prévisions. La différence de nationalités ne suffit pas toujours à elle seule à créer de bonnes conditions d'application de cette loi. Elle sera dépourvue de signification pour des époux dont le contenu matériel des droits serait proche. Pour reprendre l'exemple de Monsieur Férid, le ressortissant du Pakistan qui s'est marié avec une Iranienne et habite Berlin se sentira peu concerné par l'application du droit allemand. La réforme du Droit international privé allemand (art. 14-3 loi 25 juillet 1986) tient compte de ces difficultés (particulières pour les couples de tradition polygamique). Il est désormais possible dans un ménage qui n'a pas ou n'avait jamais eu de nationalité commune de se référer pour les effets du mariage à la loi nationale de l'un d'entre eux. L'option pourra s'exercer soit par acte notarié en Allemagne même, soit en la forme locale ou consulaire à l'étranger. Mais elle ne revêt en principe qu'un caractère provisoire (jusqu'à l'acquisition d'une nationalité commune) et pourrait s'avérer contraire à l'ordre public. L'Allemande qui, installée à Bâle (Suisse) et actrice de son métier, optera éventuellement pour la loi de son mari colombien ; elle risquerait de voir son mari invoquer le Code colombien pour s'opposer à son engagement sur une scène allemande. Ce serait là contraire au principe d'égalité des sexes de la Constitution allemande de 1949 (art. 32)[2].

Les droits du Proche-Orient ou d'Afrique du Nord qui connaissent quant à eux des conflits inter-personnels ou inter-confessionnels n'accordent aucune signification au domicile en matière d'effets du mariage. La possibilité de passer d'une confession à l'autre offre une large place à la fraude dans des conflits mobiles "internes". Ainsi, en Egypte, dans un ménage de confession homogène copte-orthodoxe, si la femme obtient de son "tribunal communautaire" une contribution alimentaire du mari, celui, grâce à sa conversion à l'Islam, pourra obtenir sa réintégration forcée au domicile, voire la répudiation en sa faveur. Une loi de 1955 (art. 7) permet, en faveur de l'Islam, une modification confessionnelle en cours d'instance[3]. En matière internationale, la prépondérance des prérogatives maritales dans des systèmes où avec la dot et le trousseau, les conséquences pécuniaires sont très liées aux effets personnels du ma-

1. Cf. "Le divorce des mariages mixtes en cas de séparation de fait : la règle Tarwid" D. 1963 Chron. 53.
2. Cf. Férid-Bohmer, 3e édit. 1986, 8-87,1 à 6.
3. Cf. S.A. Aldeeb-Abu-Salich cite une décision du Tribunal de Cassation du 27 avril 1968 ayant admis, dans un ménage de confession commune copte, la conversion du mari, qui lui a permis de répudier sa femme selon la loi musulmane pour échapper à une condamnation alimentaire antérieure. "Non musulmans en pays d'Islam", Fribourg, 19789, pp. 199-203.

riage[1], fait que c'est la loi nationale du mari lors de la conclusion du mariage qui prévaudra

Il faut enfin se demander si la notion d'"effets du mariage" n'est pas, au moins pour le droit français, une véritable "peau de chagrin". Avant les réformes du droit interne et l'adoption des Conventions de La Haye, la jurisprudence entendait par là non seulement l'ensemble des conséquences pécuniaires et alimentaires du mariage (à l'exception des régimes matrimoniaux) mais également l'établissement de la filiation légitime et la légitimation[2]. La loi du 3 janvier 1972 a désormais sa règlementation propre de la création du lien de filiation (art. 311-14 sv.). L'obligation alimentaire, au sens le plus large "découlant des relations de famille, de parenté, de mariage ou d'alliance" relève des deux Conventions de La Haye du 2 octobre 1973. Un mouvement récent se dessine en jurisprudence pour soustraire les charges du mariage, voire l'ensemble du "régime primaire"" à la catégorie des effets. Mrs. Ancel et Lequette parlent d'un "effritement" et stigmatisent la double pression du législateur français et du mouvement conventionnel, tous deux plus préoccupés d'une "efficacité immédiate et ponctuelle" que de l'homogénéité des ensembles[3]. Il semble pourtant qu'il y avait quelque artifice à "coller une étiquette commune" sur des matières hétérogènes en droit interne. Si la crainte d'un "dépecage" est toujours vive pour l'internationaliste, on sait aussi qu'un des objectifs du droit international contemporain est la prise en compte des besoins concrets, mieux assurés par la diversité. C'est là une tendance générale en droit comparé. Les codifications récentes témoignent, comme nous le verrons, de la volonté plus affirmée que dans le passé de ne pas s'en tenir à un rattachement unique pour les effets.

§ 2. LES SOLUTIONS POSITIVES EN DROIT COMPARE

259. 1/ Il faut bien reconnaître qu'en dépit des faiblesses ou du déclin de la loi nationale, peu de textes récents ont consacré la primauté de la loi du domicile, à l'encontre de la nationalité commune des époux pour régir leurs relations. C'est le cas, semble-t-il, du droit soviétique, dans sa version du 9 octobre 1979, révisant les "fondements du droit civil" du 27 juin 1968[4]. Les effets du mariage ne se séparent guère de sa formation soumise au droit soviétique, qu'il s'agisse d'un mariage entre étrangers ou d'une union "mixte" (art. 31-1). La loi du domicile se confond dans ce cas avec la loi du for. La référence à la loi du domicile est plus nette dans la convention russo-polonaise (art. 29) ainsi que dans l'article 5 de la Convention franco-polonaise du 5 avril 1967. Ce dernier texte marque la volonté de soumettre l'ensemble des effets du mariage (y compris, semble-t-il, le droit des régimes matrimoniaux) au même "milieu d'intégration". Ce ne serait qu'au cas de domicile séparé dans les deux pays que prévaudrait alors la loi nationale commune, et très

1. Cf. I. Fadlallah, "La famille légitime en droit intrnational privé", Paris, 197, préf. 1. Batiffol, n° 63.
2. "Bonomo Cass. Civ. 3 mars 1970, *J.C.P.* 1971 -16650 note H. Gaudemet-Tallon.
3. Cf. "Grands Arrêts", 1987, p. 200.
4. Cf. P. Wachler, "Neues Internationales Familienrecht der UDSSR", Fam. RZ. 1980 - 424.

subsidiairement celle du dernier domicile commun[1]. En Amérique du Sud, le nouveau code péruvien du 24 juillet 1984 a été influencé à la fois par la Constitution de 1979 proclamant l'égalité des sexes (ce qui implique un choix "'neutre") les projets vénézuélien de 1965 et suisse de 1978. La loi nationale qui dominait le code de 1936 a été abandonnée au profit de la loi du domicile[2]. Le texte distingue d'une part les rapports personnels soumis à la loi du "domicile conjugal", à défaut en cas de domicile distinct, à la loi du dernier domicile commun (art. 2077) de l'autre, les rapports pécuniaires gouvernés par la loi du premier domicile conjugal (art. 2078). Des dispositions juridictionnelles complètent ces articles : s'agissant de procès familiaux, même contre un défendeur domicilié à l'étranger, les tribunaux péruviens retiendront leur compétence,soit en raison de l'application du droit péruvien (par exemple parce qu'un époux serait resté au Pérou) soit en raison de la "soumission expresse ou tacite" aux tribunaux péruviens pourvu que l'affaire ait "un lien effectif" avec le territoire de la République (art. 2062). Ces solutions tranchent en tout cas avec celles classiques du "Code Bustamante" s'en remettant à la loi nationale commune, et à défaut à celle du mari (art. 43). Surtout la nouvelle loi suisse de droit international privé (18 décembre 1987) comprend des dispositions détaillées sur le droit des effets du mariage. Comme le Code péruvien, elle consacre la primauté du droit du droit du domicile entendu par l'article 26 comme le lieu où une personne réside "avec l'intention de s'y établir". Il gouverne tout d'abord la compétence juridictionnelle directe ou indirecte. Les articles 46 et 47 prévoient que pour les effets du mariage ce seront les autorités judiciaires ou administratives suisses du domicile, à défaut de la résidence habituelle (notion de fait sans critère intentionnel) d'un des époux qui seront compétentes. Toutefois la nationalité suisse d'un des époux, dans le cas d'un couple établi à l'étranger serait un critère supplémentaire de compétence. Le fait qu'une décision ait été également rendue au domicile ou à la résidence habituelle étrangère d'un des époux permettrait de la reconnaître en Suisse (art. 50). S'agissant de la loi applicable,le nouveau texte réserve un sort spécial à l'obligation alimentaire, régie par la Convention de La Haye de 1973 (art. 49) ainsi qu'au nom, comme nous le verrons (art. 37). La loi applicable aux "effets généraux" sera celle du droit de l'Etat où les intéressés ont leur domicile commun (art. 48-1). L'originalité apparaît dans la compétence subsidiaire : faute de domicile dans le même Etat, celui du domicile des époux "avec lequel la cause présente le lien le plus étroit". Cette formule laisse entendre qu'une loi du domicile qui coïnciderait avec la nationalité d'un des époux serait retenu. (C'est la traduction de la formule américaine des "points de rattachement"). Enfin, le droit suisse pourrait être appliqué dans le cas du ménage domicilié à l'étranger, et dont la nationalité suisse d'un des époux lui permettrait de revendiquer la compétence de sa juridiction d'origine (art. 48-3).

1. Cf. R. de Bottini, *Rev. Crit.* 1970, p. 17— la solution s'écarte du droit commun polonais et de la Convention Pologne — R.D.A. de 1957.
2. Cf. *Rev. Crit.* 1986 - 201 Comment. J. Lisbonne — J. Samtleben RabelsZ. 1985, pp. 186 sv.

260. 2/ Les autres codifications, beaucoup plus classiquement s'en remettent à la primauté de la loi nationale pour les effets du mariage. Mais le clivage apparaît dans les "critères de substitution". D'un côté, il faut tenir compte des fortes tendances "unilatéralistes" qui existent dans les systèmes du Proche-Orient et des pays socialistes d'Europe de l'Est. C'est ainsi que, comme nous l'avons dit, les Codes égyptien de 1949 (art. 13), algérien de 1975 (art. 12), jordanien de 1976 (art. 44) soumettent l'ensemble des effets du mariage à la seule loi nationale du mari. Mais il suffit que l'un des époux ait la nationalité égyptienne ou algérienne pour qu'elle emporte la compétence du droit de ces Etats[1]. Il faut toutefois relever que l'obligation alimentaire entre parents échappe aux principes généraux et relève de la loi nationale du débiteur d'aliments[2]. Les pays d'Europe de l'Est, au droit de contenu beaucoup plus égalitaire, appliquent la loi nationale commune, mais à défaut y substituent directement le droit du for. C'est le cas de la Tchécoslovaquie (art. 21- 1er - Code de 1963) de l'Albanie (art. 8), de la Roumanie (art. 94-2 du Code de la famille) et de l'ancien droit de RDA (art. 16-1 et 2 de la loi d'introduction qui prévoit du reste l'application du droit de la RDA—si un seul époux en est ressortissant[3]). Seul le droit polonais et le traité bilatéral Pologne - RDA de 1957 font exception en s'en tenant à défaut de nationalité commune, au droit de l'Etat où les intéressés ont leur domicile commun. La loi du for n'apparaît qu'à la troisième place. Le droit commun polonais (loi du 12 novembre 1965) soumet les relations alimentaires entre parents et alliés à la loi nationale du créancier. L'action de l'enfant relève de la même loi nationale lors de sa naissance que celle qui préside à l'établissement de filiation[4].

261. 3/ On retrouve d'autre part la solution classique de la jurisprudence française "Chemouni, Campbell-Johnston" dans un certain nombre de textes contemporains : les deux conventions bilatérales signées par la France, postérieurement à l'accord franco-polonais, c'est-à-dire la convention franco-yougoslave du 18 mai 1971 et la convention franco-marocaine du 10 août 1981 : à défaut de la loi nationale commune, on fait jouer la loi du domicile commun ou encore du dernier domicile commun[5]. La solution est à peu près identique pour le Code sénégalais de 1972 (art. 843-3 nationalité commune, ou domicile commun par défaut ou loi du for) pour la loi yougoslave du 15 juillet 1982 (art. 36-1 à 4—loi de la nationalité commune, sinon loi du domicile commun, à défaut loi du dernier domicile, et enfin loi yougoslave du for l'article 42 soumettant l'obligation alimentaire entre parents et alliés à la loi nationale du débiteur). Le Code turc du 20 mai 1982 connaît le rattachement à la loi de résidence habituelle, faute de nationalité ou de domicile commun, et

1. Art. 14 C. égyptien, 13 c. algérien, 15 Code jordanien — également art. 36 loi gabonaise de 1972 — art. 25 de la loi de 1979 de la République du Yémen du Nord soumettant directement les effets du mariage à la loi yéménite.
2. Art. 15 Code égyptien, 14 Code algérien et jordanien - 5 dispositions du Yémen du Sud
3. Cf. E. Wehser, "Das internationale Eherecht der D.D.R.", Kiel, 1970, pp. 139 et 156.
4. Art. 19-1 et 20. Cf. Wehser cit. Sosniak, "Précis de droit international privé", Gdansk, 1976, pp. 194-196.
5. Art. 5 et 7 convention franco-yougoslave - 7 de la convention franco-marocaine qui admet également d'après les art. 26 et 27 du même texte, la reconnaissance des décisions rendues par le juge de la résidence habituelle du créancier d'aliments, ayant fait application de la même loi — Cf. P. Decroux Clun. 1985-70.

en dernier recours seulement à la loi turque, l'obligation alimentaire relevant toujours de la loi nationale du débiteur[1]. Plusieurs codifications récentes offrent un aspect original : c'est ainsi qu'au Portugal et en Grèce les anciennes dispositions ont été revues ; dans le premier pays, les articles 52 et 53 du Code de 1966 ont été corrigés par un décret loi du 25 novembre 1977 : le texte originaire à défaut de nationalité ou de résidence habituelle commune, visait la loi personnelle du mari. Le nouveau, plus en accord avec les transformations du droit portugais, s'attache non plus à la loi du mari, mais à celle du pays "dans lequel la vie familiale est le plus étroitement liée" (le régime des biens relève de la loi nationale commune ou de la résidence conjugale commune au jour du mariage)[2]. Le texte grec de 1983 est à peu près semblable[3]. Le titre préliminaire du Code espagnol de 1974 n'a pas connu pareille modification. L'article 9 s'en remet toujours à la loi nationale commune, sinon à la loi nationale du mari au jour de la célébration pour les effets généraux, personnels ou pécuniaires. Mais l'Espagne (comme le Portugal et l'Italie) a ratifié ces deux Conventions de La Haye de 1973 sur l'obligation alimentaire et par là a fait place à la loi de la résidence habituelle du créancier d'aliments.

La loi fédérale autrichienne du 15 juin 1978 (§ 18-1 et 2) consacre le "statut personnel commun" à défaut le dernier statut personnel commun ou le droit de l'Etat de la résidence habituelle. Le nom fait l'objet d'une disposition spéciale (§ 13). A peu près seul de son genre, le texte autrichien vise la cohérence nécessaire entre a célébration du mariage et ses effets : si le mariage est valable dans la "sphère" juridique autrichienne ou dans un autre Etat avec lequel les époux entretiennent "un rapport plus fort", peu importe la prohibition de la loi personnelle d'origine des époux. Les effets relèveront de la même loi que la formation du lien. C'est la traduction législative de la formule française de l'arrêt "Ghattas"[4] qui avait permis le prononcé du divorce d'époux valablement mariés au regard du seul droit français. La réforme hongroise du 31 mai 1979[5] vise l'ensemble des rapports personnels et patrimoniaux, y compris "le port du nom conjugal, les secours alimentaires et les conventions sur le régime matrimonial" (§ 39). La loi personnelle commune ou la dernière loi personnelle commune sera compétente, sinon on s'en remettrait à la loi de l'Etat du dernier domicile commun, et dernière ressource, la loi du tribunal saisi de l'affaire. Le § 39-3 contient une règle de conflit mobile, en précisant que le changement de loi personnelle n'affecte ni le port du nom, ni les effets patrimoniaux antérieurs.

Enfin la réforme du droit international privé d'Allemagne Fédérale par la loi du 25 juillet 1986 comporte d'importantes précisions sur les effets du mariage. Le législateur s'en est d'abord tenu à la diversification des rattachements : sans parler de la filiation, le nom conjugal (art. 10) et les aliments (art. 18) sont soumis à des règles particulières dont nous mesurerons pour le nom la complexité ; pour les aliments, les dispositions sont inspirées

1. Art. 12-3 et 21, *Rev. Crit.* 1983 - 142 Com. Uluocak
2. Texte dans Union du Notariat Latin, t. 2, p. 324.
3. En tenant compte de la Constitution de 1975, *Rev. Crit.* 1984 - 168 note Vassilakakis.
4. Cass. Civ. 7 janvier 1947 D. 1947 - 161 note P.L.P.
5. Rev. Crit. 1981 - 168.

des Conventions de La Haye. Contrairement à ce que pouvait laisser supposer la situation démographique de l'Allemagne devenu un pays d'immigration, le critère de nationalité du B.G.B. n'a pas disparu. Le but recherché n'était pas nécessairement celui de l'intégration[1]. Mais les effets généraux du mariage obéissent au système dit du "rattachement par cascades" ou de "l'échelle de Kegel" apparu dans plusieurs codifications récentes : nationalité commune des époux, à défaut, dernière nationalité si l'un d'entre eux l'a gardé, résidence habituelle commune ou dernière résidence habituelle commune de l'un d'entre eux, non par loi du for, mais loi du lien le plus étroit ou le plus fort avec un autre droit (déjà retenu dans les réformes portugaise et grecque). Une place, sans doute plus modeste que ne le souhaitaient les rédacteurs du texte, a été consacrée à la "liberté de choix" d'un des droits en présence. Outre l'option en faveur de la loi nationale d'un des époux déjà rapportée[2], l'article 14 (comme l'article 10 sur le nom) envisage le cas du pluri-national. Il pourrait opter pour une des nationalité qui coinciderait avec celle de son conjoint.

Au total, on peut constater que les codifications récentes consacrent des développements de plus en plus abondants à la compétence législative et juridictionnelle des effets du mariage et s'éloignent des tentations d'appliquer la seule loi du juge saisi. S'agissant le plus souvent d'époux séparés, la loi du dernier domicile commun ou de la dernière résidence commune paraît la solution la meilleure. Elle témoigne de la survivance du lien matrimonial[3]. La notion de "lien le plus étroit" ou le "plus fort" se recommande du réalisme, mais pêche trop souvent par son imprécision.

Bibliographie

J. Mestre, "Les effets du mariage", *Jurisclasseur International,* Fasc. 546 D.

J.M. Bischoff, Répert. Dalloz, "Droit international", mot "mariage".

Y. Loussouarn et P. Bourel, "Droit international privé, 3e édit. n° 311 sv.

A. Schnitzer et S. Châtelain, "Die Kodifikationnen des internationalen privatrechts" ZfrV. 1984, pp. 276 sv.

F. Sturm, "Réforme du droit international privé allemand, personnes, familleet succession" et Sonnenberger, *Rev. Crit.* 1987 pp. 2 sv. - 33 sv.

M. Férid et C. Bohmer, "Internationales Privatrecht", 3e édit. 1986, n° 8-84 sv.

Ch. Von Bar, *Internationales Privatrecht,* 1991 (t. 2), n° 184 sv.

1. Cf. H.J. Sonnenberger, *Rev. Crit.* 1987 p. 15.
2. Art. 14-3 cf. n° 258.
3. En ce sens P. Mayer, "Droil international privé", 3e édition p. 343.

SECTION II
LES EFFETS PERSONNELS DU MARIAGE ET LE NOM CONJUGAL

§ 1. LES EFFETS PERSONNELS EN DROIT INTERNATIONAL

262. L'expression peut donner lieu à une querelle terminologique (et parfois de rattachement) si comme on le fait parfois, on lui donne un sens exagérément étendu, englobant les incidences pécuniaires de l'union, des institutions comme les donations entre époux, qualifiées d'"effets personnels" par la qualité des conjoints qu'elles leur impriment. Il faut l'entendre ici dans un sens plus limitatif : celui des droits et devoirs des époux, de la communauté de vie, des obligations de secours et d'assistance ; on peut y rattacher les charges du mariage difficilement séparables du devoir de secours (art. 212 C. Civ.). Les autres dispositions, instaurant une solidarité entre époux paraissent relever des conséquences pécuniaires. Ces questions ne revêtent pas le même aspect, suivant qu'il s'agit traditionnellement des effets d'un mariage monogame (I) ou de tirer les conséquences d'une union polygamique valablement célébrée à l'étranger (II).

A/ *Le mariage monogame*

I - Il est rare qu'en dehors des dispositions générales, des textes précisent le domaine de la loi des effets du mariage ; ainsi le Code Bustamante (art. 43 et 45). Celui-ci oppose les questions "soumises" à la loi personnelle "obligations respectives de protection et obéissance, obligation de suivre le mari en cas de changement de résidence et autres effets spéciaux" (art. 43) aux obligations "territoriales" : "celle de vivre ensemble d'observer fidélité et secours" (art. 45). Cette présentation un peu arbitraire témoigne déjà des difficultés de qualification : à celle d'effets du mariage, s'opposera celle de "lois d'application immédiate", c'est-à-dire de "dispositions dont l'intérêt pour la société française est trop grand pour entrer en concurrence avec une loi étrangère"[1], et même la qualification alimentaire, les charges du mariage pouvant découler "des relations de famille, de parenté de mariage ou d'alliance" (art. 1 Convention loi de La Haye du 2 octobre 1973). On peut, semble-t-il, distinguer trois séries de problèmes : ceux relatifs à la communauté de vie et l'obligation de fidélité, les rapports personnels entre époux pendant le mariage et les éventuelles incapacités de la femme mariée, l'obligation de secours liée à la contribution aux charges.

263. a) L'obligation de vie commune a pu paraître si inhérente à l'état de mariage qu'on y a vu comme son corollaire l'obligation de fidélité, un prin-

1. Cf. Ph. Francescakis, Répert. Dalloz Droit International, mot "conflits de lois, principes généraux", n° 122 sv.

cipe de "police et de sûreté" qui s'imposerait à tous, sans recours à la loi applicable. Certaines juridictions étrangères ont parfois statué en ce sens. Ainsi, en Espagne, la Cour de Saragosse[1] l'a qualifié d'"ordre public" à l'encontre de la loi américaine des époux prévoyant des conventions de séparation de fait. C'est là toutefois une vue plus en accord avec la conception du droit français du Code de 1804, qu'avec l'évolution postérieure. On sait combien la sanction de la communauté de vie est devenue incertaine, notamment depuis 1975 (supra n° 216). Dans la plupart des droits européens (sauf certains cas comme celui de la Belgique) l'adultère a cessé d'être sanctionné pénalement ou d'être une cause spécifique de divorce. C'est ainsi que la Cour de Cassation a eu à connaître d'une demande en divorce formulée par une femme brésilienne à l'encontre de son mari français (sur la base des textes antérieurs à 1975) fondée sur l'adultère du mari et la violation du devoir de fidélité. Or celui-ci pouvait invoquer un jugement brésilien de "desquite", variété de séparation de corps le déliant de son devoir de fidélité. A l'encontre de la Cour d'appel qui soutenait que le principe de l'article 212 s'imposait à tous, y compris aux Français se rendant à l'étranger, la Cour de Cassation a admis que le droit brésilien, tel qu'il avait été appliqué selon la loi du domicile des époux, avait pu dispenser le mari de l'obligation de fidélité[2]. Par un renversement des principes jadis posés par Niboyet, ce serait plutôt aujourd'hui l'ordre public français qui jouerait contre une loi étrangère faisant de la cohabitation, une nécessité absolue assortie d'une injonction maritale, et d'un refus de subvenir aux besoins de la femme, comme l'article 37 du Code algérien. C'est un cas de ce genre dans un ménage franco-algérien où la femme avait refusé de rejoindre le mari ce qui avait valu une répudiation en faveur de celui-ci prononcée par la Cour de Sétif[3], qui a entraîné l'application du droit français.

264. b) S'agissant des rapports entre époux durant leur vie commune, du degré d'autonomie personnelle ou professionnelle de la femme, on peut considérer qu'ils appellent l'application d'une loi commune du couple. La plupart des Etats d'Europe occidentale (sans parler des Etats-Unis) ont consacré des principes de liberté et d'égalité qui rendent caduques les décisions anciennes, déclarant d'application territoriale "les rapports personnels entre époux"[4]. Comme pour la communauté de vie, ce serait plutôt l'ordre public qui s'opposerait à l'application d'une loi étrangère créant une subordination personnelle de la femme au mari[5]. Mais il y a une possibilité de conflits de qualifications, soit qu'on voit dans les prérogatives de la femme un aménage-

1. 26 septembre 1976, Clun. 1981 - 871.
2. Cass. 1er - 12 juillet 1977, Clun. 1978 - 94, rapp. Ponsard D. 1978 - 673- note A. Galia-Beauchesne.
3. Cour Poitiers, 24 juillet 1980, Clun. 1981 - 567 note C. Labrusse, et sur le devoir de fidélité, N. Watte, Bruxelles, 1987, n° 312-313.
4. Cf. Trib. Seine 30 avril 1930, *Rev. Crit.* 1930 - 461 concl. Brachet D.H. 1931 Som. 16, accueillant l'interdiction fommulée par un mari américain à l'encontre de sa femme française de paraître sur scène, le devoir d'obéissance s'imposant à toutes les femmes "indépendamment de leur capacité juridique".
5. Dans l'exemple cité par Monsieur Férid, supra n° 258, l'article 195 du Code Civil colombien réservant le "veto" marital à une série de professions publiques de la femme.

ment de sa capacité qui relèverait de sa loi personnelle, soit que confondant capacité et pouvoirs, on considère que son indépendance professionnelle et les engagements qu'elle peut prendre, relèvent de la loi du régime matrimonial. La première formule était encore concevable dans un système d'incapacité de la femme mariée la frappant en sa seule qualité pour toute une série d'actes, mais parait beaucoup moins acceptable aujourd'hui. Il est peu heureux, comme l'a fait la Cour de Bruxelles dans un arrêt du 14 février 1961[1] de consulter les lois personnelles respectives des époux là où il y a rapports réciproques, et de risquer d'aboutir, par l'exigence du cumul, à une conception restrictive (dans l'arrêt de Bruxelles, un mari suisse entendait surveiller la correspondance et les communications téléphoniques de son épouse belge — la Cour devait constater que ni le droit suisse, ni le droit belge ne lui donnaient pareille possibilité). En faveur de la qualification matrimoniale, on a pu souligner le lien qui a existé longtemps entre le régime légal de communauté du droit français et l'incapacité de la femme mariée, le fait que la femme devenue capable, n'a acquis de véritable indépendance d'engagements que par la réforme des régimes matrimoniaux. Rattacher l'indépendance professionnelle de la femme au régime matrimonial, dit "d'autonomie" aboutirait pourtant à augmenter l'incertitude sur la loi applicable. On a pu faire observer que le pouvoir d'engagement n'intéresse pas seulement les rapports entre époux, mais les tiers, et comme tel, est une question de crédit local[2]. La jurisprudence habituellement citée[3] est antérieure à la réforme des régimes matrimoniaux. Elle avait fait prévaloir la protection des fournisseurs français contre l'incapacité, réelle ou supposée de la femme découlant de son régime matrimonial, en des termes rappelant ceux de la célèbre affaire "Lizardi" sur les engagements pris pour les mineurs (tiers ayant "contracté sans légèreté ni imprudence, de bonne foi"). Dans le même sens un arrêt de la Cour d'Abidjan en Côte d'Ivoire a appliqué la loi ivoirienne de 1964 sur la révocation du mandat domestique consenti initialement par un mari français envers sa femme de même nationalité. La publicité locale donnée à la révocation ne permettait pas de présumer de la bonne foi des créanciers locaux et les rendait inaptes à poursuivre le mari[4]. Mieux vaut ne pas dissocier le pouvoir d'engagement de la femme de ses libertés personnelles et des rapports du couple, c'est-à-dire de la loi des effets du mariage. Il resterait la ressource de l'ordre public pour faire échec à une loi étrangère trop discriminatoire.

265. c) L'obligation de secours, dont l'extension pratique est la contribution aux charges du mariage mêle déjà des aspects personnels et patrimoniaux. Un certain nombre de pays n'éprouvent aucune difficulté à la rattacher à la catégorie d'"effets du mariage", la seule hésitation en cas de divergence de loi applicable étant de savoir si on est en présence d'effets personnels ou pécu-

1. Cité par M. Watte n° 187.
2. Cf. N. Watté cit. n° 198-203—G. Couchez, "Essai de délimitation du domaine de la loi applicable au régime matrimonial, 1972 n° 179-183.
3. Affaire Ratibor T.G.T. Seine, 12 janvier 1963, *Rev. Crit.* 1963 - 792 note Y. Loussouam, Clun. 1963 - 1068 *Rev. Crit.* 1964 - 689 note H. Batiffol, Clun. 1964 285 note A. Ponsard.
4. Cf. Cour Abidjan, 22 février 1974 — Rev. ivoirienne, 1976, 44.

niaires[1]. Ainsi la jurisprudence italienne a fait prévaloir quant au devoir de secours l'article 19 de la loi d'introduction, c'est-à-dire la loi nationale du mari au moment de la conclusion du mariage pour les relations pécuniaires, sur l'article 18 (loi nationale commune pour les effets personnels)[2]. Il en va de même pour la Suède (loi de 1912 en faveur de la nationalité commune ou dernière nationalité commune)[3]. La jurisprudence belge pour sa part s'en tient à la nationalité commune, mais fera jouer souvent le renvoi à la loi belge du domicile ou appliquera la loi de la résidence aux ménages "mixtes"[4]. La question demeurait beaucoup plus incertaine en France : on a en effet déjà relevé comment très tôt le problème des aliments s'était détaché des effets généraux ; l'arrêt "Valentinis" avait qualifié l'obligation de secours entre époux de règle fondamentale de l'ordre public français[5]. La France a par la suite ratifié la Convention de La Haye du 2 octobre 1973 (en vigueur au 1er octobre 1977) qui à la différence des Conventions antérieures de 1956 et de 1958 ne vise plus les seules actions alimentaires des enfants. Une des raisons de la remise en cause des textes antérieurs a été l'importance des litiges entre époux[6]. Pourtant la jurisprudence semblait transposer en matière internationale la distinction interne entre devoir de secours alimentaire et contribution aux charges, celle des articles 212 et 214[7], et revenir à l'ancienne conception. Elle n'invoquait qu'exceptionnellement la Convention de 1973 faisant application de la loi de la résidence habituelle du créancier[8]. La Cour de Cassation dans l'arrêt "Cressot" du 20 octobre 1987 avait qualifié de "territoriale" la contribution aux charges[9]. En l'occurence la requête de la femme française répondait à la saisine par le mari franco-libanais du Tribunal de Beyrouth pour la contraindre à réintégrer le domicile conjugal à Beyrouth sous peine de séparation de corps. Il eut mieux valu qualifier la contribution aux charges de "loi d'application immédiate". L'avantage était d'assurer une réciprocité qui pourrait faire défaut dans certains droits étrangers ; de plus les juridictions du fond ont été sensibles aux conditions dans lesquelles ont été obtenues certaines répudiations ou injonctions maritales dans des pays de tradition polygamique pour dispenser le mari de contribuer aux charges[10]. La jurisprudence "Cressot"

1. Cf. "Institut de recherches juridiques comparatives : l'obligation alimentaire en droit international privé", Paris, 1983.
2. Mot Italie par F. Pocar et S. Bariatti, *L'obligation alimentaire en droil international privé*, cit.
3. Cf. "L'obligation alimentaire mot "Finlande et Suède", par T. Esko et M. Jantera, pp. 134 sv., ouvrage cité.
4. Cf. F. Rigaux, "Quelques réflexions sur la loi du 14 juillet 1976 : droit intrne et droit international privé", RTDS, 1978, pp. 9 sv.
5. Cf. communication de M. Simon-Depitre citée n° 256.
6. Cf. P. Bellet, "Les nouvelles Conventions de La Haye en matière d'obligations alimentaires", Clun. 1974, p. 6.
7. Cf. *supra*, n° 227-228.
8. Cf. Trib. Instance Dunkerque, 17 avril 1985, D. 1985 - 551 note J.P. Remery — épouse comorienne résident en France.
9. Cf. Cass. 1er — 20 octobre 1987, Bullet. Cass. 1987 - 1 - n° 275 - *Rev. Crit.* 1988 - 540 note Y. Lequette D. 1987 J.R. 219.
10. Cf. Cour Douai, 10 juillet 1981, G.P. 1982 - 1 - Som. 17 Clun. 1984 - 323 note P. Courbe à l'encontre d'un mari algérien sommant sa femme d'habiter avec lui, l'obligation aux charges a été qualifiée de règle fondamentale de l'ordre public français", la "non exécution risquant de mettre des prestations ou secours à la charge

a été reprise par un arrêt de la Cour de Versailles à propos de la contribution d'un mari marocain en France, aux charges[1]. Mais finalement un arrêt de la 1re chambre du 6 novembre 1990 au sujet d'un ltige entre époux camerounais a fait application de la Convention de 1973, et de la loi française de la résidence habituelle de la femme.[2] La Cour de Cassation a admis qu'une demanderesse à la contribution aux charges pouvait faire valoir par voie d'exception le défaut de régularité internationale d'un jugement étranger[3] ; dans l'arrêt "Senoussi" opposant deux nationaux algériens, elle a reproché à la Cour d'appel de ne pas avoir recherché (pour le prononcé du jugement de divorce) si "le choix de la juridiction algérienne n'avait pas été frauduleux dans le seul but d'échapper aux conséquences du jugement français condamnant le mari aux charges[4].

Pour les sanctions, il convient sans doute de distinguer entre les procédures spéciales de recouvrement (lois de 1973 et 1975 en France, loi belge du 8 juillet 1976 prévoyant l'action directe des "centres publics d'aide sociale" contre le débiteur) et l'infraction pénale d'"abandon de famille". Les premières ne peuvent avoir qu'un caractère strictement territorial. Par contre la sanction pénale est applicable dès lors qu'un élément constitutif de l'acte a été accompli en France (art. 693 C. Procéd. Pén.). Elle pourrait donc profiter à un créancier, même résidant à l'étranger si c'est en France que le débiteur s'est rendu coupable d'abstention volontaire[5]. Il ne pourrait invoquer son statut personnel pour échapper à la répression pénale[6].

B/ *L'union polygamique*

266. II/ S'agissant des effets personnels d'une union polygamique, elle ne va pas sans poser de délicats problèmes d'adaptation. A supposer en effet qu'elle soit reconnue valable au regard de la loi du pays d'origine de tradition polygamique, des effets pourront être amenés à se dérouler dans un pays monogame. Celui-ci n'admet pas sur son sol la création directe du lien ; il ne s'agit plus de rapports bilatéraux, mais de celui d'un homme et de plusieurs femmes. C'est pourquoi on a pu considérer comme artificielle la distinction entre formation de l'union et effets et proposer soit la loi du mari comme

---

des services sociaux français", Cour Versailles, 13 avril 1984 D. 1986 - 84 note F. Monéger - divorce, répudiation ne répondant pas aux exigences de l'article 80 du code de statut personnel marocain et ne pouvant faire obstacle à l'exécution des charges

1 Cour Versailles, 30 septembre 1988, *Rev. crit.*, 1989. 747, note P. Courbe.

2. Cass. 1re, 6 novembre 1990 (pourvoi de Rouen, 28 avril 1988), G.P. 8-10 décembre 1991, p. 4, note J.P. Rémery, avant dernière ligne.

3. Lallemand, Cass. 27 mars 1984 Bullet. Cass. 1984 - 1 n° 115 J.C.P. 1984 - 4 - 177 jugement de divorce prononcé en Australie en méconnaissance de l'article 15 C. Civ.

4. Cass. 1er - 1er mars 1988, Bullet. Cass. 1988 - 1 n° 55 - Cf. sur la contribution aux "charges", Holleaux, Foyer de la Pradelle, n° 1160.

5. Cf. Cass. Crim. 29 mars 1962, D. 1962, Som. 95.

6. Cf. Trib. Correct. Seine, 24 décembre 1930 D.H. 1931 - mari invoquant l'absence d'infraction en droit espagnol.

"pivot de la situation polygamique" soit, comme en Grande Bretagne la loi du premier domicile matrimonial pour la validité du lien et ses effets[1].

La validité des effets du mariage polygamique suppose le plus souvent que soit résolu un problème relevant de la condition des étrangers, celui du regroupement de la famille du polygame. La question du "regroupement familial" s'est posée à la fois sur le plan européen devant la Cour européenne des droits de l'homme et à la jurisprudence française. La Cour européenne, sans viser spécifiquement les ménages polygames (mais ses attendus ont une valeur générale) s'est montrée relativement sévère : saisie de requêtes d'immigrantes installées à demeure en Grande-Bretagne et qui s'étaient mariées, mais étaient menacées d'être privées par expulsion de la présence de leurs conjoints, elle a fait valoir que l'article 8 (droit à une vie familiale normale) n'impliquait pas pour autant de la part des Etats contractants, l'obligation générale de respecter le choix du domicile de couples mariés et d'accepter des conjoints non nationaux[2]. En France, la difficulté a surgi de l'interprétation du décret du 29 avril 1976 créant un régime de faveur pour "le conjoint" et les enfants mineurs de 18 ans ne pouvant se voir refuser l'accès au territoire français au titre du "regroupement familial"[3]. A propos de la convention franco-algérienne sur l'emploi et le séjour d'Algériens en France, une interprétation du Ministère des Affaires Etrangères du 22 novembre 1979 s'en remettait pour la qualification de conjoint "aux règles de droit civil et international privé" (conclusions Rougevin-Baville sous C.E. - 11 juillet 1980). S'agissant de la présence en France de seconds conjoints de ressortissants d'Afrique-Noire (Bénin et Sénégal), par deux fois les juridictions ont condamné des arrêtés d'expulsion ou des décisions de "reconduction à la frontière" pour séjour irrégulier.[4] Selon l'arrêt de Versailles, suivant en cela le Conseil d'Etat, il "n'est pas contraire à l'ordre public français de contracter mariage à l'étranger selon la loi d'un pays qui ne connaît pas le délit de bigamie avec une seconde épouse légitime et de vivre en France avec les deux épouses et leurs enfants, quand le statut personnel le permet".

267. Ce préalable résolu, toutes les difficultés nées du fonctionnement d'un régime polygamique ne sont pas levées. Les obligations personnelles de fidélité et d'assistance ne peuvent être entendues au sens "classique" ; le mari polygame devra tenir compte de l'égale présence des "deux femmes". Là où exceptionnellement subsiste le délit pénal d'adultère (comme en Belgique) il serait inapplicable à l'époux polygame[5]. L'obligation de secours et la contribution aux charges devront également s'exercer de manière multiple. On ne peut oublier que dans l'affaire "Chemouni" l'action de la seconde épouse provenait

---

1. Cf. les réflexions de J.M. Bischoff, Travaux du Comité français de la D.T.P. et S. Poulter, "Polygamy New Law Commission Proposals", *Family Law*, 1983, p. 72 sv.
2. Arrêt du 29 mai 1985, "Abdulaziz, Cabales et Balkandali", rapporté par G. Cohen-Jonathan, "La Convention européenne des droits de l'homme", 1989, p. 362.
3. Cf. sur cette notion D. Holleaux—J. Foyer - G. de la Pradelle, cit. n° 130-131.
4. "Montcho", C.E. - 11 juillet 1980 - Conclusions Rougevin-Baville, *J.C.P.*, 1981 19629 *Rev. Crit.* 1981 - 659 note J. M. Bischoff - "Coulibaly" Cour Versailles, Ch. Corret, 14 février 1986, G.P. 1986 - 2 510 note F. Gerber.
5. En ce sens Trib. Correctionnel Bruxelles - 21 octobre 1986 - cité par M. Fallon - RTDF 1988, n° 36.

du fait que le mari, israélite polygame, deux fois marié en Tunisie, avait choisi en France de ne vivre et de prêter assistance qu'à sa première épouse. Le problème s'est posé également en Belgique où une Italienne ayant épousé un Marocain au Consulat du Maroc en Belgique, a invoqué l'exécution du devoir de secours devant le Tribunal de Liège, après le second mariage de son époux au Maroc. Le tribunal a considéré que le second mariage n'était pas contraire à l'ordre public. Appliquant la loi belge du for, il a tenu compte de cette union pour le montant des versements à la première femme[1]. Dans de pareilles situations de ménages "mixtes", le Professeur Rigaux a recommandé la prudence et l'utilisation éventuelle de la "clause de monogamie" valable selon les principes islamiques[2]. L'application des effets pécuniaires pose, aussi, comme nous le verrons, quelques problèmes.

§ 2. LE NOM CONJUGAL

268. Un des intérêts des récentes codifications du droit international privé en Allemagne et en Suisse a été l'attention portée au problème du nom conjugal. On connaît, en droit interne comparé, la diversité des réponses quant au sort du nom patronymique après le mariage, et la difficulté qu'éprouve le droit français avec la réforme du 23 décembre 1985 à concilier les principes d'indépendance et de libre choix des époux avec ceux de l'unité de désignation du groupe familial[3]. Le droit international français a toujours considéré classiquement l'attribution du nom comme un élément de l'état des personnes, relevant de la loi nationale de l'intéressé. Tout au plus, serait-elle corrigée par le renvoi observé pour des étrangers domiciliés en France, de la loi nationale à la loi du domicile[4]. A vrai dire, devant la pauvreté du contentieux en la matière[5], l'appartenance du nom au statut personnel a été surtout une affirmation doctrinale, confortée, il est vrai, par des réponses ministérielles à des questions de parlementaires[6]. On a pu faire valoir, en faveur d'une pareille solution, la nécessité d'un rattachement stable du nom, ne devant pas nécessairement varier au gré des modifications de l'état des personnes et le respect de l'identité propre des femmes mariées. La création d'un ménage de nationalité "mixte" aboutirait à un objectif difficilement atteint en droit interne, celui du port d'un nom propre pour chacun de ses membres, en évitant l'absorption classique du nom de la femme par le mari. La seule limite au jeu de la loi personnelle serait l'intervention de l'ordre public, comme celui qui ne permet pas en France à une concubine de se prévaloir du nom de son "compagnon" à l'encontre de la

1. Cf. Trib. Liège, 26 juin 1975 Clun. 1979 - 172 note S. Breslaw.
2. Cf. "Traité de droit international privé belge", t. 2, 1979, n° 939-940 et dans le même sens comment. Critique J.B. Geffroy 1986-4.
3. Cf. *supra*, n° 221-224.
4. Cf. Ph. Malaurie, "Nom-prénom", Répert. Dalloz, "Droit international", t. 2, n° 6 sv. qui souligne l'habitude de donner à un étranger le nom figurant sur son passeport — H.J. Lucas, "La loi applicable à l'attribution du nom de famille", Droit non civil de la famille, Poitiers, 1983, pp. 183 sv. et mot "nom" Jurisclasseur Intrnational, 542 G.
5. V. cependant dans les cas plus récents l'affaire "Eskenazi", Cour Paris - 1er juillet 1970, *Rev. Crit.*, 1970, 721 note J. Foyer.
6. Cf. *Rev. Crit.* 1978 - 593, Françaises mariées avec des Allemands — et avec plus de nuance, *Rev. Crit.* 1987 -167, Françaises mariées à des Grecs.

femme de celui-ci. Ainsi, dans l'affaire "Eskenazi", Madame Montagnier, veuve de son mari, pouvait victorieusement s'opposer à l'effet en France d'un jugement anglais conférant à l'ancienne maîtresse un nom composé "Ingall-Montagnier", celui du premier mari et de l'amant de la femme[1].

Ce serait toutefois une vue peu réaliste de méconnaître, même à propos du nom, l'interdépendance que crée le mariage. Les règlementations nationales relatives au port du nom peuvent se contredire ; la femme mariée, comme dans le cas de l'Anglaise qui épouserait un Espagnol, continuerait selon son propre droit, à jouir d'une entière liberté de conservation de son nom, tandis que le droit espagnol lui attribuerait celui de son mari. Des contradictions pourraient s'élever entre le nom porté sur le passeport et les papiers officiels et celui transcrit à l'état civil. La réponse ministérielle de 1978, à propos du cas des Françaises mariées avec des Allemands et ayant droit éventuellement au nom double au regard de la loi allemande de 1976 a été sans équivoque : les services d'état civil doivent délivrer des actes dans le respect de la loi française. Il est vrai que la réforme relative au "nom d'usage" amènera sans doute les administrations à faire preuve de plus de souplesse, celui-ci pouvant figurer, on le sait, sur les cartes d'identité (*supra* n° 224). D'autre part, la diversité des lois personnelles en présence pose le problème de leur choix pour la transmission aux enfants du mariage. La Cour de Liège a été ainsi confrontée au cas d'une fille née d'un père espagnol et d'une mère belge. D'après la loi belge de la mère, l'usage voulait qu'elle porte le nom du père, mais par contre le droit espagnol lui attribuait un nom composé (première partie du nom du père suivie de la première partie du nom de la mère). Le droit espagnol confèrant aux enfants la nationalité du père, la Cour de Liège a finalement ordonné la transcription à l'état civil du nom selon la loi espagnole du père[2]. Nous verrons que c'est la conscience de la diversité des lois nationales qui a amené la Commission internationale de l'état civil (C.I.E.C.) à élaborer un "certificat international de diversité de nom de famille" (Convention de La Haye, du 8 septembre 1982).

269. On en revient donc, en dépit de l'individualisme du droit interne, à l'idée du rattachement du nom aux effets du mariage et à une solution unitaire[3]. Une décision belge s'est déjà orientée en ce sens dans le cas d'un binational étranger (anglais et américain) ayant épousé une Belge. Le tribunal a admis le choix de l'intéressé en faveur du droit américain, le plus effectif pour lui. L'intéressé, éduqué aux Etats-Unis, comptait s'y fixer après son mariage[4]. En France, une décision déjà ancienne de la cour de Paris, rendue à vrai dire, au sujet du divorce, avait admis la compétence de la loi nationale commune

1. Cf. Cour Paris - ler juillet 1970 cit. comp. pour l'Autriche "Verwaltungs-gerichtshof, 11 novembre 1969, Clun. 1972 - 655, où la femme italienne s'est appuyée sur la loi italienne pour revendiquer l'exclusivité du pon du nom du mari naturalisé autrichien, à l'encontre de la concubine autrichienne.
2. Cf. Cour Liège - 1er février 1984, RTDF, 1987 - 302.
3. P. Mayer, "Droit international privé" n° 566.
4. Cf. Trib. Civ. Gand, 12 août 1982 — cité par M. Fallon, RTDF 1988 n° 5.

des époux[1]. Ce sont surtout les nouvelles codifications suisse et allemande qui témoignent de la volonté d'appliquer un rattachement unique. La loi suisse du 18 décembre 1987 (sans viser spécialement le mariage) s'en tient comme en matière d'effets généraux du mariage à la loi du domicile, celle de "l'environnement" d'une personne (art. 37-1) étant entendu que la tenue des registres obéit aux règles sur les actes suisses (art. 40). Toutefois, l'étranger en Suisse jouit d'une option en faveur de sa loi nationale. De plus pour les personnes domiciliées à l'étranger, ce sera au droit international de ce pays de déterminer la loi compétente en matière de nom (art. 37 qui laisse la porte ouverte à un renvoi, dans le cas du Suisse en Allemagne par exemple). Les autorités suisses seront toujours aptes à connaître des changements de nom par application du droit suisse, étant entendu que les décisions étrangères en matière de changement seront reconnues en Suisse (art. 38 et 39). L'ensemble de ces règles témoigne d'un "unilatéralisme assez prononcé[2].

270. C'est surtout la nouvelle loi allemande de 1986 qui s'est attachée méticuleusement au problème du nom conjugal dans son article 10. Dès avant la réforme, une vive discussion avait opposé en Allemagne les tenants de la situation individualiste—en faveur de la loi nationale de chacun des époux—et les adeptes de la solution unitaire, celle des effets du mariage. Ceux-là faisaient valoir que la soumission de la femme à sa loi nationale introduisait une disparité familiale, et pourrait amener à la considérer en Allemagne comme la concubine de son mari. Un arrêt de BGH de 1971 laissait au mari le soin de fixer la résidence commune dans un ménage "mixte" et par là d'en faire dépendre le problème du nom[3]. Les nouvelles règles, assez laborieusement du reste, s'efforcent de concilier l'égalité des époux et l'avantage d'une dénomination familiale commune. L'article 10 commence par poser le principe du rattachement à la loi nationale, mais l'assortit de toute une série de distinctions suivant que le mariage a été célébré ou non en Allemagne. Dans le premier cas, suivant une technique déjà étudiée à propos des effets du mariage (supra n° 258) un époux peut opter pour le droit national de son conjoint (en cas de divergence de nationalités). Il s'agit d'une référence au droit matériel : une Allemande mariée en Allemagne à un Croate pourrait comme son mari, ainsi que l'autorise la loi croate, porter un nom double[4]. Si aucun époux n'est Allemand, ils pourront choisir la loi allemande, pourvu qu'elle corresponde à la résidence habituelle de l'un d'eux (avec la possibilité d'un nom de famille commun). Dans l'hypothèse du mariage célébré hors d'Allemagne, le texte distingue suivant que l'un des époux a ou non la nationalité allemande. Dans le premier cas, le conjoint allemand aura une faculté de choix en faveur de la loi

---

1. "De Colloredo-Mansfeld", Trib. Seine, 28 février 1935 D.H. 1935 - 276 et Cour Paris, 15 décembre 1936 D.H. 1937 - 72, loi tchèque ne s'opposant pas au port du nom du mari après divorce.
2. Pour une application anticipée de ces dispositions, Tribunal Fédéral, 18 août 1980 "Temelkova", Clun. 1987 - 677, le recours d'une ressortissante yougoslave fiancée à un Suisse pour une graphie féminine de son nom a été rejeté au nom de la "tenue uniforme" des registres relevant de la seule loi suisse.
3. Cf. E. Jayme, Clun. 1984-642.
4. Cf. D. Henrich, "Die Namensfahrung von Ehegatten nach dem IPR Gesetz", IPR-Praxis, 1986, p. 333 sv.

nationale de son partenaire. L'unité de nom pourrait ainsi être rétablie : l'Allemand marié avec une Italienne en Italie se prévaudrait du droit italien pour l'application du nom double (art. 143 bis C. Civil italien). Mais sa déclaration devra figurer sur le registre allemand d'état civil (art. 10-3) au plus tard dans un délai de un an à compter de son retour en Allemagne ; faute de quoi, l'époux garderait le nom de famille qu'il avait avant le mariage. A supposer enfin qu'aucun époux n'ait la nationalité allemande, le mariage s'étant toujours déroulé hors d'Allemagne, la référence au droit allemand reste encore possible. Il faut pour cela qu'un conjoint ait sa résidence habituelle en Allemagne ou que le droit allemand régisse les effets généraux du mariage (104).

L'ensemble de cette règlementation donne une impression d'extrême complexité et sans doute les auteurs allemands de cette réforme se sont-ils faits quelque illusion sur le jeu des options, comme il apparaît en droit interne. S'agissant de la transmission du nom aux enfants, le texte a pris en compte le cas où aucun parent n'est Allemand. Le "représentant légal de l'enfant" pourrait faire une déclaration à l'état civil allemand, soit en faveur de la loi d'un des époux (pourvu en cas de pluri-nationalité, qu'elle soit la plus effective) soit en faveur de la loi allemande, si un parent réside en Allemagne (l'enfant naturel restera quant à lui, soumis à la loi nationale d'un de ses parents ou de celui qui lui a conféré le nom—article 10-6). Le texte n'a pas toutefois tout prévu, notamment en cas de transmission du "nom parental" si le mariage a été célébré en Allemagne entre un étranger et un Allemand. Son application a déjà suscité quelques difficultés dans l'hypothèse de mariage d'un Néo-Zélandais et d'une Allemande (Bay. O.L.G. 4 décembre 1986) également d'un Américain avec une Allemande (O.L.G. Hambourg, 17 février 1987). Dans les deux cas, les intéressés n'avaient fait aucune déclaration en faveur d'un "nom commun" selon §1355 B.G.B. Il a été admis que dans leurs rapports respectifs les époux auraient la plus grande liberté, soit qu'un renvoi au droit allemand permette à la femme de bénéficier du "Begleitname" (nom d'accompagnement - cf. n° 222) soit qu'elle opte pour le droit américain ou néozélandais du mari ; fidèle à la tradition anglaise, celui-ci permet le plus grand choix (conservation du nom antérieur, nom du mari, ou double). Mais placées en face du vœu des parents de transmettre à un enfant un nom double, ces juridictions s'y sont refusées. Le souhait du législateur allemand a été en effet que, seul, le nom de famille commun soit transmissible[1].

271. Consciente de ces difficultés, la commission internationale d'état civil travaille à réduire les divergences. Les résultats ont été jusque là modestes. En 1987, neuf Etats (dont la France, l'Allemagne, l'Italie et l'Espagne) faisaient application de la Convention d'Istambul du 4 septembre 1958 relative au changement de nom ou de prénom. D'une part, chaque Etat contractant s'engage à ne pas modifier les noms et prénoms d'un ressortissant d'un autre Etat contractant, sauf s'il a également la nationalité de cet Etat (art. 2). D'autre part, la Convention déclare exécutoire de plein droit, sous réserve de l'ordre public, les décisions de changement de nom intervenues dans un des

1. Cf. D. Henrich, "Ehe und Kindesname : Namenswahl oder Namensfuhrung Kraft Gesetzes ?" IPR-Praxis, 1987, pp. 225-227.

Etats contractants (art. 3). L'article 5 de la Convention réserve toutefois aux contractants la possibilité de subordonner la reconnaissance a des mesures de publicité ou un droit d'opposition[1]. Une nouvelle Convention a été élaborée à Münich le 5 septembre 1980 sur "la loi applicable aux noms et prénoms" : les noms et prénoms d'une personne seraient déterminés par la loi de l'Etat dont elle est ressortissante, étant entendu qu'en cas de changement de nationalité, ce serait la loi nouvelle qui jouerait (ce qui signifie que l'acquisition par un des époux de la nationalité de son conjoint serait reconnue dans le pays d'origine (cf. "Rapport explicatif de la Convention de 1980"). La Convention ajoute que "la situation dont dépendent les noms et prénoms (question familiale préalable) serait appréciée selon le droit de cet Etat". La tendance actuelle paraît pourtant peu favorable à une application universelle de la loi nationale et il est douteux qu'elle puisse entrer en vigueur. Plus modestement, mais aussi plus pragmatiquement, la C.I.E.C. a préparé une "convention relative à la délivrance d'un certificat de diversité de noms de famille", dite Convention de La Haye du 8 septembre 1982. Il s'agit, selon les termes mêmes de la convention, sans méconnaître les diversités positives, de faciliter la preuve de l'identité des personnes. Le Certificat constate que "les divers noms de famille, sous des législations différentes", désignent une même personne" (art. 2). Il prouverait donc que le Français ou la Française Dupont devenue Schmitt par son mariage en Allemagne garde son identité (commentaire CIEC p. 13), la Convention se refusant pourtant de "faire échec aux dispositions légales" (art. 1, alin. 2). Le document serait destiné à être présenté en annexe d'un autre (carte d'identité ou passeport) et délivré soit par les autorités de l'Etat contractant dont il est ressortissant, soit par les autorités d'un autre Etat contractant qui lui aurait attribué un nom différent (art. 2). Il serait obtenu sur production de pièces justificatives laissées à l'appréciation étatique. Le certificat obtenu ferait ainsi foi "jusqu'à preuve contraire" de l'exactitude des mentions relatives aux divers noms de famille de la personne désignée (art. 3). Les réfugiés ou apatrides relevant du statut personnel d'un Etat contractant pourraient en bénéficier (art. 4). A défaut de résoudre les problèmes de fond, ce certificat, dans une perspective de construction européenne, paraît avoir un avenir assuré.

Bibliographie

Sur les effets personnels du mariage :

J. Mestre, "Jurisclasseur international", cit.

N. Watte, "Les droits et devoirs respectifs des époux en droit intrnational privé" (préf. Van Der Elst), Bruxelles, 1987.

Fr. Rigaux, "Quelques réflexions sur la loi du 14 juillet, 1976", RTDF, 1978, p. 9 SV.—"Traité de droit international privé belge", t. 2 - 1979.

1. Pour une application de la convention, relative à la reconnaissance d'une décision administrative autrichienne attribuant aux enfants le patronyme de leur mère "de Lassus", Cour Paris 3 mars 1972, Clun. 1973-357, note Aymond et Cass. 1er - 21 novembre 1973 Clun. 1974 - 353, note P.A.

J.P. Karaquillo, "Etude de quelques manifestations des lois d'application immédiate" (préf. C. Lombois), Limoges, 1977.
G. Couchez, "Essai de délimitation de la loi applicable au régime matrimonial", (préface H. Battifol), Paris, 1972, n° 171 sv.
M. Férid et C. Bohmer, "Internationales Privatrecht", 3e édit. 1986, n° 8-84 sv.
D. Heinrich, "Das internationales Ehrecht nach der Reform", ZfRV, 1986, pp.841-852.
C. Von Bar, *Internationales Privatrecht*, t. 2, 1991 n° 184-188.

Sur le nom en droit international :

Ph. Malaurie, Répert. Dalloz, "Droit internalional", t. 2, cit. H.J. Lucas, "Jurisclasseur Intrnational", cit. N. Watte, cit. n° 292-310. D. Henrich, IPR-Praxis, 1986, pp. 333 SV., 1987, p. 225. (Von Bar, cit. n° 71-76).

SECTION III
LES EFFETS PECUNIAIRES DU MARIAGE

272. L'expression désigne plus une "catégorie de rattachement" internationale qu'une réalité du droit interne, nécessairement disparate. Sans y inclure, comme l'invite la tradition, le régime matrimonial des époux, on peut entendre par "effets pécuniaires", d'une part les règles dites en droit français de "régime primaire" (à l'exclusion du devoir de secours et de la contribution aux charges déjà étudiés), d'autre part les problèmes soulevés par l'hypothèque légale et les contrats entre époux. Mais là encore, les conséquences du mariage ne revêtent pas le même aspect suivant qu'il s'agit d'une union monogamique ou polygamique. Les questions soulevées par l'obligation alimentaire, qui a une autonomie propre en droit international seront étudiées à part.

§ 1. LES EFFETS PECUNIAIRES D'UNE UNION MONOGAME

A. 273. Comme à propos de la contribution aux charges, les dispositions des articles 215 sv. du Code Civil applicables selon l'article 226 par le seul effet du mariage ont suscité de vives controverses sur leur qualification. Elles sont aggravées par la distorsion qui existe en droit français entre le rattachement matrimonial et celui des effets du mariage. On a pu faire valoir que la place de certains articles dans le Code Civil n'est pas absolument déterminante. Les règles du régime primaire dans la mesure où elles ont été conçues pour assouplir, le fonctionnement des principes matrimoniaux (on pense ici aux "présomptions de pouvoir" des articles 221 et 222 à l'encontre de la "présomption d'acquets" de l'article 1402 C. Civ.) ou pour introduire un minimum de solidarité en régime séparatiste, se détacheraient difficilement du "régime général". Raisonner autrement serait encourir le risque de réduire le domaine du régime matrimonial aux règles supplétives[1]. A l'inverse, on a pu être tenté de voir dans les dispositions des articles 215 sv. un "bloc" qui en raison de l'importance de l'application de ces règles pour l'Etat, recevrait le qualificatif de "lois de police" ou "d'application immédiate". Dans sa thèse, consacrée aux conflits suscités par la vie de la famille légitime[2]. Monsieur Fadlallah a usé d'une formule lapidaire, "la part du feu, rien que la part du feu" (p. 132). Il faut, en effet, se méfier de formules trop générales, qui appliqueraient sans nuances aux étrangers comme aux Français, l'ensemble des dispositions visées. Certes, il y a l'idée de protection des tiers qui traitent avec les époux. Cette notion de "crédit public" ne peut dispenser de l'analyse des institutions, et la prudence s'impose en raison de la relative minceur du contentieux (à l'étranger comme en France) depuis les réformes récentes. On peut en réalité distinguer, comme en droit interne, d'une part les règles traduisant la solidarité des époux (dettes ménagères et logement familial), de l'autre celles ayant trait aux présomptions de pouvoirs qui individualisent les prérogatives de chaque époux (art. 221 et 222 C. Civ.) et enfin les cas d'intervention judiciaire.

a) S'agissant de la solidarité aux dettes ménagères, les précédents relatifs au mandat domestique ne nous paraissent plus guère valables, dans la mesure ou ils apparaissaient comme une exception à un principe d'incapacité de la femme mariée et en étroite dépendance avec les effets personnels du mariage (*supra* n° 264).11 faut entendre plutôt aujourd'hui la solidarité comme un régime particulièrement favorable consenti à certaines catégories de dettes. S'il se répand à l'étranger, il 'n'en comporte pas moins certaines restrictions comme la possibilité de recours judiciaire aux Pays-Bas et en Allemagne (n° 231). Ce serait à notre sens, tout à fait excessif d'y voir un principe égalitaire applicable d'office à tous les ménages en France (contre T. Fadlallah, n° 146) et faire bon marché des règles étrangères du passif. La loi des effets du mariage nous paraît préférable avec la possibilité, par un phénomène d'adaptation, de permettre à chaque conjoint étranger régi par la loi nationale commune d'intenter un éventuel recours devant le juge français, comme le permettrait sa propre loi, pour abus d'engagement. La question paraît autre pour le logement familial. On peut voir dans les articles 1751 et 215 C. Civ. un régime de faveur visant à sauvegarder le "cadre de vie" de la famille, et éviter l'expulsion de la femme. La requête judiciaire en annulation prévient les possibilités qu'aurait un époux étranger de s'abriter derrière ses pouvoirs matrimoniaux. Il paraît donc préférable d'y voir une mesure territoriale ; il paraît douteux qu'un ménage français à l'étranger puisse invoquer cette protection, sauf dans des pays, comme en Scandinavie ou en Belgique, où elle serait analogue à la française[3]. La cour d'Aix-en-Provence a eu ainsi à connaître au sort réservé à un bail d'appartement avec promesse d'attribution à la suite du divorce et du

1. En ce sens G. Wiederkehr, "Les conflits de lois en matière de régime matrimonial", Paris, 1967, n° 228.
2. "La famille légitime en droit international privé", Paris, 1977, préf. H. Batiffol.
3. Cf. F. Rigaux, RTDF, 1978, n° 33-34 - Fadlallah, p. 147 qui parle du "spectacle intolérable de l'inégalité" que serait le refus du territorialisme.

règlement d'intérêts matrimoniaux d'époux d'origine italienne fixé en France. Bien que le régime matrimonial (qui se confondait avec la loi des effets pécuniaires) fut soumis à la loi italienne, la Cour a appliqué la loi française et fait bénéficier le conjoint divorcé de l'attribution du bail[1].

274. b) Pour l'application des articles 221 et 222, ils apparaissent là encore comme des règles égalitaires instaurées par la loi de 1965, en principe pour jouer sous tous les régimes, mais essentiellement pour "contre-balancer" les vestiges de suprématie maritale en régime communautaire (supra n° 236-237). Un auteur a même pu définir récemment l'autonomie bancaire de l'art. 221 comme "touchant aux droits fondamentaux de la personnalité" et annonciatrice du principe général de libre ouverture du compte au droit bancaire[2]. Pareilles considérations laissent suggérer que sinon pour l'article 222 plus en rapport avec le fonctionnement du régime matrimonial, au moins pour la libre ouverture et fonctionnement d'un compte en France, la règle serait applicable à tous, étrangers comme Français[3]. Il paraît douteux que la loi française puisse jouer à l'étranger (par exemple dans un pays musulman) si la loi locale ne connaissait pas cette autonomie bancaire, ou exigeait comme en droit belge d'informer préalablement le conjoint de l'ouverture du compte ou du coffre-fort.

c) Quant aux interventions de justice, prévues par les articles 217 et 219 C. Civ., elles visent à suppléer à l'impossibilité pour un époux de concourir à l'acte de son conjoint, ou même d'exercer ses pouvoirs sur ses biens propres et personnels. Elles paraissent difficilement séparables de l'organisation générale du régime matrimonial, et donc devraient relever de la loi de ce même régime. Il est vrai que la requête en justice est souvent commandée par l'urgence. C'est sans doute ce qui explique que le Tribunal de Paris ait appliqué la loi française à une Cambodgienne, sans nouvelles de son mari, qui invoquait l'article 219 pour contracter un emprunt hypothécaire et acquérir un fonds d'épicerie. A vrai dire, la demanderesse mariée au Cambodge en 1958, avait été hors d'état d'apporter la preuve de la teneur du régime légal cambodgien, mais le tribunal semble être allé beaucoup trop loin en qualifiant l'ensemble des dispositions des articles 214 à 226 de "lois de police"[4]. A plus juste titre, on pourra considérer que l'article 220-1 relatif à l'intervention du président du Tribunal de Grande Instance est d'application générale. Elle vise à remédier à une situation familiale perturbée, et n'offre au surplus qu'un caractère temporaire. En Belgique où la rédaction du nouvel article 223 est à peu près semblable à celle de l'art. 220-1 le Juge de Paix d'Ixelles a accueilli la requête d'une femme (belge, semble-t-il, le mari étant suisse) aux fins d'interdire à son époux vivant en concubinage en Suisse, d'aliéner et hypothéquer un immeuble près de Malines. La demande était motivée par la crainte de voir le produit de la vente transféré en Suisse. La Juge lui a donné gain de cause (avec blocage des titres

1. Cf. Cour Aix, 16 novembre 1977, "Sapappo", *Rev. Crit.* 1979 - 747 note Fadlallah.
2. Cf. D. Martin, "L'indépendance bancaire des époux", D. 1989 Chr. 135.
3. Cf. Fadlallah n° 147 - Rigaux TDF n° 35.
4. T.G.T. Paris, 25 juin 1976, "Dame Tem Eng Tay", *Rev. Crit.* 1977 - 708 note E. Poisson-Dracourt, Clun. 1978 - 325, note Y. Lequette

du mari) en soulignant que des mesures urgentes et provisoires prises sur le territoire belge ne dérogeaient pas en principe de la loi applicable aux effets du mariage, c'est-à-dire la loi de la résidence à défaut de nationalité commune[1].

On voit au total que sauf pour la protection du logement familial et les mesures urgentes, peut-être pour les comptes bancaires, on ne saurait renoncer a priori à l'application de la loi des effets du mariage. Ce serait en tout cas faire preuve d'un regrettable unilatéralisme (dont on a malheureusement l'exemple dans l'actuel droit du divorce) de vouloir à la fois inclure de telles questions dans le statut personnel des ménages français à l'étranger et en généraliser l'application à tous ceux qui vivent sur notre territoire.

B. 275. L'hypothèque dont peut bénéficier une femme mariée a été, elle aussi, considérée comme au "carrefour des qualifications". On sait que, pendant longtemps, l'hypothèque légale de la femme mariée générale et occulte en droit français, en raison de son caractère, très particulier, avait été qualifiée de "droit civil" une sûreté dont le bénéfice serait refusé aux étrangers[2]. Ce problème de jouissance des droits ou condition des étrangers levé, l'hésitation a été grande avant comme après la réforme des régimes matrimoniaux. Jusqu'en 1965, le fait que la sûreté jouait sur tous les régimes, y compris séparatistes ou pour des créances qui ne naissaient pas uniquement du fonctionnement du régime matrimonial faisait que la doctrine penchait pour l'application de la loi des effets du mariage (dans la mesure où elle serait distincte de la loi matrimoniale, bien que l'hypothèque légale fut une pièce essentielle du régime de communauté[3]. On pouvait percevoir en l'absence de décision nette de la Cour de Cassation (qui ne devait rendre à ce sujet aucun arrêt entre 1903 et 1984) une tendance hostile de la jurisprudence[4]. La crainte des créanciers locaux français de subir le droit de préférence d'une femme mariée étrangère dont la loi ignorerait l'hypothèque et la nécessité de l'inscription avaient conduit à l'exigence d'un cumul à la fois selon la loi des effets du mariage et celle de la situation de l'immeuble[5]. Depuis 1965, la transformation du régime matrimonial a sonné le glas" des règles classiques, "contre-pouvoir" de la femme en face des prérogatives maritales. L'hypothèque conventionnelle résultant du contrat de mariage (art. 2135 C. Civ.) a disparu avec la loi du 23 décembre 1985. Par contre subsistent à la fois l'inscription judiciaire conservatoire (art. 54 sv. - loi du 12 novembre 1955) et l'hypothèque garantissant une créance ou justice contre le conjoint et ses héritiers (art. 2137 sv.). C'est dire que l'aspect matrimonial s'est effacé, et qu'il faut plutôt rattacher l'hypothèque aux effets du mariage en général s'ils diffèrent de la loi qui règlera le sort du régime. Il est difficile de tirer des conclusions très nettes de l'arrêt "Abed-Boulaaras"[6]. La Cour de Cassation a validé l'inscription

1. Cf. J. Paix Ixelles, 29 juin 1977, RTDF, 1980 - 100.
2. Sur cette conception H. Batiffol, "Festschrift Rabel", t. 2, 1954, p. 591 sv. et "Choix d'articles", 1976, p. 225.
3. Cf. Fadlallah n° 106-107.
4. Cf. Cour Paris, 16 octobre 1975, Rev. Crit. 1976, 495, note Fadlallah.
5. Sur l'hostilité qu'implique en matière de sûretés, cette idée, G. Khairallah, "Les sûretés mobilières en droit intrnational privé", Paris, 1984, Préface H. Batiffol n° 42 sv.
6. Cass. 1er - 31 janvier 1984, *Rev. Crit.* 1984 - 638, note Y. Lequette, Clun, 1985 444, note G. Légier, *J.C.P.* 1985, 20362, note F. Boulanger.

conservatoire prise par une Algérienne sur un immeuble français pour garantir des créances après divorce. Comme à propos des mesures de l'article 220-1 du Code Civil, cette inscription avait un caractère de sauvegarde, elle répondait à des "besoins provisoires et urgents". La Cour de Cassation s'est contentée de relever la coïncidence entre la loi du for et la loi de la créance garantie (qui était en même temps celle de l'immeuble).

C. 276. Reste le problème des contrats entre époux, plus spécialement des donations. On sait que si quelques législations européennes (dont l'Espagne) ont maintenu une prohibition liée jadis à la crainte d'une trop grande influence réciproque entre époux et de voir tourner l'immutabilité des régimes matrimoniaux, elle est aujourd'hui en recul tant en Europe qu'en Amérique du Nord[1]. Par là s'efface l'ancienne distinction entre les libéralités de personnes mariées et de concubins. Le droit français n'en maintient pas moins une série de règles particulières (libre révocabilité de l'article 1096— règlementation restrictive des donations indirectes et prohibition des donations déguisées) qui ont suscité de nombreuses difficultés de rattachement[2]. On a pu successivement suggérer la "loi d'autonomie" ou la loi personnelle du donateur, ce qui n'a guère eu de succès en jurisprudence, car elle aurait témoigné de la méconnaissance de la qualité des parties à la donation (qui ne sont pas étrangères l'une à l'autre). L'application de la loi du donateur aurait laissé entendre — à tort— qu'il y avait un problème d'incapacité générale[3]. La loi du régime matrimonial aurait eu plus de titre à s'appliquer dans la mesure où les donations peuvent "corriger" la physionomie d'un régime (par exemple séparatiste) et où la révocabilité prévient l'atteinte portée au principe de l'immutabilité, tout au moins de la mutabilité contrôlée[4]. Mais les changements de régimes matrimoniaux, licites en droit allemand et suisse sont indépendant de la liberté des donations. La Cour de Cassation dans l'arrêt "Campbell-Johnston, relatif à la révocation de biens mobiliers présents a écarté la loi d'autonomie[5]. S'agissant d'une donation faite à New-York par un époux Anglais à sa femme française, la loi du donateur (anglaise) et le lieu de la donation (Etats-Unis) s'accordaient à la considérer comme irrévocable. Ce n'en est pas moins le domicile des époux lors de la révocabilité, loi des effets du mariage française qui a été prise en compte en raison des "règles particulières impératives" auxquelles elles obéissent entre époux. On a pu objecter que par le jeu de conflit mobile une donation à l'origine irrévocable, pourrait devenir révocable. C'est ce qui explique que sur ce plan, dans l'affaire "Frost" postérieure à Campbell Johnston, la Cour d'Aix avait cru devoir retenir la loi du dernier domicile commun des époux[6]. L'arrêt Campbell avait été bien accueilli par la doctrine dans la mesure où il ne s'agissait que de la validité de la

1. Cf. *supra*, n° 238 et les exemples du Vermont et de l'Ontario donnés par M. Ancel n° 406-407, "Les conflits de qualification à l'épreuve de la donation entre époux", Paris, 1977.
2. Cf. I. Fadlallah n° 220 sv.
3. Cf. Fadlallah n° 227-228.
4. En ce sens B. Anceln n° 397 sv.
5. Cass. 15 février 1966, *Rev. Crit.* 1966 - 273, note H. Batiffol D. 1966 - 370, note Ph. Malaurie, Clun. 1967 - 95, note Goldman.
6. Cour Aix, 17 mai 1976, *Rev. Crit.* 1977 508, note G. Légier.

donation de biens présents remise en cause par l'une des parties à l'acte[1]. Le sort de la donation faite par un époux à l'autre pourrait en effet ne pas être sans conséquence sur la réserve des héritiers. Par là, s'ils la remettaient en question, par exemple en invoquant au décès de leur auteur, la donation déguisée, ce serait la loi successorale du dernier domicile qui s'imposerait, au moins pour les meubles[2]. La Cour de Cassation a craint que le principe même de validité et d'irrévocabilité ne soit résolu de manière différente selon que l'objet de la donation serait immobilier ou mobilier, la loi successorale étant distincte dans les deux cas (loi de la situation pour les immeubles, du dernier domicile pour les meubles). Elle a rétabli l'unité de loi applicable avec l'arrêt Frost, aux donations immobilières comme mobilières. Le droit français des effets du mariage — là encore à la suite d'un conflit mobile gouvernait la révocabilité de donation d'un immeuble (français aussi il est vrai) entre parties de nationalité différente[3].

On peut dire que dans une perspective plus générale, c'est là un des rares succès d'extension du domaine des effets du mariage "grignoté" sur plusieurs points.

§ 2. LES EFFETS PECUNIAIRES D'UNE UNION POLYGAMIQUE

277. Comme à propos des effets personnels du mariage, il n'est pas évident que les conséquences tirées en France d'un mariage reconnu valable à l'étranger puissent être sans difficultés transposées d'une union monogame aux liens pluralistes de la polygamie. Il ne suffit pas en effet d'affirmer ce qu'on fait depuis les arrêts "Chemouni" et "Bendeddouche"[4] que l'ordre public ne s'oppose pas ou ne s'oppose plus aux effets pécuniaires ou sociaux des unions. La pluralité des liens crée une situation inédite. On a pu déjà le constater à propos de l'exécution du devoir de secours : la notion de ressources du débiteur et de besoins des créanciers ne s'apprécie pas de la manière envisagée par les rédacteurs du Code Civil.

1. L'imbrication de la formation et des conséquences personnelles et pécuniaires du mariage est une des caractéristiques du mariage polygamique musulman, comme du mariage israélite donnant lieu à la rédaction de la "Ketuba" (sur cet acte, par lequel le mari constitue une dot à sa femme, s'engage à la fois à cohabiter avec elle et assurer son entretien jusqu'à son veuvage[5]). L'union musulmane comporte le versement de la dot qui garantira à la femme son entretien pendant le mariage et la mettra à l'abri de la répudiation sans motifs (talag). En même temps, en cas de mariage non consommé, l'épouse

1. Cf. Batiffol-Lagarde, t. 2, n° 440.
2. Cf. Cass. 8 mars 1971, "Beaucham", *Rev. Crit.* 1972, 291, note H. Batiffol - Cass. 1er - 18 octobre 1988 Philippe c/M. Schale - *J.C.P.* 1989 - 21259 J. Prévault.
3. Civ. 1er -12 juin 1979, *Rev. Crit.* 1980 - 823, note G. Légier Clun. 1980 - 644, note G. Wiederkehr D. 1979, T.R. 459, note B. Audit.
4. Cass. 3 janvier 1980, *Rev. Crit.* 1980 - 331, note 11. Batiffol, Clun. 1980 - 327, note M. Simon-Depitre D. 1980 - 549, note E. Poisson-Drocourt.
5. Cf. M. Urbah-Bornstein, "Les Juifs devant le droit français", cit. 1984, n° 316-317.

aurait droit à la restitution de la dot. La non-exécution de certaines clauses insérées lors de la formation du mariage, comme la clause de monogamie créerait une situation inédite pour le juge français du domicile des parties. Il y aura un déplacement des problèmes de la formation à l'exécution des conventions originaires incluses[1]. La loi du lien s'imposera.

2. La conséquence de la pluralité des liens se traduit le plus souvent au moins pour la jurisprudence belge et allemande,par la reconnaissance du cumul. C'est ainsi qu'avant même la décision de Liège citée (supra n° 267), la Cour de cette même ville déclarait recevable, à la suite d'un accident de circulation ayant causé la mort d'un ressortissant marocain la constitution de partie civile de la seconde épouse. Il semble bien que les indemnités attribuées aux deux veuves aient été cumulables[2]. De même en Allemagne, le tribunal administratif de Gelsenkirchen a accordé des droits sociaux égaux (prestations de maladie) aux deux femmes d'un mari jordanien vivant en Allemagne. Il a pris soin de relever que la nationalité commune des parties étrangères ne créait aucun "point de contact" avec l'ordre public allemand (notion de "Inlandsbeziehung")[3]. En France, le cumul a été implicitement admis, semble-t-il, dans les arrêts Chemouni et Bendeddouche. S'agissant des deux femmes et des neuf enfants venant à la succession d'Algérien régie par la loi française, la Cour de Cassation s'est contentée de parler de "droits concurrents". On a pu suggérer[4] que chaque conjoint reçoive l'intégralité de sa part (un quart en usufruit), l'augmentation du nombre des enfants lui profitant.

3. Il semble néanmoins que le système du "cumul" risque de faire apparaître la trop grande inégalité de situation entre foyers polygames et monogames. Il heurterait certains principes d'ordre public interne (comme la réserve successorale) et imposerait sur le plan social, de trop lourdes prestations au regard des cotisations versées. D'où alors l'idée, non plus du cumul, mais de la répartition arithmétique[5]. La part attribuée normalement à un conjoint serait divisée en fonction du nombre d'épouses. Il serait d'ailleurs préférable, plutôt que de s'en tenir à une division ordinaire des droits[6] de tenir compte de la durée respective de chaque union. L'article L.353-3 C. de la Sécurité Sociale fournit une indication dans ce sens en droit interne ; si l'assuré a été divorcé, puis re-

1. Cf. les remarques de M. Lequette sous Cass, 1er - 4 avril 1978, Clun. 1979, pp. 354359 et H. Kruger : "Ehe und Brautgabe, Rechtliche Probleme bei Ehen mit Angehorigen islamischer staaten", Fam RZ. 1977, p. 114 qui citant l'exemple tunisien insiste sur la nécessité pour le juge de l'exécution de respecter les conditions de formation.
2. La situation serait à rapprocher de la décision française de la Cour de Riom, 89 novembre 1978, *J.C.P.* 1979 - 19107, note G. Almairac où dans une situation de droit interne la veuve et la maîtresse d'un homme victime d'un accident ont pu l'une et l'autre, obtenir réparation à peu près complète du préjudice matériel et moral (sur l'arrêt de Liège, Cour Liège, 23 avril 1970, *Rev. Crit.*, 1975 - 54, note Graulich).
3. Cf. Verw. Gh. 18 juillet 1974, rapporté par P. Cullmann, "Anerkennung polygamer Ehen in der Budesrepublick Deutschland", Fam. RZ. 1976 - 313.
4. Cf. note de Mme Simon-Depitre - Clun. 1980 - 329.
5. Cf. note Fadlallah, sous *Rev. Crit.* 1975 - 62.
6. Par exemple pour la rente de conjoint survivant après le décès du polygame comme l'avais admis la Cour de Lyon par arrêt du 8 février 1984, *Rev. Crit.* 1989 - 72

marié, la pension de réversion au décès est partagé entre le survivant et les précédents conjoints au prorata des années de mariage. Le droit anglais s'est orienté en ce sens[1]. Ses solutions avaient pu paraître initialement particulièrement dures ; l'épouse d'un ressortissant de pays polygamique ayant cotisé en Grande-Bretagne se voyait refuser toute prestation, même si l'union n'était que "potentiellement polygame" (le mari ayant en fait, vécu comme monogame). Une série de textes (Family Allowances Act de 1956 — National Insurance Act de 1971) ont remédié à cette situation. Mais les versements n'ont lieu sur le sol anglais que pour la période où le mariage est resté monogame (le droit anglais ne s'inquiétant pas de la simultanéité des liens dans le pays d'origine et en Grande-Bretagne).

278. 4. Le procédé de répartition n'est nullement indifférent au regard d'un retour possible de la notion d'ordre public. C'est précisément à propos du versement des prestations sociales que la Cour de Cassation a jusque là opposé une résistance à la reconnaissance de l'union polygamique. La seconde épouse d'un Algérien s'est vue refuser le bénéfice de l'assurance maladie et maternité déjà accordée à la première[2]. Il est vrai qu'elle posait un problème d'application territoriale liée à l'interprétation de la convention franco-algérienne. Mais antérieurement, une lettre ministérielle de 1957 avait commenté l'article L.313-3 Code de la Sécurité-Sociale sur les prestations dûes "au conjoint" : seule la première épouse qui avait déposé une demande pouvait bénéficier des prestations sociales. Une "lettre circulaire" du 16 août 1979 s'est encore référée à ces principes : la présente de plusieurs femmes ne créait pas pour les prestations sociales la "vie maritale"[3]. On a pu s'interroger sur le maintien de cette position qui contraste avec l'indulgence du droit interne pour l'union libre souvent "concurrente" du mariage régulier (art. L.161-14 faisant bénéficier des prestations au titre d'ayant-droit, la personne à la charge totale, effective et permanenté de l'assuré). Pourtant le "climat" semble moins favorable à l'assimilation sociale. La Cour de Cassation, par un arrêt "Baaziz" du 6 juillet 1988[4] a entendu défendre les droits du conjoint français. Elle a cassé, pour atteinte à l'ordre public un arrêt de Lyon qui avait procédé à une répartition égale d'une rente d'accident du travail après décès d'un Algérien entre la première femme française et la seconde algérienne. Sans doute l'arrêt de Lyon eut été mieux inspiré de tenir compte de la durée respective des deux mariages (le premier ayant eu lieu en 1954). Pour des raisons assez compréhensibles, il est probable que la défense des intérêts français nécessitera la vigilance sur ce point (on ne peut oublier le cas particulier du changement de souveraineté : la Française mariée en 1954 n'avait peut-être pas conscience du statut polygamique du mari).

1. Cf. les remarques de M. Morris Clun. 1973 -172.
2. Contrairement à la solution allemande, Cass. Soc. 1er mars 1973 "Sefouni", Clun. 1974 - 835, note G. de la Pradelle.
3. Cf. Fr. Monéger, "L'immigré et sa famille : l'incidence du statut personnel sur la protection sociale des immigrés", *Rev. Droit Sanitaire et Social* 1987, n° 246 sv.
4. *Rev. Crit.* 1989 - 72, note Y. Lequette.

Bibliographie

Sur les effets pécuniaires du mariage :

G. Couchez, "Essai de délimitation de la loi applicable au régime matrimonial", 1972.
I. Fadlallah, "La famille légitime en droit international privé", 1977.
B. Ancel, "Les conflits de qualification à l'épreuve de la donation entre époux", 1977.
N. Watte, "Les droits et les devoirs des époux", 1987, cit.
P. Cullmann, "Die Behandlung Polygamer Ehen in Internationalen Privatrecht", Bonn, 1976.
J.H.H. Morris, "L'évolution récente du droit international privé anglais", Clun. 1973, p. 158 sv.

SECTION IV
L'OBLIGATION ALIMENTAIRE

§ 1. NOTIONS GENERALES

279. 1. Parmi les effets du mariage, l'obligation alimentaire occupe une place à part en raison de l'importance des sources conventionnelles. Selon Madame Sauteraud-Marcenac, c'est dès 1925 que l'Association internationale pour la protection de l'enfance s'était préoccupée de la spécificité des problèmes de subsistance pour les mineurs et avait élaboré un projet de loi sur la reconnaissance à l'étranger des décisions rendues en matière d'aliments *(J.C.P.* 1961-1651). Dès après la Seconde Guerre Mondiale, le Conseil économique et social des Nations-Unies réétudiait des ébauches qui devaient aboutir à la signature de la Convention de New-York du 20 juin 1956—Sans résoudre des problèmes de fond, mais d'une grande importance pratique, elle organisait une coordination des autorités judiciaires et administratives pour le recouvrement des aliments (et non pas seulement ceux dûs aux mineurs). Il apparaissait par la suite qu'il était nécessaire d'aller plus avant et de conférer une protection accrue aux enfants mineurs. Les séquelles de la Seconde Guerre Mondiale avaient révélé l'urgence du problème : d'après un mémorandum de la République Fédérale allemande en 1958, il y avait 68 000 enfants illégitimes nés de la présence de forces militaires alliées sur son sol[1]. Les Etats membres de la Convention de La Haye devaient alors élaborer deux conventions distinctes : l'une sur la loi applicable, l'autre sur la reconnaissance et l'exécution des décisions en matière d'obligations envers les enfants[2]. Par la suite, l'article 5-2 de la Convention de Bruxelles de 1968 (entrée en vigueur au ler février 1973) était le premier à offrir un chef de compétence judiciaire aux époux. Il se fondait sur le tribunal du domicile ou de la résidence habituelle du

1. Chiffre cité par D.C. Cavers, *Columbia Law Review* 1981, p. 1006.
2. Conventions du 24 octobre 1956 et du 15 avril 1958 comment. Y. Loussouam"Liber Amicorum" L. Fredericq, t. 2 pp. 691 sv.

demandeur (ce qui était par là affranchir la femme du domicile légal marital)[1]. Enfin, l'attention accrue portée aux familles des travailleurs migrants et aux relations entre conjoints a abouti à une "remise sur le tapis" des conventions antérieures, pour rédiger deux nouveaux "textes jumeaux" l'un portant sur la reconnaissance et l'exécution des décisions, l'autre sur la loi applicable (2 octobre 1973).

280. 2. Le droit positif actuel se présente donc comme une véritable "toile d'araignée" : la Convention de New York ou Convention des Nations Unies a été ratifiée pour 41 pays en 1983 (dont les Etats nordiques et ceux du Maghreb), mais elle ne touche pas au fond du droit. Les deux Conventions de 1973 n'ont pas aboli les dispositions de celle de Bruxelles. Elles ont remplacé, en les généralisant, les Conventions antérieures de 1956 et de 1958 au fur et à mesure de leur ratification (art. 18 de la Convention-Loi). En mars 1989, quinze Etats européens avaient ratifié la "Convention-reconnaissance", dix, la "convention-loi" dont la France pour les deux Conventions en 1977. Les Conventions sont donc encore loin d'être d'application universelle. Les Etats-Unis, faute de droit fédéral en la matière n'y adhèrent pas. Mais ils ont un texte de droit interne destiné à faciliter les recouvrements inter-étatiques[2]. Certains pays, tel la Belgique, continuent de ne pas séparer l'obligation alimentaire des effets du mariage. La doctrine hésite toutefois à défaut de loi nationale commune entre la loi du for et celle du créancier d'aliments[3]. La loi nationale du débiteur est encore en faveur dans un certain nombre d'Etats au moins pour les rapports entre parents (Proche-Orient, Algérie, art. 14, Turquie, art. 21. Heureusement, les codifications allemande (art. 18) et suisse (art. 49) ont repris le texte de La Haye. Toutefois l'article 18-5 de la nouvelle loi allemande réserve l'hypothèse où le créancier et le débiteur seraient tous deux de nationalité allemande et où le débiteur aurait sa résidence habituelle en Allemagne pour appliquer la loi allemande (selon l'article 15 de la Convention de La Haye).

La partie pratique des textes conventionnels ne doit peut-être pas être surestimée. La jurisprudence paraît rare, hormis les réclamations alimentaires de mineurs. Il faut y voir probablement l'effet du rôle croissant des organismes publics de secours social[4]. Une "lettre ministérielle" (source de droit curieuse, mais qui parait s'imposer) distingue suivant que la France est liée ou non avec le pays où réside le débiteur. Dans le premier cas, l'organisme de prestations sociales agit pour le canal des Affaires étrangères, dans le second, il tente un recouvrement à l'amiable ou par voie consulaire, à défaut s'efforce d'obtenir un jugement du pays du tribunal du débiteur. Au bout de six mois pour un Etat lié à la France par Convention, deux ans dans le cas

---

1. Cf. comment. G.A.L. Droz, 1972, n° 71.
2. "Uniform Reciprocal Enforcement of support Act" de 1968 et ont passé un accord avec le Canada — Cf. D.C. Cavers "Intrnational Enforcement of Family support", Columbia, L.R. 1981, pp. 994 sv.
3. Cf. F. Rigaux n° 1047 — et pour une application de la loi nationale commune entre époux marocains, Juge de Paix de Schaerbeck, 23 janvier 1977-3, Clun. 1979 - 179.
4. Pour la France de la Caisse des allocations familiales, *supra*, n° 253.

contraire,l'organisme considère que les prestations sont non recouvrables. Ces pratiques paraissent peu conformes aux textes[1].

§ 2. LA CONVENTION DE NEW-YORK DU 20 JUIN 1956

281. Ce texte tire son importance de ce que ratifié par beaucoup d'Etats, il s'efforce d'aplanir des obstacles matériels, et démontre indirectement l'importance du pays de la résidence du débiteur. Selon l'article 1 de la Convention (entrée en vigueur en France au ler juillet 1960) elle "a pour objet de faciliter à une personne désignée ci-après comme créancier qui se trouve sur le territoire d'une partie contractante le recouvrement d'aliments auxquels elle prétend avoir droit d'une personne désignée comme débiteur". La Convention prévoit pour ce faire (sans limiter la qualité du créancier) que les pays contractants créent une ou plusieurs autorités judiciaires ou administratives "expéditrices" ainsi qu'un "Institut intermédiaire de réception". Le rôle d'"autorités expéditrices" est joué en France par les Parquets. Ils reçoivent les demandes de créanciers d'aliments, comportant l'indication de parenté, la preuve de leurs allégations, voire un certificat de non-imposition et d'indigence. Les créanciers fournissent une procuration générale, datée et signée, habilitant l'Institut intermédiaire à agir pour le recouvrement dans le pays de la résidence du débiteur (en France, un magistrat à la disposition du Ministère des Affaires étrangères). L'Institut intermédiaire évite au créancier la nécessité d'obtenir un jugement au lieu de sa résidence, puis dans un deuxième temps, d'en requérir l'exéquatur dans le pays du débiteur. Il agira lui-même dans le pays du domicile du débiteur, en tenant au courant l'autorité expéditrice. A défaut de conciliation, il entamera directement les poursuites dans le pays du débiteur, sans rétribution, pour faire condamner ou exécuter un jugement. Les Etats contractants s'engagent particulièrement à favoriser le transfert des fonds (art. 10). En 1983, on pouvait compter 3 000 procurations adressées à l'Institut intermédiaire—sans distinction de nationalité des parties et, en sens inverse, seulement 150 dossiers parvenus à l'"Autorité expéditrice" concernant les réclamations de créanciers à l'étranger. (Sur la Convention de New-York : M. Sauteraud-Marcenac, "La convention du 20 juin 1956 sur le recouvrement des aliments à l'étranger"[2]).

§ 3. LA CONVENTION-LOI DE 1973

282. A la différence de la Convention de La Haye de 1956 qui n'avait joué que pour les seuls mineurs, celle de 1973 a entendu englober l'ensemble des membres de la famille, parents ou alliés. L'article I vise toutes les obligations "déroulant des relations de famille, de parenté, de mariage ou d'alliance" du moment qu'elles ont un caractère légal ; elle ne nécessite pas dans son application qu'il y ait réciprocité. C'est dire qu'elle se présente

1. Cf. *Rev. Trim. Droit Sanitaire et Social,* 1988, pp. 778 n° 7.
2. *J.C.P.*, 1961 - 1651 - Travaux Comité Français DIP, 1982 1983, pp. 63 sv.

comme de caractère universel[1]. Toutefois les rédacteurs semblent s'être eux-mêmes inquiétés du trop grand nombre possible de bénéficiaires. Les articles 13 et 14 ont formulé des réserves dont jusque là les adhérents ont peu usé : d'une part les Etats peuvent restreindre l'application aux époux et aux mineurs non mariés (art. 13). De l'autre, ils ont la faculté d'écarter les collatéraux et alliés, comme les époux divorcés dans un Etat où la partie défaillante n'avait pas sa résidence habituelle (art. 14). De plus, l'article 7, comme nous le verrons, offre encore au débiteur la possibilité d'invoquer l'absence de lien familial, toujours foncé sur l'alliance ou le caractère collatéral.

Le critère de rattachement choisi—sans que le texte définisse la notion d'"aliments"—a été celui de la résidence principale du créancier d'aliments. Les raisons déjà invoquées en faveur de la résidence en 1956 ont plaidé de nouveau pour elle dans la convention de 1973 : l'impossibilité de trancher entre nationalité et domicile, comme le fait qu'il y aurait une éventuelle coïncidence entre la compétence législative et juridictionnelle[2]. Comme en 1956, en cas de déplacement de la résidence habituelle, l'article 4-2 reprend la règle classique des conflits mobiles : la loi de la nouvelle résidence habituelle entre en jeu. Il faudra supposer qu'il n'y a aucune fraude de la part du créancier. Le texte ne s'appliquera d'ailleurs que pour les aliments dûs à compter du changement.

L'application de la loi de la résidence va connaître toutefois plusieurs tempéraments. Il faudrait supposer que le créancier "ne peut obtenir des aliments aux termes de l'article 4, soit par exemple parce qu'il n'y a pas de lien alimentaire selon la loi de la résidence (Italienne réclamant en France une pension à son frère italien) soit parce que la demande originaire se serait trouvée prescrite. La loi nationale commune du créancier et du débiteur entre alors en jeu (art. 5). A défaut, ce serait la loi interne de l'autorité saisie (art. 6). Le but est clair : le créancier d'aliments doit pouvoir aboutir à un résultat favorable. Les rédacteurs de la Convention se sont d'ailleurs peut-être faits quelque illusion sur l'empressement qu'auraient les signataires à appliquer la loi de la résidence du créancier. La plupart (Italie, Espagne, Suisse, Turquie) ont usé de la réserve possible de l'article 15 (sauf la France), que Monsieur Bellet jugeait "périmée". Ils font directement application de la loi du for en raison de la nationalité commune de leur Etat du créancier et du débiteur et de "la résidence habituelle du débiteur". Enfin, l'article 8, conscient du lien étroit qui existe entre le divorce et les conséquences pécuniaires qui en résultent, précise que dans l'Etat où le divorce est prononcé ou reconnu, la loi applicable au divorce gouvernera la question des obligations alimentaires entre époux divorcés, ainsi que l'éventuelle révision des prestations[3].

---

1. Art. 3 — Cf. pour son application à un ressortissant des Comores, Trib. Dunkerque, 17 avril 1985, cit. n° 265.
2. Art. 46-4 C.P.C. — mais dans la réalité, comme on l'a vu, le procès se déroulera souvent devant le tribunal du débiteur — Cf. Loussouarn, *Mélanges Frédéricq*, ch. p. 696. — P. Bellet, "Les nouvelles Conventions de La Haye en matière d'obligations alimentaires", Clun. 1974, p. 10.
3. D'après Monsieur Herzfelder, "Les deux Conventions de La Haye du 2 octobre 1973", Paris, 1985 qui cite un jugement du Tribunal de Solingen de 1983 où un mari converti à l'Islam avait répudié sa femme en Egypte, sans que la loi égyptienne accorde à celle-ci une compensation après divorce. Il serait à défaut possible aux parties d'invoquer la loi de leur résidence commune, loi allemande.

283. Le texte précise par ailleurs le domaine de la loi applicable dans une formule très importante : d'après l'article 10-1 ce sera au droit reconnu compétent de déterminer "si dans quelle mesure et à qui le créancier peut réclamer des aliments". C'est la formule déjà utilisée en 1956 qui touche à la difficile question du rapport de parenté et de l'obligation alimentaire. L'accord sur la loi de la résidence habituelle n'avait pu se faire qu'en affirmant l'autonomie de l'action alimentaire[1]. La question préalable de la parenté reste donc sous la dépendance de l'action alimentaire. La Convention ne règle pas expressément le problème du recours subrogatoire du débiteur tenu, qui semble ressortir de la loi alimentaire (sauf l'engagement contractuel pris par un débiteur seul, qui ne serait plus du domaine de la Convention) pas plus que la question de la transmissibilité. Elle paraît à la limite du droit alimentaire et du droit successoral. Une décision de la Cour d'Amsterdam du 26 mars 1971 sous l'empire de la Convention de 1956 avait rejeté l'action alimentaire d'un enfant autrichien contre la succession de son père domicilié aux Pays-Bas ; l'application de la loi successorale autrichienne, prévoyant la transmission, mais plus défavorable que la loi alimentaire néerlandaise, avait été écartée au nom de l'ordre public[2]. L'article 9 de la Convention vise également le droit d'une "institution publique" (public Body) d'obtenir le remboursement de la prestation fournie au créancier. Il sera soumis à la loi qui régit l'institution. Il faut entendre par là toute autorité publique (y compris les agents diplomatiques ou consulaires) qui pourrait d'ailleurs aussi agir contre un créancier revenant à meilleure fortune. L'institution ne pourra d'ailleurs exercer son droit que si les aliments étaient dûs par le débiteur, selon la loi applicable.

L'article 11 introduit l'exception classique de l'ordre public, mais il ne doit être utilisé qu'avec modération (loi manifestement incompatible avec l'ordre public). Il pourrait s'appliquer en raison de la question préalable de parenté (mais la question se pose le plus souvent à propos de la reconnaissance). Par contre, le fait que l'action soit prescrite ne serait pas au contraire à l'ordre public[3]. Surtout, on considèrerait comme d'ordre public, la nécessité d'indexer la pension et de fournir un "minimum décent" au créancier. L'article 11-2 rappelle à ce sujet que, quelle que soit la loi applicable, il doit "être tenu compte des besoins du créancier et des ressources du débiteur". C'est la traduction, au plan international, du principe posé par la Cour de Cassation française dans l'arrêt"Darmouni El Haik"[4]. Une veuve de statut mosaïque tunisien sans ressources avait été reconnue comme créancière d'aliments envers ses beaux-fils, bien qu'il ait allégué que le contrat matrimonial de Ketouba ne lui garantissait aucune pension.

1. Critiquée d'ailleurs par M. Batiffol, *Rev. Crit.* 1973, p. 266.
2. Cf. Herzfelder n° 162.
3. En ce sens une décision de l'O.L.G. de Stuttgart avait déjà écarté l'action alimentaire d'un enfant illégitime résidant en Suisse, bien que le droit allemand ne connaît pas le délai de prescription d'un an du droit suisse décision du 25 novembre 1970 citée par Herzfelder, n° 67.
4. Cass. 1er — 16 juillet 1971, D. 1972 - 633, note Ph. Malaurie (2e esp.)

§ 4. LA CONVENTION-RECONNAISSANCE ET LA CONVENTION DE BRUXELLES DE 1968

284. Dès la rédaction des premières Conventions de La Haye sur la créance alimentaire des mineurs, il était apparu qu'il était difficile de séparer la question de la reconnaissance des jugements rendus en matière alimentaire de celle de la loi applicable. La ratification par plusieurs Etats de la Convention de New-York de 1956 avait retardé l'élaboration d'un nouveau texte[1]. Toutefois, celle-ci était considérée comme ne pouvant garantir à elle seule, la reconnaissance et l'exécution réciproque des décisions. D'où l'élaboration de la Convention du 15 avril 1958. Limitée aux enfants (mais de portée assez large puisqu'elle visait l'exécution des décisions à l'origine seulement internes) elle simplifiait les conditions classiques d'exécution dans son article 2 : l'autorité compétente était entendue au sens large (autorités de l'Etat de la résidence habituelle soit du créancier, soit du débiteur, soit celle dont la compétence aurait été spécialement acceptée par le débiteur) : il suffisait que la partie défenderesse soit régulièrement citée, que la décision soit passée en force, de chose jugée sur le territoire où elle avait été rendue, non contraire à une autre dans le pays d'exécution, et qu'enfin elle ne soit pas "manifestement" contraire à l'ordre public dans le pays invoqué.

Mais presque simultanément, la Convention de Bruxelles de 1968 devait "déborder" la Convention de La Haye, en s'attaquant comme on l'a vu (supra n° 279) aux problèmes de compétence directe pour les créanciers majeurs et en posant un principe très général de reconnaissance "sans aucune procédure" (art. 26), c'est-à-dire par simple requête au président du Tribunal de Grande Instance[2]. Entre Etats contractants, les conditions étaient très réduites : d'après l'article 27 il n'y a de refus d'exécution que pour contrariété à l'ordre public (27-1) non signification de l'acte introductif 'instance au débiteur défaillant (27-2-, décision inconciliable avec une décision précédente dans l'Etat requis (527-3). Surtout la Convention a introduit une règle touchant au fond du droit et reprise en 1973 : la décision étrangère en matière alimentaire est séparée de celle de la question d'état (art. 274 évoquant la possibilité d'un refus pour méconnaissance des règles internationales de l'Etat requis) et il est possible de n'obtenir qu'une exécution partielle (art. 42).

285. La "Convention-exécution" du 2 octobre 1973, à la différence de la précédente, vise les décisions rendues exécutoires dans les seuls Etats contractants (elle n'a donc pas de portée universelle, article 4). Son objet est très large puisqu'elle prend en compte les réclamations d'aliments aussi bien internationales qu'internes au départ (comme en 1956 quand il y a eu par la suite un déplacement du créancier d'aliments), quelle que soit, ajoute la Convention, la nationalité ou la résidence habituelle des parties (art. 2-3). Elle englobe non seulement les jugements rendus, mais les transactions soumises à vérification judiciaire, ou en annexe d'un jugement[3].

1. Cf. Loussouarn, cit. p. 705.
2. Cf. M. Sauteraud-Marcenac, G.P. 1983 - 1, p. 59-67.
3. Comme les "deeds of separation" aux Etats-Unis et Irlande - cf. Bellet, cit. p. 17.

Les conditions de reconnaissance n'empêchent pas l'Etat requis de se référer à un "autre instrument international" comme la Convention de Bruxelles (art. 23) et rappellent celles de la Convention de 1956. La décision doit avoir été rendue par une "autorité compétente" au sens des articles 7 et 8, c'est-à-dire celle de l'Etat où le créancier ou bien le débiteur avaient leur résidence habituelle au jour de l'introduction de l'instance, celle de la nationalité commune d'origine du créancier et du débiteur, voire celle à laquelle le défendeur a accepté de se soumettre en reconnaissant sa compétence. L'article 8 prévoit que si, selon l'Etat requis, les autorités d'un Etat contractant étaient compétentes pour statuer sur un cas de divorce ou de nullité, elles le sont aussi pour la réclamation d'ordre alimentaire. En dehors de la condition de compétence, il ne subsiste plus que l'exigence d'absence de recours dans l'Etat d'origine. Mais le juge a toujours la faculté, aux termes des articles 5 et 6, de relever des "conditions négatives" qui feraient obstacle à l'exécution : ordre public, fraude de procédure, "impossibilité pour la partie défaillante, en cas de jugement par défaut d'avoir disposé d'un temps suffisant pour sa défense" (art. 6), surtout incompatibilité avec une décision rendue sur le même objet dans l'Etat requis. L'article 10 de la Convention reprend la formule de Bruxelles : si la décision "porte sur plusieurs chefs de la demande" et que l'"exécution ne peut être accordée pour le tout" l'autorité de l'Etat requis ne procèdera qu'à exécution partielle. L'interprète ne doit pas la confondre avec celle de l'article 14 qui vise une hypothèse où le débiteur aurait vu ses ressources diminuer. Le créancier aurait alors la possibilité de réclamer l'exécution pour une somme moindre. L'article 12, exclut en principe toute révision ou examen du fond ; mais, comme l'a déploré Monsieur Overbeck[1], il réapparaît dans les articles 18 et 19 à propos des décisions rendues contre les débiteurs d'aliments par les institutions publiques. En effet, la décision ne pourra être rendue exécutoire que si dans l'Etat requis, on se réfère pour la détermination de l'obligation, à la "loi interne" désignée par la règle de conflit (art. 18-2). De plus le remboursement doit être obtenu selon la loi qui régit l'institution. L'article 22 de la Convention, s'inspirant des précédents de la Convention de New-York, prévoit que les Etats contractants dont la loi connaît des restrictions quant au transfert de fonds accorderont la "priorité la plus élevée aux conditions de transfert". Le Tribunal Fédéral suisse, dans un arrêt "Ungrad" a eu à s'interroger sur l'application de cette disposition. A la suite d'un divorce prononcé en Tchécoslovaquie par le Tribunal de Prague (pays adhérent), le père débiteur d'une contribution à l'entretien de l'enfant s'était réfugié en Suisse (autre pays adhérent). Il prétendait être libéré par la consignation en couronnes tchèques d'une somme déposée en Suisse, ce à quoi le fils se refusait. Le Tribunal Fédéral a fait valoir que les particuliers n'avaient pas à invoquer les difficultés d'importation des devises en Techécoslovaquie. La consignation n'avait pas d'effet libératoire, l'article 22 n'était pas à la disposition des particuliers[2].

286. De manière générale, l'application de la Convention-reconnaissance, comme celle de Bruxelles, ont suscité des problèmes qui seront repris avec l'étude de la filiation. Elles tiennent à la difficulté d'"isoler" les questions

1. Annuaire suisse de droit international. 1973, p. 159.
2. Cf. Trib. Fédéral, 26 juin, 1980 Clun. 1987 723 comment. P. Lalive.

alimentaires des questions d'état, voire à l'éventuelle contradiction qui pourrait exister entre elles. Dans une de ses décisions les plus récentes (rendues d'ailleurs sous l'empire de la Convention de 1958), la Cour de Cassation a rappelé qu'on ne saurait opposer un refus d'exécution à une condamnation alimentaire allemande, alors qu'il y avait dans le jugement visé deux chefs distincts de dispositif, l'un se rapportant à une question de paternité, l'autre à une attribution de pension alimentaire. Elle a balayé l'argument que les décisions sur la paternité n'était que "le support unique d'allocation de la pension"[1]. D'autre part, à propos de l'interprétation de la Convention de Bruxelles, la Cour de Justice des communautés a rendu un important arrêt "Hoffmann c/Mme Krieg[2]. Deux ressortissants allemands s'étaient originairement mariés en RFA. Le mari ayant quitté le domicile conjugal pour s'installer aux Pays-Bas, avait été condamné au versement d'une pension par l'"Amtsgericht d'Heidelberg", en 1979. Par la suite, le tribunal hollandais de Maestricht avait prononcé le divorce en 1980 par application du droit allemand, sans que la décision fut reconnue en Allemagne. Par contre, la femme obtenait l'exequatur hollandaise du jugement alimentaire allemand. Le mari faisait opposition à la saisie-arrêt, et le "Hoge Rad" hollandais intentait un recours préjudiciel en interprétation devant la Cour européenne. La cour européenne a constaté que l'état des personnes était exclu du champ d'application de la Convention et "qu'aucune règle n'obligeait le juge de l'Etat requis à subordonner les effets d'un jugement national prononçant le divorce à la reconnaissance de ce jugement dans l'Etat d'origine de la décision étrangère sur les aliments". C'est bien dire que l'action alimentaire a une vie propre indépendante de la question d'état. Néanmoins, le risque était grand d'être placé devant deux décisions inconciliables, l'une condamnant le mari à une pension, alors que les époux étaient encore séparés, l'autre prononçant le divorce. La Cour des Communautés a admis le lien entre la question de validité du mariage et la pension quant aux effets du jugement : le principe de reconnaissance et d'exécution de plein droit des décisions rendues dans un des Etats communautaires ne doit pas se révéler inconciliable avec une décision rendue entre les mêmes parties dans l'Etat requis.

Bibliographie :

Commentaires H. Batiffol, *Rev. Crit.* 1973, pp. 261 sv. P. Bellet, Clun. 1974, p. 5 sv.

M. Sauteraud-Marcenac, G.P. 1983 -1, pp. 59-67.

A. Von Overbeck, "Annuaire suisse droit international", 1973, pp. 136 sv.

"L'obligation alimentaire en droit international privé", Institut de recherches comparatives, Paris, 1983 (avant-propos J. Foyer).

F. Herzfelder, "Les obligations alimentaires en droit international privé conventionnel", Paris, 1975.

M. Simon-Depitre, "L'obligation alimentaire en droit international privé" (France Editions C.N.R.S., 1983).

1. Cf. Cass. 1er - 19 avril 1988, Bullet. Cass. 1988, - n° 105, "Office de protection de la jeunesse de Francfort".
2. 4 février 1988, *Rev. Crit.* 1988 - 599, note 11. Gaudemet, Tallon.

CHAPITRE IX

L'union libre (Droit interne et international)

SECTION I

IMPORTANCE, DEFINITION ET PREUVE DE L'UNION LIBRE

287. Avec l'union libre nous pénétrons dans les zones incertaines du "non mariage" dont il faut donner une description rapide avant de tenter une définition. Alors que le caractère "légal" de la notion de mariage se laisse cerner, l'union libre ou concubinage recouvre des réalités très diverses.

§ 1. IMPORTANCE DU PHENOMENE DE L'UNION LIBRE

1. Nous avons déjà mesuré à propos de la célébration du mariage l'importance de la non-observation des formes légales (n° 158). En marge de l'union officiellement reconnue se développent des "pseudo-mariages" caractérisés par une croyance au moins partielle en leur validité. Le phénomène est ancien et particulièrement important en Amérique du sud ; l'observance de la seule forme religieuse, la mauvaise tenue de l'état civil et la référence à des formes pré-hispaniques de mariage se conjuguent[1]. C'est ainsi que dès 1823, une loi brésilienne avait reconnu à deux personnes vivant publiquement comme mari et femme, la possibilité d'invoquer les règles communautaires. Par la suite des considérations idéologiques (Mexique) la lutte contre le divorce (Argentine et Brésil) ont contribué au développement des "uniones de hecho" ("mariages de fait"). On estimait qu'en 1950, 25 % des mariages ne correspondaient pas au Brésil aux exigences légales. Le taux de couples illégitimes serait particulièrement fort dans toute l'Amérique Latine (71 concubines pour 100 femmes mariées au Vénézuéla, 213 pour 100 au Guatémala et chiffre-record, 314 pour 100 en Haïti, le pourcentage de naissances hors mariage atteignant plus de 70 % au Guatemala, 83 % à Panama). Devant cette situation de nombreux Codes (le Code Fédéral du Mexique dès 1928) et même des consti-

1. Cf. remarques de M. Matéi Ion Offmann, Marbourg, 1979, p. 117 sv.

tutions (celles de 1947 au Guatemala et en Bolivie) ont "officialisé" l'union libre, quitte à poser des conditions pour lui faire produire des droits étendus. A ce "bloc"hispano-portugais de tradition, il faut sans doute y joindre Porto-Rico (où s'exercent aussi des influences américaines, mais où un projet de 1981 mettait à égalité mariage et "union de fait") et (bien que géographiquement éloignée) la petite République des Iles du Cap Vert (Cabo Verde) dont le décret-loi du 3 juillet 1976 est particulièrement favorable à l'union de fait.

On peut rapprocher de cet ensemble pour identité de motifs, la survivance du mariage de "Common Law" aux Etats-Unis. Bien que l'"American Bar Association" ait préconisé sa suppression, il joue encore un rôle non négligeable dans certains Etats du Centre et Sud (Iowa, Idaho, Colorado, Caroline du nord, Alabama le définissant comme "mutual Understanding to enter to marriage relationship). On connait surtout son rôle "préventif des nullités" (cf. supra n° 162). Dans tous ces cas, auxquels il faut sans doute joindre le Japon (code de la famille du 15 février 1975, règlementant le mariage traditionnel "naia") on est en présence de couples, "en marge" des unions officielles, qui se caractérisent non seulement par leur comportement, mais la croyance subjective en la validité de la liaison. La législation sur l'union libre "suppose" la bonne foi des intéressés et traduit l'impuissance à faire respecter les conditions de forme du mariage.

288. 2. C'est sous un autre jour que se présente l'union libre en Europe et dans une grande mesure, aux Etats-Unis. Les intéressés ont une plus nette conscience de l'irrégularité de leur situation (d'après des sondages, 57 % de choix délibérés en France), même si l'importance de la "cohabitation juvénile" qui selon les sociologues précède le mariage légal ne rend pas les notions antinomiques. D'après M. Roussel[1], elle approcherait de 80 % au Danemark, 25 à 30 % en Allemagne, 20 % en Angleterre, et pour la France 44 %. L'incertitude du vocabulaire traduit la diversité des comportements et des situations locales : "unmarried cohabitation" "consortium" "meretricious marriage" (mariage factice) en Anglais, "wilde Ehe" (union "sauvage") "Ehe ohne Trauschein" ("mariage sans certificat"3 en Allemand. Le phénomène a une particulière ampleur aux Etats-Unis et en Scandinavie. Dans le premier cas, le nombre de couples américains mariés aurait cru de 10 % de 1960 à 1970, mais ceux vivant en union libre de 800 % ! Le nombre de couples non mariés se serait situé en 1981 entre 1600 000 et 1800 000[2]. En Scandinavie, on a pu constater de même une montée très nette du pourcentage de la cohabitation hors mariage, en liaison avec la baisse des mariages (cf. supra n° 100). Ce serait le cas de 18 % de la population danoise, un quart seulement de ces couples ayant des enfants, et de 20 % de la population suédoise de manière permanente. En Norvège d'après le bureau Central des Statistiques, le pourcentage de population entre 18 et 44 ans en situation de hors mariage aurait monté de 6 % en 1977 à 15 % en 1984[3]. Seule, la Finlande continuerait de manifester son attachement pour le mariage et cette situation générale a entraîné des ré-

1. In "Les concubinages, approche sociojuridique" sous la direction de J. Rubellin-Devichi — préf. J. Carbonnier, Paris, 1986, t. 1, pp. 102-111.
2. Chiffres de P. Striewe et D. Meade, *Family Law Quarterly* 1981- 82 p. 223 sv.
3. Cf. K. Strom Bull, "Scandinavian Studies in Law", 1986, p. 44.

formes législatives : ainsi au Danemark avec une loi du 1er octobre 1978 donnant au père naturel la possibilité d'obtenir la garde de son enfant[1].

Ces transformations n'ont pas épargné les autres pays : c'est ainsi que la Yougoslavie, dont la Constitution Fédérale de 1974 a décentralisé le droit de la famille, se caractérise par une place particulièrement favorable faite à l'union libre dans les législations des Républiques fédérées[2]. En Grande-Bretagne, une loi de 1975, même dans l'hypothèse ou le défunt a pris des dispositions testamentaires, a accordé un droit de succession à l'"épouse de fait" entretenue totalement ou partiellement[3]. Toutefois la loi fiscale de 1976 "supplementary Benefits Act" (modifiée en 1980) s'est efforcée de ne pas traiter plus favorablement les concubins que les gens mariés. Par contre les anciens pays du "Commonwealth" se montrent particulièrement réceptifs. La "Family Relationship Act" d'Australie du Sud (1975) définit l'"épouse putative" par suite d'une longue cohabitation et prévoit la possibilité d'un partage successoral égal avec la femme légitime. Au Canada, la plupart des provinces de langue anglaise — Ontario, Colombie Britannique, Terre-Neuve et Ile du prince Edouard ont, soit pris des mesures successorales en faveur des concubins, soit réglementée les "contrats de concubinage"[4]. L'Europe continentale voit à son tour une "montée juridique" de l'union libre. En Allemagne Fédérale, la loi du 25 juin 1969 a mis fin aux sanctions résultant de l'adultère (sans réserve de quelques dispositions locales en Allemagne du Sud contre la cohabitation). La Cour Constitutionnelle (B. Verf. Gericht) par arrêt du 24 mars 1981 rendu dans plusieurs affaires, a affirmé que le refus des parents de se marier, ne devait "avoir aucune répercussion sur la situation des enfants", ceci à propos d'un couple vivant en union libre à Berlin. Le déplacement pour raisons professionnelles de la femme à Hambourg avait amené le concubin à réclamer la garde des enfants, contrairement aux § 1705 et 1711 qui les confient à la mère, ne lui concédant qu'un "droit de contact". La Cour Constitutionnelle a fait valoir que l'égalité des sexes excluait toute primauté de la mère. Mais le Ministère de la Justice s'est refusé à une réforme qui aurait été pour lui une "promotion de l'union libre". De son côté, l'Italie a fait un grand "pas en avant" par la "loi d'égalité" du 19 mai 1975. Si quelques différences subsistent entre enfants légitimes et naturels (pour le nom et l'autorité parentale) les droits successoraux en cas de décès des père et mère sont identiques pour tous[5]. Le Portugal et les Pays-Bas ont eu aussi introduit des réformes, le premier, en 1977 pour accorder une créance alimentaire sur la succession au concubin (art. 2022 C. Civ. portugais), le second pays pour permettre l'éventuelle désignation du "compagnon" (levensgezel) comme tuteur ou curateur de majeurs hors d'état pour raison physiques ou mentales de gérer leurs affaires[6].

289. On sait qu'en France la codification napoléonienne avait gardé un silence prudent (sans toutefois condamner comme les Anciens Parlements, le

---

1. Cf. T.M. Pedersen, TCLQ, 1979, pp. 117 sv.
2. Loi du Kossovo de 1974, slovène de 1976, croate de 1978, bosniaque et serbe de 1980 — Cf. P. Sarcevic 1981, pp. 315 sv.
3. Cf. M.A. Glendon, Mélanges Férid, 1978, pp. 491 sv.
4. Cf. C.S. Bruch, AICL, 1981, pp. 217 sv.
5. Cf. "Faille et Mariage en question : Italie", par G. Cattaneo, pp. 63 sv.
6. Cf. B. Cramer-Frank RabelsZ. 1984, pp. 349-352.

mariage "in extremis" qui régulariserait une liaison antérieure). Il a fallu attendre la loi du 16 novembre 1912 pour voir mentionner le "concubinage notoire" (art. 340), notion reprise par la loi sur le divorce en 1975 à propos du devoir de secours (art. 283) et du droit au logement du conjoint (art. 2851). Contrairement à certains exemples étrangers, le droit français ne connait aucune législation d'ensemble sur l'union libre, malgré une évidente poussée du phénomène : on serait passé de 445 000 couples non mariés en 1975 à plus de 800 000 en 1982 et environ 1000 000 en 1985[1]. Il n'y a que des "poussières de textes" notamment à propos du droit au logement et des droits sociaux qui usent d'un euphémisme (notion de "personne à charge").

Le phénomène ayant été décrit, on peut tenter d'en préciser les éléments constitutifs.

§ 2. ELEMENTS CONSTITUTIFS ET PREUVE DE L'UNION LIBRE. BIBLIOGRAPHIE

290. 1. La première condition nécessaire à l'existence d'une union libre paraît être le maintien de relations sexuelles d'une certaine stabilité ; faute de quoi elles ne pourraient être source de droits. C'est en ce sens que le texte de l'article 340 C. Civ. sur la recherche de paternité parle de parents ayant vécu "à défaut de communauté de vie, des relations stables et continues". La stabilité, au sens que lui donne la jurisprudence française, exclut l'homme ou la femme qui se partagerait en permanence entre deux liaisons[2]. Quant à la durée, elle est souvent laissée en droit français à l'appréciation des juges du fond. Ainsi, le Tribunal de la Seine considérait encore en 1967 qu'un concubinage de six ans présentait un caractère de "précarité"[3]. Les textes récents paraissent beaucoup moins exigeants : l'article 16 de la loi du 22 juin 1982 sur les loyers comme la suivante, l'article 13 de la loi du 23 décembre 1986 (loi "Mehaignerie") se contentent d'un an de présence sur les lieux pour le bénéfice du bail. Les allocations au logement, et prêt pour l'amélioration de l'habitat (qui profitent au concubin depuis une loi du 13 juillet 1971) ne supposent qu'une présence de plus de six mois pour le calcul du plafond des ressources (D. 542-9 et 542-10 C.S.S.).

Les droits étrangers qui accordent les effets les plus complets à l'union libre posent par contre des exigences précises de délai : plus longs si les effets sont plus importants. La Constitution panaméenne de 1946 suppose une liaison de dix ans, ramenée à trois (Code du Guatemala de 1963) et à deux (Constitution de 1947) pour la Bolivie. La loi brésilienne sur la Sécurité Sociale (lei organica de Previdencia social) du 8 juin 1973 assimile à la femme au titre des prestations la "compagne" entretenue pendant 5 ans. La loi du Cap-Vert de 1976 se contente de trois ans, et un texte de la Nouvelle-Ecosse au Canada, encore moins exigeant, d'un an pour la réparation du préju-

1. Cf. P. Cicolle et T. Sayn in "Les concubinages", t. 1, p.47, sur ce nombre 40 % auraient de 2 à 5 ans, 35 % plus de 5 ans).
2. En ce sens, à propos de la réparation née du décès du concubin, Cass. Crim. 8 janvier 1985 - *J.C.P.* 1986 - 20588 note G. Endréo.
3. Cf. T.G.I. Seine, 23 mai 1967, *D.* 1968 - 355 note Voirin.

dice éprouvé par la concubine laissée sans ressources par son concubin (loi de 1967). En Europe, la loi danoise, un peu moins généreuse que la française (loi du 8 juin 1979) suppose qu'en cas de décès du locataire, celui qui a partagé son logement pendant deux ans sera bénéficiaire du loyer. Les lois yougoslaves ne donnent pas de précision sur la durée : ainsi la loi slovène de 1976 parle seulement d'une "cohabitation de longue période" (art. 12). Mais les textes divergent sur l'existence d'un mariage d'un concubin. Les lois croate et bosniaque ne le mentionnent pas, à l'inverse des textes du Kossovo (art. 20-2) et de la loi serbe (art. 295) qui voient là un obstacle à la reconnaissance des droits. Enfin, le droit israélien, paradoxalement, accorde des droits, notamment alimentaires et successoraux à la concubine. Il s'agit de remédier aux difficultés du mariage confessionnel hébraïque (absence de valeur du mariage d'un Juif avec une Chrétienne selon l'arrêt Tepper v/State of Israël de 1974, non délivrance du gueth à la femme à la suite d'un divorce etc...). La loi du 1er février 1965 (qui crée l'assimilation successorale avec le conjoint survivant) exige un "concubinage non fautif" et de "notoriété publique".

291. 2. La seconde condition à laquelle semble devoir satisfaire l'union libre est l'existence de relations entre individus de sexe différent. C'est viser par là le problème de l'union libre homosexuelle. On sait que la Cour européenne des droits de l'homme, en dépit de l'attitude de certains pays, comme le Danemark, s'est montrée peu favorable au mariage homosexuel (cf. supra n° 16). Quelques décisions américaines (malgré aussi des sanctions pénales dans certains Etats pour les relations entre personnes de même sexe), ont fait produire des effets de droit aux liaisons homosexuelles. Ainsi la Cour Suprême de Georgie dans un arrêt "Weeks" de 1979 a validé un testament dont le bénéficiaire avait entretenu une relation homosexuelle de six ans ; la Cour Suprême d'Arkansas en 1980 ("Bramlett/v/Selman) a appliqué la notion de "constructive Trust" pour faire profiter le défendeur d'une résidence achetée par le demandeur[1]. En France, à une période récente, le problème s'est posé de savoir si la "vie maritale" qui permet le bénéfice de certaines prestations sociales devait s'étendre à des couples sans hétérogénéité sexuelle. La Cour de Paris, saisie de la requête d'un employé d'Air France entendant faire bénéficier d'un "billet de vacances" son compagnon homosexuel a fait valoir "qu'on ne peut déduire de l'absence de répression pénale entre majeurs consentants que la situation résultant de la cohabitation de deux homosexuels serait génératrice d'un droit" (l'intéressé avait invoqué l'interdiction de discriminations sexuelles dans le règlement intérieur de l'entreprise[2]). De même les juridictions ont refusé le bénéfice des prestations maladie à une compagne vivant à la "charge effective" de l'assurée[3] et le transfert du contrat de bail au "compagnon" selon la loi de 1982, malgré une liaison stable de plus d'un an avec le défunt[4].

1. Cf. C.S. Bruch, A.J.C.L., 1981, p. 225.
2. Cf. Cour Paris, 11 octobre 1985, D. 1986 - 380 note D. Denis confirmée par Cass. soc. 11 juillet 1989. D. 1990, 582, note Ph. Malaurie. Bullet. Cass. 1989-5 n° 514, "la réglementation étendant le bénéfice de la mesure au "conjoint en union libre"... ne peut concerner qu'un couple constitué d'un homme et d'une femme".
3. Pour la Cour de Rennes, 27 novembre 1985, D. 1986 - 380 cit. "L'apparence de mariage implique à la fois une communauté de vie et l'hétérogénéité sexuelle".
4. Cour Paris, 27 mai 1986 D. 1986 Som. 436 comment. Giverdon.

Par deux arrêts, la Cour de Cassation a fait sienne la conception de la Cour de Paris. L'union libre ne peut s'entendre que "d'un couple constitué d'un homme et d'une femme".

292. 3. Il est intéressant de constater que la plupart des droits qui accordent des avantages étendus aux personnes vivant en union libre, posent souvent d'autres conditions proches du mariage, et exigent une déclaration aux effets rétroactifs. Par là est assurée la preuve de la cohabitation et un rapprochement a posteriori avec le mariage traditionnel. C'est le cas pour la législation du Cap-Vert (art. 9-12 du décret du 3 juillet 1976). Trois ans de cohabitation permettent une déclaration devant le tribunal avec effet rétroactif. Il en va de même pour le Code du Guatemala (14 septembre 1963) qui confère a posteriori le caractère légitime aux enfants nés 180 jours après le début de la liaison. La loi panaméenne du 6 décembre 1956 prévoit une déclaration écrite ou un attestation par cinq témoins de l'existence de la liaison. Les tiers auront un délai de quinze jours pour contester la vie commune ou l'incapacité physique du déclarant. A Cuba, malgré la proclamation de la "conception socialiste de la famille", la loi 1289 de 1975 admet aussi un enregistrement judiciaire de l'union libre, sous les conditions de stabilité et d'exclusivité. Enfin le Code bolivien de 1972 (art. 158) mentionne une série de conditions : âge minimum, pas de lien matrimonial, ni de parenté, "absence de condamnation pour meurtre du précédent partenaire" (!) — Hors d'Amérique du Sud, il faut remarquer le cas particulier de l'Ecosse, tenante du mariage pré-tridentin "with habit and repute" (mariage valable par simple échange du consentement et consommation). Depuis une loi du 7 juillet 1940 la cohabitation ne produira ses effets qu'après une constatation judiciaire, le "Decree of Declaration" de la haute Cour écossaise (Court of Session).

Le Danemark connait pour sa part le certificat de concubinage, mais ne le délivre pratiquement que si le concubinage réunit des conditions analogues à celles du mariage. Il pourra même émettre un certificat de concubinage homosexuel pourvu qu'un des concubins réside au Danemark et possède la nationalité danoise[1]

293. 4. En France, l'union libre pourra poser des problèmes de preuve. Soit que les intéressés entendent faire valoir certains droits sociaux pour réclamer des réductions sur les transports, soit que la question de l'existence de l'union libre se pose dans les procès de recherche de paternité ou à propos de la suppression du droit de secours. Les mairies délivrent souvent des "Déclarations sur l'honneur" ou "Certificats de concubinage". Certaines administrations ou la Sécurité Sociale s'en contenteraient, en raison des sanctions pénales qui s'attachent aux fausses déclarations[2]. A une question parlementaire posée en 1980, le Ministère de la Justice a répondu par un refus d'organiser un système de preuves officielles, jugé de surplus attentatoire à la vie privée[3]. La preuve est donc libre pour les particuliers. Ils disposeront de certaines facilités avec l'existence du "livret de famille naturelle" (cf. *supra* n° 87) — et il ne

1. M. Hofgard Petersen cit. in *Regards sur le droit de la famille dans le monde.*, p. 127 s.
2. Cf. M. Fell, "Guide du concubinage", Paris, 1989, p. 42.
3. *J.C.P.* 1980 - 4 - 408.

faut pas oublier en cas d'existence d'enfants du couple, la possibilité de produire en justice "un acte de notoriété" pour établir la filiation par possession d'état (art. 334-8 - 2e alin. - loi 25 juin 1982). Les parents de l'enfant pourront réclamer le certificat au Juge des Tutelles (art. 311-3 et 71 C. Civ.). L'acte de notoriété ferait foi jusqu'à ce que la preuve contraire soit démontrée en justice[1]. S'agissant de la preuve en justice contre un prétendu père, ou contre la femme vivant en concubinage après divorce (la notoriété étant toujours exigée), la Cour de Cassation laisse la liberté aux juges du fond. La preuve peut donc se faire par tous moyens (sous réserve de preuves trop minces qui entraineraient une censure de la décision)[2]. A propos de la perte du devoir de secours après divorce, la Cour de Cassation a condamné le "procès-verbal de concubinage" établi par huissier, comme une "immixtion intolérable" dans la vie privée d'un ex-conjoint[3].

L'union libre peut donc, en définitive, se définir comme toute relation sexuelle se prolongeant du seul consentement de ses partenaires, mais qui entendent vis-à-vis des tiers se ménager une apparence de lien régulier[4].

Bibliographie

La bibliographie sur l'union libre, surtout étrangère, est considérable.

Ouvrages généraux et comparatifs :

Conseil de l'Europe, 1 le Colloque de droit européen, Messine, 1981, "Les problèmes juridiques posés par les couples non mariés".

C. Noir-Masnata, "Les effets patrimoniaux du concubinage et leur influence sur le devoir d'entretien entre époux séparés", Genève, 1982.

H. Marty-Schmid, "La situation patrimoniale des concubins à la fin de l'union libre" (droit suisse, français et allemand), Genève, 1986.

P. Striewe, "Auslandisches und internationales Privatrecht der nichtchelichen Lebensgemeinschaft", thèse, Osnabrück, 1986 (fondamental pour les droits non européens).

Amérique du Sud

M. Ion Hoffmann, "Beendigung der chelichen gemeinschaft und Konkubinet in Brasilien" (droit brésilien, thèse Marbourg, 1979).

---

1. Cour Paris, 28 janvier 1988, D. 1988 Som. 401. Comment D. Huet-Weiller.
2. Cf. Cass. 1er - 22 juillet 1958 D. 1958 (3e esp. p. 567 - Cass. 1er - 22 mars 1967 D. 1967 - 581 note Ph. Malaurie, insuffisance de motifs — Civ. 1er - 9 juin 1976 *J.C.P.* 1976 - 4 - 257, défendeur ayant payé trois ans le loyer de l'appartement.
3. Civ. 2e - 15 avril 1981 D. 1982 T.R. 38 - comp. Cour Paris, 5 novembre 1981 D. 1982 - 343 note J. Massip.
4. Comparer avec celle de M. P.Y. Gautier, "L'union libre en droit intrnational privé", thèse, Paris I, 1986, n° 33, "relation de fait basée sur un rapport d'amour, entre deux individus de sexe différent, empreinte de stabilité, qui se manifeste par une certaine durée de vie commune ou la présence d'enfants".

A. Sanchez-Cordero, "Cohabitation without Marriage in Mexico", *A.J.C.L.*, 1981, pp.279 sv.
E. Vaz-Perreira et M.R. Mane de Tanzer, "Gesetzliche Regelung der "wilden Ehe" in Lateinamerika" (Droit légal du concubinage en Amérique du sud, *Mélanges Zatjay Tubingen*, 1982).

Angleterre

D. Pearl, "Mariage et Famille en question", Rapports hors mariage, pp. 135 sv.
M.A. Glendon, "Patterns of Contemporary Legal Response to the social Phenomenen of the facto Marriage", *Mélanges Férid*, 1978, pp. 491 sv.
Commonwealth, "Non marital Cohabitation in the Common Law Countries", *A.J.C.L.* 1981, pp. 217 sv.

Etats- Unis

R. Halstrick, "Das nichteheliche Zusammenleben und seine Beendigung", 1983 (comparaison Allemagne - Etats-Unis).
H. Hill Kay et C. Amyx, "Marvin/v./Marvin : "Preserving the options" Californ. L.R. 1977 p. 937 sv.
D. Meade, "Consortium Rights of the Unmaried Time for a Reappraisal", Family L.Q. (15), 1981-82, pp. 223 sv.
M.S.J. Albano et D.C. Schiller, "Cohabitation without Formal Marriage in the U.S.A.", *Family Law*, 1986, pp. 43-46.

Scandinavie

F.G. Baster, "Recent Developments in Scandinavian Family Law", TCLQ, 1977, pp.150 sv.
A. Agell, "The Swedish Legislation on Marriage and Cohabitation Scandinavian Studies in Law", 1980, pp. 11 sv. et *A.J.C.L.* 1981, 285.
K. Strom Bull. "Non Marital Cohabitation in Norway", *Scandinav. Studies*, 1986, pp.31 sv.
M. Hofgaard-Pedersen, "Danemark, le certificat de concubinage homosexuel et la nouvelle disposition concernant le divorce et la séparation", *Regards sur le droit de la famille dans le monde*, p. 127 sv.

Allemagne

F. Namgalies, "Die eheahnliche Gemeinschaft" (thèse comparative), Kiel, 1978.
K. Ohlenburger-Bauer, thèse (France - Allemagne), Cologne, 1977.

Suisse

I. Cohen, "Des prétentions patrimoniales à la fin de l'union libre", *La Semaine Judiciaire*, 1980, p. 337.

Belgique

N. Jeanmart, "Les effets civils de la vie commune en dehors du mariage (préf. F. Rigaux - Bruxelles, 1975).

France

"Les concubinages : Approche sociojuridique" sous la direction de J. Rubellin-Devichi - 2 vol. Paris, 1986 (préf. J. Carbonnier).
Articles P. Ascencio, RTDF, 1975, 248 - F. Alt-Maes, *J.C.P.* 1983 - 3119 RTDF, 1983, 641 sv.
J. Rubbelin, *J.C.P.* 1986, 3241.
De La Marnierre, *J.C.P.* 1988, 3326.
M. Muller, 1986 - 328.
A. Prothais, D. 1987 - 237.

Aux travaux cités, ajouter : 84e Congrès des Notaires de France, La Baule, 1988, 3e commission n° spécial, *Les Petites Affiches,* "La Loi", 16 mai 1988.

SECTION II
LA VIE JURIDIQUE DES CONCUBINS JUSQU'A LA CESSATION DE L'UNION DE FAIT

294. Le droit de l'union libre repose sur un postulat paradoxal. Par définition, les intéressés, en écartant le mariage, ont entendu en repousser les droits et les charges. Là où un texte n'y a pas pourvu (c'est le cas de la France) les obligations personnelles ou pécuniaires sont en principe inexistantes, en dehors de celles que les parties se sont imposées. Mais l'union libre souffre dans son essence de sa précarité. Le vœu des intéressés est d'y pallier. D'où une contradiction entre la possibilité permanente de rupture et le souhait en prévision de cette même rupture, d'en prévenir les conséquences. Même si les concubins n'avaient rien prévu, ce sera a posteriori le rôle des tribunaux de rétablir l'équilibre entre leurs intérêts.

§ 1. LA VIE COURANTE

1. La formation de l'union libre n'entraîne aucune conséquence personnelle particulière relative au nom. Il se pourrait que la maîtresse d'un homme marié se fasse passer publiquement pour sa femme. Cette dernière serait alors en droit d'agir, non en usurpation du nom marital qui ne lui appartient pas, mais sur le fondement de l'article 1382 C. Civ.[1]. A l'étranger on ne trouve guère de droit autorisant une femme à porter le nom de son amant, sauf un

1. Cf. Cour Paris, 10 mars 1961, D. 1961, Som. 70 — Paris, 9 novembre 1963, D. 1964 - 295.

texte brésilien sur les "registres publics" du 31 octobre 1973 (modifié en 1975). Il autorise les changements pourvu qu'il y ait "un motif valable" et une absence d'opposition de la famille. En décembre 1969, le Tribunal d'appel de Guanarabara a ainsi conféré le nom de "Villa Lobos" à la compagne de longue date du compositeur décédé, ayant partagé sa vie jusqu'à sa mort. D'autre part, la pratique anglo-américaine d'un changement judiciaire de nom permettra à la concubine de porter le nom de son amant. C'est ainsi que dans une affaire célèbre soumise à la Cour de Californie, l'actrice Michelle Triola qui avait entamé une liaison avec Lee Marvin avant son divorce avait pris le nom, par décret de la Cour, de Michelle Marvin. Pas plus que le droit au nom, la maîtresse ne saurait prétendre à l'obligation de fidélité. La notion de concubinage lui est antinomique, et malgré les regrets exprimés par Mademoiselle Muller, la seule rupture ne donne pas lieu en elle-même, à indemnisation[1].

2. Tout au cours de leur vie commune, les concubins auront d'abord à faire face à des dépenses courantes : dettes ménagères, travaux d'habitation. Ce qui conduit à une double question : les tiers peuvent-ils, vis-à-vis de ce "faux ménage" invoquer la solidarité des dépenses, et ceux-ci disposent-ils par la suite d'un recours de l'un contre l'autre ?[2]. Sur le premier point, on pourrait invoquer l'apparence créée, et comme en matière internationale (affaire Lizardi) l'excuse légitime du tiers qui a cru de bonne foi traiter avec une personne mariée. La jurisprudence paraît divisée : si certaines décisions refusent la condamnation (notamment un arrêt de Paris du 30 juin 1981 à propos de l'achat d'un ensemble mobilier par une concubine pour lequel les créanciers poursuivaient le concubin) d'autres au contraire admettent l'action. Un arrêt de la Cour de Bordeaux du 15 mars 1983 a ainsi condamné une concubine à régler le montant d'une commande de fuel passée par le concubin avant son décès (décisions inédites citées par M. Prothais). La difficulté reste de savoir à quel titre pourrait se trouver engagé le partenaire, et s'il n'y a pas lieu d'utiliser les vieilles notions de gestions d'affaires ou de mandat tacite. Dans une affaire"Vilais/Bardoul"[3], la Cour de Cassation s'est trouvée confrontée à une action récursoire d'un "ex" fiancé contre son "ex" compagne. Ceux-ci, à en croire leurs dires dans une perspective matrimoniale, en tout cas en état de "cohabitation juvénile" avaient de concert loué un appartement et contracté un emprunt bancaire, la femme "par anticipation" se présentant comme l'épouse. La brouille était rapidement survenue et le jeune homme avait obtenu du Tribunal d'instance le remboursement de la moitié des dettes de loyer et d'emprunts contre son ex-compagne. La Cour d'appel, puis la Cassation devaient le débouter : il n'y avait ni solidarité de plein droit comme l'article 220 C. Civ., ni indivisibilité en l'absence de conventions. La Cour de Paris a rappelé plus récemment, à propos d'un achat de meubles à crédit que la solidarité ne pouvait être déduite de la signature de la concubine à l'emplacement où l'époux ou l'épouse se portent co-emprunteurs. La théorie de l'apparence est

1. Cf. "L'indemnisation du concubin abandonné sans ressources", D. 1986 - 318.
2. Cf. A. Prolhais, "Dettes ménagères de concubins : solidaires, in solidum, indivisibles ou conjointes ?", D. 1987, Chron. pp. 237 sv.
3. Cass. Civ. 1er - 11 janvier 1984, Bullet. Cass. 1984 - 1 n° 12 D. 1984 I.R. 275 G.P. 1985 - 1 - 133.

donc ici écartée[1]. De même la vente d'un appartement pour la concubine ne peut engager son compagnon en l'absence de mandat exprès. Il appartiendrait aux tiers de se renseigner sur son éventuel pouvoir[2]. Dans le même sens, en Belgique, une décision du Juge de Paix d'Etterbeck[3] a repoussé l'action de la concubine restée sur les lieux pour les loyers impayés de son ex-concubin. La solidarité résultant de la loi belge de 1976 n'était pas applicable en la circonstance. Il n'y a pas, semble-t-il de contradiction entre cette jurisprudence et celle qui refuse un recours à l'un des ex-concubins pour des dépenses qui iraient au delà de la contribution aux charges du ménage[4]. Pour la vie courante du ménage ou l'amélioration du logement, il y aurait là un ensemble de charges que chaque concubin devrait assumer pour le tout vis-à-vis des tiers. On se trouverait en face d'une situation proche de l'obligation "in solidum" mais sans que le débiteur ait de recours. Les dépenses à assumer constitueraient "la part de risque inhérent à la précarité de l'état de concubinage"[5].

295. 3. A l'étranger, deux situations distinctes doivent être envisagées : ou bien un texte exprès assimile l'union libre "enregistre" au mariage. Cette situation intéresse surtout l'Amérique du Sud (Guatemala - Etats de Vera-Cruz et Tamaulipas au Mexique) et le droit des provinces canadiennes (Ontario, Colombie Britannique). "Les concubins s'obligent alors pour toutes les dettes du ménage ou les achats à crédit"[6]. L'obligation de secours qui existe entre concubins leur permettrait une action récursoire : en Colombie Britannique ("Family Relations Act") l'action doit être intentée dans l'année de la séparation, dans l'Ontario, à défaut de contrat exprès et du fait de cinq ans de vie commune. Ou bien, et c'est le cas en droit allemand et anglais, il n'y a pas de texte et la jurisprudence doit empiriquement résoudre les problèmes nés de l'entretien. La jurisprudence allemande paraît admettre la validité du "contrat d'entretien" entre concubins, même si l'un d'eux est marié (toutefois le partenaire ne pourrait opposer un pareil contrat à son conjoint pour diminuer ses obligations conjugales et on sait que dans les rapports entre époux, la jurisprudence française prend au contraire en compte les ressources de la concubine pour la contribution aux charges). Dans un arrêt de l'O.L.G. de Cologne du 10 février 1983 (in Marty-Schmid, p. 106), les données de fait étaient proches de l'arrêt "Bardoul". Une personne vivant en union libre avait contracté un prêt auprès d'une banque pour l'aménagement d'un appartement et l'achat d'une voiture. Quelques mois plus tard, à la suite de la rupture de la liaison, la concubine refusa de payer les mensualités. Le concubin qui s'était porté caution, ac-

1. Cour Paris, 21 septembre 1989, D. 1989, T.R. 272.
2. Cour Versailles, 29 septembre 1989, D. 1989, T.R. 297.
3. 24 juin 1984 RTDF, 1986, 441 note N. Jeanmart
4. Cf. Cour, Paris, 14 janvier 1987, D. 1987 I.R. 36 "seules la participation aux dépenses de la vie courante et de loisir rentrent dans la contribution".
5. Cass. 1er 7 juillet 1987 D. 1987 I.R. 189 et pour la notion d'obligation "in solidum". Cf. Ph. Malaurie - L. Aynès, "Les obligations", 1985, n° 741 sv. Sur la non-application de l'art. 214 aux concubins, Cass. Civ. 1er, 19 mars 1991, Bullet. Cass. 1991-1, n° 212, D. 1991, P.R. 100.
6. Précisions figurant dans le droit du Guatemala, d'après Vaz-Perreira, *Mélanges Zatjay*, p. 516.

quittait toutes les mensualités, mais se retourna contre son ex-partenaire, y compris pour le paiement des frais de voiture, détruite entre temps, pour réclamer le remboursement de la moitié. L'O.L.G. lui accorda satisfaction (sauf pour la voiture). Mais le B.G.H. dans un arrêt du 3 octobre 1983 devait opposer la présomption de gratuité résultant des rapports de vie commune, à la demande de remboursement d'un concubin ayant transformé une maison de campagne en restaurant. En Angleterre, la jurisprudence a utilisé la technique du "trust" pour admettre qu'explicitement ou implicitement ("implied or constructive Trust"), le concubin (jouant le rôle de "settlor" ou constituant) avait créé un trust à des fins d'intérêt commun. Notamment dans l'affaire "Cooke v/Head" (Court of appeal, 1972) ou avant la rupture, un emprunt avait été contracté en vue de l'acquisition d'un Bungalow. La Court of appeal constata que l'acquisition avait été faite dans un intérêt commun (la femme se vit attribuer un tiers de la valeur correspondant à sa participation). Dans le même esprit, la 3e "Court of appeal" en 1977, a ordonné après séparation le partage par moitié d'un compte bancaire dont la femme avait procuration (le mari ayant déclaré "this money is a much yours as mine"[1]. Là encore la "Court of appeal" a utilisé la notion du "trust" implicite pour la gestion commune du compte bancaire.

§ 2. LA PRÉPARATION DE L'AVENIR

296. 1. Nous avons souligné comment en l'absence de règles légales, les parties entendent se prémunir contre l'aléa de l'union libre. La vie commune engendre en effet une confusion d'intérêts. La rédaction d'un inventaire, comme il l'a été constaté au Congrès des Notaires, sera particulièrement utile pour prévenir les litiges qui s'élèveront au sujet du mobilier. Dans les rapports entre concubins, la possession mobilière est presque toujours entachée d'équivoque née de la vie commune. S'il y a donation, la concubine serait dans l'impossibilité d'en apporter la preuve[2]. L'absence de fonctionnement de la règle de l'article 2279 pourrait d'ailleurs profiter aux concubins si on admet, comme la Cour de Rouen (12 janvier 1987 G.P. 1987 -1- Som. 303) que la vie commune a créé une "communauté de fait pouvant entraîner par la suite le partage égal du mobilier". Un des concubins ne pourrait prétendre à l'appropriation à son seul profit des meubles qui ont garni le logement commun (mais en sens contraire, dans un cas pitoyable de mobilier acheté pendant la vie commune et de saisie-arrêt pratiquée par l'ex-concubin contre son ancienne partenaire "malentendante et invalide"[3], il y a eu application de l'art. 2279).

2. Les concubins pourront se faire ouvrir pendant leur vie commune un compte joint. Toutefois la présomption bancaire de l'article 222-2 qui joue au profit du déposant après la dissolution du mariage ne pourrait recevoir ici ap-

1. Paul/v/Constance d'après Noir-Masnata, p. 41.
2. Cf. Cass. 1er - 21 février 1956, D. 1956 - 257, litige entre des héritiers et la concubine au sujet d'un coffre contenant des pièces d'or.
3. Cour Pau, 8 juillet 1985, *Les Petites Affiches*, 1987, p. 92, n° 289 : en tout état de cause, l'art. 214 C.Civ. sera inapplicable aux rapports entre concubins. Cons. 1°, 19 mars 1991, Bullet. Cass. 1991 1, n° 212, D. 1991 I.R. 100.

plication. Un mandat "post mortem" conféré par un concubin à son partenaire, risque de se heurter au refus des héritiers légaux de lui laisser opérer des prélèvements[1].

3. Surtout les concubins auront intérêt à conclure des "contrats de concubinage"[2]. Soit que ces contrats stipulent que tout bien, meuble ou immeuble acquis pendant la vie commune profitera au survivant par le jeu de la "clause d'accroissement". La Cour de Cassation depuis un arrêt du 11 janvier 1983 "Veuve Deporte"[3] valide pareille formule en écartant l'argument d'une donation déguisée faite à la concubine — Soit que le contrat soit doublé d'une "convention d'indivision". L'article 1873-13 permettra l'attribution au décès de la quote-part du défunt au profit du survivant. Toutefois il devrait "tenir compte" de la valeur aux autres indivisaires. En cas de pluralité de demandes, l'attribution ne serait pas de droit et le tribunal devrait trancher en fonction des "intérêts en présence", selon l'article 832[4]. Le droit américain accorde pour sa part une assez grande importance à ces conventions[5]. Elles doivent être "loyales" et écrites. Les biens accumulés pendant la cohabitation donneront lieu à partage suivant la technique du "constructive trust". Toutefois, les Cours veilleront à ce que les conventions ne soient pas entachées d'un vice de volonté au détriment d'un partenaire.

297. 4. C'est surtout par le jeu des donations ou des legs que des personnes vivant en union libre s'assureront leur avenir. Mais la validité des libéralités a longtemps et encore aujourd'hui partiellement, été compromise par l'immoralité ou illicéité dont elle paraissait entachée. C'est ainsi qu'en Allemagne les legs (dits "Maëtressentestamente") étaient annulés a priori. La critique devait être particulièrement vive au sujet d'un arrêt du B.G.H. (26 février 1968) qui annulait le legs fait par un testateur célibataire, sans autre parent qu'une sœur vivant en RDA, au profit de son amie mariée qu'il connaissait depuis treize ans, mais dont le mari était impuissant. Depuis un arrêt du 29 juin 1973, la jurisprudence a été renversée, et l'absence de motifs immoraux présumée. C'est à celui qui attaquerait le legs de prouver le contraire (Noir-Masnata et K. Ohlenburger-Bauer, p. 32). En Angleterre, malgré une hostilité ancienne a de pareilles libéralités, dès 1941, un arrêt de la "Chancery Division" "Joslin v/March" approuvait le legs d'une petite fortune à la maîtresse venant d'un homme séparé de sa femme légitime depuis cinq ans. L'"Inheritance Act" (Eurovision for Family and Dependants) de 1975 permet désormais, en l'absence de testament et en compensation de la perte de l'entretien, que toute personne à la charge totale ou partielle du défunt demande une

1. En ce sens Trib. Marseille, 13 novembre 1984, cit. par Gavalda et Stoufflet, *J.C.P.* 1985-3221. Sur cette question J.P. Galendini, "Les concubins et leur banquier", *La Loi,* 16 mai 1988, p. 80.
2. Cf. M. Storck, "Les contrats de concubinage", "La loi", cit. p. 74.
3. *J.C.P.* 1984 - 20127 note F. Boulanger D. 1983 - 501 note Larroumet.
4. Pour une attribution préférentielle, T.G.T., Paris, 21 novembre 1986, *J.C.P.* 1987 — 20836 note E.S. de la Marnierre... mais pour un cas de refus, TGT. Créteil, 12 mai 1987, G.P. 1988 - 1 Som. 203.
5. Cf. J.T. Oldham and D.S. Canaill, Restrictions upon Enforcement of Contracts between Cohabitants", F.L Q. 1984-1 - p. 93 sv

"part raisonnable" de la succession. La jurisprudence suisse, de son côté,malgré l'article 519 Z.G.B. qui condamne les dispositions immorales, a approuvé (arrêt du Bundesgericht du 5 novembre 1959) le legs fait par un homme séparé de sa femme à son amie qui l'avait soigné pendant sa maladie, en récompense de son dévouement. Le mouvement général de droit comparé s'avère donc favorable à ces libéralités. Le droit français, malgré l'article 900 C. Civ. réputant non écrites les libéralités "contraires aux mœurs", s'est fondé depuis un arrêt de Cassation du 2 février 1853 (D.P. 1853 - 1- 57) sur la distinction des "bonnes" et des "mauvaises" libéralités en utilisant la notion de clause impulsive et déterminante[1]. La distinction classique est celle faite entre la donation et le legs valable quand il représente l'exécution d'un devoir de conscience[2] et les libéralités "mauvaises" si elles ne sont que le prix des faveurs. La jurisprudence pour condamner ces libéralités se heurte d'ailleurs à des grandes difficultés de preuve. Elle doit, le plus souvent s'attacher à des circonstances externes[3]. Toute libéralité est en réalité la reconnaissance d'une liaison ; et si la jurisprudence les valide, c'est en partie pour compenser une éventuelle absence d'indemnité à la rupture. Il serait préférable, comme dans la jurisprudence allemande, d'en présumer la validité. Certains arrêts semblent d'ailleurs raisonner de cette manière[4]. La Cour de Cassation a en tout cas écarté la notion d'interposition de personnes dans le legs fait à la fille de la maîtresse[5]. La notion d'intention libérale qui valide la libéralité, pourrait d'ailleurs se retourner contre le disposant. S'il s'était porté caution d'un prêt qu'avait sollicité se maîtresse, il ne pourrait plus par la suite exercer son recours subrogatoire après paiement (Cass. 1er, 12 mai 1982 D. 1983 - 320). Dans la mesure où le cautionnement serait considéré comme un acte à titre gratuit valable, l'engagement d'un concubin, s'il y avait une rupture postérieure serait une source possible d'appauvrissement.

§ 3. LES AVANTAGES LEGAUX DES CONCUBINS

298. Bien qu'ils prétendent se placer en dehors des règles légales, nous savons que certaines législations consentent de grandes faveurs aux concubins. Elles offrent en général un caractère successoral. Ainsi pour leurs droits, le Code fédéral du Mexique de 1928 (§ 1624-1625) la loi slovène de 1976 (art. 12) renvoient purement et simplement au conjoint légitime survivant. Certains textes, curieux organisent la bigamie légale, telle la loi d'Australie du

---

1. Cf. P. Ascencio, "L'annulation des donations immorales entre concubins", RTDF, 1975, p. 248 sv.
2. Cf. Civ. 1 - 14 novembre 1961 D. 1962 Som. 69 - Cass 1er - 11 février 1986, Bullet. Cass. 1986 - 1 - n° 21, liaison de 18 ans, le testateur se proposant d'épouser sa maîtresse (Cour Paris, 2 juin 1986, D. 1986 Som. 310, "souci de dédommager une femme d'une liaison dont elle soupçonne à l'avance le caractère précaire).
3. Cf. Cour Angers, 4 novembre 1986, G.P. 1987 - 1 Som. 123, brièveté et caractère cahotique de la liaison - Cour Paris, 3 janvier 1987, D. 1987 I.R. 172, abandon du domicile conjugal le jour de la signature de l'avenant de la compagnie d'assurance.
4. Cf. Civ. 1er - 15 décembre 1975, D. 1976 I.R. 82 Civ. 1er - 29 février 1984 D. 1984 - 60 note D. Martin, validité de la libéralité d'un homme marié après s'être acquitté des charges du ménage.
5. 28 avril 1987, Bullet. Cass. 1987 - 1 - n° 135.

Sud ("Family Relationship Act" de 1975). La répartition sera identique entre l'épouse légitime et la "putative" si toutes deux survivent au défunt. Le droit français ne va pas aussi loin. Les avantages légaux sont de deux ordres : le droit au logement et les avantages sociaux. Certes, le concubin ne pourra bénéficier de la "cotitularité des articles 1751 et 215 C. Civil. Pour un conjoint divorcé qui aurait reçu l'attribution d'un bail, le concubinage notoire y mettra fin (art. 285-1 C. Civ.). Mais les lois "Quilliot" (1982) et Méhaignerie (1986) font profiter le concubin "à charge" vivant depuis au moins un an au domicile, d'un maintien sur les lieux (l'art. 123 de la loi du 23 décembre 1986). Toutefois, le même avantage de transfert ou continuation du contrat de bail est conféré au conjoint, ascendants et descendants, et le juge peut "en présence de demandes multiples" ne pas trancher nécessairement en faveur du "concubin notoire" visé. L'exigence d'"abandon" fait qu'en cas de séparation convenue entre concubins, celui resté sur place ne pourrait invoquer à son profit le transfert de bail (Cour Paris, 29 novembre 1985 D. 1986 T.R. 66). D'autre part, dans le cadre de la loi de 1948 (art. 79) la Cour de Cassation a estimé que l'échange d'appartements de locataires ne pouvait profiter qu'à la seule famille légitime[1] mais les juges du fond ne semblent pas avoir fait preuve de la même rigueur[2].

299. Surtout la position du concubin semble s'être affermie sur le plan social : les prestations des assurances maladie, maternité et vieillesse lui sont conférées depuis la généralisation de la Sécurité Sociale (loi du 2 janvier 1978) du moment qu'il était à la charge totale, effective et permanente de l'ayant droit (L. 161-14C.S.S.). Il en va de même pour les allocations familiales qui ne distinguent plus l'épouse de la compagne (le texte de l'art. 513-1 R.C.S.S. vise expressément dans son alinéa 3 la "cessation de vie commune" des concubins, et attribue l'allocation à "celui des membres du couple au foyer duquel vit l'enfant"). Certains textes, comme la pension de vieillesse voire d'invalidité (L. 342-1), la pension d'accident du travail (L. 434-8) réservent il est vrai, le bénéfice de leurs prestations aux conjoints survivants. Mais on sait aussi que l'allocation-logement profitera au concubin (D. 542-10). Cette législation n'est pas "neutre" malgré ses apparences. Elle constitue à la fois un encouragement à "aligner" les solutions du droit civil sur celles du droit social, et comme on l'a vu à lever les obstacles relatifs à la vie des foyers polygames en France[3].

SECTION III
LA CESSATION DE L'UNION LIBRE

§ 1. LA RUPTURE

300. La fragilité contemporaine du lien matrimonial rend beaucoup moins évidente cette vieille idée que les concubins vivant dans une situation

---

1. Cass. 3e - 9 novembre 1971 D. 1972 - 575 note A. Robert.
2. T.I. Paris 15e, 13 juin 1973, *J.C.P.* 1974 - 17597 parlant d'un concubin "parfaitement intégré au milieu familial".
3. Cf. remarques de M. Malaurie n° 262 - J.F. Lusseau, "Vie maritale et droit de la Sécurité Sociale", 1980, pp. 203 ss.

éphémère, ne pouvaient se plaindre de l'absence de conséquences juridiques de leur rupture. Autant que l'union libre, le mariage est devenu un "phénomène à risques". Il est probable, un peu partout, que la fréquence des divorces ait attiré l'attention sur la nécessité de prendre en compte l'attitude des partenaires et les conséquences de l'union libre. Elle est indiscutablement mieux protégée en droit comparé. Nous commencerons par distinguer, comme précédemment les textes et la jurisprudence étrangère avant l'examen du droit français.

1. Un certain nombre de droits d'Amérique du Sud, pour qui l'union libre a une valeur très proche du mariage connaissent la résiliation unilatérale et même la conventionnelle. C'est ainsi que la Bolivie, selon une loi de 1972 sur l'"union conjugale libre", prévoit que l'infidélité d'un partenaire est un motif de dissolution de l'union libre qui entraîne un partage de la masse commune constituée après paiement des dettes et charges (art. 161-2 -169-1). Le partenaire abandonné (art. 169-2) bénéficie des dommages-intérêts et de la réparation du préjudice moral. Il aura droit à un entretien convenable s'il n'a aucune faute à se faire pardonner. Des dispositions voisines existent dans la République d'Equateur (art. 25 Constitution de 1979) qui exige pour la cessation conjointe ou unilatérale de l'union de fait, une déclaration conjointe homologuée. Le Guatemala (Code de 1963) admet quant à lui soit un accord par consentement mutuel, soit une résiliation judiciaire. De même la République africaine du Cap-Vert prévoit qu'à la fin d'une communauté de fait de plus de trois ans, le partenaire innocent pourra, au cours de l'année qui suit, réclamer les avantages du mariage. Au Brésil, faute de textes, la jurisprudence (arrêt du Tribunal Fédéral Suprême du 13 décembre 1962) a reconnu un dédommagement après rupture à la concubine d'un homme célibataire qui lui avait rendu des services domestiques et utilise les notions de société de fait et d'enrichissement sans cause (M.T. Hoffmann, p. 141). Hors d'Amérique du Sud, on retrouve des textes au Canada (loi successorale de l'Ontario de 1977) qui permet au partenaire de prélever une réserve convenable) et en Yougoslavie. La loi croate de 1978 protège le partenaire incapable de travailler et sans moyen propre après rupture mais se réserve de prendre en compte sa conduite (art. 254-258).

301. 2. Par contre aux Etats-Unis, seuls les statuts du New-Hampshire confèrent un droit successoral au concubin après trois ans de cohabitation (§ 457-39 de 1968). Les Cours Suprêmes des Etats jouent un grand rôle pour apprécier les conséquences de la rupture. Certaines à vrai dire, tout à fait négatives. Mrs. Albano et Schiller, dans une conférence faite en juillet 1985 à l'"American Bar Association"[1] ont pu citer, comme arrêt "repoussoir" celui de la Cour Suprême de Georgie "Rehak v/Mathis" refusant toute contribution après rupture à une femme qui pendant dix huit ans avait accompli des travaux domestiques pour le défunt. Mais à l'opposé, ils ont fait état des prolonge-

1. Publiée in *Family Law*, 1986, pp. 43 ss.

ments de la jurisprudence "Marvin". Plusieurs notions spécifiques de la "Common Law" anglo-américaine ont été utilisées en cas de rupture de l'union de fait : l'action "recovery in quantum meruit" pour la prise en compte des services rendus par le partenaire — celle de "constructive trust" (pour les acquisitions réalisées) et d'"implied agreement" (convention implicite). Déjà en 1972, la Cour Suprême de Washington avait eu à connaître du cas d'un défunt marié, mais ayant vécu pendant dis huit ans avec sa maîtresse qui l'avait aidé à développer une entreprise de bétail. Celle-ci réclama à son décès une somme de 68 000 Dollars et la Cour lui donnait gain de cause en voyant dans les biens acquis de concert une "implied partnership"[1]. L'affaire "Lee Marvin" donna l'occasion à la Cour Suprême de Californie de développer la notion d'"accord implicite d'acquisition et partage des biens" (pooling agreement). La vedette-chanteuse Michelle Triola avait entretenu une liaison avec Lee Marvin dès avant le divorce de l'acteur. Celui-ci obtenu, ils avaient vécu quelques temps ensemble ; mais après avoir obtenu le changement de son nom en celui de Marvin, elle se séparait de l'acteur ; il lui versa quelque temps une pension mensuelle (800 Dollars par mois avent de l'interrompre. L'actrice assigna alors Marvin en justice. Elle avait d'abord été déboutée par la Cour d'appel de Californie pour immoralité de la cause de l'action (1975). Avec plus de succès devant la Cour Suprême, elle put faire valoir qu'elle avait participé à l'accroissement de la fortune de Marvin (qui passa de 1 à 3 millions de Dollars) et obtenir le partage des plus-values[2]. Les affaires "Latham" (Cour Suprême Oregon, 1976) et "Carlson v/Olson" (Cour du Minnesota, 1977) devaient contribuer à cette évolution, dans le premier cas en ordonnant un partage quand le concubin s'était dérobé après rupture, dans le second en tenant compte d'acquisitions pendant 21 ans. La jurisprudence anglaise a suivi une évolution comparable avec l'affaire "Tanner" de la Court of appeal en 1975. La demanderesse, mère de jumeaux nés de sa liaison avec le défendeur, demandait des dommages-intérêts pour expulsion après la rupture d'une maison payée par le défendeur. Elle devait avoir gain de cause ; la Cour d'appel développait l'idée d'un contrat tacite souscrit par l'auteur de la rupture. Parallèlement l'action dite de "quantum meruit" permet d'obtenir des compensations patrimoniales pour les services domestiques rendus pendant la durée du concubinage. Il y a l'idée d'une réciprocité "implicite"[3].

3. En droit "continental" les concubins ne peuvent invoquer ni un texte comparable à celui du partage des biens matrimoniaux (comme en Amérique du sud) ni l'utilisation des techniques anglo-américaines. Dans nombre de cas, la jurisprudence allemande et suisse a été saisie de différends après rupture, qui ne sont pas sans rappeler la situation en matière de "charges de mariage" (supra n° 228). Les intéressés demandent la rémunération d'activités ou de services, voire d'acquisitions au-delà du cadre du pseudo-ménage. Le B.G.H. allemand s'est longtemps refusé à admettre l'existence d'une société entre concu-

1. Thornton in R. Halstrick, p. 162.
2. Cf. H. Hill Kay et C. Amyx, "Marvin v/Marvin, "Preserving the options", Califmia L.R. 1977, pp. 937 ss. — Halstrick cit. — M.S. Albano et D.C. Schiller, Family Law, 1986, pp. 43 ss.
3. Keene v. Leene, 1962, cit. par R. Halstrick, cit. p. 207.

bins, faute de volonté de participation égale aux pertes et a eu recours aux notions de prêt ou de mandat[1].

302. 4. En France, la jurisprudence, à propos de la rupture de l'union libre et de ses conséquences a adopté un principe comparable à celui posé pour les fiançailles : à savoir qu'il ne peut a priori y avoir faute à rompre, et que les suites d'une rupture n'entraîne de la part de son auteur, aucun devoir de secours comme après divorce[2]. Les décisions sont continues en ce sens[3]. Toutefois, cette affirmation doit être tempérée par une éventuelle reconnaissance de la responsabilité de celui qui est à l'origine de la rupture. Elle peut être à l'origine d'une obligation naturelle qui se transformera en obligation civile[4]. A la différence des fiançailles, il n'en sera pas moins rare de relever un élément fautif à l'origine de la rupture.

La quasi impossibilité de tirer les conséquences économiques d'une vie commune après la rupture explique souvent la volonté de l'un des ex-partenaires soit d'invoquer l'enrichissement sans cause, soit de liquider la société de fait créée avec le compagnon ou la compagne[5]. Mais dans le premier cas, il échouera le plus souvent, pris à son piège. Les rapports d'affection "quasi maritale" qui existaient entre eux, feront douter de l'intention libérale exclusive de l'action d'enrichissement sans cause[6]. Toutefois le fait qu'une concubine, par ses versements ait procuré un avantage à un concubin, dont il serait seul bénéficiaire lors de la rupture, lui permettrait de réclamer le remboursement des sommes versées sur la base de la valeur actuelle du bien[7]. Dans le second, il faudrait prouver la création d'une véritable société de fait relevant depuis la loi du 4 janvier 1978 des dispositions sur les sociétés en participation (article 1873) : les associés devraient faire des apports sur un pied d'égalité, et participer de façon égale à l'exploitation commune. Ces conditions sont rarement réunies ; la subordination d'activité de l'un d'entre eux exclut le plus souvent la contribution similaire aux bénéfices et aux pertes et par là l'affectio societatis[8]. Notamment le fait que l'un des concubins ait participé comme

---

1. Cf. Marty-Schmid, cit.
2. Cf. pour une critique de cette position M. Müller, "L'indemnisation du concubin (sic) abandonné sans ressources", D. 1986 chr. 328.
3. Cf. Civ. 1er - 22 février 1960, D. 1960 Som. 61 - Lyon, 18 décembre 1973, D. 1974 Som. 23 "Situation de fait non génératrice de droits" - Cass. Part. 31 janvier 1978, *J.C.P.* 1978 - 4 - 111 - Cour Paris, 27 février 1979, D. 1979 T.R. 508 Cour Paris, 28 mars 1985, D. 1985, T.R. 481.
4. Cf. Cour, Paris, 7 octobre 1954 - 100 où l'auteur de la séparation avait reconnu sa responsabilité par lettre, s'engageant à un entretien pendant onze mois.
5. Cf. pour un cas où un concubin bénéficiaire d'un legs de sa maîtresse, entendait soutenir la création d'une société de fait portant sur le logement, et s'opposer à l'action de la fille fondée sur l'art. 917. Cf. Cour Paris, 12 décembre 1985, G.P. 1986 - 1 - 1892.
6. Cf. Cour Paris, 14 janvier 1987, T.R. 172 cit.
7. Cour Riom, 5 mai 1988, J.C.P. 1989, IV. 53.
8. Cf. Cass. com. 30 juin 1970 D. 1970 Som. 196, concubine payant tous les impôts et charges : pas de société - Cass. Civ. 3e - 7 janvier 1972, *J.C.P.* 1972 - 4 - 41, impossibilité d'en prouver l'existence — Cour Rouen, 30 octobre 1973, D. 1974 Som. 19 - Cass. Com. 9 novembre 1981 G.P. 1982 - 1 Panor. 136 Rev. sociétés 1983 - 91 note Chanier, Cour Montpellier, 8 juin 1982 D. 1983 - 607 note O. Dhavernas

salarié à l'exploitation de l'autre ne lui permettra pas de réclamer le partage de l'actif commun. Toutefois la Cour de Cassation, à propos du remboursement d'emprunt contracté pour l'achat d'un logement commun et de restitution de meubles, a cassé un arrêt de Cour d'appel qui s'était fondé sur un accord tacite des parties selon lequel l'achat des meubles avait été, pour le concubin, sa contribution aux charges de la vie courante. Elle aurait du vérifier s'il n'y avait pas une société de fait au sens de l'art. 1844.9 du Code Civil[1]

§ 2. LE DECES DU PARTENAIRE (LA RUPTURE ACCIDENTELLE)

303. Encore davantage que dans le cas de séparation, le décès d'un partenaire risque de placer l'autre dans une situation difficile. Là où il ne dispose pas d'une législation lui aménageant un droit successoral, comme en France, il risque de voir la validité des libéralités dont il est bénéficiaire remise en cause par les héritiers. Tout au plus, il se fait reconnaître assez souvent, un rôle prépondérant dans le choix de la sépulture (supra n° 95). C'est seulement en cas de décès accidentel qu'il peut prétendre à indemnisation.

Il n'y a plus aujourd'hui d'équivoque dans la jurisprudence civile française : depuis l'arrêt "Gaudras" de la Chambre Mixte de la Cour de Cassation du 27 février 1970[2] mettant fin à de longues hésitations, la généralité d'application de l'article 1382 interdit toute exigence d'un lien de droit entre le défunt et le demandeur. Le concubinage offrait toute garantie de stabilité, sans caractère délictueux. Un second pas tout aussi décisif a été fait avec l'arrêt de la Chambre Criminelle du 19 juin 1975 "Dame Toros"[3]. Alors que la loi de 1975 s'apprêtait à réformer le divorce et supprimer le délit d'adultère, l'arrêt constatait après la séparation amiable des époux, la constitution d'un nouveau foyer dont la femme n'avait jamais contesté le caractère irrégulier. N'étant pas dénoncé par l'épouse, la situation créée ouvrait un droit à réparation. L'article 1382 bénéficiera désormais au "concubinage adultère" comme au "concubinage simple". Un troisième arrêt "Bourgeois" a apporté une précision supplémentaire : il n'est pas nécessaire que les concubins "cohabitent" sous le même toit. Comme pour la recherche de paternité, il suffira d'une certaine continuité de relations[4]. Leurs rapports maintenus après la liaison ont pu être comparables à ceux d'époux mariés vivant séparément.

Il paraît exagéré de parler ici de "péril encouru par la famille légitime". Ce serait oublier la fréquence des divorces et des remariages, l'indulgence du droit international pour les situations polygamiques, enfin l'amélioration du sort des enfants naturels. Pourquoi, alors que la loi de 1972 s'est voulue d'"égalité", leur refuser la possibilité de bénéficier d'une indemnité ? Il y a certes des espèces relativement choquantes comme celles de la Chambre

concubinage trop bref et sans apports suffisants pour la liquidation de l'exploitation Cass. 1er, 5 mars 1985 G.P. 1985 Panor. 272.

1. Cass. 1er, 20 mars 1989, Bullet. Cass. 1989. 1.30 J.C.P., 1989, 4.193.
2. D. 1970 - 201 note Combaldieu, *J.C.P.* 1970 - 16305 Concl. Lindon, note Parlange.
3. D. 1975 - fi79 note A. Tunc.
4. Cf. Cass. Crim. 2 mars 1982, *J.C.P.* 1983 -19972 note P. Le Toumeau.

Correctionnelle de Riom[1] où on a vu simultanément la concubine et l'épouse (ayant connaissance de la liaison du mari) obtenir une égalité de séparation matérielle (170 000 Frs) et une infime différence pour le préjudice moral (30 000 pour la femme, 20 000 pour la maîtresse). Condamner l'arrêt aboutirait à remettre en cause une évolution que le législateur n'entend pas combattre. On relèvera que la seule exigence qui puisse subsister est la stabilité de l'union libre. Il n'y a pas de "maîtresse alternée" comme une "garde alternée"[2]. Le Conseil d'Etat, malgré une résistance plus longue, a fini par admettre, dans le cas du décès d'un soutien d'une mère de huit enfants dans un accident d'incendie qu'il y avait lieu à réparation. La liaison était "suffisamment stable et continue"[3]. Il faudra toutefois que, selon le droit commun, la concubine établisse non seulement son "trouble aux conditions d'existence", mais le préjudice matériel par perte du soutien[4].

304. A l'étranger, les réactions paraissent variables et encore défavorables en Grande-Bretagne et en Belgique. Le "Fatal Accident Act" anglais de 1976 permet au conjoint de porter plainte contre le comportement fautif d'un tiers pour "perte de la vie commune". Dans un arrêt de 1976 de la "Queen's Bench", le défunt, seul à percevoir un salaire, avait vécu avec sa concubine et ses enfants. La majorité de la Cour estima que celle-ci n'avait pas le "droit statutaire". On ne pouvait déduire qu'un minimum de dépenses de l'indemnité allouée aux enfants[5]. Mais en Australie du Sud (Wrongs Act de 1975) l'épouse de fait est en tête des personnes admises à agir[6]. En Belgique, la Cour de Cassation, notamment dans un arrêt du 21 avril 1958 a continué de se montrer hostile en parlant des "avantages résultant de relations de nature précaire qui n'ont pas un caractère légitime, le législateur faisant du mariage "le fondement essentiel de la famille"[7]. Enfin aux Etats-Unis, la jurisprudence pendant longtemps ne s'était attachée qu'au mariage pour accorder réparation de la "perte éprouvée". Mais il y a eu un revirement devant la Cour Fédérale du "New-Jersey dans l'affaire "Bulloch v/United States". Un mariage de trente six ans s'était terminé par un divorce. Les ex-époux s'étaient réconciliés et avant de reprendre la vie commune, le partenaire avait été victime d'un grave accident, le rendant invalide. Dans cette circonstance un peu particulière, la Cour a reconnu ses droits. Un arrêt postérieur de la Cour de Californie "Butcher/v/Superior Court" a exigé que les relations soient "stable" et "significant".

1. 9 novembre 1978, J.C.P. 1979 - 19107 note Almairac.
2. Cf. Cass. Crim. 8 janvier 1985, J.C.P. 1986 - 20588 note G. Endréo - le concubin consacrait la journée à une de ses maîtresses, la nuit à l'autre.
3. Cf. Sect. cont. 3 mai 1978, D. 1979 I.R. 49 Obs. F. Moderne et Comment. J.B. Geffroy, "La famille dans la jurisprudence administrative", D. 1986 pp. 1 sv.
4. D. Pouplier 5 mai 1982, *Rev. Droit public*, 1982 pp. 1412 ss.
5. Cf. D. Pearl, "Mariage et Famille en question : Angleterre", pp. 145-146.
6. C.S. Bruch, A.J.C.L., 1981, p. 237.
7. Cf. N. Jeanmart, pp. 156-157.

SECTION IV
LE DROIT INTERNATIONAL PRIVE DE L'UNION LIBRE

305. Avec l'union libre, on pénètre sinon dans une partie ignorée du contentieux, tout au moins dans un domaine qu'il faut aborder avec beaucoup de prudence. Ce n'est, en effet, que récemment que s'est développé un "statut de l'union libre" susceptible de faire naître des problèmes (tout au moins ceux portés à la connaissance des tribunaux européens). Les sources écrites sont des plus minces. Parmi les codifications récentes, seul l'article 39 de la loi yougoslave du 15 juillet 1982 sur les conflits internationaux (Rev. Crit. 1983 360) abordait la question. On pourrait songer en la matière à s'appuyer sur l'expérience yougoslave (dont les composantes sont très favorables à l'union libre) qui résulterait du fonctionnement des conflits inter-locaux nés d'une loi fédérale de 1979. Mais selon Monsieur Sarcevic[1] les résultats en sont décevants. Les conflits interlocaux ont paru le domaine d'élection de la fraude et de la recherche du droit le plus favorable. L'article 6 de ce texte précisait en effet qu'à défaut de choix exprès pour les relations légales, on s'en tient à la "lex fori" le droit du tribunal saisi. Or les règles juridictionnelles yougoslaves (Code de Procédure civile de 1976) tolèraient la compétence la plus large, celle du tribunal du demandeur comme du défendeur. A supposer que la rupture du concubinage intervienne entre un Macédonien et une Slovène ou une Croate, celui-ci saisissait les tribunaux slovènes ou croates dont le droit interne attache des conséquences beaucoup plus importantes à la rupture de l'union libre. La liberté de choix est ici malencontreuse.

Ce sera donc à la seule jurisprudence (très clairsemée) qu'il appartiendra de résoudre les problèmes. Le contenu des droits en présence parait décisif. Dans la mesure où un juge français ou allemand aura à faire application d'un droit accordant à l'union libre des effets voisins du mariage (par exemple pour deux Boliviens ou Equatoriens, il apparaitrait normal de faire application de la loi nationale commune. Elle préciserait à la fois les règles sur les conditions de validité et les effets de l'union libre. A défaut, semble-t-il, au moins pour en tirer des conséquences d'ordre personnel ou alimentaire le cumul s'imposerait. Les deux lois nationales en présence devraient s'accorder pour tirer des avantages voisins. L'article 391 de la loi yougoslave de 1982 se réfère en principe à la loi nationale commune. Faute de quoi, on pourrait envisager, au moins si le contenu des droits internes est proche, que l'un des concubins se soumette au droit de son compagnon, selon le modèle offert récemment par le droit international allemand. La référence subsidiaire à la loi du domicile, à défaut de nationalité commune prévue par le droit yougoslave (art. 39, loi de 1982) n'est peut-être pas la plus heureuse. Ou tout au moins, ne devrait prévaloir qu'en cas de grande différence de contenu des lois en présence. Dans les deux seuls exemples significatifs qu'a eu à connaître la jurisprudence, celui de l'O.G.H. de Vienne du 15 février 1982 (Striewe, p. 353) et du Tribunal de Paris[2], elle n'a envisagé l'union libre que comme un fait dont on devait tirer des conséquences juridiques. La loi applicable était celle du lieu où avaient vécu les intéressés et où était intervenue la rupture (on aurait pu songer à la loi du domicile de la victime comme en matière de rupture de fiançailles n° 180). L'O.G.H. autrichien a appliqué le droit allemand aux conséquences de

1. *Americ. J. of Comp. Law,* 1981 - 332.
2. 21 novembre 1983, *Rev. Crit.* 1984 - 628 note P. Lagarde.

la rupture entre une Autrichienne et un Polonais ayant vécu en Allemagne. Le Tribunal de Paris dans le cas de Portugais, pourtant de commune nationalité, ayant cohabité cinq ans en France a fait jouer la loi française. Les conditions d'indemnisation de la rupture paraissent bien relever de la loi locale quelle que soit la preuve fournie par les autorités nationales[1]. Il est difficile de tirer des conclusions d'espèces trop rares et mettant en présence des droits qui marquent encore trop la différence entre mariage et union libre. Il paraît en tout cas peu opportun, comme le fait le même droit yougoslave de séparer les contrats conclus par les concubins du reste de leur statut pour les soumettre à la loi de leur choix lors de leur conclusion (art. 393 et 19). Les risques de fraude sont trop marqués. Quant aux conséquences successorales de l'union libre, l'application de loi française du domicile à des successions d'étrangers en France peut causer une grave série de mécomptes. Les intéressés ont pu croire, que leur propre droit, notamment par les facilités testamentaires qu'il leur confère, conférerait un avantage appréciable au survivant. On pourrait concevoir selon la tendance moderne une référence à la loi nationale commune, par "professio juris". Il faut remarquer que la Cour Suprême de Bavière, avant la réforme du droit international privé allemand avait fait application de la loi nationale étrangère commune (loi israélienne) accordant un droit successoral à la concubine du défunt ayant vécu en Israël[2]. La loi successorale, dans un pareil cas, ne se distinguait pas de loi applicable à l'état des personnes. L'O.L.G. de Nüremberg a pour sa part, dans le cas d'un mariage nul entre des Turcs vivant en Allemagne, assimilé à un concubinage, appliqué le droit turc, à l'accord relatif à l'acquisition de la maison d'habitation [3].

Bibliographie

P. Sarcevic, "Cohabitation without Marriage : the yougoslavian Experience", *A.J.C.L.* 1981 - 315 sv.

Striewe cit. P.Y. Gautier, "L'union libre en droit international privé", Paris I, thèse, 1986.

C. Von Bar, *Internationales Privatrecht,* t. 2, 1991, n° 119-122.

1. Cf. Cass. Crim. 8 janvier 1985 faisant état d'un certificat de concubinage émanant des autorités haïtiennes J.C.P. 1986 - 20588 cit.
2. Cf. Bay O.L.G. 22 juin 1976 NJW. 1976 - 2076 et F. Boulanger, "Les successions intrnationales", n° 59.
3. O.L.G. Nüremberg, cit. Von Bar, t. 2, p. 82, n° 124.

INDEX ALPHABETIQUE DES MATIERES

(renvoie aux *numéros* pour les questions traitées)

TABLE CHRONOLOGIQUE
DES PLUS IMPORTANTES DECISIONS CITEES

(les chiffres renvoient aux *numéros*)

FRANCE

Cour Paris	13 juin 1814 (Busqueta)	72
Cass.	10 août 1819 (Sumaripa)	203
Cass. Ch. Réun.	26 avril 1862 (Berthon)	127
Cass.	24 avril 1926 (Bouly de Lesdain)	200
Cass.	2 janvier 1929 (Epoux Giraud)	244
Cass. Req.	14 mars 1933 (Cousin Lavallière)	164
Cass.	9 mai 1900 (De Wrède)	205
Cass.	17 avril 1953 (Rivière)	76
Cass.	6 mars 1956 (Moreau-Bazbaz)	208
Cass.	17 décembre 1958 (Valentinis)	256
Cass.	24 février 1959 (Isaac)	201
Cass.	24 février 1959 (Isaac)	201
Cass.	19 février 1963 (Chamouni)	257, 267
Cass.	19 décembre 1971 (Belmonté Martinez)	208
Cour Aix	16 novembre 1977 (Sapappro)	273
Cass.	21 février 1978 (Ménéval)	90
Cass.	19 mai 1978 (Association Ste Marthe)	106
Cour Lyon et Cass.	16 janvier 1980 (Taleb)	134
Cass.	15 juin 1982 (Moatti)	194, 206
Cass. 1°	17 février 1982 (Baaziz)	190
Cass. Crim.	2 mars 1982 (Boulkeir)	303
Cass. 1°	31 janvier 1986 (Michelsen)	233
Cass. 1°	9 juillet 1985 (Edberg)	237
Cass. 1°	22 avril 1986 (Boulkeir)	192
Cass.	11 mai 1986 (Michelsen)	233
Cass.	5 mars 1991 (Singh Balbir)	134

ANGLETERRE

C.A.	1861 (Brook v/Brook)	169, 177
House of Lords	1866 (Hyde)	191
C.A.	1877 (Sottomayor/De Barros)	177, 178

ETATS-UNIS

TABLE DES MATIERES

(Les chiffres renvoient aux numéros)

CHAPITRE II
ASPECTS ESSENTIELS
DE L'EVOLUTION HISTORIQUE

CHAPITRE V
LA NOTION DE PERSONNALITE MORALE DE LA FAMILLE ET LES INTERETS QUI S'Y ATTACHENT

PREMIERE PARTIE :

LA FORMATION DU COUPLE ET SES EFFETS JURIDIQUES

CHAPITRE IV
LE MARIAGE EN DROIT INTERNE, COMME LIBERTE PUBLIQUE ET EXPRESSION D'UNE VOLONTE MATRIMONIALE

CHAPITRE VI
LE DROIT INTERNATIONAL PRIVE DU MARIAGE

CHAPITRE VII
LES EFFETS PERSONNELS ET PECUNIAIRES DU MARIAGE L'OBLIGATION ALIMENTAIRE

CHAPITRE VIII
LE DROIT INTERNATIONAL DES EFFETS DU MARIAGE ET DE L'OBLIGATION ALIMENTAIRE

CHAPITRE IX
L'UNION LIBRE (Droit interne et international)